전자제어섀시

김 민 복 ◆ 著

책을 펴내며

오늘날 자동차의 기능은 단순히 운반 기능뿐만 아니라 안전성과 편의성 등을 추구하며 더 나아가 인간 중심의 활동 공간으로 진화해 가고 있다. 이러한 자동차의 발달은 엔진 동력 성능은 물론 자동차의 주행 안전장치와 편의장치 등의 기능과 성능에 보다 많은 관심을 기울이기 시작하였다.

이미 ABS 및 ECS, EPS 시스템 등과 같은 주행 안전장치는 보편화 되어 성능 또한 향상되고 있지만 자동차를 배우는 많은 학생들이나 산업현장의 실무자들은 시스템 정립에 많은 어려움을 호소하고 있다. 이에 필자는 그들과 서로 공감하며 집필을 준비하게 되었다.

이 책의 특징은 ABS, ECS, EPS, ELC AT 시스템을 정확히 이해하고 실무에 적용할 수 있도록 전자제어 새시의 적용 목적, 그리고 시스템의 이해를 돕기 위해 기능과 원리 중심으로 설명하여 놓았다. 특히 마이크로컴퓨터의 시스템 구성과 ECU(전자제어장치)의 입 · 출력회로를 설명하므로써 쉽게 실무에 접근할 수 있도록 하였으며, 각 시스템의 이해를 돕기 위해 시스템에 필요한 기본 이론과 시스템의 기본 구조를 설명하여 놓았다. 또한 필자는 매 항마다 핵심 포인트를 정리하여 학습하는 분들이 쉽게 습득할 수 있도록 노력하였다.

이번에 출간된 전자제어 새시편은 전자제어 엔진에 이어 출간되어 자동차 전자제어 시스템을 배우는 분들이 조금이나마 시야를 넓힐 수 있는 계기가 되었으면 하는 바람이다.

저를 아끼는 기술인과 독자 여러분의 많은 관심과 조언을 부탁드리며 앞으로도 독자 중심에 서서 기술인이 좋아하는 책을 만들도록 노력하겠습니다.

끝으로 이 책이 탄생하기까지 필요성을 공감하고 많은 조언과 협조를 해 주신 도서출판 골든벨 김길현 대표님과 편집부 여러분께 깊은 감사를 드립니다.

저자 씀

차 례

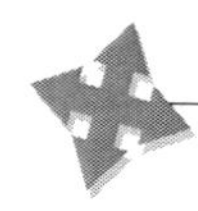

제1장

ECU의 기본회로

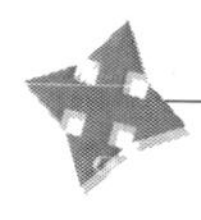

제2장

ABS 시스템

제 3 장

ECS 시스템

제 6 장

4WD 시스템

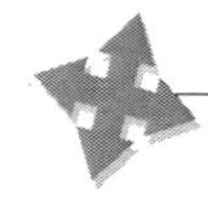

제7장 주요 약어

01
ECU의 기본회로

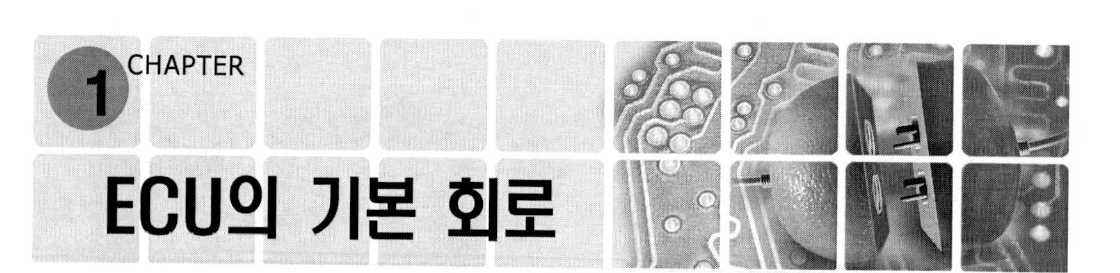

1 CHAPTER

ECU의 기본 회로

ECU의 회로 구성

1. 마이크로컴퓨터

사진1-1 엔진ECU 내부

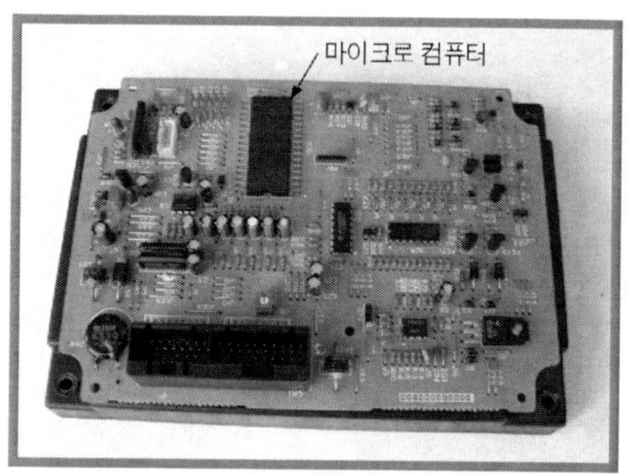

사진1-2 에어컨 ECU의 내부

마이크로컴퓨터(micro computer)에는 하나의 칩 내에 중앙처리장치인 CPU(Central Process Unit)와 기억장치인 ROM 및 RAM 메모리를 내장한 원칩 마이크로컴퓨터(one chip micro computer)와 중앙처리장치인 CPU 칩과 별도로 외부 메모리(ROM & RAM)를 사용한 마이크로컴퓨터가 사용되고 있다.

일반적으로 마이크로컴퓨터는 원칩 마이크로컴퓨터와 CPU를 총칭해 마이크로컴퓨터라 부르기도 하며 줄여서 **마이컴**이라 부르기도 한다. 이와 같은 마이크로컴퓨터는 제어 소자(컨트롤 소자)로 각종 산업용 제어기기, 민생용 전자 제품 등 다양하게 이용하고 있을 뿐만 아니라 최근 자동차의 전장화 추세에 따라 자동차에도 ECU(전자제어장치)의 핵심

적 구성 부품인 전자제어 소자로 다양하게 이용되고 있다.

마이컴(마이크로컴퓨터)은 그림 (1-1)과 같이 외부의 입력 정보의 신호를 받아 ROM(읽기 전용 메모리)에 미리 기억된 데이터(data)값에 따라 프로그램 순으로 CPU(중앙처리장치)에 의해 연산되어 원하는 목표값을 제어할 수 있도록 프로그램을 입력 할 수 있어 뛰어난 컨트롤 유닛(control unit)로 각광을 받고 있는 반도체 핵심 부품이다.

센서로부터 입력된 데이터 값과 ROM내에 있는 데이터 값을 CPU는 연산하여 목표 제어값을 출력하는 마이컴

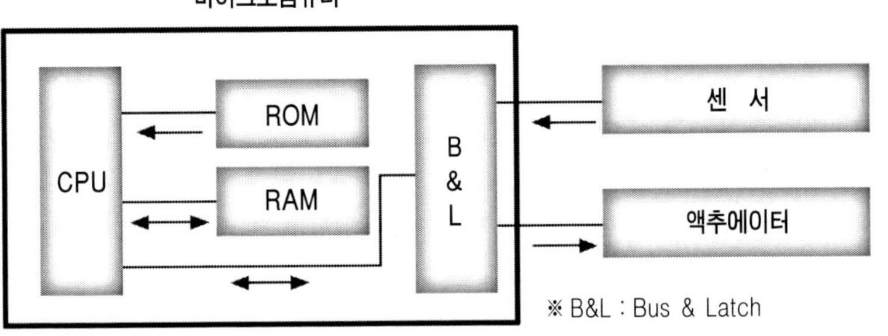

그림1-1 마이컴(마이크로컴퓨터)의 구조

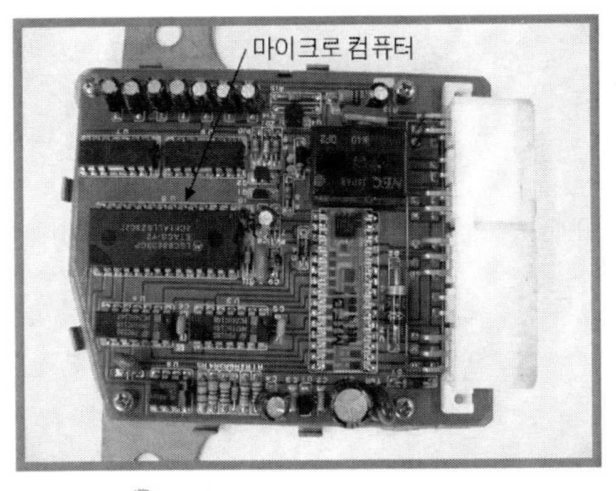

사진1-3 TACS ECU의 내부

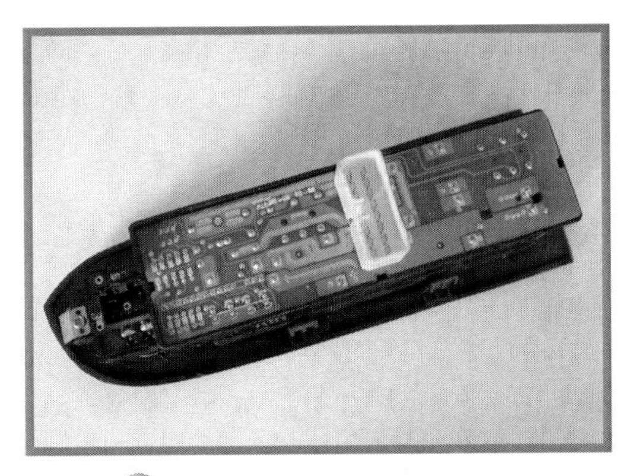

사진1-4 메인 도어 스위치의 내부

이와 같은 마이크로컴퓨터는 그림 (1-2)와 같이 전자제어 소자로서 우리가 원하는 목표 제어값을 제어하기 위해 미리 설정된 프로그램의 수순에 의해 디지털 전기 신호로 출력하게 되고, 이 출력된 디지털 전기 신호는 기계적인 물리량으로 변화하기 위해 전기적 구동 소자인 액추에이터(actuator)를 통해 구동하여 목표량을 제어하게 된다. 이렇게 마이크로컴퓨터는 인간을 대신해 위험한 기계 조작이나 인간이 할 수 없는 정밀 제어, 반복 동작 제어를 할 수 있게 하는 메카트로닉스(mechatronics)의 컨트롤 구성 부품으로 폭넓게 응용되고 있다.

마이크로컴퓨터는 자동차의 ECU(전자제어 유닛)로 전자제어 엔진 ECU, 자동 미션 TCU, 전자제어 브레이크 장치인 ABS ECU, 전자제어현가장치인 ECS ECU, 자동 공조 장치인 오토 에어컨, 각종 편의 장치인 BCM ECU, 전자제어 계기판 등 다양한 제어 장치에 컨트롤 유닛 부품으로 사용되고 있어, 여기서는 자동차 전자제어장치의 기술을 습득하기 위해 ECU의 구성 회로에 대해 간단히 소개하고자 한다.

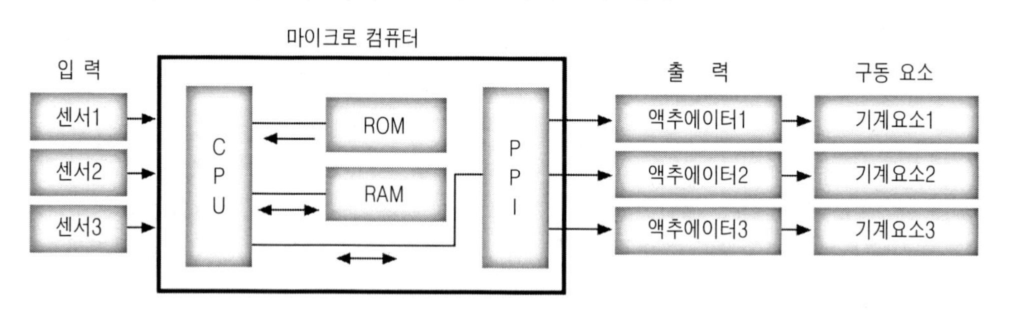

그림1-2 마이크로 컴퓨터의 제어 흐름도

2. ECU의 기본 구성

(1) ECU의 내부 회로 구성

자동차 전장 시스템에 사용되는 ECU(전자제어장치)의 내부 회로를 구성을 살펴보면 그림 1-3과 같이 ECU 외부로부터 입력되어지는 전기적인 신호를 마이크로컴퓨터가 인식 할 수 있도록 변환하여 주는 입력 인터페이스 회로와 목표 설정값을 제어하기 위한 마이크로컴퓨터, 그리고 목표값을 출력하여 ECU의 외부의 액추에이터를 구동하기 위한 출력 드라이브 회로로 구성되어 있다.

마이크로컴퓨터 내부에는 ECU의 목표 설정값을 제어하기 위해 사용자 프로그램이 내장되어 있는 ROM(읽기 전용 기억 장치)과 외부로부터 입력되어지는 정보와 ROM 내의 데이터 값과 산술 연산 또는 논리 연산을 수행하기 위한 CPU(중앙처리장치)와 RAM(임시 저장 메모리) 기억 장치가 있으며, 또한 목표 설정값을 출력하기 위한 PPI I/O 포트로 구성 되어 있다. 마이크로컴퓨터 내부의 입력과 출력측에는 입 · 출력 신호가 원활히 들어오고 나가도록 래치(latch) 회로로 구성되어 있다. 이와 같이 입력과 출력 정보 신호가 들어오고 나가도록 한 래치(latch) 회로는 외부 신호의 입 · 출입 역할을 한다하여 일명 포트(port)라 부르고 있다.

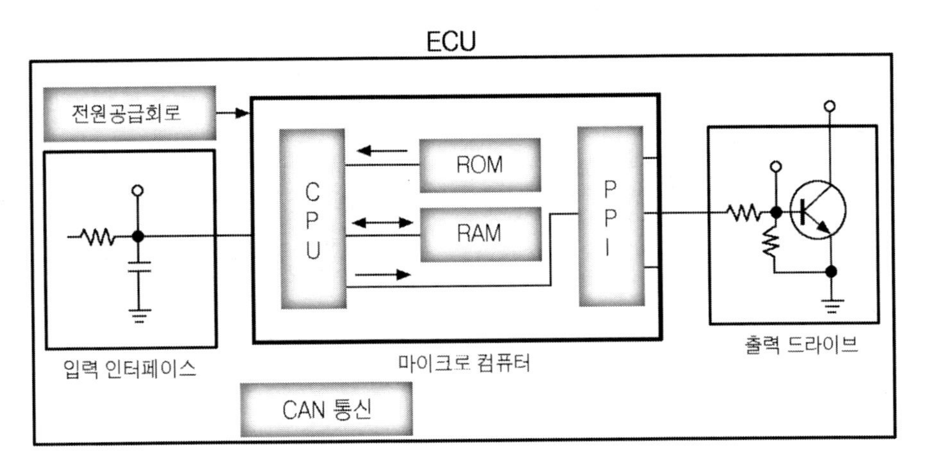

그림1-3 ECU의 내부 회로 구성도

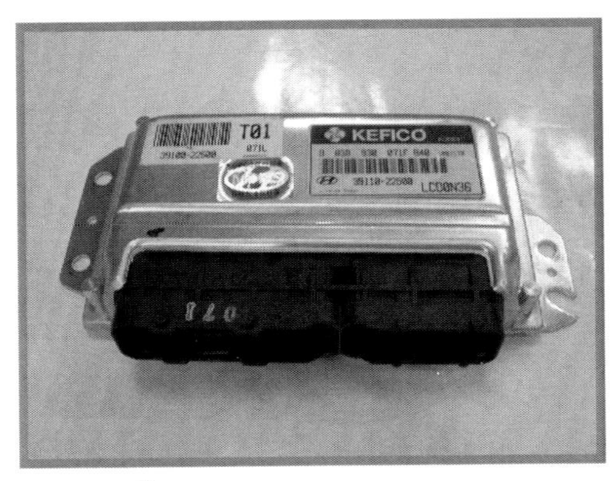

사진1-5 엔진 ECU(BOSCH)

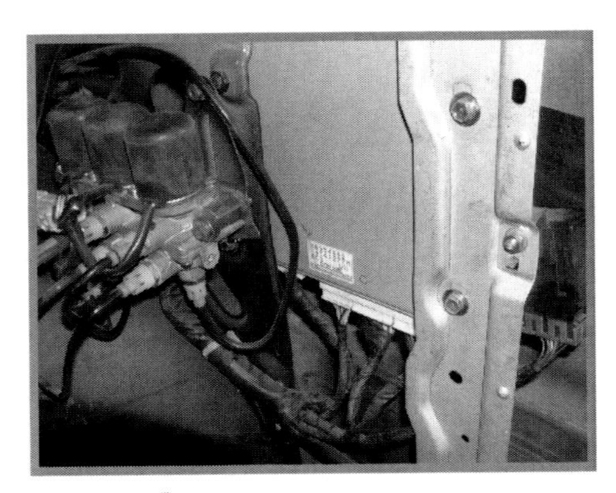

사진1-6 장착된 ECS ECU

(2) ECU의 입출력 회로 구성

마이크로컴퓨터는 MOS(Metal Oxide Semiconductor) IC로 제조되어 있어서 정전기에 취약 할 뿐만 아니라 전기적으로 외부 회로와 마이크로컴퓨터의 포트(port)가 연결되기 위해서는 마이크로컴퓨터의 포트(port)가 허용하는 전기적 신호 레벨로 바꾸어 주지 않으면 안 된다. MOS형 IC라는 것은 반도체 제조 기법 중에 하나로 간단히 설명하면 실리콘 기판 위에 N형 또는 P형 반도체를 형성하고 표면을 산화해 절연이 좋은 산화 절연막을 막을 만들고 그 위에 금속막을 설치하여 게이트 전극을 만들고 있기 때문에 정전기에 아주 취약하지만 전력 소모가 대단히 적고 집적도를 높일 수 있는 장점이 있어, 현재에는 MOS형 IC 종류를 주로 많이 사용하고 있다.

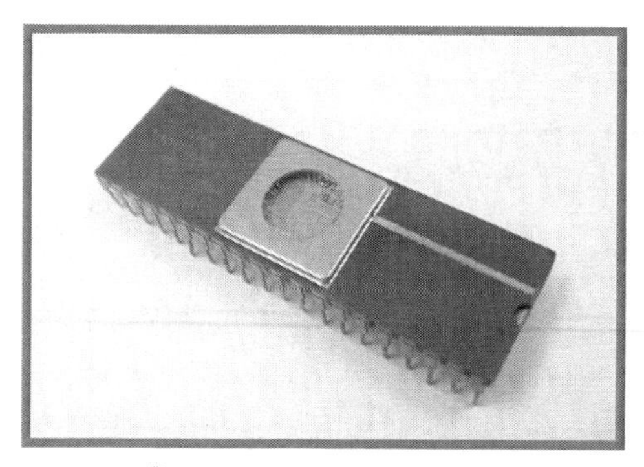

사진1-7 8비트 원칩 마이컴

사진1-8 4비트 A/D 컨버터 IC

앞서 설명하였듯이 마이크로컴퓨터의 입력측 회로에는 그림 (1-4)와 같이 마이크로컴퓨터의 포트(port)와 전기적으로 정합 할 수 있는 입력 인터페이스(interface) 회로가 필요하게 되고 출력측에는 출력 포트에서 출력되는 전기적인 신호를 전류 또는 전압 증폭하여 출력 드라이브 회로를 구동할 수 있는 버퍼(buffer) 회로가 필요로 하게 된다.

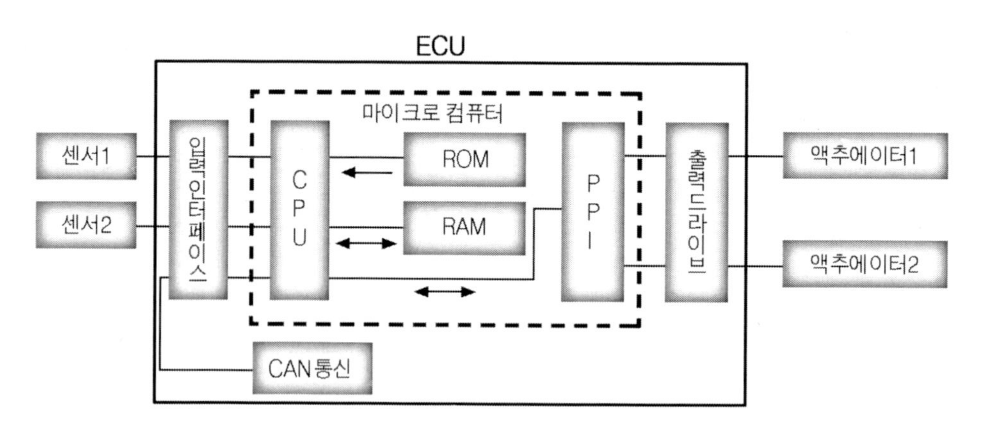

그림1-4 ECU(전자제어장치) 회로의 블록 다이어그램

이렇게 구성된 버퍼 회로는 출력측에 TR(트랜지스터)나 FET(전계 효과 트랜지스터)와 같은 출력 드라이브 회로를 두어 그림 1-5의 출력과 같이 ECU(전자제어장치)의 제어장치에 적용되는 솔레노이드 밸브나 전동 모터, 릴레이 등과 같은 액추에이터를 구동 할 수 있게 하여 기계적인 물리량을 제어하게 되고 입력측에는 기계적인 물리량을 제어하기 위해 검출하여야 하는 물리량을 전기 신호로 변환하는 센서가 필요하게 된다.

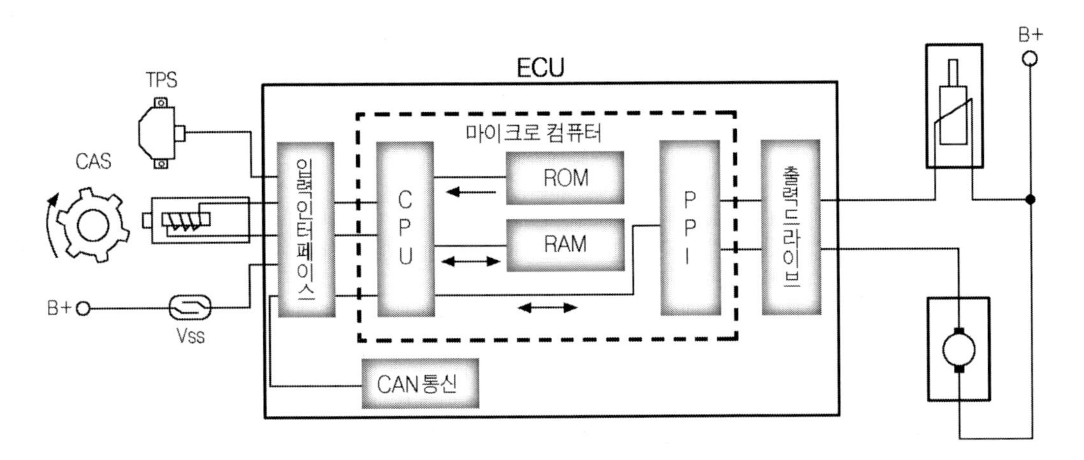

그림1-5 ECU의 입 · 출력 회로(예)

사진1-9 ABS 하이드로릭 유닛

사진1-10 A/T 밸브 보디 SOL밸브

3. ECU의 인터페이스 회로

센서로부터 검출된 기계적인 물리량이나 온도와 같은 환경 변화량은 그림 1-6에 나타낸 입력 신호와 같이 다양한 전기 신호로 변환되어 ECU(전자제어장치)로 입력하게 되는데, 이들 다양한 센서의 입력 신호는 CPU(중앙처리장치) 또는 마이크로컴퓨터가 인식 할 수 있는 전압 레벨로 변환하여 주지 않으면 CPU 또는 마이크로컴퓨터는 정확한 데이터를 처리할 수 없게 되는 것은 자명하다 하겠다.

따라서 컴퓨터가 처리하는 데이터는 1과 0으로 밖에 처리할 수 없어 CPU 또는 마이크

로컴퓨터가 처리하는 데이터(data)는 1과 0으로 변환할 수 있는 전압 레벨로 변환하여 주지 않으면 안된다.

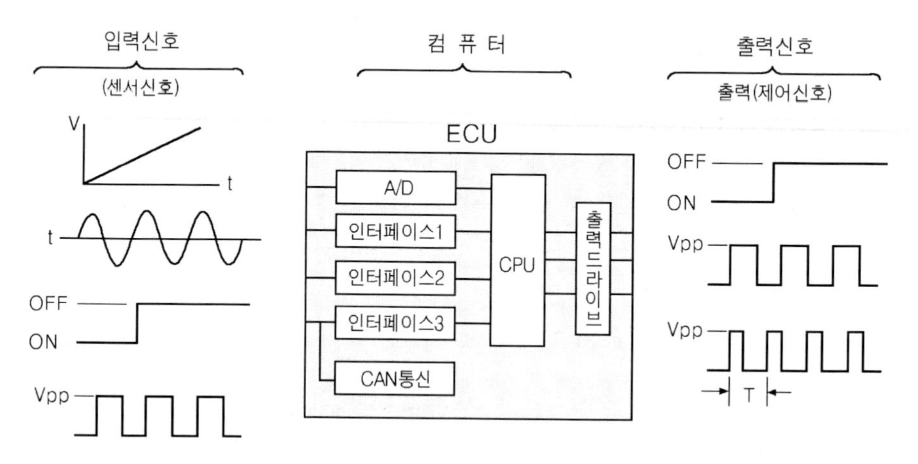

그림1-6 입력신호에 대한 ECU의 인터페이스

CPU(중앙 처리 장치) 또는 마이크로컴퓨터, 이들 주변 회로에 사용되는 디지털 IC(집적 회로)들은 반도체의 구조에 따라 여러 가지 디지털 IC로 구분되어 지는데, 그 중에서 대표적으로 TTL IC와 MOS IC로 구분하여 볼 수 있다. 이 중 CPU나 마이크로컴퓨터와 같이 MOS IC 로 만들어진 경우에는 그림 1-7과 같이 입력 신호 전압 레벨이 1/3 Vcc 이하인 경우에는 MOS 게이트는 0(제로)로 인식하게 되고, 반면 2/3 Vcc 이상인 경우에는 1로 인식하기 때문에 그림 1-6과 같이 센서로부터 검출된 여러 가지 입력 신호는 CPU 또는 마이크로컴퓨터가 인식할 수 있도록 변환하여 주지 않으면 안된다.

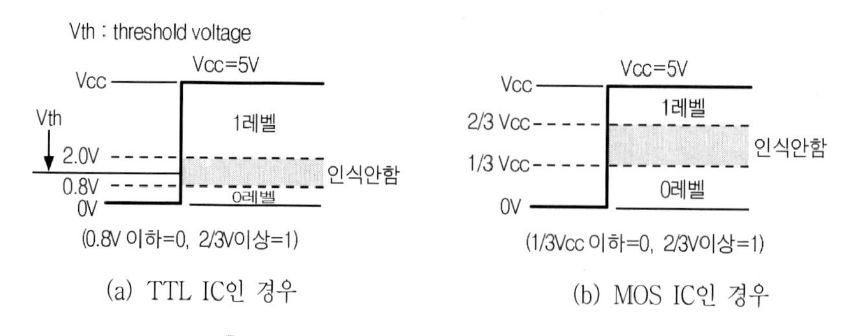

그림1-7 디지털 IC의 게이트 전압 레벨

이와 같이 센서로부터 검출된 센서 신호를 CPU 또는 마이크로컴퓨터가 인식 할 수 있도록 변환하여 주는 회로를 **인터페이스 회로**라 한다. 또한 센서로부터 검출된 신호가 아날로그 신호인 경우에는 ECU 내부의 CPU 또는 마이크로컴퓨터가 인식할 수 있도록 디지털 신호로 변환하여 주어야 하는 데, 이때에는 아날로그 신호를 디지털 신호로 변환하여 주는 A/D 컨버터(analog to digital converter)가 필요하게 된다. 한편 센서로부터 검출된 물리량의 신호는 센서의 종류 및 검출 방법, 검출 환경에 따라 표(1-1)에 나타낸 것과 같이 아날로그 신호와 디지털 신호로 출력하게 되는데 이들 신호는 센서의 검출 방식과 검출 환경에 따라 크게 차이가 있어 이에 따른 인터페이스 회로도 전기적인 신호에 따라 크게 달라진다.

[표1-1] 센서의 물리량 검출에 의한 출력 신호

검출 구분	전기적 원리	센서(예)	출력 신호
온도를 감지하는 센서	열전 변환 소자	배기온 센서 수온 센서 유온 센서	아날로그 신호 아날로그 신호 아날로그 신호
	자석을 이용한 센서	수온 스위치 서머 스위치	디지털 신호 디지털 신호
압력을 감지하는 센서	압전 변환 소자	MAP 센서 노크 센서 하중 센서 레인 센서	아날로그 신호 아날로그 신호 아날로그 신호 아날로그 신호
회전수를 감지하는 센서	전자 유도 작용	CAS 센서 휠 스피드 센서 차속 센서	아날로그 신호 아날로그 신호 아날로그 신호
	홀 효과 소자	CAS 센서 휠 스피드 센서 차속 센서	디지털 신호 디지털 신호 디지털 신호
	광전 변환 소자	CAS 센서 스티어링 회전각 센서	디지털 신호 디지털 신호
	자석을 이용한 센서	차속 센서	디지털 신호
가스농도를 검출하는 센서	분자 흡착	산소센서 광대역 산소센서	아날로그 신호 아날로그 신호
거리를 측정하는 센서	초음파	칼만와류 AFS 백 워닝 센서	디지털 신호 아날로그 신호
빛을 흡수하는 센서	광전 변환 소자	오토라이트 센서 일사 센서	디지털 신호 아날로그 신호

【참조】 센서의 출력 신호는 센서의 내부 변환 회로에 따라 달라질 수 있다.

따라서 그림 1-8과 같이 같은 아날로그 입력 신호일지라도 별도의 증폭기가 필요한 인터페이스 회로가 필요한가 하면 그렇지 않은 인터페이스 회로도 있다. 또한 같은 아날로그 전기 신호라도 선형적 또는 비선형적으로 변화하는 전기 신호를 데이터화하기 위해 디지털 신호로 변환하여 주어야 하는 인터페이스 회로가 필요하게 되지만 결국은 CPU가 인식할 수 있는 신호값으로 변환하기 위한 것이다.

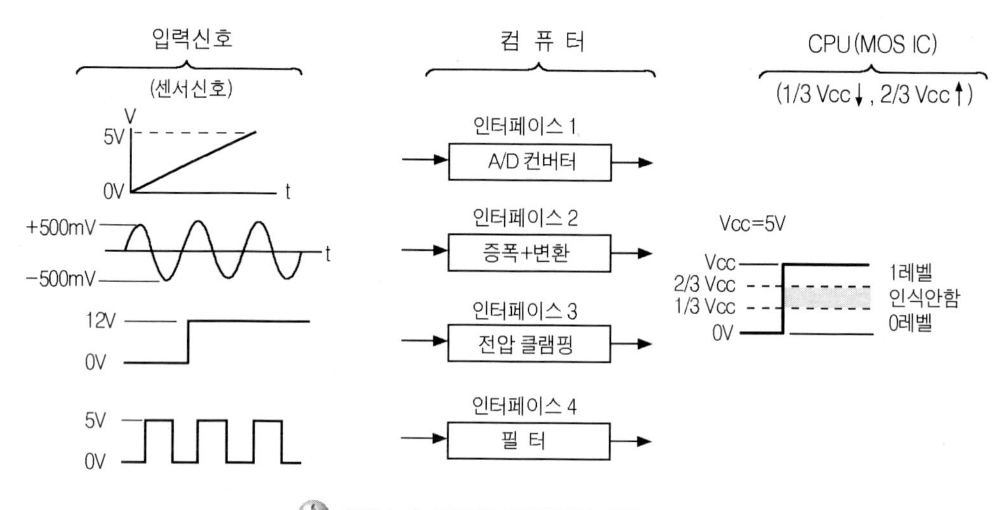

그림1-8 ECU의 인터페이스 회로 기능

point

ECU 기본 회로 구성

1 마이크로컴퓨터

(1) 마이크로컴퓨터의 내부 구성 : CPU+ROM+ RAM+ I/O 포트

- CPU(중앙처리장치) : 산술 연산 및 논리 연산을 수행하고 데이터를 컨트롤 하는 레지스터이다.
- ROM(읽기 전용 메모리) : 주 기억 장치로 명령을 실행하기 위해 CPU는 ROM으로부터 데이터를 직접 불러와 처리하는 읽기 전용 메모리
- RAM(임시 저장 메모리) : 주 기억 장치의 하나로 명령을 실행하기 위해 CPU는 RAM 메모리에 데이터를 임시 보관하여 놓는 메모리
- 레지스터(일시 기억 장치) : 산술 연산 또는 논리 연산을 수행하기 위해 데이터를 일시 보관하여 두는 일시 기억장치
- I/O 포트 : 마이크로컴퓨터의 입 · 출력 정보를 처리하기 위해 입 · 출력 신호를 일시 래치(latch) 하는 포트이다.

2 ECU의 기본 구성

(1) **ECU의 기본 구성** : 인터페이스 회로 + 마이크로컴퓨터 + 출력 구동 회로
- 인터페이스 회로 : 전기적으로 마이크로컴퓨터가 인식할 수 있도록 변환하여 주는 회로
- 마이크로컴퓨터 : 산술 연산 + 논리 연산 + 데이터 컨트롤
- 출력 구동 회로 : ECU의 외부에 연결되는 솔레노이드 밸브, 릴레이, 전구, 전동 모터 등과 같이 제어 할 부하를 구동하기 위한 출력 회로를 말한다.

3 ECU의 입·출력 회로

(1) **입력 회로** : ECU 내부의 입력 회로는 CPU가 인식 할 수 있도록 A/D 컨버터, 인터페이스 회로, 전원 공급회로로 구성되어 있다.
- A/D 컨버터 : 아날로그 신호를 CPU가 인식 할 수 있도록 디지털 신호로 변환하는 변환기
- 인터페이스 회로 : CPU가 인식 할 수 있도록 전압 레벨로 정합하여 주는 회로

(2) **출력 회로** : ECU 외부의 액추에이터를 구동하기 위한 회로
- TR 구동 회로 : 트랜지스터를 이용, 전류 증폭하여 출력을 구동하는 회로
- FET 구동 회로 : FET를 이용, 전압 증폭하여 출력을 구동하는 회로

2. ECU의 입력 회로

1. ECU의 입·출력 회로

ECU 내에 있는 CPU 또는 마이크로컴퓨터가 데이터로서 인식 할 수 있는 신호는 그림 1-9와 같은 디지털 입력 신호로, 이 신호는 마이크로컴퓨터의 논리 연산 또는 산술 연산 신호로 처리되어 결과로서 디지털 출력 신호로서 출력하게 된다.

이렇게 논리 연산 또는 산술 연산을 위해 처리되는 신호는 기계적인 물리량을 검출하는 각종 센서 또는 전원 공급 신호로 자동차 전자제어 시스템에 이용되고 있는 입력은 대표적으로 그림 1-10과 같이 ON, OFF 상태를 검출하는 스위치 입력 신호와 물리적 또는 환경 변화에 따라 변화하는 저항 값을 전압 값으로 변환하는 저항 변화 입력, 물리량의 위치 변화에 의한 저항 변화 입력, 교류 신호를 발생하는 교류 신호 전압 입력 또는 마이크로컴퓨터가 인식 할 수 있는 디지털 신호 전압의 입력, 물리량의 변화에 따라 아날로그 신호가 발생하는 아날로그 신호 전압의 입력 등으로 구분하여 생각할 수 있다.

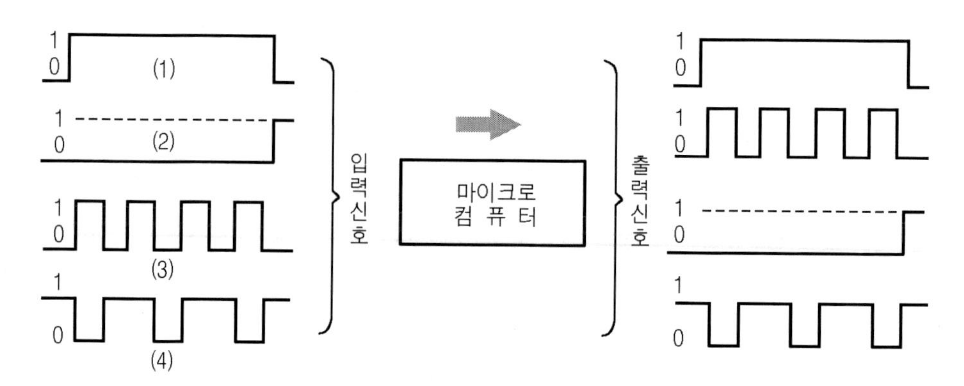

그림1-9 마이크로 컴퓨터가 인식 할 수 있는 신호(예)

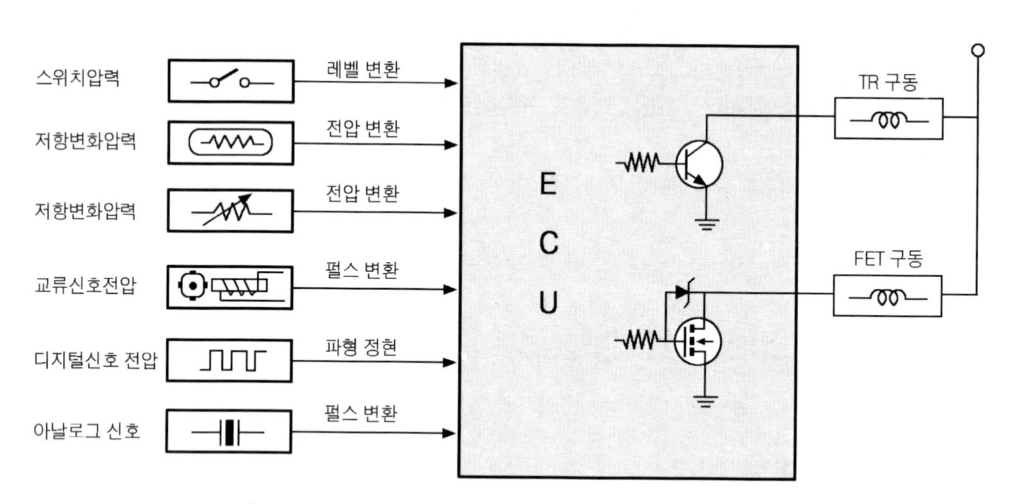

그림1-10 대표적인 ECU 입력회로의 신호 변환과 구동형식

이렇게 입력된 센서의 신호는 ECU 내부의 인터페이스 회로를 통해 전압 레벨 변환, 전압 변환, 펄스 변환 등을 거쳐 CPU 또는 마이크로컴퓨터의 입력 포트로 입력하게 되고, 입력된 신호는 CPU 또는 마이크로컴퓨터에 의해 산술 연산이나 논리 연산을 통해 결과로서 각종 액추에이터를 구동 할 수 있는 TR(트랜지스터) 구동 회로 또는 FET(전계효과 트랜지스터) 등을 통해 목표 제어 값을 제어하게 된다. 그러면 실제 ECU(전자제어장치)의 입력 인터페이스 회로와 출력 구동 회로를 학습을 통해 ECU가 처리하는 신호 변환을 알아보도록 하겠다.

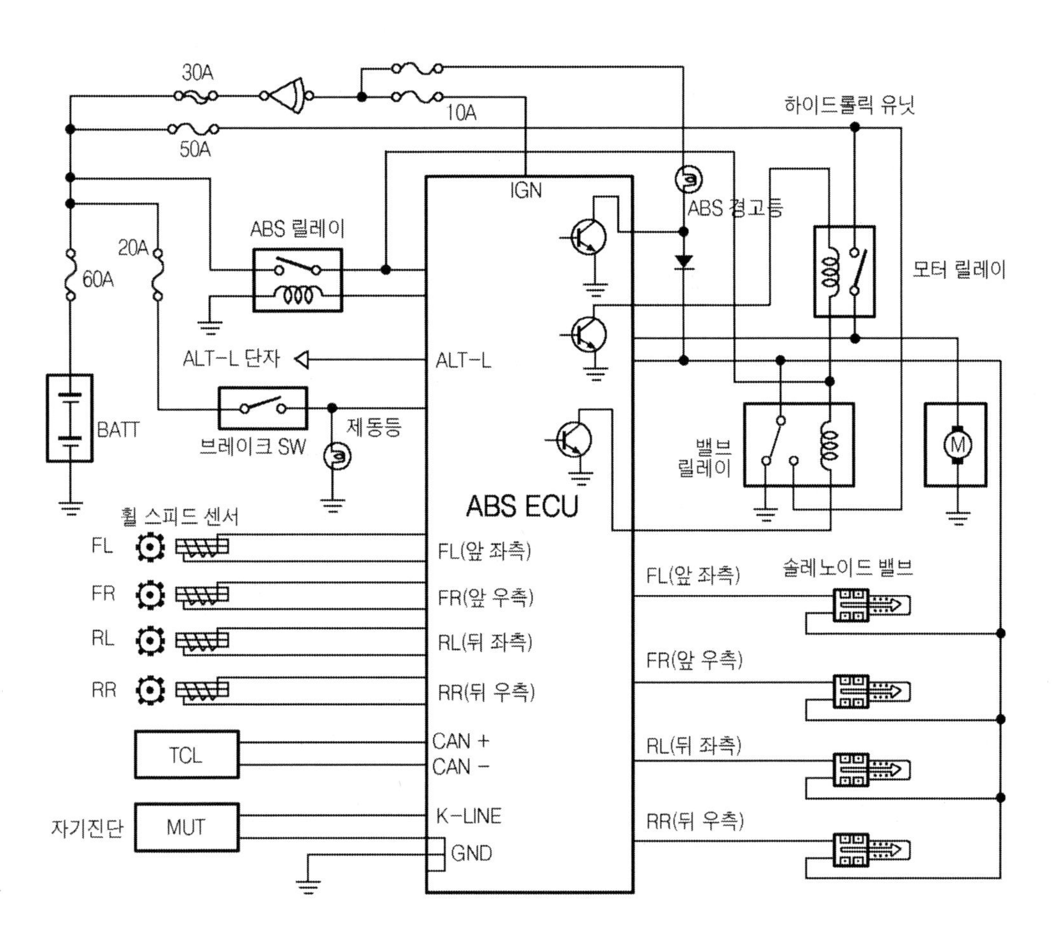

그림1-11 ABS ECU의 입 · 출력 회로(예)

2. 스위치 입력 회로

ECU(전자제어장치) 내의 마이크로컴퓨터는 입 · 출력 포트(port)를 통해 ECU(전자제어장치)의 입력 신호를 CPU 또는 마이크로컴퓨터가 인식 할 수 있도록 입력 인터페이스 회로가 구성되어 있어서 ECU의 입력 측에는 위치를 감지하는 센서(sensor), 온도를 감지하는 센서, 회전수를 감지하는 센서, 압력을 감지하는 센서 등을 연결하고, ECU의 출력 측에는 ON, OFF 제어를 하기 위한 릴레이(relay)이나 전구, 듀티 제어를 하기 위한 솔레노이드 밸브(solenoid valve), 회전각을 제어하기 위한 스텝 모터 등의 액추에이터(actuator)를 연결하여 기계적인 물리량을 제어하고 있다.

ECU의 외부에는 각종 센서로부터 전기 신호가 ECU(전자제어장치)에 입력되어 ECU

내에 있는 마이크로컴퓨터의 포트(port)가 센서 신호를 인식 할 수 있도록 변환하여 주는 입력 인터페이스 회로가 구성되어 있으며, 마이크로컴퓨터의 출력 측에는 포트(port)를 통해 출력된 신호가 ECU의 액추에이터를 구동 할 수 있도록 신호를 증폭하여 주는 구동 회로가 구성되어 있다.

그림 (1-12)의 회로는 ECU(전자제어장치) 회로의 대표적인 입력 스위치 회로의 인터페이스(interface) 회로를 나타낸 것으로 마이컴(마이크로컴퓨터)의 입력 포트에는 저항 R1, R2와 콘덴서(condenser)가 연결되어 스위치의 ON, OFF 상태를 마이컴(마이크로컴퓨터)이 인식 할 수 있도록 한 회로이다. 이 회로의 경우 회로의 동작을 간단히 설명하면 저항 R1을 통해 정전압 전압 +5V 가 공급되는 풀업 저항(pull up resistor)이 연결되어 있어서 스위치(switch) OFF시에는 P점의 전압은 항상 5V가 되며 스위치 ON 시에는 0V가 된다. 즉 이것은 그림 (1-12)의 (a) 회로에서 스위치(switch)를 OFF 시에는 L점의 전압이 항상 12V가 되지만 스위치를 ON시에는 L점의 전압은 0V가 되는 것과 같은 이치이다.

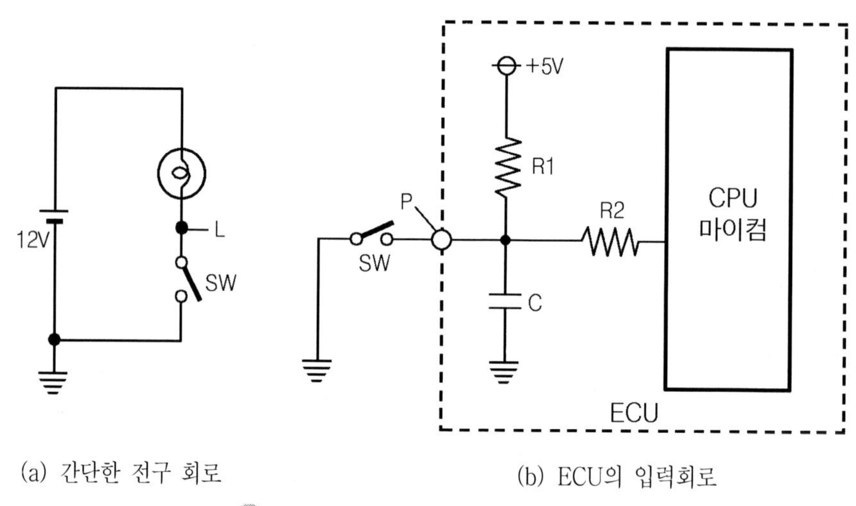

(a) 간단한 전구 회로 (b) ECU의 입력회로

그림1-12 ECU의 스위치 입력 회로

여기에 사용된 콘덴서(condenser) C는 P점에 노이즈(noise)가 발생시 어스(earth)를 통해 노이즈를 바이패스(by pass) 하기 위한 필터용 콘덴서이며 저항 R2는 마이크로컴퓨터의 포트(port)를 보호하기 위한 전류 제한용 저항을 포트와 직렬로 삽입하여 입력 포트를 보호하고 있는 저항이다.

마이컴(마이크로컴퓨터)은 주로 NMOS형 반도체나 PMOS형 반도체로 만들어져 있어서 마이크로컴퓨터의 포트(port)가 입력 또는 출력 할 수 있는 전압 레벨(level)은 약 1.7V 이하의 경우에는 0(low) 상태로 인식하고, 약 3.4V 이상인 경우는 1(high) 상태로 인식하게 된다.

즉 그림 (1-12)의 (b) 회로에서 실제 자동차의 적용한 예를 들어 보면, 스위치(switch)가 자동차의 도어 스위치라 가정하고 도어(door)가 열리면 도어 스위치의 접점은 닫혀 P점의 전압은 0V가 되어 마이크로컴퓨터는 0(제로)로 인식하게 되고, 도어가 닫히면 도어 스위치의 접점은 열려 P점의 전압은 5V가 되어 마이컴(마이크로컴퓨터)의 입력 포트(port)는 1상태로 인식하여 도어가 열리고 닫힘을 인식 할 수 있게 되는 것이다.

그림 (1-13)의 (b)에 나타낸 회로는 실제 자동차 ECU(전자제어장치)의 입력 스위치 인터페이스(interface) 회로로 많이 사용되고 있는 회로로 그림 (1-12)의 (b) 회로와 다른점은 입력단 스위치(switch)에 배터리(battery)의 +12V가 연결 되어 있어서 스위치를 ON, OFF 함에 따라 P점의 전압이 12V, 0V로 되어 ECU(전자제어장치)의 스위치 입력 신호 전압으로 입력되는 회로이다.

그림 (1-13)의 (b)의 회로를 살펴보면 마이크로컴퓨터(micro computer)의 입력 포트(port)와 직렬로 저항 R과 다이오드 D가 연결 되어 있으며 포트와 병렬로 콘덴서 C와 제너 다이오드 Dz가 연결되어 있는 간단한 입력 인터페이스(interface) 회로이다.

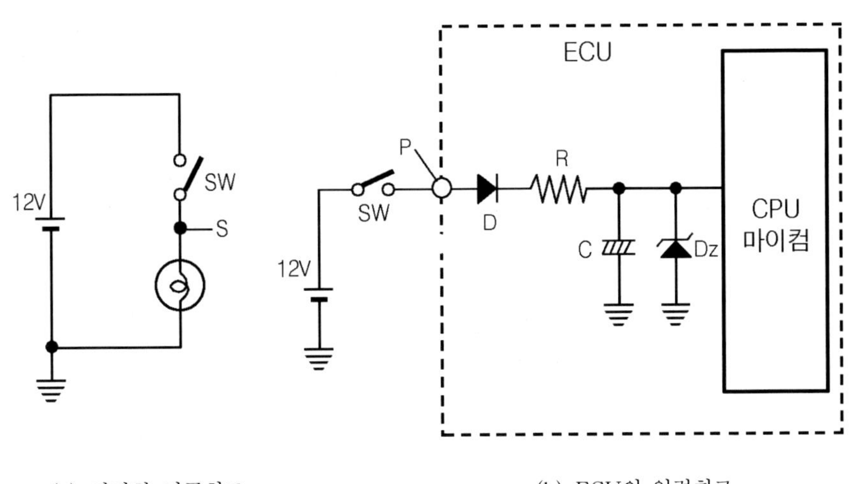

(a) 간단한 전구회로　　　　(b) ECU의 입력회로

그림1-13 ECU의 스위치 입력회로

여기서 다이오드 D는 ECU 내부 회로로부터 역방향 전류를 차단하기 위해 삽입하여 놓은 다이오드(diode)이며 저항 R은 마이크로컴퓨터의 입력 포트를 보호하기 위한 전류 제한용 저항을 삽입하여 놓은 것이다. 콘덴서(condenser) C는 노이즈(noise) 신호에 대한 잡음 신호를 바이 패스(by pass)하기 위해 삽입하여 놓은 필터 회로이며, 제너 다이오드 Dz는 입력 스위치 ON시 배터리의 전압 12V를 약 5V로 정전압 시키기 위한 정전압 다이오드로 마이크로컴퓨터의 입력 포트를 보호하고 전압 신호를 인식 할 수 있도록 하기 위한 다이오드이다. 여기에 사용하는 제너 다이오드(zener diode)는 제너 전압이 5.1V 용이나 4.8V용 제너 다이오드를 사용하고 있다.

따라서 ECU의 입력측 스위치를 ON 시키면 P점의 전압은 12V가 입력되어도 마이크로컴퓨터의 입력 포트에 입력되는 전압은 제너 다이오드의 제너 전압에 의해 약 5V가 입력하게 돼 마이크로컴퓨터는 1(high) 상태로 입력 신호 전압을 인식 할 수 있게 된다. 반대로 스위치를 OFF 시에는 P점의 전압은 0V가 되어 마이컴(마이크로컴퓨터)의 입력 포트는 0(low) 상태로 입력 신호 전압을 인식하게 된다. 이것은 마치 그림 (1-14)의 전구회로(a)와 같이 스위치를 ON 시 S점의 전압은 12V가 되고 스위치를 OFF시 S점의 전압은 0V가 되는 것과 같다.

이와 같은 인터페이스 회로는 자동차의 전자제어 장치에 흔히 사용하는 회로로 ECU가 배터리 전압 12V가 공급되고 있는지를 확인하는 입력 회로로 자주 사용되는 회로이기도 하다.

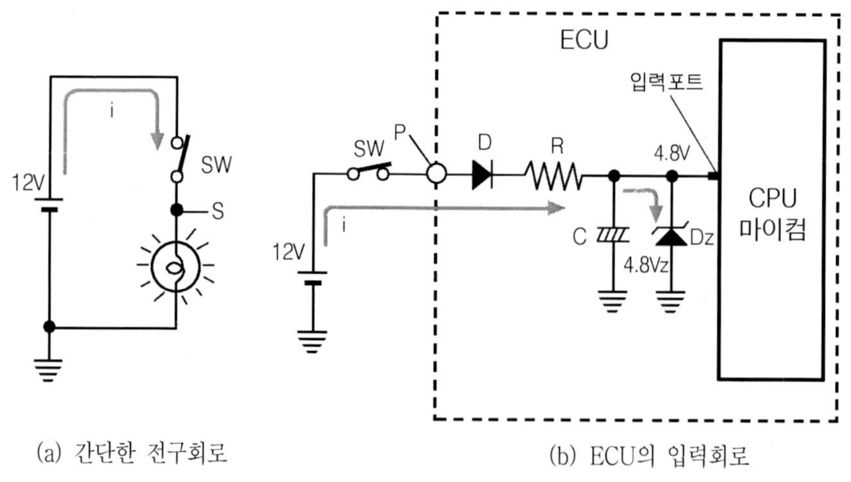

그림1-14 ECU의 스위치 입력 회로(스위치 ON시)

3. 저항 입력 회로

그림 (1-15)의 회로는 가변 저항을 이용한 센서의 ECU 입력 회로를 나타낸 것으로 가변 저항을 이용한 센서는 엔진 ECU의 TPS(Throttle Position Sensor) 센서, ECS ECU의 차고 센서, 크루즈 컨트롤 유닛의 액셀러레이터 센서, 자동 에어컨의 에어 믹스 댐퍼 등에 사용되고 있다. 이들과 같이 가변 저항을 이용한 센서의 ECU 인터페이스 회로는 스위치를 사용하는 입력 인터페이스 회로와 달리 ECU의 내부, 입력 포트(port) 전단에는 A/D 변환기(analog to digital converter)가 내장 되어 있어서 입력 신호의 전압 레벨 변화에 따라 디지털 신호 전압으로 변환하여 마이크로컴퓨터의 입력 포트로 입력하도록 하고 있다. 또한 최근에는 마이크로컴퓨터(micro computer) 내에 A/D 컨버터가 내장 되어 있는 컴퓨터가 발매되어 있어 회로의 하드웨어가 한결 간편하게 설계 할 수 있도록 되어 있는 마이크로컴퓨터도 사용되고 있다.

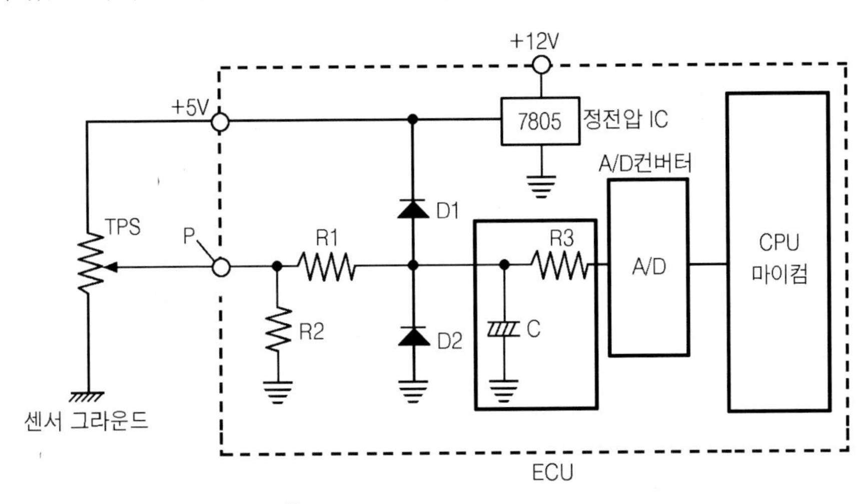

그림1-15 ECU의 저항 입력회로

그림 (1-15)의 TPS 입력 인터페이스 회로를 살펴보면 ECU의 입력 단에는 액셀러레이터(accelerator)의 답력에 대응한 스로틀 밸브 개도에 따라 TPS의 저항값이 변화하는 가변 저항이 연결되어 있어서 TPS의 가동 접점 단자에는 저항 R1을 거쳐 다이오드 D1과 TPS의 가동 접점 단자에는 저항 R1을 거쳐 다이오드 D1과 D2가 분기되어 연결되어 있고, A/D 컨버터의 입력에는 저항 R3가 연결되어 A/D 컨버터의 입력을 보호하도록 하고 있다. 또한 콘덴서 C는 다이오드 D2와 병렬로 연결되어 고주파 잡음을 제거하고 있는 회

로로 구성되어 있다.

여기서 먼저 ECU의 입력단의 가변 저항 회로를 보면 가변 저항의 한쪽 단에는 가변 저항이 변화에 따라 전압이 변환되도록 정전압 IC(7805L IC)에 의해 일정한 +5V 의 전압이 공급되어 있고 다른 한쪽에는 센서 그라운드(sensor ground)와 연결되어 P점의 전압은 가변 저항 값이 변화에 따라 전압값이 변화하는 것을 알 수가 있다.

이렇게 변환된 P점의 전압은 전류 제한 저항 R1을 통해 필터 회로의 저항 R3에 가해지게 되는데, 여기서 다이오드 D1과 D2로 분기되는 다이오드는 클램프(clamp) 용 다이오드로 입력 신호 전압이 그림 (1-16)과 같이 +(양) 극성과 -(음)극성을 가지고 있는 경우는 +(양) 극성을 가진 신호 전류는 저항 R1을 통해 필터 저항 R3로 흐르게 되지만 -(음) 극성을 가진 신호 전류는 다이오드 D2를 통해 저항 R1을 거쳐 저항 R2로 흐르게 되어 결국 +(양) 극성의 전압만을 마이컴(마이크로컴퓨터)에 입력하기 위해 삽입하여 놓은 것이 되며 콘덴서 C와 저항 R3는 입력 신호의 잡음을 제거하기 위해 노이즈 필터(filter) 용으로 삽입하여 놓은 것이다.

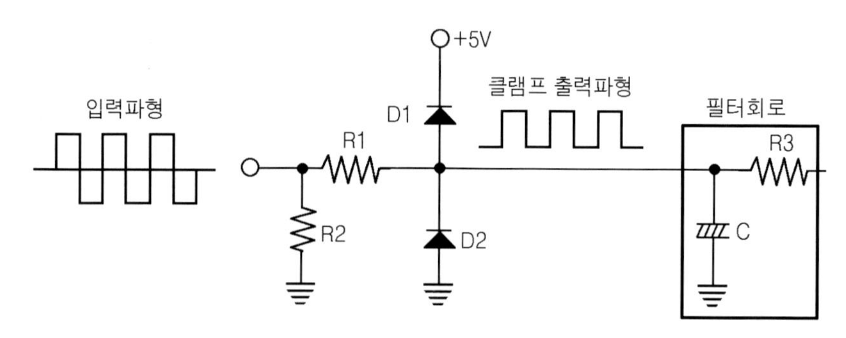

그림1-16 다이오드 클램프 회로(예)

따라서 이 회로는 가변 저항의 변화에 따라 P점의 입력 신호 전압은 전류 제한 저항 R1과 노이즈 필터(noise filter)를 통해 A/D 컨버터의 입력 단자로 입력하게 되는 인터페이스 회로이다. 여기에 사용되는 A/D 컨버터를 이해하는 것은 전문적인 전자 지식이 필요하지만 여기서는 간단히 내용만을 설명하면, A/D 컨버터의 내부에는 아날로그 전압을 커트하는 초퍼(chopper) 회로가 내장되어 있어서 입력된 신호를 필요한 비트 수 만큼 커트(cut)하고, 필요한 비트만을 입력 신호의 정보로 사용 할 수 있도록 샘플 & 홀드 회로를 통해 필요한 입력 신호 전압만을 디지털 신호로 변환하도록 A/D 컨버터 내에 있는 비교기

에 의해 디지털 신호로 변환하도록 하고 있다.

그림 (1-17)의 회로는 엔진 ECU의 WTS(냉각 수온 센서)의 입력 인터페이스 회로로 사용되는 회로로 그림 (1-15)회로와 비교하여 보면 가변 저항을 사용한 TPS(스로틀 포지션센서)의 입력 인터페이스 회로와 유사한 것을 알 수가 있다. 가변 저항은 중심축이 회전 또는 직선 운동에 따라 저항이 변화하는 데 반해 수온 센서와 같이 서미스터(thermistor)를 사용하는 센서는 온도에 따라 저항값이 변화하는 센서로 ECU에 사용되는 입력 인터페이스 회로도 크게 다르지 않다.

그림 (1-17) 회로를 살펴보면 입력 인터페이스 회로에는 저항 R1을 통해 정전압 전압 +5V를 수온 센서에 공급하도록 하여 수온 센서의 저항값이 온도에 따라 변화하게 되면 P 점의 전압은 변화하게 되어 결국 수온 센서의 저항 변화는 전압 변화로 변환되어 마이컴(마이크로컴퓨터)이 판독할 수 있도록 하고 있는 회로이다.

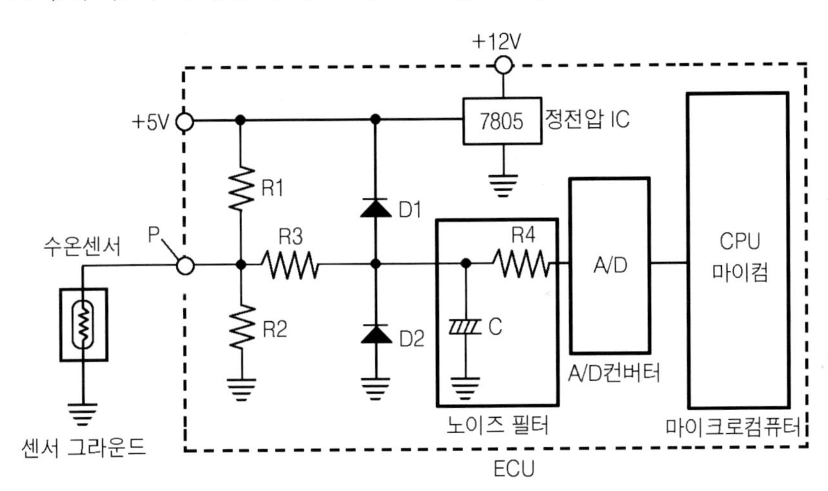

그림1-17 ECU의 저항 입력회로(수온센서 예)

여기서 저항 R2는 페일 세이프(fail safe) 저항으로 수온 센서의 단선에 의해 엔진 회전이 불안정하거나 초기 시동이 어려운 것을 방지하기 위해 수온 센서의 중간 정도 범위의 저항값을 설정하여 수온 센서의 저항값 대신사용 할 수 있도록 하고 있는 저항이며, 저항 R3는 A/D 컨버터의 입력 회로를 보호하기 위해 삽입하여 놓은 전류 제한용 저항이다. 또한 앞서 가변 저항을 입력으로 하고 TPS 센서의 예를 들어 설명하였듯이 다이오드 D1과 D2는 클램프(clamp) 용 다이오드로 입력 신호 전압이 +(양) 극성과 -(음) 극성을 가지고 있는 경우는 +(양) 극성의 전압만을 마이컴(마이크로컴퓨터)에 입력 할 수 있도록 삽

입하여 놓은 것이며, 콘덴서 C와 저항 R3는 입력 신호의 잡음을 제거하기 위해 노이즈 필터(filter) 용으로 삽입하여 놓은 것이다. 이 회로의 동작은 수온 센서가 엔진 냉각수의 온도 변화에 따라 저항값이 변화하면 P점의 전압은 저항 R1과 수온 센서의 저항값의 분압에 따라 변화하게 되어 노이즈 필터를 통해 A/D 컨버터로 입력하게 된다. 이렇게 입력된 수온 센서의 신호 전압은 A/D 컨버터에 의해 디지털 신호로 변환 되어 마이컴(마이크로 컴퓨터)의 입력 포트로 입력하게 되는 회로이다.

그림 (1-18)의 회로는 차량의 실내 온도를 검출하는 서미스터 센서를 사용한 회로로 그림 (1-17)의 ECU의 입력 인터페이스 회로와 다른 것을 알 수가 있다. 이 회로를 살펴보면 입력 측에 저항 R1, R2, R3, R4를 브리지 회로로 연결하여 사용하고 있는 것을 볼 수가 있다. 이 브리지 회로의 신호 전압은 OP AMP(연산 증폭기)를 거쳐 신호 전압이 증폭 되어 마이크로컴퓨터에 입력되고 있는 것을 볼 수가 있다.

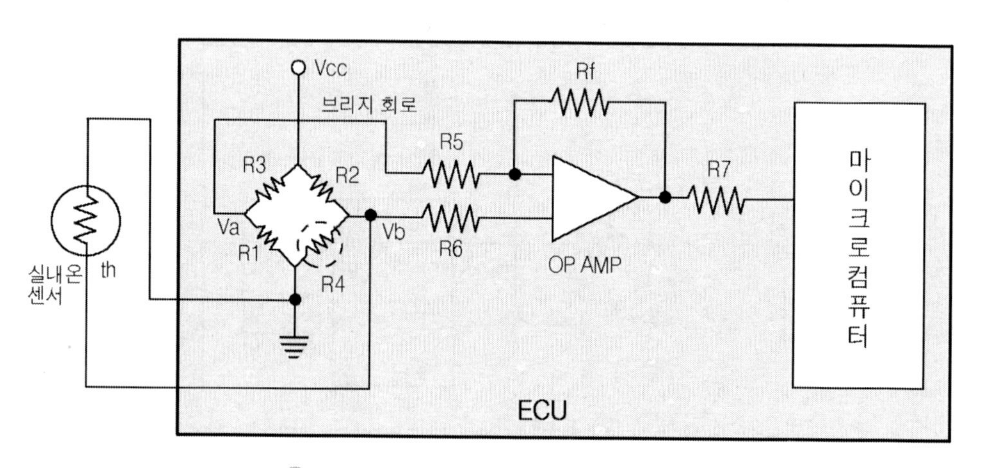

그림1-18 ECU의 서미스터 입력 회로(예)

입력 인터페이스 회로에 브리지 회로를 사용하는 경우는 미소 신호를 정확히 검출하기 위한 것으로 브리지 회로의 평형은 R1/R3 = R4/R2 값으로 주어져 R4값의 변화에 따라 (R4의 저항과 병렬로 연결된 실내온 센서의 저항값 변화에 따라) 브리지의 평형 값은 변화하게 돼 OP AMP(연산 증폭기)의 입력 전압값은 브리지 회로의 전압 Va-Vb의 차로 되어 OP AMP의 증폭도 만큼 증폭 돼 OP AMP의 출력으로 나타나게 된다. 즉 자동 에어컨에 사용되는 실내 온도 센서는 온도에 따라 저항값이 변화하는 서미스터 센서를 사용한 것으로, 이 센서의 저항값을 Rth라 가정하면 저항 R4와 병렬로 연결된 센서 저항 Rth의

합성 저항 Rx은 (Rth × R4)/ (Rth + R4)로 주어지며 실내온 센서의 저항 Rth의 변화에 따라 합성 저항 Rx은 변화하게 된다.

그림 (1-18)과 같이 브리지 회로를 사용한 회로의 경우는 공급 전압 Vcc를 일정하게 하여 주지 않으면 OP AMP(연산 증폭기)로 입력되어 지는 전압값이 변화하게 돼 실내온 센서로부터 검출된 온도가 정확하게 마이크로컴퓨터의 입력 포트에 입력 할 수가 없다.

따라서 그림 (1-8)과 같은 브리지 회로의 공급 전압 Vcc는 전압이 거의 변화하지 않는 정전압 전원을 사용하지 않으면 안 된다. 브리지 회로의 평형 상태가 R1/R3 = Rx/R2로 주어지면 Va - Vb = 0가 되어 출력 전압은 거의 0(제로)에 가까워지지만 실내온 센서의 변화에 의해 브리지 회로의 평형 상태를 잃으면 입력 값은 Va - Vb = Vx 값이 되어 OP-AMP(연산 증폭기)의 증폭도 만큼 증폭되어 출력하게 되는 회로이다.

point

ECU의 입력 회로

1 입력 인터페이스 회로

센서로부터 검출된 기계적인 물리량은 전기 신호로 변환되어 ECU의 입력 신호로 입력되면 ECU의 내부에 있는 마이크로컴퓨터가 이 신호를 인식 할 수 있도록 전기 신호로 정합하여 주지 회로를 말한다.

① **스위치 입력 회로** : 입력 측 SW의 ON, OFF를 인식하는 회로

② **아날로그 신호 입력 회로** : 전압 변환 신호를 디지털 신호로 변환하는 회로
- 저항 입력 인터페이스 회로 : 저항값 변화를 전압값 변화로 변환하는 회로
  (예) 가변저항을 이용한 센서, 서미스터 센서, 광전 변환 소자

③ **디지털 신호 입력 회로** : 디지털 신호의 주기 또는 반주기를 계수하는 회로
※ A/D 컨버터 : 아날로그 신호를 디지털 신호로 변환하는 IC 또는 회로
노이즈 필터 : 신호원의 노이즈(잡음) 성분을 제거하는 회로
※ 클램핑 회로 : 펄스 파의 진폭이 변화하여도 출력되는 파형의 피크값이 항상 일정하게 하기 위한 회로이다.

④ OP AMP : 2개의 차동 입력을 가진 직류 증폭기로 입력 임피던스가 높고, 증폭도가 크며, 가산, 감산, 미적분 회로, 필터 회로 등으로 널리 사용한다 하여 일명 연산 증폭기라 하는 소자이다.

3. ECU의 출력 회로

1. 트랜지스터 구동 회로

ECU(전자제어장치)의 입력측에 연결되어 기계적인 물리량을 검출하는 센서(sensor) 신호는 ECU의 내부에 있는 마이크로컴퓨터(micro computer)의 입력 인터페이스 회로를 통해 마이크로컴퓨터의 입력 포트(port)에 연결되어 있어 센서로부터 검출된 전기 신호는 인터페이스 회로를 통해 입력 포트로 전달하게 되고 마이크로컴퓨터는 미리 설정된 목표 제어값을 제어하도록 마이크로컴퓨터의 출력 포드)로 제어 신호를 출력한다. 이렇게 출력된 제어 신호는 수 백 nA ~ 수 mA 정도의 미약한 신호로 수백 mA ~ 수 A 정도의 전류량이 필요한 솔레노이드 밸브나 스텝 모터와 같은 액추에이터를 구동 할 수 없게 되어 ECU 내부에는 마이크로컴퓨터가 약 수 A 정도의 전류를 구동할 수 있도록 트랜지스터나 FET(전계 효과 트랜지스터)와 같은 소자를 사용하여 액추에이터를 구동 할 수 있는 구동 회로를 두고 있다.

액추에이터의 구동 전류가 큰 경에는 트랜지스터의 전류 증폭률이 큰 다링톤 트랜지스터(darlington transistor)나 FET(Field Effect Transistor)와 같은 증폭 소자를 이용한 드라이브 회로를 통해 솔레노이드 밸브나 모터와 같은 액추에이터(actuator)를 구동하고 있다.

(1) NPN형 TR를 사용한 구동 회로

실제로 마이크로컴퓨터의 출력 포트로부터 출력되는 신호 전류는 수백 nA ~ 수 μA 정도의 대단히 작은 전류 신호로 스몰 시그널 트랜지스터(small signal transistor)의 1개 정도를 연결(fan in)하여 구동 할 수 있는 작은 량의 전류이므로 대전류용 트랜지스터를 구동하기 위해서는 마이크로컴퓨터의 출력 포트에 별도의 버퍼(buffer) 회로가 필요로 하게 된다.

그림 (1-19)의 (b) 회로는 가장 대표적으로 사용하는 트랜지스터(transistor)를 이용한 구동 회로로 마이컴(마이크로컴퓨터)의 출력 포드(port) 측에는 드라이브 회로를 구동 할 수 있는 버퍼(buffer)가 연결되어 있다. 버퍼의 출력 측에는 전류 제한용 저항 R이 트랜지스터의 베이스(base)와 연결되어 TR(트랜지스터)를 구동하도록 하고 있다.

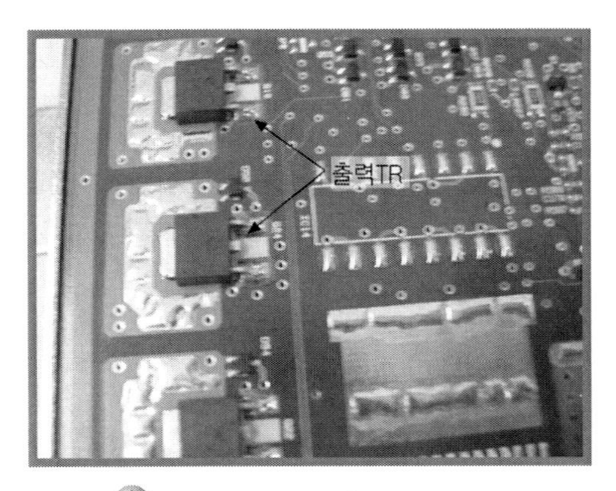

사진1-11 ECU의 TR 구동소자

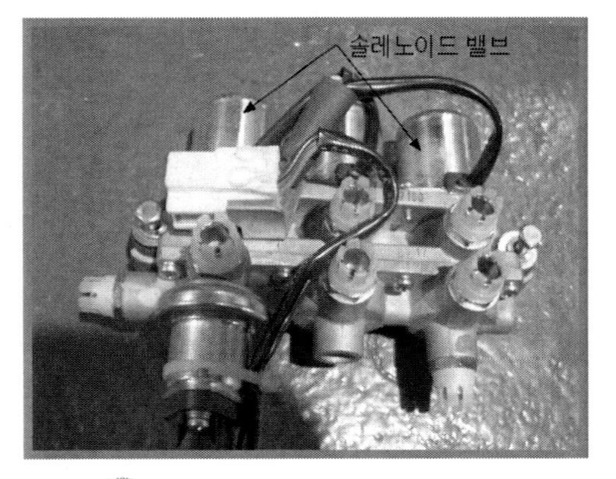

사진1-12 ECS SOL 밸브 ASS'Y

TR(트랜지스터)의 출력 측에는 TR(트랜지스터)를 보호하기 위해 외부로부터 들어오는 서지(surge) 전압을 제거하기 위한 제너 다이오드(zener diode) Dz 가 연결되어 있어 솔레노이드 밸브의 코일(coil) 측으로부터 발생되는 서지 전압을 차단하고 있다. 트랜지스터의 컬렉터(collector) 측에는 주로 ECU의 커넥터 핀과 연결되어 있어 ECU의 외부 커넥터의 출력 측으로 솔레노이드 밸브(solenoid valve)가 연결되어 외부로부터 배터리(battery) 전원을 공급받도록 하고 있다. 이 회로 동작을 살펴보면 마이컴(마이크로컴퓨터)의 출력 포트(port)로부터 출력되는 제어 신호가 게이트(5V의 신호 전압이 출력) 되면 미약한 제어 신호 전류는 버퍼(buffer)를 거쳐 증폭되고 이 신호 전압은 전류 제한용 저항 R을 통해 트랜지스터의 베이스(base)로 입력되게 된다.

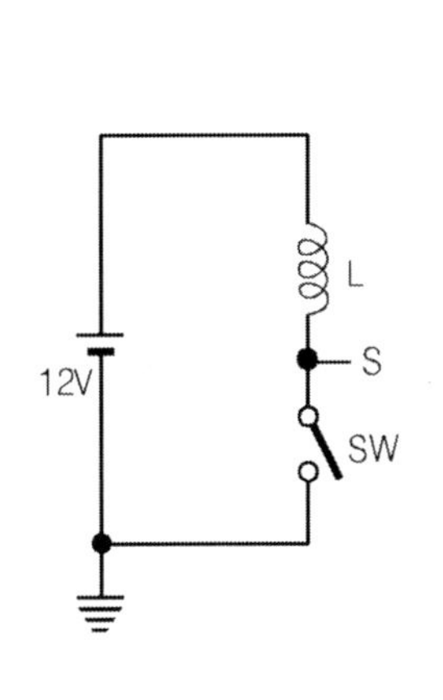

(a) 간단한 전구 회로

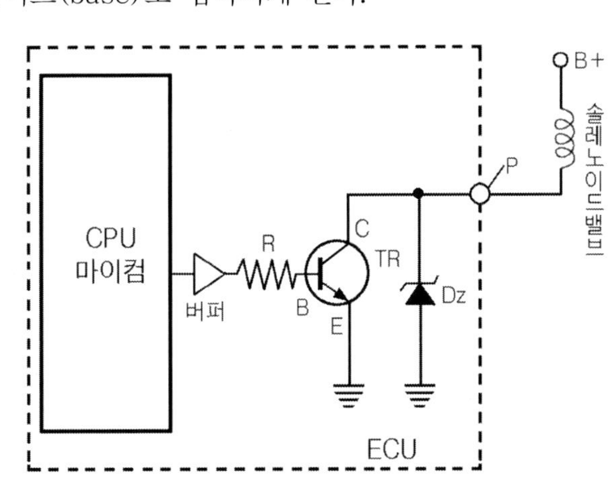

(b) 트랜지스터 출력 회로

그림1-19 트랜지스터 출력 회로

이 전압 레벨은 TR(트랜지스터)의 베이스(base) 전류를 충분히 흐르게 하여 트랜지스터는 스위칭 ON 상태가 되고, TR(트랜지스터)가 ON 상태가 되면 ECU의 외부로부터 공급되고 있던 배터리의 전원 B+(12V)는 솔레노이드 코일을 통해 TR의 컬렉터(collector)에서 이미터(emitter)로 전류가 흐르게 돼 결국 솔레노이드 밸브는 통전을 하게 된다.

이와는 반대로 마이크로컴퓨터의 출력 포트(port)로부터 출력되는 제어 신호의 전압 레벨이 LOW 상태(0V ~ 0.2V 정도)가 되면 버퍼(buffer)를 거친 저항 R에도 LOW 상태가 되어 TR의 베이스 전류를 흐르게 할 수 없어 TR은 턴 오프(turn off) 상태가 된다.

이렇게 TR(트랜지스터)가 OFF 상태가 되면 외부로부터 솔레노이드 밸브로 공급받고 있던 배터리의 전원 전류는 차단되어 결국 솔레노이드 밸브는 구동을 멈추게 된다.

(2) PNP형 TR를 사용한 구동 회로

TR(트랜지스터) 식 출력 회로는 그림 (1-19)와는 달리 그림 (1-20)의 (b)와 같이 PNP형 TR를 사용하는 경우도 있는데 이 경우 회로의 동작은 그림 (1-19)의 NPN TR를 사용한 구동 회로와 전압 극성이 다를 뿐 회로의 동작은 동일하다.

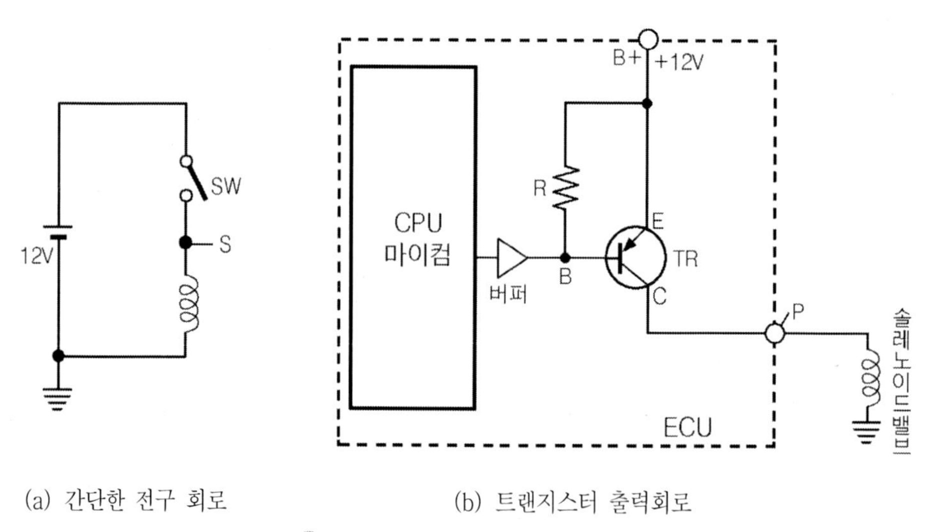

(a) 간단한 전구 회로 (b) 트랜지스터 출력회로

그림1-20 트랜지스터 출력 회로

그림 (1-20)의 (b) 회로의 동작을 살펴보면, 먼저 마이컴(마이크로컴퓨터)의 출력 포트(port)로부터 출력되는 제어 신호 전압이 게이트(5V의 신호 전압이 출력) 되었다 가정

하면 이 제어 신호는 버퍼(buffer)를 거쳐 PNP형 TR의 베이스(base)에 입력되게 되고 이때 베이스(base)에 입력된 전압은 베이스 전류를 차단하여 TR은 OFF 상태가 된다. TR이 OFF 상태가 되면 ECU의 외부로부터 공급되고 있던 배터리 전원은 솔레노이드 밸브로 흐를 수 있는 전류를 차단하여 솔레노이드 밸브의 구동을 멈추게 한다.

반대로 마이컴(마이크로컴퓨터)의 출력 포트로부터 제어 신호 전압이 게이트 되지 않아 출력 제어 신호 전압이 LOW 상태(0 ~ 0.2V 정도)가 되면 버퍼(buffer)의 출력 측에도 LOW 상태가 되어 PNP형 TR(트랜지스터)의 베이스 전류는 흐르게 된다. TR의 베이스(base)전류는 TR를 턴온(turn on)시켜 ECU의 외부로 공급되어 있던 배터리 전원은 TR(트랜지스터)의 이미터(emitter)에서 컬렉터(collector)로 전류가 흐르게 돼 솔레노이드 밸브를 구동하게 하는 회로이다. 이와 같은 트랜지스터의 구동 회로는 가장 대표적으로 사용되는 ECU의 출력 구동 회로로 접점이 없고 스위칭 시간이 빨라 현재에도 많이 사용되고 있는 회로이다.

(3) 전류 제어 방식의 출력 구동 회로

그림 (1-21)의 회로는 트랜지스터(transistor)를 이용한 전류 제어식 인젝터(injector) 구동 회로로 다른 회로에 달리 2개의 TR(트랜지스터)를 사용하고 있는 회로이다. 트랜지스터 TR2는 인젝터를 구동하기 위한 드라이브용 트랜지스터이고 TR1은 TR2의 인젝터코일에 흐르는 전류를 검출하기 위해 TR2에 흐르는 컬렉터 전류를 증폭하기 위해 사용하고 있는 트랜지스터이다. 또한 트랜지스터 TR3는 인젝터 코일(injector coil)에서 발생하는 서지 전압을 바이패스 하기 위해 사용한 TR(트랜지스터)이다.

물론 여기에 사용하는 인젝터 코일 대신 솔레노이드 밸브와 같은 액추에이터를 적용하여 전류 제어 및 단선, 단락을 검출할 수 있게 하는 회로이다. 이 회로의 구성은 액추에이터인 인젝터를 구동하기 위한 구동 회로와 인젝터 코일에 흐르는 전류를 검출하여 회로의 단선, 단락 및 인젝터 코일의 전류 제어를 하기 위해 (마이크로컴퓨터)를 통해 인식 할 수 있도록 한 회로이다. 이 회로의 동작 원리를 이해하기 위해 그림 (1-22)에 나타낸 회로를 살펴보면, 먼저 마이컴(마이크로컴퓨터)의 출력 포트 2(port 2)로부터 제어 신호 전압이 HIGH 상태로 게이트(+5V의 제어 전압이 출력 되면) 되면 버퍼(buffer)를 거쳐 트랜지스터 TR1의 베이스(base) 전류는 흐르게 되고, 이 베이스(base) 전류는 트랜지스터 TR1를 ON 시키게 된다.

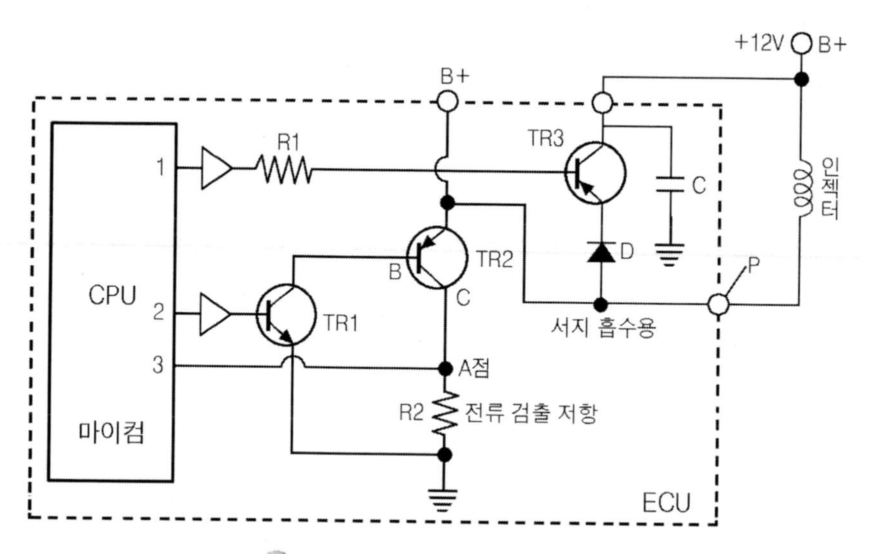

그림1-21 트랜지스터 출력 회로

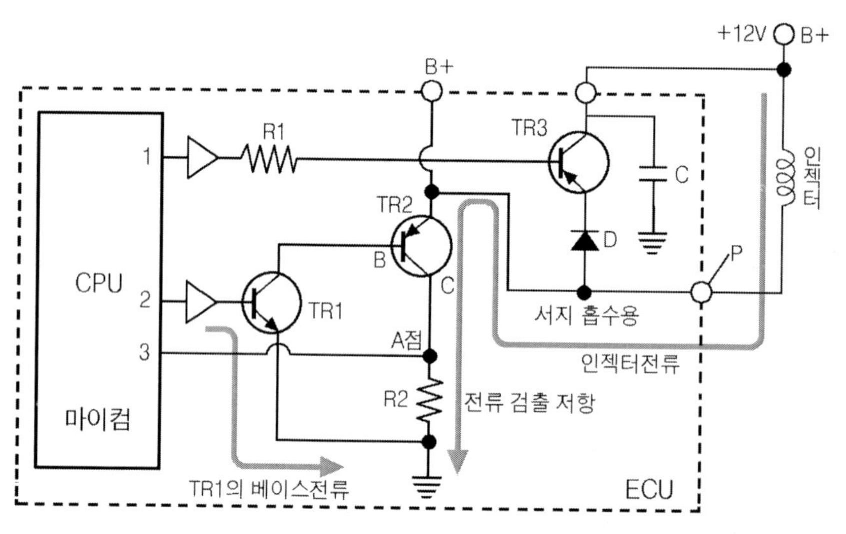

그림1-22 출력회로의 동작(전류제어용 회로)

트랜지스터 TR1이 ON 상태가 되면 트랜지스터 TR2의 이미터(emitter)에 공급되어 있던 전원 전압(B+)에 의해 TR2의 이미터(emitter) 전류는 TR1의 컬렉터 전류가 흐르게 되어 트랜지스터 TR2는 ON상태가 된다. 트랜지스터 TR2가 ON 상태가 되면 인젝터(injector)에 공급되어 있던 외부로부터의 전원(B+)은 인젝터를 통해 TR2의 이미터 측으로 흐르게 되어, 이 이미터 전류는 어스(earth)로 흘러 인젝터를 통전하게 된다.

이때 인젝터의 통전 시간은 TR2의 베이스 신호 전압의 펄스폭에 의해 결정되어 지므로 결국 마이크로컴퓨터의 출력 포트의 제어 신호의 펄스폭에 의해 결정되어 지는 것이 된다. 여기서 TR2의 컬렉터에는 다른 스위칭 회로에서 볼 수 없는 저항 R2가 삽입되어 있는 것을 볼 수 있다. 이 저항은 인젝터의 코일에 흐르는 전류를 검출하는 저항으로 저항 R2의 A점의 전압은 인젝터 코일(injector coil)의 초기 전류 변화에 의해 증가하게 되고 증가된 전압은 마이컴(마이크로컴퓨터)의 포트 3(port 3)를 통해 인젝터 코일에 흐르는 전류를 검출하고 있다.

반면 마이컴의 포트 2(port 2)에서 제어 신호가 LOW 상태(0~0.2V 정도)로 출력 하게 되면 TR1은 OFF 상태가 되고 TR1의 컬렉터 전압에 의해 TR2도 OFF 상태가 된다.

TR2가 OFF 상태가 되면 인젝터에 공급 되어 있던 B+의 전원 전압의 전류는 TR3에 의해 차단 상태가 된다. 이 회로에서 TR2의 컬렉터(collector)에 저항 R2를 삽입한 것은 인젝터 코일에 흐르는 전류를 감지하여 인젝터가 작동 영역에 들어가는 것을 마이컴(마이크로컴퓨터)의 포트 3(port 3)를 통해 검출하여 인젝터가 작동 영역에 들어간 것을 확인하고 마이컴의 포트2(port 2)를 통해 약 20㎑ 의 주파수로 신호 전압을 출력하여 인젝터의 구동을 지속시키는 방식으로 이러한 방식의 출력 회로를 사용한 ECU(전자제어장치)는 스코프(scope)를 사용하여 파형을 관측하여 보면 인젝터 구동 파형이 한 주기 동안 ON, OFF를 반복하는 형상을 띠고 있는 것을 볼 수 있다.

또한 전류 검출 저항 R2는 인젝터 코일의 단선, 단락을 검출 하여 마이컴(마이크로컴퓨터)의 통신 라인을 통해 전송 할 수가 있어 ECU의 진단 장비인 스캐너(scanner)에 의한 점검 시 편리한 이점이 있다. 여기서 사용하는 TR3의 회로는 인젝터 코일에서 발생하는 서지 전압을 흡수하기 위해 TR3의 이미터 전류가 흐르도록 한 회로로 인젝터가 구동 시 마이컴의 포트 1(port 1)을 통해 HIGH 상태(4.2~4.9V)로 게이트 되어 인젝터 코일로부터 발생하는 서지 전압을 다이오드 D를 통해 TR3의 이미터 측으로 바이패스 하기 위한 회로이다.

2. FET 구동 회로

그림 (1-13)의 회로는 언헨스먼트(enhancement)형 N 채널 MOS FET를 사용한 출력 구동 회로로 FET(field effect transistor)는 트랜지스터의 베이스 전류 증폭에 의해 스위칭 되는 것과 달리 게이트(gate) 전압에 따라 소스(source)에서 드레인(drain)으로

이동하는 캐리어(carrier)의 량(전자의 이동량)을 게이트의 채널(channel)을 통해 전류의 량을 제어하는 방식으로 대전류 제어에 유리하다.

그림 (1-23)의 회로를 살펴보면 (마이컴)마이크로 컴퓨터의 포트(port)를 통해 제어 신호는 TR(트랜지스터)를 스위칭하고 스위칭 된 TR의 스위칭 전압에 의해 N채널 MOS FET를 게이트 하는 구조로 되어 있는 회로임을 알 수 있다. 여기서 MOS FET의 게이트와 드레인 사이에 쇼트키 다이오드(schottky diode)를 삽입하여 놓은 것은 FET가 ON상태가 될 때 게이트에 존재하는 포유용량에 의해 전하가 축적되는 일이 없도록 하여 신호 전압의 상태 변환 시간을 단축하기 위한 것이다. 즉 스위칭 시간을 빠르게 하기 위해 삽입하여 놓은 것이다.

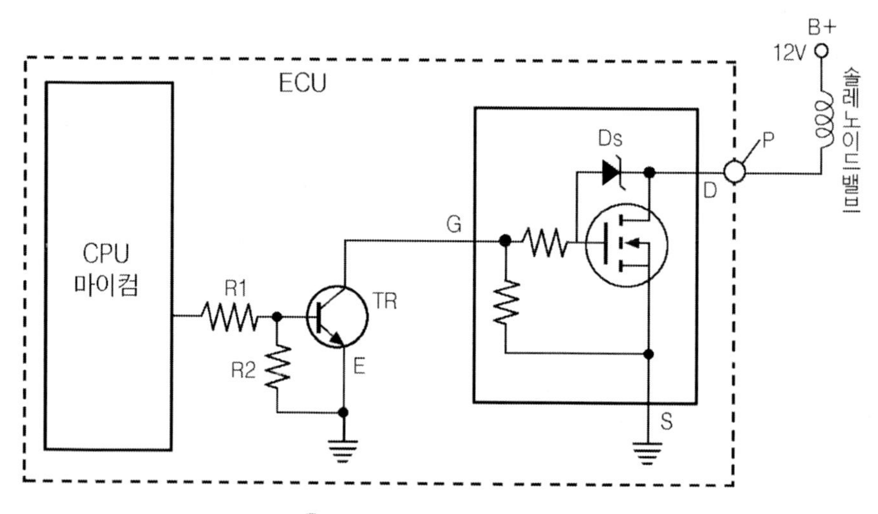

그림1-23 FET 출력 회로

MOS FET의 게이트 저항은 게이트의 전류 제한 저항으로 사용 한 것이며 소스 저항은 턴 오프(turn off)시 스위칭 타임을 단축하기 위해 사용한 것이다. 그림 (1-23)의 회로 중 사선으로 된 사각형 안의 MOS FET 회로는 실제로는 IC화(집적화) 되어 있어 실물을 사용하는 리드(lead)에는 게이트와 소스, 드레인으로 명칭된 3개의 리드로 되어 있어 하나의 MOS FET처럼 사용하고 있는 형식이다. 이 회로의 동작은 마이컴(마이크로컴퓨터)의 포트(port)를 통해 출력되는 제어 신호가 게이트 되어 약 5V 정도의 전압에 출력 되면 저항 R1을 거쳐 TR(트랜지스터)의 베이스에 가해지게 돼 TR의 베이스 전류는 흐르게 되고 TR은 ON 상태가 되어 FET의 게이트(gate) 전압을 거의 0V(어스 전위) 가까이

강하 시킨다. 이렇게 FET의 게이트 전압이 0V 가까이 되면 N 채널 MOS FET의 닫혀 있던 채널이 열려 소스(source)의 캐리어(전자 또는 정공의 이동)는 드레인(drain)으로 이동하게 된다.

즉 MOS FET는 ON 상태가 되어 외부로부터 솔레노이드 밸브를 통해 공급되어 있던 전원 전압 (+B, 12V)은 솔레노이드 밸브의 코일을 통해 MOS FET의 드레인에서 소스(source)로 전류는 흐르게 되어 솔레노이드 밸브는 통전 상태가 된다. 이 와는 반대로 마이컴(마이크로컴퓨터)의 포트)로부터 출력되는 제어 신호가 LOW 상태(약 0 ~ 0.2V)가 되면 TR의 베이스 전류를 흘릴 수 없게 되어 결국 TR은 OFF 상태가 되고 MOS FET의 게이트 전압은 상승하게 돼 채널을 닫히게 된다. 즉 FET의 채널 형성에 의해 OFF 상태가 되어 솔레노이드 밸브에 공급되어 있던 전원 전류를 차단하게 된다. 이 회로에 사용된 언헨스먼트(enhancement)형 MOS FET는 소스와 드레인 사이에 채널이 형성 되어 있지 않아 비교적 스위칭 시간이 빨라 스위칭 소자로 많이 사용하고 FET이다.

3. ECU의 그라운드

전기에서 말하는 **어스**(earth)란 대지의 접지와 같이 넓은 의미에서 사용되는 것을 의미하며 **그라운드**(ground)란 전자 기기나 ECU와 같이 좁은 의미에서 사용되는 접지를 말하지만 많은 사람들은 대개 어스와 그라운드 구분 없이 사용하고 있는 것이 현실이다.

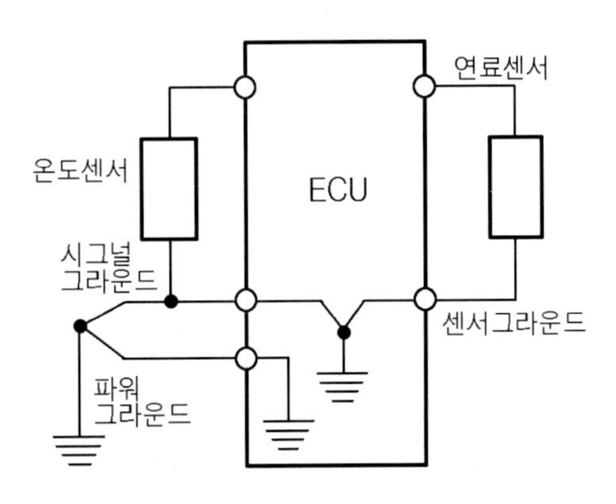

그림1-24 전자제어장치의 어스

최근 자동차 전장 회로에는 ECU(전자제어장치)의 사용 증가로 접지의 종류를 파워 그라운드(power ground), 시그널 그라운드(signal ground), 센서 그라운드(sensor ground)로 분류하여 표기하는 것을 많이 볼 수 있는데 이것은 회로의 노이즈(noise)에 의한 신호의 오작동 및 회로의 안정을 기하기 위한 것으로 전원과 관련이 있는 회로 또는 부품의 접지는 그림 (1-24)과 같이 파워 그라운드로 구분하여 같이 사용하고, 센서의 출력 신호가 아날로그(analog) 신호인 경우에는 센서의 접지는 시그널 그라운드 선으로 구분하여 같은 그라운드 끼리 연결하여 사용하고 있다. 센서의 신호가 외부의 신호에 민감한 센서의 경우에는 센서 그라운드로 구분하여

접지에 의한 노이즈를 최소화 하고 외부의 노이즈를 차단하기 위해 정전 차폐에 우수한 실드선(shield wire)을 이용하는 경우도 있다. 특히 자동차의 경우 접지(어스)는 회로의 동작에 직접 영향을 미치는 중요한 부분으로 접지(어스)의 연결 상태와 접지 저항을 최소화 하도록 하지 않으면 안된다. 전장 부품의 접지 저항이 증가하면 전장품의 오동작은 물론 외부로부터 쉽게 노이즈의 영향을 받아 또 다른 전장 부품에 영향을 미치게 된다.

point 

ECU의 출력 회로

1 출력 드라이브 회로

솔레노이드 밸브, 릴레이, 모터 등과 같은 액추에이터를 구동하기 위한 출력 구동 회로를 말한다.

① **트랜지스터 출력 회로** : ECU의 출력 측에 TR의 전류 증폭 작용을 액추에이터를 구동하기 위한 회로

② **전류 제어식 출력 회로** : 솔레노이드 밸브 또는 인젝터 등의 무효 동작 시간을 감소하고 코일을 보호하기 위해 코일에 흐르는 전류 제어하는 회로(코일에 흐르는 전류량을 마이컴이 감지하여 출력측 전류를 펄스 신호로 제어하는 회로)

③ **MOS FET 출력 회로** : 주로 언헨스먼트형 FET를 사용하여 드레인 누설 전류를 감소하고 대전류의 스위칭에 적합한 회로

④ **스텝 모터 제어 회로** : 스텝 모터를 제어하기 위해 특별히 설계한 회로 또는 모터 제어 IC

※ TR(트랜지스터) : 전류 증폭을 이용한 스위칭 또는 증폭 소자
FET(전계 효과 트랜지스터) : 게이트의 전계의 세기에 따라 채널 폭을 조정하여 전류량을 제어하는 것을 이용한 전압 증폭 소자

2. ECU의 그라운드

① 어스와 그라운드

- 어스 : 넓은 의미에서 사용되는 대지의 접지를 의미한다.
- 그라운드 : 좁은 의미에서 사용되는 전자 장치의 접지를 의미한다.

② **파워 그라운드** : 전원 공급에 필요한 전압원 또는 전류원의 접지

③ **시그널 그라운드** : 펄스 또는 교류 출력 신호를 가지고 있는 센서 또는 회로에 전기적인 잡음에 영향을 받지 않도록 한 접지

④ **센서 그라운드** : 잡음원에 민감한 센서에 필요한 접지

02

ABS 시스템

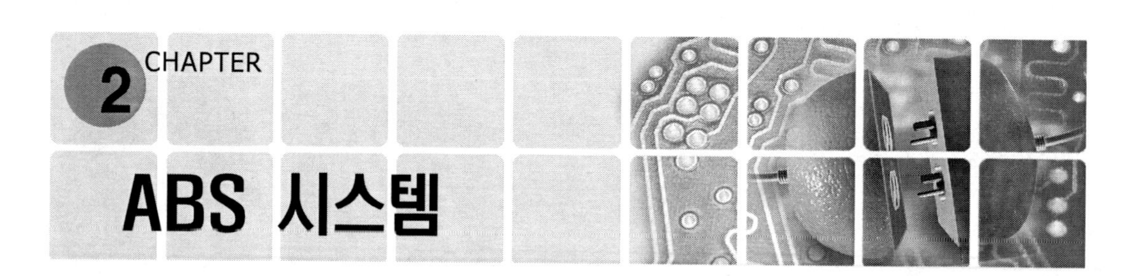

2 CHAPTER ABS 시스템

1 제동 장치의 기본 지식

1. 차량의 정지

(1) 액티브 세이프티

자동차의 기능은 **주행**, **선회**, **정지**의 3가지 요소의 기본 기능이 있다. 이 3가지 요소의 기본 기능은 운전자의 주행 의지에 따라 가속 페달 및 클러치, 조향, 브레이크의 조작에 의해 이루어져 이에 따른 주행 안전성이 높게 요구되고 있다. 차량의 안전성을 높이는 데에는 위험한 상황 접근시 위험 발생이 일어나지 않도록 안전 성능을 향상하는 것과 충돌시 승객을 보호하기 위한 보호 장치의 성능을 향상하는 것이 있다.

전자와 같이 위험한 상황을 미연에 방지하기 위한 안전 기구를 **액티브 세이프티 시스템**(active safety system)이라 부르며 후자와 같이 사고 발생 후 승객을 보호하는 안전 기구를 **패시브 세이프티 시스템**(passive safety system)이라 부른다.

자동차의 경우 이 2가지 안전성은 상황에 따라 양립 할 수 있어 액티브 세이프티와 패시브 세이프티 측면에서 안전성을 고려해 주어야 하지만 자동차의 기본 기능을 향상하는 측면에서는 액티브 세이프티 측면을 고려해 주는 것이 바람직하다 할 수 있다.

액티브 세이프티 측면을 고려한 장치로는 조향 안전성을 확보하기 위한 ABS(Anti lock Brake System) 시스템과 EPS(Electronic Power Steering) 시스템, 전방 차량의 안전거리를 경보하는 전방 충돌 감지 시스템 등을 예를 들 수 있다.

또한 패시브 세이프티 측면을 고려한 장치로는 에어백과 프리텐셔너 시스템, 충돌 시 승객과 차량을 보호하기 위한 자동 연료 차단장치 등을 예를 들 수 있다.

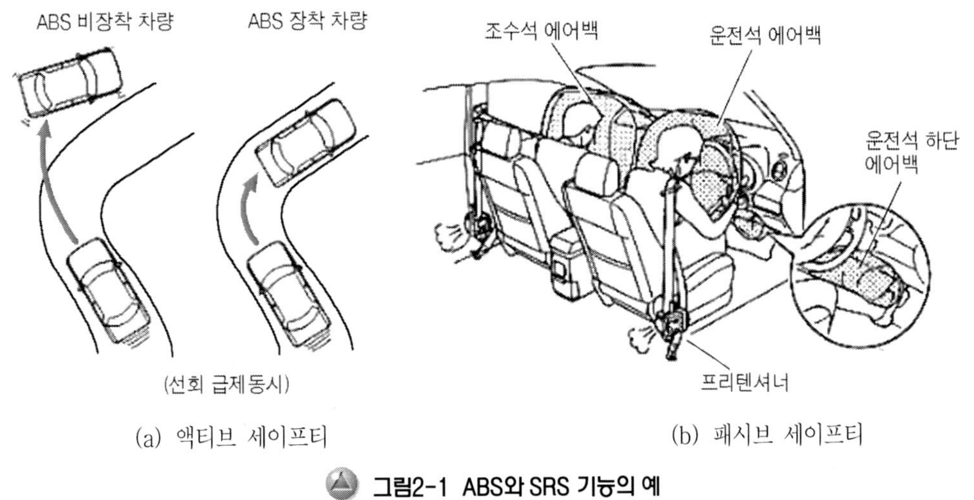

(a) 액티브 세이프티　　(b) 패시브 세이프티

그림2-1 ABS와 SRS 기능의 예

(2) 차량의 정지

브레이크를 페달을 밟으면 차량이 감속하는 것은 물리적으로 살펴보면 그림 (2-2)의 (a)와 같이 차량이 진행 방향과 반대 방향으로 힘이 작용하는 것이다.

주행 중인 차량을 정지 한다는 것은 차량의 진행 방향과 반대 방향으로 작용하는 힘을 지속적으로 작용하여 감속 한다는 것을 의미하므로, 차량의 감속 작용하는 것은 결국 타이어의 접지면과 노면 간에 발생하는 마찰력(힘)에 의해 결정되어 진다. 따라서 타이어의 진행 방향으로 작용하려는 힘을 **구동력**이라 하면 이에 반해 반대 방향으로 작용하는 힘을 **제동력**이라 하며 차량의 기본 기능인 주행, 선회, 정지라는 3가지 요소는 모두 타이어의 작용에 의해 이루어지는 것을 알 수 있다.

주행 한다는 것은 그림 (2-2)의 (b)와 같이 차량의 진행 방향의 힘에 의한 것이며, 선회 한다는 것은 진행방향에 횡방향으로 발생하는 힘에 의한 것이다. 또한 정지한다는 것은 차량의 진행방향과 반대방향으로 힘이 작용하는 것이다. 이와 같이 차량의 기본 성능을 결정하는 것은 모두 타이어에 작용하는 힘에 의해 결정되어 지기 때문에 아무리 강력한 브레이크 장치를 장착한다 하여도 타이어의 상태가 좋지 않으면 차량의 정지 기능은 충분히 발휘하지 못하게 된다.

이러한 관점에서 생각하면 ABS(Anti lock Brake System), TRC(Traction Control System) 또는 TCS(Traction Control System), ECS(electronic control suspension

system) 등과 같이 첨단 전자제어 장치는 결국 타이어에 미치는 힘의 성능을 최대한 발휘 하도록 하는데 주안점을 두고 있는 것이라 생각 할 수 있다.

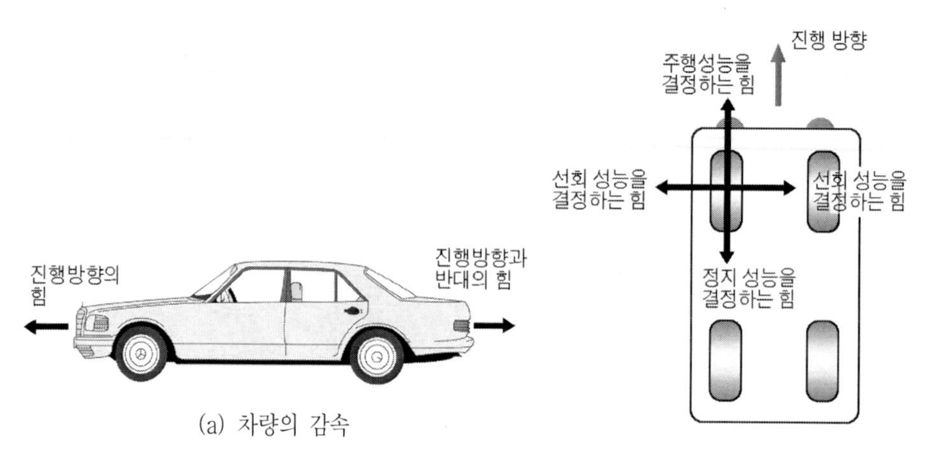

(a) 차량의 감속

(b) 타이어에 의해 얻어지는 기본성능

그림2-2 차량의 정지

(3) 타이어의 슬립

사진2-1 접지면에 접촉한 타이어

사진2-2 타이어의 공기압

차량이 정지 상태에서 구르기 시작 할 초기에는 큰 힘이 필요하지만 한 번 굴러간 차량은 작은 힘으로도 쉽게 차량이 굴러 갈 수 있는 것은 타이어와 노면 간에 마찰력이 존재하기 때문이다. 만일 차량의 주행하는 속도와 타이어가 회전하는 속도가 같다고 가정하면 타이어에는 슬립(slip)이 존재하지 않는다. 이에 반해 타이어와 노면 간 슬립(slip)이 일어난다는 것은 차량의 주행하는 속도와 타이어의 회전 속도가 다르다는 것을 말하는 것으

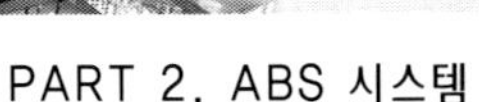

로 차량을 정지하기 위한 제동력이라는 마찰력을 얻기 위해서는 차량의 주행 속도 보다 타이어의 회전 속도를 지연시켜 가며 회전하는 것이 좋다. 그러나 무엇보다 강력한 슬립은 타이어가 로크(lock : 잠김) 되는 상태를 말하며 차량이 주행하는데 타이어가 로크(lock : 잠김)되는 정도를 우리는 슬립(slip)율로 표시하고 있다.

그림 (2-3)의 (a)와 같이 차체의 속도가 100(㎞/h)로 달릴 때 타이어가 로크(lock)된 상태의 슬립율을 100% 기준으로 하고 있다. 즉 슬립율은 (차량의 속도 − 타이어의 속도)/차량의 속도 × 100%로 나타내고 있다. 타이어가 로크(lock)된 상태는 타이어의 속도가 0(㎞/h)가 되기 때문에 결과적으로는 차량의 주행 속도가 얼마가 되던지 슬립율은 100%가 된다.

따라서 브레이크장치라는 것은 제동력을 얻기 위해 타이어의 마찰력을 이용하여 감속하는 기구이다. 결국 차량을 감속하기 위해서는 차량의 주행 속도 보다 타이어의 회전 속도를 지연 시켜(슬립율을 올려) 타이어와 노면 간 마찰력을 얻는 기구이다.

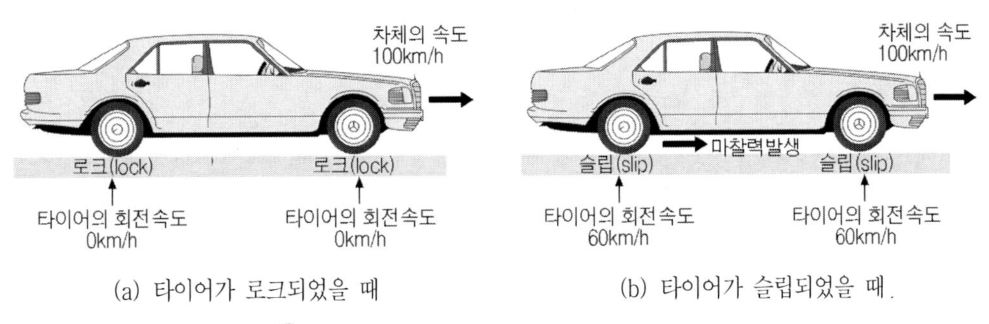

그림2-3 제동력을 걸었을 때 차량의 슬립 형태

2. 차량의 선회

(1) 발진 가속 시

급출발 시 스타트(start) 순간에는 차륜이 공전(wheel spin : 헛바퀴)하는 것을 종종 볼 수 있다. 급가속시 차륜이 공전을 하는 것을 눈으로 볼 때에는 짧은 시간에 진행이 되어 크게 문제가 되지 않는 것처럼 보이지만 경기용 자동차의 경우에는 출발점으로부터 스타트 시간이 지연으로 경기의 승패를 좌우하게 되는 중요한 결과를 가져올 수도 있다.

실제로 차륜이 공회전은 구동력을 저하시켜 큰 타임 로스(time loss)를 가져오게 된다.

(2) 선회 시

차량이 선회 할 때에는 차량은 그림(2-4)와 같이 언제나 바깥 방향으로 원심력이 작용하게 된다. 이것 때문에 원심력에서 보면 차량이 밸런스(balance)를 유지하기 위해 차량 안쪽 방향으로 힘이 발생하는 힘이 작용하게 되고, 원심력과 차량의 안쪽 방향으로 유지하게 하는 힘이 코너링(cornering)을 가능하게 되는 것을 알 수 있다. 이와 같이 원심력에 대해 차량의 안쪽으로 작용하는 힘을 우리는 **코너링 포스**(cornering force)라 한다.

그림(2-4)의 (b)와 같이 가속 페달을 밟아 선회하는 경우를 생각 해 보면 먼저 가속 페달을 가볍게 밟을 때에는 타이어의 그립력(grip force : 타이어를 정지시켜 노면과 타이어의 마찰력을 일으키는 힘)의 대부분을 코너링 포스로 이용 할 수가 있지만 가속페달을 밟아 구동력을 크게 하면 이번에는 그립(grip)력의 대부분은 구동력이 되어 코너링 포스(cornering force : 구심력)는 오히려 감소하여 차량의 구동축은 원심력에 걸려 밖으로 슬립(slip)하게 된다.

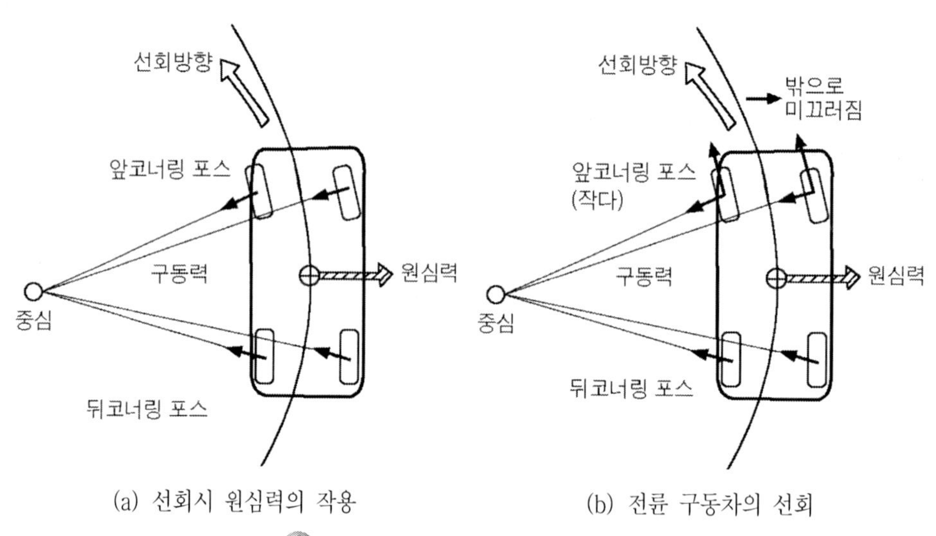

(a) 선회시 원심력의 작용

(b) 전륜 구동차의 선회

그림2-4 전륜 구동형 차량이 신회시

예를 들면 전륜 구동형(FR형) 자동차는 구동축이 앞에 있어 후륜측 에 의한 미끄러짐비가 크게 되어, 이러한 문제로 전륜 구동형 차량의 경우에는 언더 스티어(under steer)가 강하게 되어 있다.

언더 스티어라는 것은 차량의 선회 속도를 올릴수록 선회 반경이 커지는 특성을 말하며 반대로 **오버 스티어**(over steer)는 선회 속도를 올릴수록 선회 반경이 작아지는 특성을 말한다.

그림(2-5)는 RR형(후륜 구동형) 차량의 선회하는 경우를 나타낸 것으로 후륜 구동형 차량의 경우는 구동축이 뒤쪽에 있어 구동력(traction)을 크게 하는 만큼 뒤쪽이 앞쪽 보다 크게 밖으로 미끄러짐이 발생하게 된다. 그 결과 차량 뒤 측이 밖으로 흐르게 돼 차체는 선회하는 반경 내측을 향하게 돼 결국 오버 스티어(over steer)가 발생하게 된다.

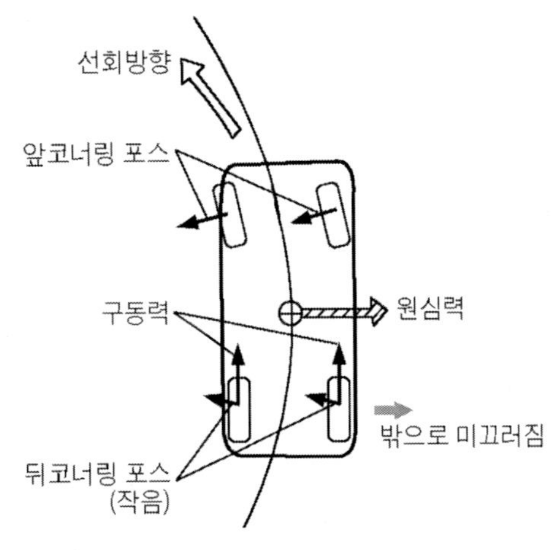

그림2-5 후륜 구동형 차량의 선회시

오버 스티어가 크게 발생하면 차량은 공전 현상(스핀 현상)이 발생하여 결국 조향 불능 상태가 되어 버리고 만다.

주행 중 타이어의 슬립(slip)과 스핀(spin) 현상이 발생하면 조향 안전성 및 구동성에 악영향을 주게 되므로 안전상 좋지 않은 결과를 가져오게 된다. 이와 같은 현상은 노면의 마찰 계수(μ)가 낮은 만큼, 즉 미끄러지기 쉬운 도로 일수록 현저하게 발생하게 된다.

지금까지 학술적으로 설명한 현상은 실제 차량을 운전을 하면서도 느낄 수 있는 것으로 차량 선회 시 가속 페달을 밟으면 오히려 조향을 쉽게 조작 할 수 있고, 가속 페달을 가볍게 밟으면 오히려 차량이 바깥으로 끌려 조향이 불안정 한 경우를 느낄 수가 있는 경우와 같다. 즉 전륜 구동형(FR형) 차량의 경우 가속 페달을 밟을 때에는 구동력은 증가하고 앞 측 코너링 포스는 작아져 차량의 외측으로 미끄러짐 현상이 발생하기 때문이며 이와는 반대로 후륜 구동형 차량의 경우는 뒤 측 코너링 포스가 작아져 차량이 외측으로 미끄러짐 현상이 발생하기 때문이다.

point

차량의 정지와 선회

1 차량의 정지

1. 브레이크의 기본 지식

(1) 안전장치

① 액티브 세이프티 시스템 : 위험 발생이 일어나지 않도록 예방하는 안전 시스템

② 패시브 세이프티 시스템 : 돌 발생 시 운전자, 승객을 보호하기 위한 안전 시스템

(2) 차량의 정지

① 차량의 정지 수순 : 주행 → 제동 → 노면과 마찰 → 감속 → 정지

※ 차량정지의 원리 : 타이어와 노면 간 마찰력을 이용 제동력을 증가시켜 차량이 감속하도록 하는 것

② 구동력 : 차륜이 전진하려는 힘

③ 제동력 : 구동력과 반대로 작용하는 힘

④ 그립력 : 타이어를 정지시켜 노면과 타이어간 마찰력을 일으키는 힘

⑤ 제동 토크 : 브레이크의 캘리퍼를 통해 차륜을 정지하도록 하는 힘

(3) 타이어의 슬립

① 타이어의 슬립 : 차체의 속도와 차륜의 회전 속도가 다른 상태

② 슬립율 = (차량의 속도 − 타이어의 회전 속도) / 차량의 속도 × 100%

2 차량의 선회

1. 급발진시

– 타이어의 공전 상태로 인한 타이어의 슬립율이 크게 증가하게 된다.

2. 선회시

① 원심력 : 회전운동 시 물체가 중심으로부터 멀어지려는 힘

② 코너링 포스(선회력) : 원심력과 반대로 물체의 중심으로 작용하는 힘을 말하며 이 힘은 원심력과 코너링 포스(선회력 : 선회 구심력)가 밸런스 되어 차량이 선회하도록 하는 힘이다.

③ FR차(전륜 구동형 차)의 경우

– 선회 시 가속 페달을 가볍게 밟는 경우 : 구동력이 증가하면 코너링 포스가 감소하게 되어 차량이 앞 측이 바깥쪽으로 슬립하게 된다.

– 언더스티어(선회 속도의 증가에 따라 선회 반경이 증가하는 특성)가 발생

④ RR차(후륜 구동형 차)의 경우

– 선회 시 가속페달을 가볍게 밟는 경우 : 구동력이 증가하면 코너링 포스가 감소하게 되어 차량 뒤측이 바깥쪽으로 슬립하게 된다.

– 결과로 차량의 앞 측은 선회 반경 안쪽으로, 뒤 측은 선회 반경 바깥쪽으로 발생하는 오버스티어가 발생한다.

– 오버스티어(선회 속도의 증가에 따라 선회 반경이 감소하는 특성)가 발생

3. 타이어의 마찰 특성

(1) 제동력과 제동 토크

자동차의 기본 기능인 주행, 선회, 정지의 3가지 요소의 성능은 타이어에 미치는 힘에 의해 결정되어 지는 것은 앞서 기술 하였지만 여기서는 차량의 주행, 선회, 정지의 성능에 영향을 주는 타이어 관점에서 타이어에 미치는 힘에 대에 알아보도록 하겠다. 먼저 차량의 정지라는 것은 앞서 설명하였듯이 차량의 주행 속도를 감속하여 정지라는 결과를 얻을 수 있다. 이것을 제동 장치의 작동으로 보면 운전자가 브레이크 페달을 밟아 마스터 실린더로 부터 유압을 발생시켜, 발생된 유압은 캘리퍼(caliper)의 피스톤을 작용해 차륜이 회전을 정지하도록 하는 힘이 발생하게 된다.

이와 같이 차륜이 회전을 정지하도록 작용하는 힘을 **제동 토크**라 하며, 이 힘은 자동차의 주행에 대해 힘이 반대로 작용하여 감속하는 힘을 말한다. 이해를 쉽게 하기 위해 그림(2-6)의 (b)에서 주행 저항이 거의 없는 0(제로) 상태로 가정하면 차량이 일정 속도로 주행하고 있을 때 타이어의 회전각 속도 (ω)는 차륜의 속도($V\omega$)로 환산하면 차량의 속도(V)와 일치하게 된다.

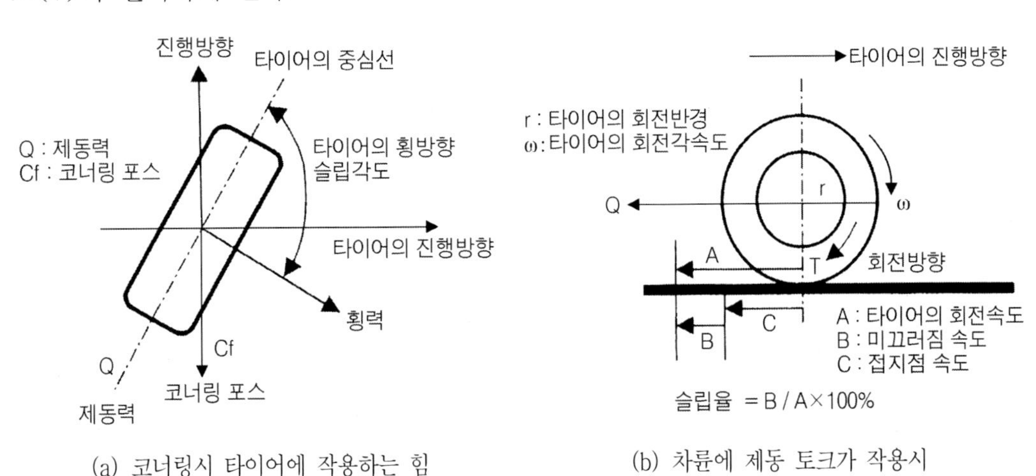

(a) 코너링시 타이어에 작용하는 힘 (b) 차륜에 제동 토크가 작용시

그림2-6 타이어에 작용하는 힘

차륜의 속도 ($V\omega$) = $r \times \omega$

r : 타이어의 회전 반경 ω : 타이어의 회전 각속도

즉 주행 저항이 없다고 가정하면 **차량의 속도 (V) = 차륜의 속도(Vω)**로 일치하게 되어 차륜의 슬립율은 0(제로) 상태가 되는 것을 의미하게 된다.

운전자가 차량을 감속하기 위해 브레이크 페달을 밟으면 캘리퍼(caliper)의 피스톤 압력은 증가하게 돼 차륜의 제동 토크는 증가하게 된다. 제동 토크(T)가 증가하면 타이어와 노면 간 마찰력은 증가하여 타이어의 회전 각속도(ω)는 감소하게 된다.

이 경우 차륜의 속도(Vω)는 차량의 속도 (V)보다 작아져 타이어와 노면 사이에는 슬립 현상이 발생하게 된다. 이때 발생되는 타이어와 노면간의 발생되는 힘은 제동력으로 제동력(Q)과 슬립율(S)의 관계는 그림 (2-7)의 (a)에 나타낸 특성과 같다.

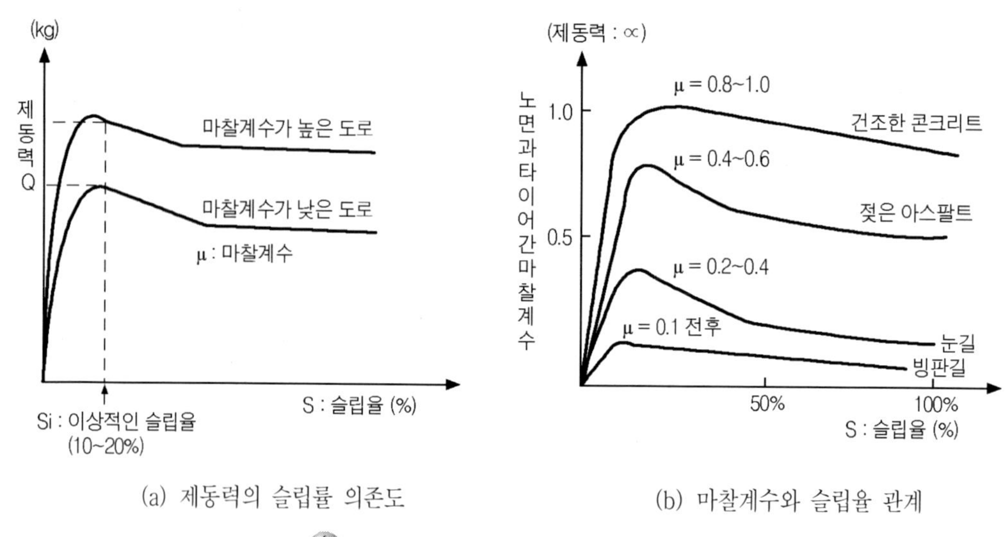

(a) 제동력의 슬립률 의존도

(b) 마찰계수와 슬립율 관계

그림2-7 제동력의 슬립율 의존 특성

이 특성에서 나타낸 것과 같이 제동력은 초기에는 슬립율이 증가하면 제동력도 증가하게 되나 어느 이상 슬립율이 상승하면 오히려 제동력은 감소하게 되는 특성을 나타낸다.

이때 제동력(Q)은 차륜이 회전 상태로 보았을 때 차륜을 돌리려는 힘은

차륜의 회전 반경(r) × 제동력(Q)으로 나타내며

차량의 진행 방향에 대해 차량을 감속 시키려는 힘이 제동력(Q)이 된다.

제동력을 일반적인 마찰 개념으로 생각하면 제동력은 다음과 같은 식으로 변환하여 표현 할 수 있다.

제동력 (Q) = 마찰 계수 (μ) × 타이어에 실리는 하중(W) 로 나타낼 수 있다.

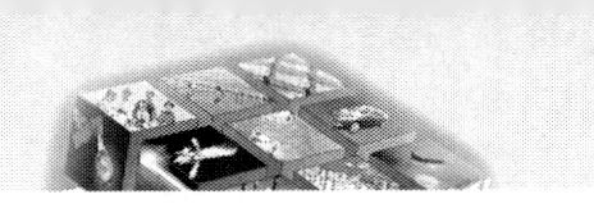

이 식에서 표현한 것과 같이 타이어에 실리는 하중이 크면 클수록 제동력은 증가하게 되고 마찰 계수가 클 수 록 제동력은 증가하게 된다. 타이어의 마찰 계수와 슬립율의 관계는 그림(2-7)의 (b)에 나타낸 특성과 같이 마찰 계수가 낮은 도로일수록 슬립율은 증가하는 것을 볼 수가 있다.

(2) 그립력의 배분

자동차가 주행하고 있을 때에는 언제나 노면과 타이어 간에는 마찰력이 작용하고 있어 제동력 또는 구동력과 선회력(코너링 포스)은 힘이 배분되어 있는 상태와 같이 된다.

따라서 이것을 표현하기 좋게 하기 위해 그림 (2-8)과 같은 마찰원을 사용하여 설명하고 있다. 마찰원의 가로 측에는 코너링 포스(cornering force)를 표시하고 세로측은 구동력과 제동력을 표시하고 있다.

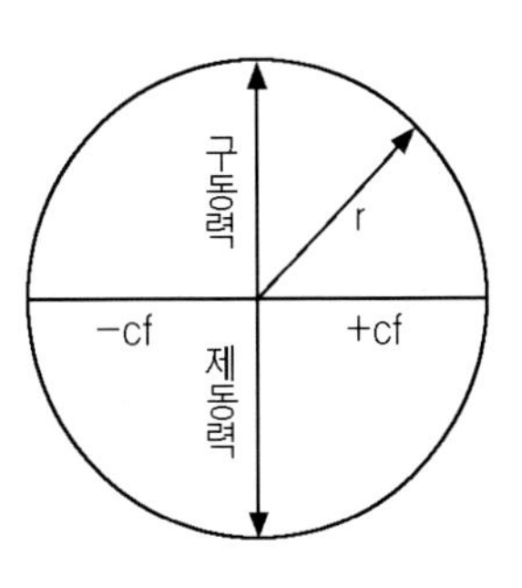

r : 한계 그립력 cf : 코너링 포스
r = μ × W

 그림2-8 마찰 원

그림 (2-8)에서 원의 반경 r 은 한계 그립(grip)력으로, **그립력 r = μ × W** 로 구 할 수 있다.

여기서 μ는 마찰 계수를 나타내고, W는 타이어에 실리는 하중을 나타낸다. 따라서 그립력 r은 마찰 계수와 타이어에 실리는 하중에 관한 타이어 미치는 마찰력을 표현한다.

그림(2-9)는 차량이 코너링 시 구동력과 코너링 포스의 힘이 배분을 마찰 원으로 나타낸 것으로 예를 들면 그림 (2-9)의 (a)는 구동력의 50%를 그립력(마찰력)으로 배분되었다 가정 할 때 코너링 포스는 85%가 배분 된 것을 나타낸, 것으로 이 경우 코너링 포스는 충분이 크게 얻을 수 있게 된 것을 나타낸 것이다. 이에 반해 그림(b)는 구동력을 90%로 배분하게 되면 코너링 포스(cornering force)는 40% 밖에 배분이 안 돼 결국 코너링 포스는 작게 되어 차량은 횡측으로 미끄러지기 쉬운 상태로 되는 것을 나타낸다. 따라서 차량이 선회 시 차량에 작용하는 원심력과 코너링 포스 비율은 50% 비율로 밸런스를 유지하며 선회하는 것이 이상적이라 할 수 있다.

이와 같이 그립(grip)력은 주행 중에는 언제나 구동력(또는 제동력)과 코너링 포스의 힘이 배분되지만 이 때 우선권을 결정하는 것은 구동력과 제동력에 있다. 즉 차량이 선회를 할 때에는 코너링 포스(cornering force)를 크게 할 필요가 있을 때에도 구동력 및 제동력을 크게 하게 되면 코너링 포스는 오히려 감소하여 타이어는 횡측으로 미끄러지기

쉬운 상태에 놓이게 된다.

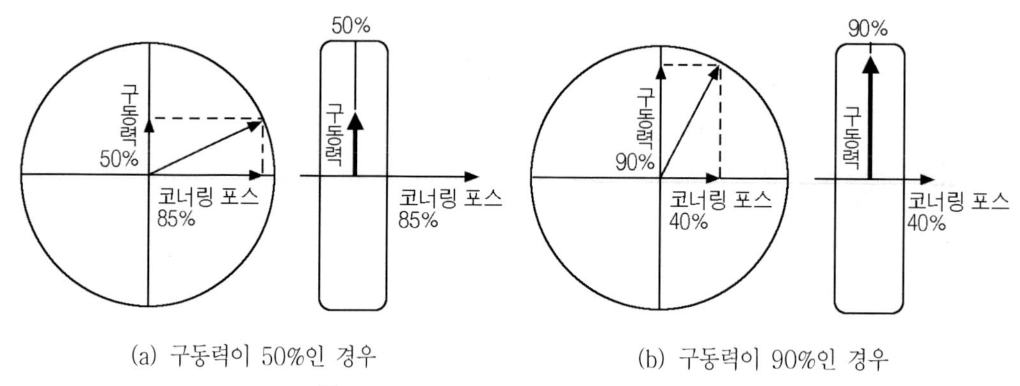

(a) 구동력이 50%인 경우

(b) 구동력이 90%인 경우

그림2-9 구동력과 코너링 포스의 관계

4. 코너링 포스

차량이 선회시 원심력은 차량의 선회 방향, 바깥으로 나가려는 힘이 반해 코너링 포스는 선회 방향 안쪽으로 작용하는 힘으로, 코너링 포스는 제동력이 걸리지 않은 상태에서는 횡방향 미끄럼 각(θ)은 그림 (2-10)의 (a)의 같이 커질수록 어느 한계까지는 증가하다 어는 한계를 넘어서면 그 이후부터는 감소하기 시작한다.

이에 반해 타이어에 제동력이 가해지면 그림 (2-10)의 (b)와 같이 코너링 포스는 기본적으로는 횡방향 미끄럼 각(θ), 차량의 하중(W)에 대한 특성 변화는 거의 변화하지 않지만 차륜의 슬립에 의해 변화하게 된다.

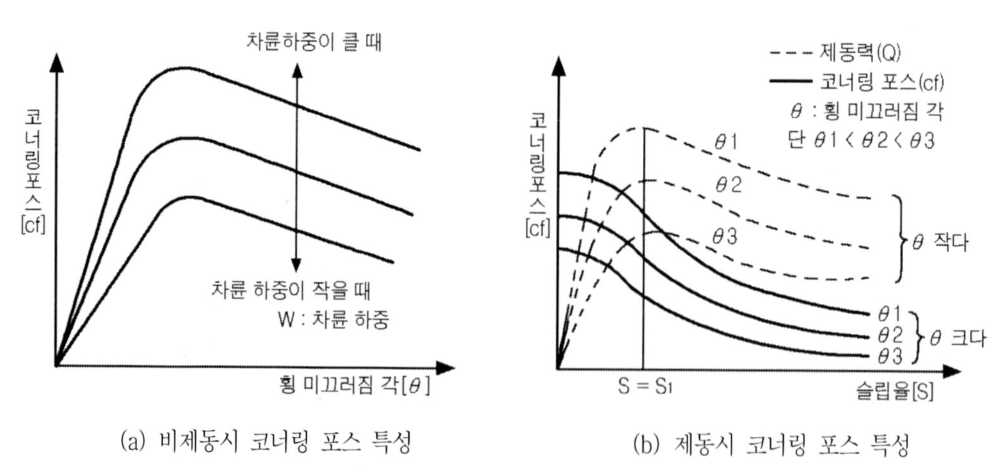

(a) 비제동시 코너링 포스 특성

(b) 제동시 코너링 포스 특성

그림2-10 코너링 포스 특성

이 특성에서 알 수 있듯이 차륜이 슬립율이 발생하지 않는 0(제로) 상태에서 코너링 포스는 최대가 되지만 슬립율이 증가 할수록 코너링 포스는 감소하게 된다.

또한 코너링 포스(cf)는 그림 (2-11)의 (b)에 마찰원 특성에 나타낸 것처럼 제동력과 상관관계를 갖고 힘이 분배되는 것을 알 수가 있다. 코너링 포스는 제동력을 감소시키면 오히려 코너링 포스는 증가하고, 제동력을 증가시키면 코너링 포스는 감소하게 된다.

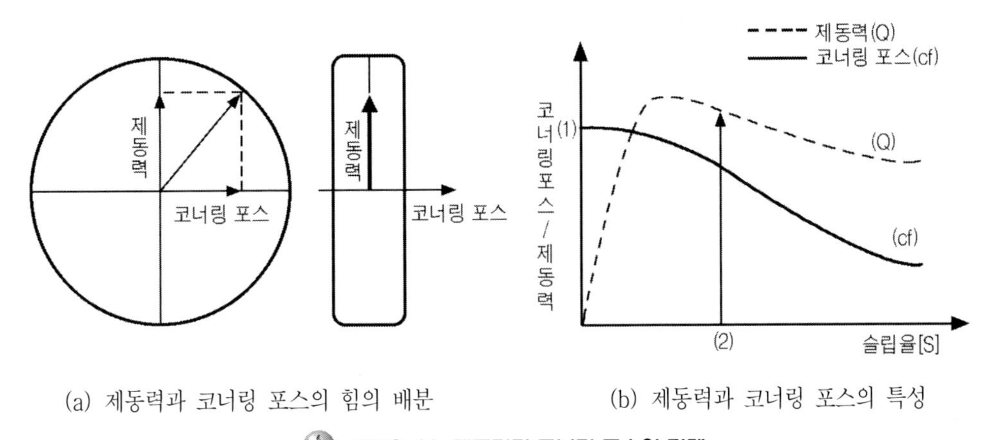

(a) 제동력과 코너링 포스의 힘의 배분　　(b) 제동력과 코너링 포스의 특성

그림2-11 제동력과 코너링 포스의 관계

5. 타이어의 로크(lock)

(1) 전륜이 로크(lock) 될 때

차량이 선회할 때는 타이어의 진행 방향과 횡방향으로 마찰력이 라는 힘이 발생하게 되는데 이것을 우리는 **코너링 포스**(cornering force)라 하였다. 이 코너링 포스의 크기는 타이어의 슬립율이 큰 만큼 코너링 포스는 작아지게 되고, 타이어가 로크(lock) 상태가 되면 결국 슬립율은 100%가 되어 코너링 포스(cornering force)는 사라지게 된다.

브레이크 페달을 밟아 전륜이 로크(lock)되면 코너링 포스는 대단히 작아지게 되어, 코너링 포스는 타이어의 진행 방향과 일치하지 않게 돼 타이어는 횡방향 미끄럼이 발생하게 된다. 따라서 전륜이 로크(lock) 된 상태에서는 운전자가 스티어링의 핸들을 어느 정도 돌려도 큰 코너링 포스는 발생하지 않기 때문에 차량은 불안정한 상태가 돼 차량은 운전자의 의지대로 조향 하여도 조향되지 않게 된다.

이러한 상태가 되면 전방에 장애물이 있어도 운전자가 스티어링의 핸들(조향 핸들)을

조작하여 쉽게 장애물을 피해 가기가 쉽지 않게 된다.

이것은 그림 (2-13)의 (a)와 같이 전륜이 로크(lock) 되어 코너링 포스가 대단히 작아지기 때문에 차량의 진행 방향과 타이어의 진행 방향이 거의 일치 상태가 되어 횡방향으로 미끄러짐이 대단히 증가 돼 전륜의 방향 안전성은 크게 감소하게 된다.

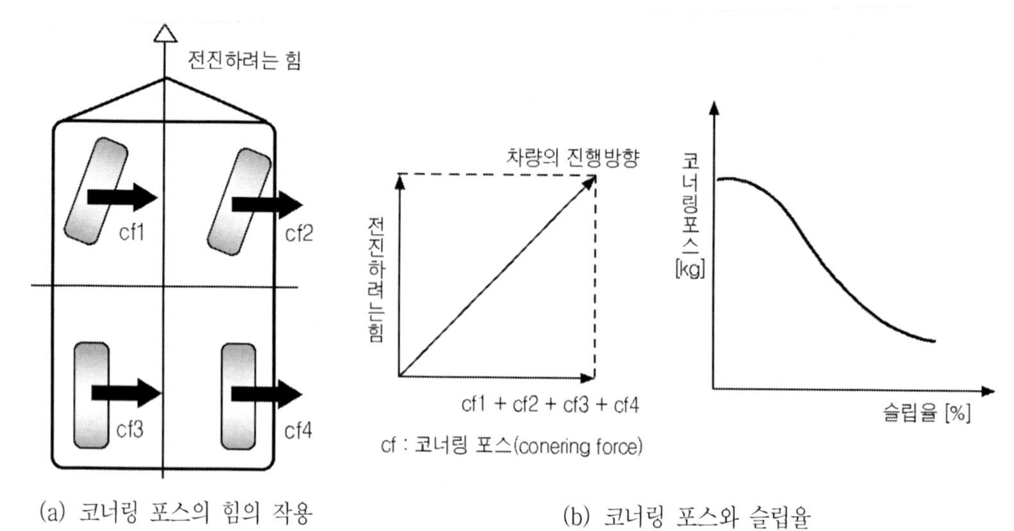

(a) 코너링 포스의 힘의 작용
(b) 코너링 포스와 슬립율

그림2-12 차량 선회시 힘의 작용

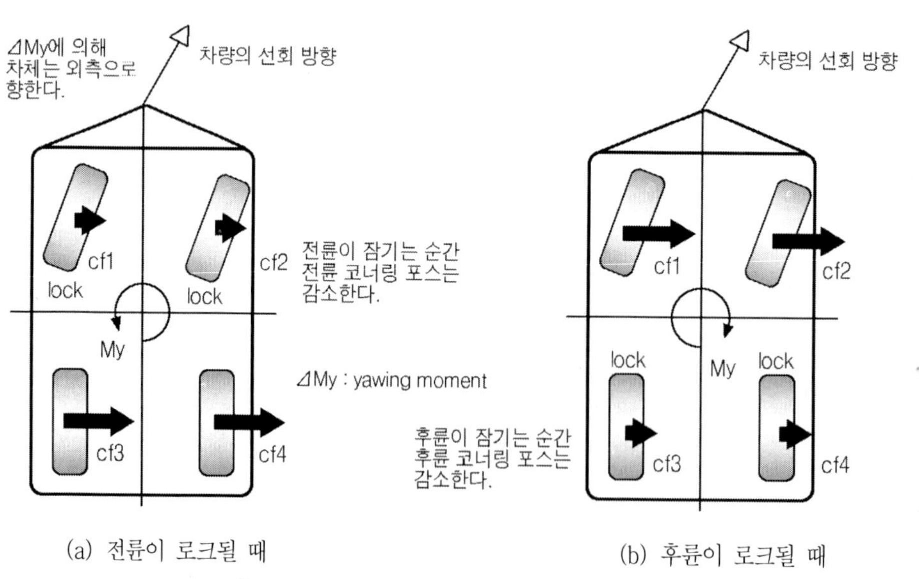

(a) 전륜이 로크될 때
(b) 후륜이 로크될 때

그림2-13 차륜이 로크(잠김) 될 때 차체의 형태

(2) 후륜이 로크(lock) 될 때

후륜이 로크(lock) 되는 경우는 전륜과 동일하게 후륜 측에 힘이 작용해 후륜의 방향 안전성은 크게 감소하게 된다. 브레이크 페달을 밟아 후륜이 로크(lock) 상태가 되면 그림(2-13)의 (b)와 같이 후륜 측의 코너링 포스는 대단히 작아지게 된다. 차량의 선회 시 코너링 포스는 타이어의 진행 방향과 일치하지 않게 돼 타이어는 횡방향 미끄럼이 발생하게 되어 차량의 선회 시 밸런스를 유지하게 되지만 후륜이 로크(lock) 되어 코너링 포스가 대단히 작아지게 되면 차량의 진행 방향과 타이어의 진행 방향이 거의 일치 상태가 되어 타이어 횡방향 미끄러짐은 크게 증가하게 된다.

따라서 후륜이 로크된 상태에서는 전륜이 로크된 상태와 같이 후륜측이 운전자가 스티어링의 핸들을 어느 정도 돌려도 코너링 포스는 발생하지 않기 때문에 후륜 측의 방향 안전성은 불안정하게 된다. 이렇게 방향 안전성이 불안정하면 노면의 상태에 크게 영향을 받게 되어 차량의 뒤측은 크게 흔들리는 현상이 발생하게 된다. 결국 차량은 주행시나 선회시 타이어가 로크(lock) 되면 코너링 포스가 대단히 작아지게 되기 때문에 오히려 조향 안전성은 크게 감소하게 되어 운전자의 의지대로 스티어링 조작이 쉽지 않게 되는 결과를 가져오게 된다.

(3) 제동력과 슬립율의 관계

주행 중 운전자가 브레이크 페달을 밟으면 라이닝과 드럼 간 마찰로 인해 제동 토크가 발생하게 되고, 이 제동 토크는 타이어의 노면과 마찰력으로 인해 차륜의 회전 속도는 감소하게 된다. 이때 차륜의 회전 속도가 차체의 속도보다 작아지게 되는데, 이것을 **슬립(slip) 현상**이라 하였다.

따라서 **타이어의 슬립율**은 **차체 속도 - 차륜의 속도 / 차체 속도 × 100%**로 나타낸다. 이 슬립율과 제동력의 관계는 그림(2-14)와 같이 세로측은 슬립

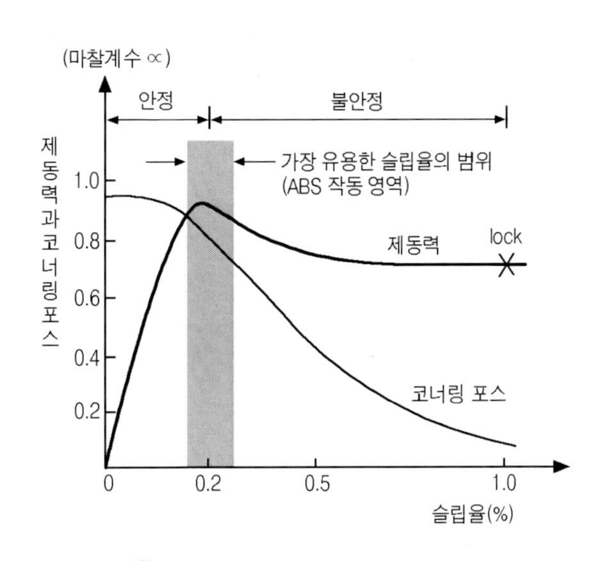

그림2-14 제동력과 슬립율의 관계

율을, 가로측은 마찰 계수와 제동력 및 코너링 포스를 나타내고 있다.

이 특성에서 볼 수 있는 것과 같이 제동력은 슬립율이 증가하면 초기에는 제동력도 증가하게 되나 어느 이상 슬립율이 상승하면 오히려 제동력은 감소하게 된다. 슬립율이 증가하여 100%에 이르게 되면 타이어는 로크(lock) 상태가 되어 코너링 포스는 거의 0(제로) 상태로 급격히 감소하게 돼 조향 안전성은 대단히 불안정 상태에 놓이게 된다. 따라서 슬립율이 20% 전후에서는 제동력이 가장 높게 나타나고, 코너링 포스(cornering force)도 높게 나타나는 범위에서 슬립율을 제어 할 수만 있다면 운전자는 조향 안전성 및 방향 안전성을 유지할 수가 있다는 결론을 이루게 된다.

코너링 포스는 슬립율이 0%에서는 최대가 되지만, 슬립율이 증가하면 급격히 감소하여 슬립율이 100% 가 되면 코너링 포스는 거의 0(제로) 상태가 되기 때문에 결국 ABS 시스템은 급제동시 차륜이 로크(lock) 되지 않도록 유압을 제어하여 슬립율이 20% 범주로 제어 할 수 있도록 하고 있다.

사진2-3 브레이크 디스크

사진2-4 캘리퍼 ASS'Y

point

타이어의 마찰특성과 로크

1 차륜의 속도

(1) 차륜의 속도 : $V\omega = r \times \omega$ 여기서 r : 타이어의 회전 반경, ω : 타이어의 회전각 속도

(2) 슬립율

① $V = V\omega$ 일 때 → 슬립율 : $S = 0$, 여기서 V : 차량의 속도

② $V > V\omega$ 일 때 → 슬립율 : $S \neq 0$

※ 슬립율 : $S = (V - V\omega)/ V \times 100\%$

(3) 제동력의 마찰 계수

① 구동력 : D = r × Q

여기서 r : 타이어의 회전 반경, Q : 제동력

위 식을 마찰 개념으로 변환하면

② 제동력 : Q = μ × W

여기서 μ : 마찰 계수, W : 타이어에 실리는 하중

따라서 제동력은 타이어와 노면 간 발생하는 마찰 계수에 의해 결정된다.

③ 그립력의 배분 : 차량은 주행 중 언제나 타이어와 노면 간 마찰력이 발생하고 있어 제동력과 구동력, 코너링 포스는 힘이 배분되고 있다.

④ 그립력 : r = μ × W

∴ 결국 그립력(r)은 제동력 (Q)의 관계를 갖게 된다.

2 코너링 포스

(1) 타이어에 제동력이 가해지지 않을 때

- 코너링 포스 : 차량이 선회 시 원심력에 의해 차량이 바깥 방향으로 나가려는 힘에 반해 차량의 안쪽으로 작용하려는 힘
- 횡방향으로 미끄러지려는 각이 커질수록 코너링 포스는 어느 한계까지는 증가하다, 그 이후에는 감소하기 시작한다.

(2) 타이어에 제동력이 가해질 때

- 횡방향으로 미끄러지려는 각은 차량의 하중 변화에 의한 특성은 거의 변화 않지만, 차륜의 슬립율에 의해 좌우하게 된다.
- 슬립율이 클수록 코너링 포스는 작아진다.

3 타이어의 로크

(1) 전륜이 로크 될 때

- 앞측 코너링 포스는 0(제로)로 감소하고, 앞 측 코너링 포스는 타이어의 진행방향과 일치하지 않도록 하는 횡방향 미끄러짐이 없어지게 된다.
- 코너링 포스가 급격히 감소하여 조향이 불안정하게 된다.

(2) 후륜이 로크 될 때

- 뒤측 코너링 포스는 0(제로)로 감소하고, 뒤측 코너링 포스는 타이어의 진행방향과 일치하지 않도록 하는 횡방향 미끄러짐이 없어지게 된다.
- 코너링 포스가 급격히 감소하여 차량의 뒤측이 흔들리게 된다.

ABS의 시스템 구성과 종류

1. ABS의 개요

(1) ABS의 목적

ABS라는 것은 앤티 로크 브레이크 시스템(anti lock brake system)의 약자로 글자 그대로 풀이 하면 운전자가 브레이크를 밟아도 차륜이 로크(잠김)되지 않는 브레이크 시스템이다. 그러면 왜 이와 같이 차륜이 로크(lock) 되지 않는 브레이크 시스템을 도입하느냐 하는 문제는 앞서도 설명하였지만 차륜이 로크되면 코너링 포스가 크게 감소하여 최후에는 코너링 포스는 사라지게 되고 타이어의 진행 방향과 코너링 포스가 언제나 일치되지 않도록 하게 하는 횡방향으로 작용하는 그립력이 없어지게 된다.

코너링 포스가 크게 감소 또는 횡방향으로 작용하는 그립(grip)력이 감소하면 차량은 선회 안전성을 잃어 스핀(spin) 현상이 발생하게 되고 운전자는 스티어링 휠(조향 휠)을 돌려 차량을 똑바로 정지하려 하여도 조향은 운전자의 의지대로 되지 않게 되는 결과를 가져오게 된다. 따라서 ABS(anti lock brake system)는 차륜을 로크(잠김) 되지 않도록 함으로서 차량의 진행 방향과 코너링 포스가 언제나 일치되지 않도록 하여 운전자의 조향 안전성을 확보하는 데 그 목적이 있는 브레이크 시스템이 **ABS 시스템**이다.

결국 ABS 시스템은 차륜을 로크(lock) 되지 않도록 하여 노면에 따라서는 제동거리는 오히려 길어질 수도 있다.

★ ABS 시스템의 적용 목적

① steerability : 운전자의 조향 의지를 유지 하도록 하는 조향 안전성 확보
② 방향 안전성 : 차량의 스핀(자전) 방지
③ 정지거리 : 마찰 계수가 작은 노면에서는 제동 거리를 단축 할 수 있다.

(2) ABS의 효과

ABS 시스템은 조향 안전성을 주목적으로 타이어가 로크(lock) 되는 것을 방지하기 위한 전자제어 제동 시스템으로 ABS 시스템을 장착한 차량이라도 제동 거리는 노면의 상태에 따라 크게 차이가 나므로 ABS를 너무 과신해서는 안된다.

그림(2-15)는 서로 다른 마찰 계수를 가진 노면에서 주행 중인 차량에 급제동을 걸었을 때를 ABS 비장착와 장착차 간에 발생되는 상황을 그림으로 나타낸 것으로 차량의 타이어가 접지한 좌측 타이어의 노면은 마찰 계수(μ)가 낮은 미끄러운 노면에 접촉된 상태이고, 타이어의 우측과 접지한 노면은 마찰 계수(μ)가 높은 미끄러지기가 쉽지 않은 노면에 접촉한 상태에서 그림 (2-15)의 (a)와 같이 직진 주행 중 급제동을 걸었을 때 마찰 계수가 낮은 노면 측에 접촉한 타이어가 쉽게 로크(lock) 된 차량은 마찰 계수가 높은 노면 측으로 스핀(spin)하게 된다. 그러나 ABS가 장착된 차량의 경우에는 타이어의 좌측과 접지한 노면에 마찰 계수로 타이어가 로크(lock) 되는 것을 순간적으로 방지하여 차량의 스핀 하는 것을 방지할 수 있다.

그림 (2-15)의 (b)는 차량이 선회 주행 중 급제동을 걸었을 때를 나타낸 것으로 마찰 계수가 낮은 노면과 접촉한 타이어가 쉽게 로크되어 차량은 마찰 계수가 큰 우측 타이어 측으로 스핀(spin)하게 되고 차량의 원심력에 의해 선회 방향을 탈선하여 흐르게 된다. 이에 반해 ABS 장착 차량은 선회 중 급제동을 걸어도 타이어가 로크되는 것을 방지하여 운전자는 선회 방향으로 주행할 수 있도록 조향 안전성을 확보할 수가 있다.

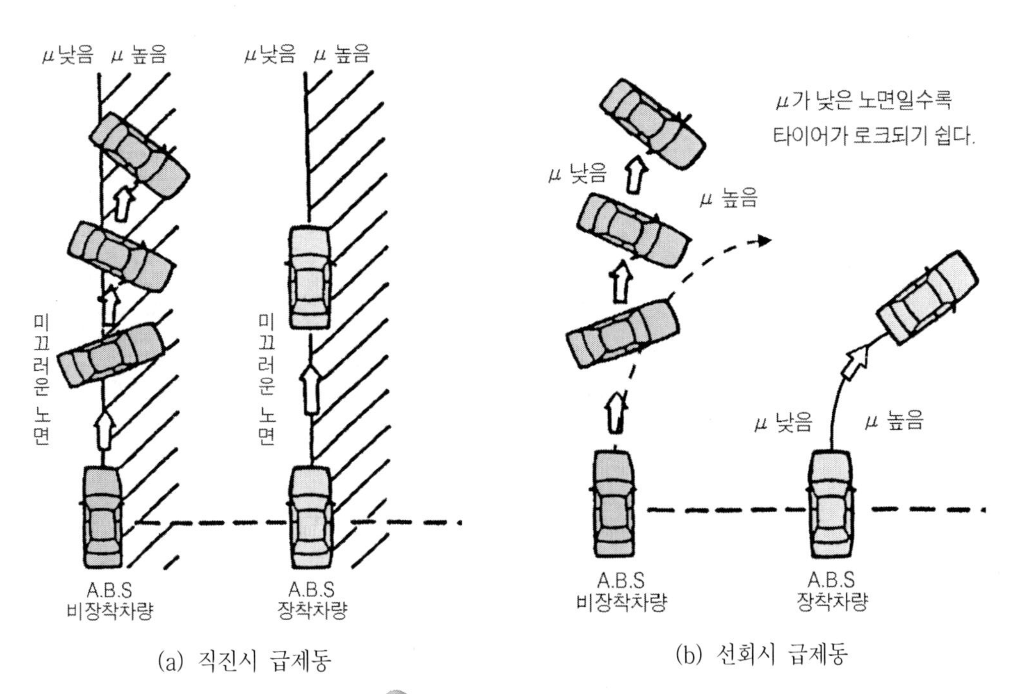

(a) 직진시 급제동

(b) 선회시 급제동

그림2-15 ABS의 효과

사진2-5 디스크식의 휠 실린더

사진2-6 드럼식의 휠 실린더

2. ABS 시스템 구성

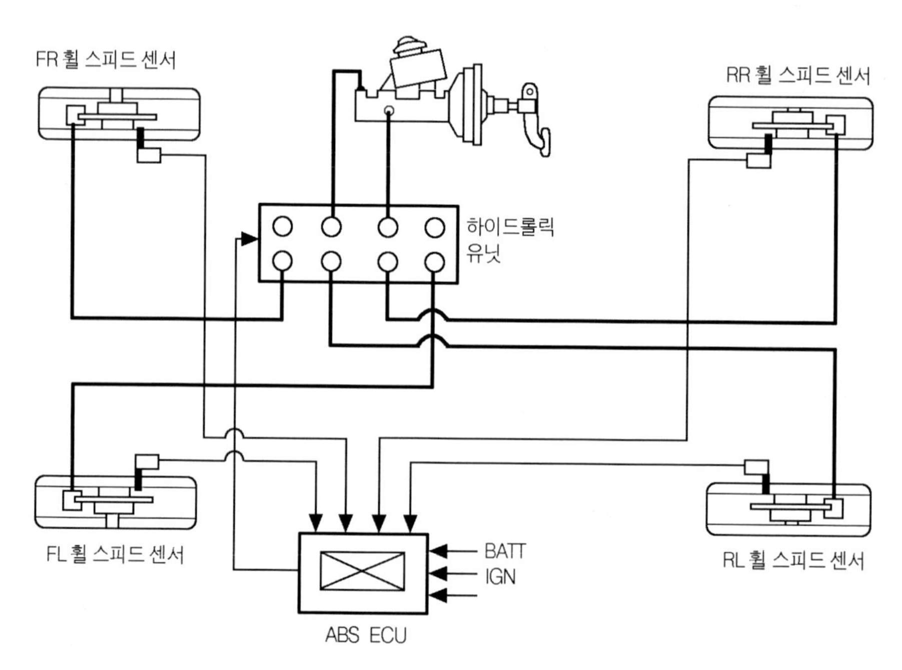

그림2-16 ABS & TCS 시스템 구성도

ABS(Aanti lock Brake System) 시스템은 급제동시 타이어가 로크되는 것을 방지하여 조향 안전성을 확보하는 액티브 세이프티 시스템으로 구성되는 그림(2-16)과 같다. 운전자가 급제동시 타이어가 로크 되는 것을 검출하기 위해서는 타이어의 회전 속도를 검

출하는 휠-스피드 센서(wheel speed sensor)가 차륜에 설치되어 있어 ABS ECU(컴퓨터)는 이 신호를 받아 타이어의 슬립율을 연산하여 유압을 제어하도록 하이드로릭 유닛 또는 액추에이터를 두고 있다. 하이드로릭 유닛은 그림 (2-16)과 같이 마스터 실린더와 휠 실린더 사이에 브레이크 오일의 유압을 제어 할 수 있도록 하이드로릭 유닛 내에는 유압을 펌핑하는 유압 펌프 모터와 휠 실린더의 유압을 제어하기 위한 솔레노이드 밸브로 구성 되어 급제동시 타이어의 슬립율을 20% 전후의 범위로 제어하도록 하고 있다.

사진2-7 하이드로릭 유닛

사진2-8 휠 스피드 센서

3. ABS 시스템의 종류

ABS 시스템의 종류는 전륜 및 후륜 휠 실린더(wheel cylinder)의 유압을 제어하는 방식에 따라 그림 (2-17)과 같이 2채널 방식, 3채널 방식, 4채널 방식으로 구분하고 있다. 2채널 방식은 전륜 또는 후륜의 유압을 제어하는 방식으로 3채널 방식이나 4채널 방식에 비해 제동거리가 길고 조향 안전성이 떨어져 현재에는 주로 3채널 방식이나 4채널 방식을 사용하고 있다.

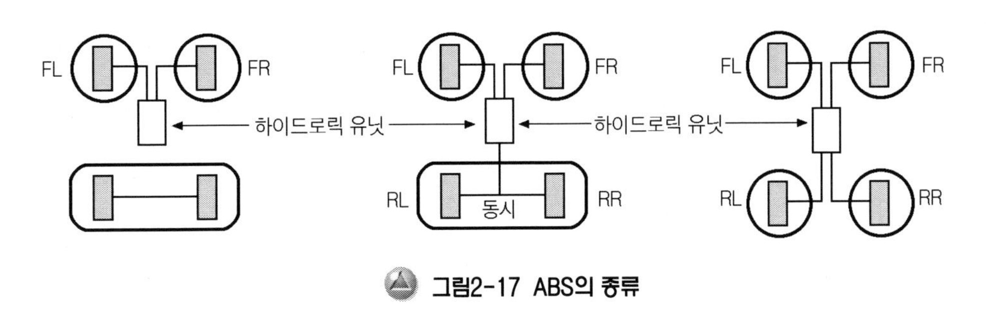

그림2-17 ABS의 종류

3채널 방식의 경우는 후륜 구동형 차량에 적합한 방식으로 그림(2-18)과 같이 후륜 측의 차륜 속도는 디퍼렌셜 기어 박스 측으로부터 검출하여 후륜 측의 유압을 동시 제어하도록 하고 있다. 이에 반해 전륜 구동형 4채널 방식의 경우는 4개의 차륜을 독립하여 제어할 수 있도록 4개의 휠 스피드 센서를 사용하고 있는 방식이다.

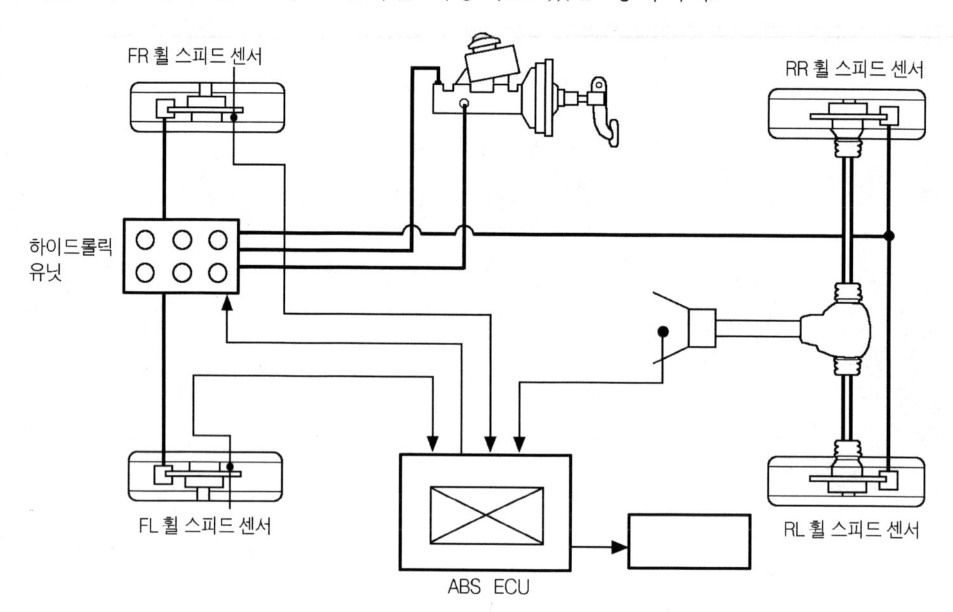

그림2-18 3채널 ABS시스템 구성도(후륜 구동형)

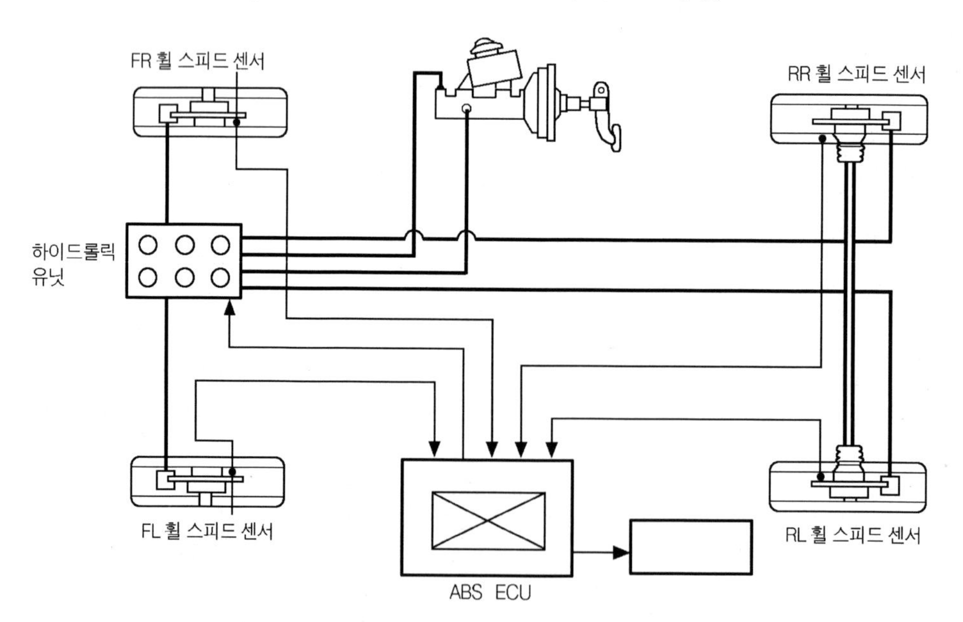

그림2-19 4채널 ABS 시스템 구성도(전륜 구동형)

(1) 순환식 하이드로릭 유닛

하이드로릭 유닛 또는 액추에이터는 대표적으로 순환식과 압력실 확장형 하이드로릭 유닛이 적용되고 있다. 하이드로릭 유닛의 내부에는 보통 리턴 펌프와 어큐뮬레이터, 전자반인 솔레노이드 밸브로 구성되어 휠 실린더의 유압을 제어하고 있는 기능을 가지고 있다.

이 하이드로 유닛은 기본적으로 브레이크 마스터 실린더로부터 발생된 유압을 솔레노이드 밸브를 통해 그림 (2-20)과 같이 휠 실린더에 가압하도록 되어 있는 구조를 가지고 있어서 내부 유압 회로에 따라 순환식과 압력실 확장형으로 구분하고 있다.

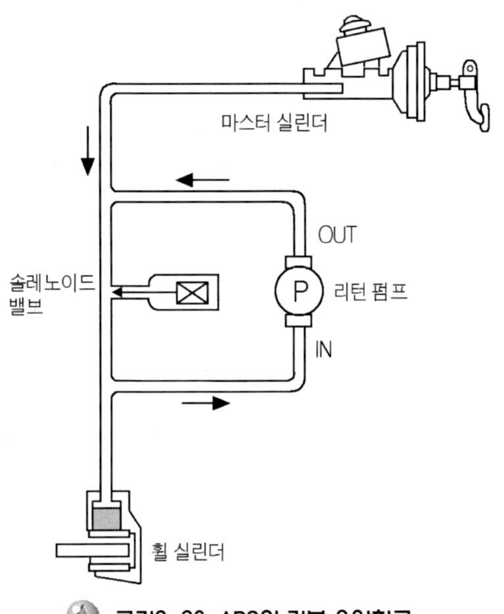

그림2-20 ABS의 기본 유압회로

사진2-9 차량의 하부

사진2-10 하이드로릭 유닛

순환식 하이드로릭 유닛의 내부 유압 회로는 그림 (2-21)과 같이 되어 있어서 복잡해 보일지는 모르지만 기본 구조는 그림 (2-20)과 동일하다. 이 방식은 운전자가 급제동에 의해 시스템이 ABS 제어 상태 중에 있는 경우 모터 펌프는 브레이크 오일을 휠 실린더로부터 펌핑 하여 일부는 마스터 실린더로 송유하고 일부는 다시 솔레노이드 밸브로 송유하여 휠 실린더로 순환시킨다 하여 순환식이라 분류하여 표현하고 있다.

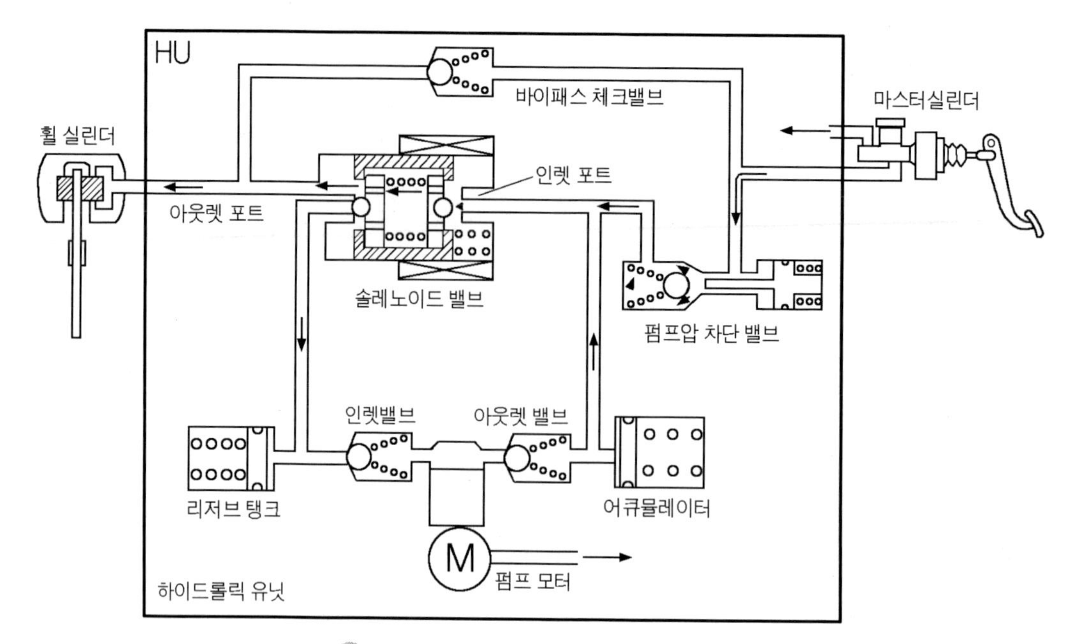

그림2-21 순환식 하이드로릭 유닛

(2) 압력실 확장형 하이드로릭 유닛

이에 반해 압력실 확장형 하이드로릭 유닛의 유압 회로는 그림(2-22)와 같이 구성되어 ABS 시스템이 작동 중에는 마스터 실린더의 유로를 차단하여 휠 실린더로 흘러들어가지 않도록 프래셔 컨트롤 솔레노이드 밸브(pressure control solenoid valve)를 차단하고 있는 방식이다.

이 방식은 ABS 작동 중에 프래셔 컨트롤 솔레노이드 밸브를 차단하고 휠 실린더로부터 브레이크 오일을 메인 솔레노이드 밸브를 거쳐 모터 펌프는 펌핑을 한다. 펌핑 된 오일은 메인 솔레노이드 밸브와 서브 솔레노이드 밸브를 통해 감압 피스톤을 작동시켜 휠 실린더를 가압하는 구조를 가지고 있다. 즉 이 방식은 감압 피스톤의 압력실 용적을 변화시켜 휠 실린더를 제어한다 하여 압력실 확장형으로 분류하고 있다.

하이드로릭 유닛의 내부에는 앞에서 설명한 바와 같이 리턴 펌프와 어큐뮬레이터, 솔레노이드 밸브로 구성되어 내부의 유압 회로의 구성에 따라 순환식과 압력실 확장형 하이드로릭 유닛으로 구분하고 있다.

기본 유압 회로는 그림(2-20)과 같이 마스터 실린더로부터 가해진 유압은 솔레노이드 밸브를 통해 휠 실린더에 가해지고 타이어의 슬립율에 따라 ABS ECU는 솔레노이드 밸

브의 용적을 제어하여 휠 실린더로부터 오일은 리턴 펌프에 의해 순환하도록 하는 것은 동일하다. 따라서 그림(2-20)과 같은 대표적인 기본 유압 회로는 기억해 두는 것이 좋다.

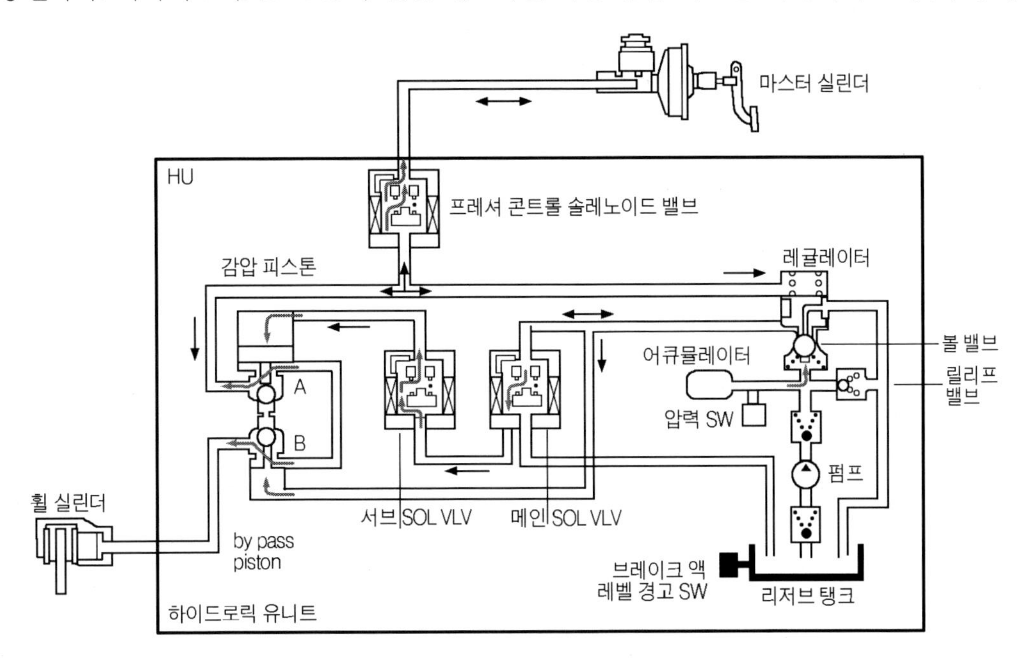

그림2-22 압력실 확장형 하이드로릭 유닛

point

ABS 의 개요

1 ABS의 목적

1. ABS의 적용 목적
   ① 조향 안정성 확보
   ② 차량의 스핀 현상 방지
   ③ 제동 거리 단축
   ※ 급제동시 타이어가 로크(lock) 되어 코너링 포스가 급격히 감소하게 되면 차량의 방향, 조향 안정성은 감소하게 돼 차량은 불안정 상태에 놓이게 되는 것을 방지하기 위해 타이어가 로크 되지 않도록 슬립율을 20% 전후로 제어하는 전자제어 제동 시스템이다.
2. ABS의 효과
   ① 마찰 계수가 작은 빗길 또는 눈길에 조향, 방향 안전성 우수
   ② 마찰 계수가 작은 빗길 또는 눈길에 제동 거리 단축

2 ABS의 시스템 구성

1. ABS의 시스템 구성
   ① 마스터 실린더 : 브레이크 페달의 답력을 유압으로 전환 하는 실린더
   ② 하이드로릭 유닛 : 휠 실린더의 유압 제어 유닛
   ③ ABS ECU : 휠 스피드 센서의 신호를 받아 하이드로릭 유닛의 유압 제어
   ④ 휠 실린더 : 브레이크슈를 가압하는 실린더
   ⑤ 휠 스피드 센서 : 차륜 속도 검출 센서(차륜의 슬립율 검출 센서)
2. ABS의 종류
   ① 전륜 2채널 방식 ② 후륜 3채널 방식 ③ 전 · 후륜 4채널 방식
   ※ 채널 방식이란 ABS ECU가 휠 실린더를 독립적으로 제어하는 것을 말하며 차륜의 제어하는 수에 따라 2채널, 3채널, 4채널로 분류한다.
3. 하이드로릭 유닛(액추에이터)의 구분
   ① 순환식 : ABS 제어 중 휠 스피드의 오일은 펌프에 마스터 실린더 및 하이드로릭 유닛으로 순환시키는 방식
   ② 압력실 확장식 : ABS 제어 중 마스터 실린더의 압력은 차단하고 휠 실린더의 압력을 압력 피스톤에 의해 압력실 용적을 변화시켜 제어하는 방식

TCS 시스템

1. TCS 시스템의 개요

사진2-11 전륜 액슬

사진2-12 후륜 현가장치

(1) 가속과 선회

차량이 도로 정지선에서 출발하는 경우 급출발로 인해 타이어가 공전(wheel spin) 하는 현상을 우리는 가끔 목격하는 경우가 있다. 발진시나 급가속시 타이어의 공전 현상은 짧은 시간에 이루어지지만, 이 시간 동안 실제로는 차륜의 구동력을 크게 저하시켜 차량의 연비 증가 및 발진시 시간 지연을 가져오게 한다. 또한 차량의 선회 시는 언제나 차체의 바깥 방향으로 원심력이 작용하고 있어서 차체는 원심력측면에서 보면 그림(2-23)의 (b)와 같이 타이어의 안쪽 방향으로는 코너링 포스(cornering force)가 차량의 진행 방향과 직각 방향으로 작용하게 된다. 이때 차량이 선회하면 타이어에는 타이어의 중심선 방향으로 굴러가려는 구동력과 이에 직각으로 작용하려는 횡력(side force)이 작용하여 결국 차륜이 선회하려는 힘의 밸런스는 구동력과 횡력의 힘이 합으로 나타나게 된다.

그러나 구동력과 횡력은 서로 직각으로 힘이 작용하고 있어 액셀러레이터 페달을 가볍게 밟아 선회하는 경우 구동력은 증가하지만 이에 반해 횡력은 감소하여 구동륜의 구동축은 원심력에 걸려 타이어는 외측으로 슬립(slip)하는 현상이 발생하고 만다. 이 슬립하는 현상을 **트랙션**(traction) 이라 한다. 따라서 트랙션 현상이 발생하면 타이어는 끌리게 되어 운전자는 선회 시 조향 안전성이 떨어지게 된다.

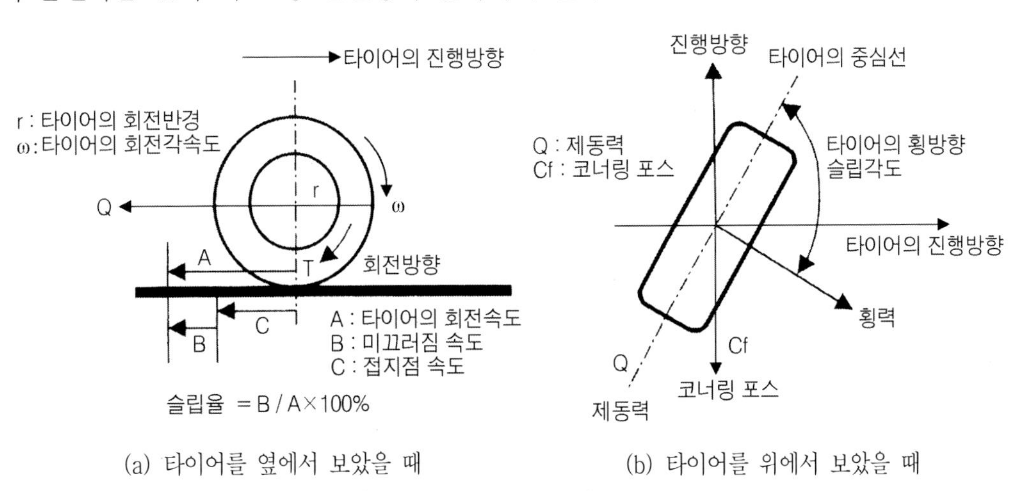

(a) 타이어를 옆에서 보았을 때　　(b) 타이어를 위에서 보았을 때

그림2-23 타이어에 작용하는 힘

그림 (2-24)는 TCS 장착 차량의 구동력과 횡력에 대해 비교하여 놓은 것으로 구동력이 증가하면 횡력이 감소하고 횡력이 증가하면 구동력이 감소하는 것을 그림(a), (b)를 통해 알 수 있다.

그림(2-24)의 (a)는 구동력 중시형 TCS 시스템을 예를 든 것이며, 그림(2-24)의 (b)는 횡력 중시형 TCS 시스템의 예를, 그림 (2-24)의 (c)는 가변형인 TCS 시스템의 예를 나타낸 것이다. 트랙션 컨트롤(traction control)을 제어하기 위한 방식으로는 엔진을 제어하여 트랙션 컨트롤을 하는 경우와 동력 전달 장치 또는 제동 장치를 제어하여 트랙션 컨트롤하는 방식이 사용되고 있다. 그림 (2-24)의 (a) 및 (b)와 같이 구동력 및 횡력의 제어 범위가 한정된 경우는 동력 전달 장치 또는 제동 장치를 이용한 경우에 해당되며 그림 (2-24)의 (c)와 같이 구동력과 횡력을 100% 범위까지 제어하는 가변형의 경우는 엔진 및 제동 장치를 동시에 제어하는 경우에 해당한다.

최근에는 그림 (a) 및 (b)와 같이 한정된 범위에서 제어하는 TCS 시스템 보다는 트랙션 제어가 우수한 엔진과 제동 장치를 동시에 제어하는 방식이 많이 적용되고 있기도 하다.

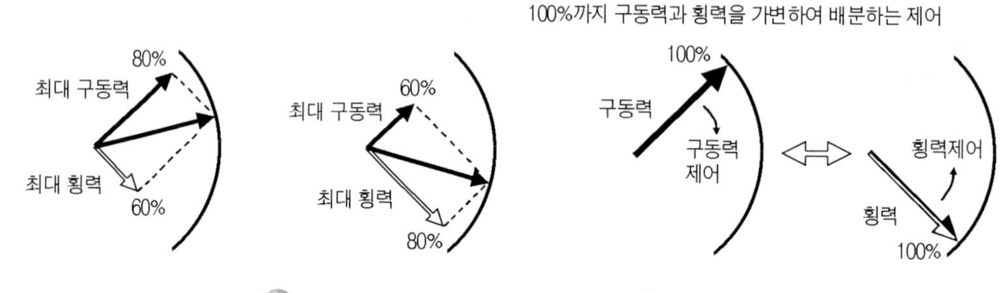

그림2-24 TCS 장착 차량의 구동력과 횡력 제어

① 구동력 : 타이어의 중심선에 작용하는 차체를 끄는 힘 또는 견인력이라고도 한다.
② 횡력 : 구동력과 직각으로 작용하는 힘
③ 코너링 포스 : 원심력에 대응한 구심력으로 차량의 진행 방향과 직각으로 작용한다.
※ 횡력은 타이어의 중심선과 진행 방향이 일치 할 때는 코너링 포스와 동일하다.

(2) TCS의 목적

TCS는 트랙션 컨트롤 시스템(Ttraction Control System)의 약어로 표기된 문자의 의미를 보면 트랙션(traction)은 견인력이라는 뜻을 가지고 있어 TCS를 우리말로 풀어 쓰면 견인력을 제어하는 시스템이라 말 할 수 있다. 여기서 사용되는 트랙션이란 단어는 일반적으로 견인력이라 표현하기보다는 구동력으로 표현하고 있기도 하다.

그림(2-25)의 (a) 특성과 같이 자동차를 보다 안전히 주행하는 데는 타이어의 슬립(slip)율을 20% 전후로 제어 할 필요가 있는데, 이 특성에서 알 수 있듯이 슬립율을 증가하면 구동력은 어느 한계 이상은 증가하지만 그 후로는 구동력은 감소하게 되고 횡력 또한 감소하게 돼 결국 차량의 코너링 포스는 현저히 감소하게 된다. 코너링 포스가 감소하면 조향 안전성은 현저히 감소하게 되므로 슬립율은 20% 전후의 범위로 제어하여 줄 필요가 있다. 또한 그림(2-25)의 (b)특성에서 TCS 장착 차량과 미장착 차량과 비교한 것으로 TCS 장착 차량은 순간 출발 시 초기 도달 시간을 현저히 감소 할 수 있다.

결국 TCS 시스템은 선회시 구동력을 제어하여 조향 안전성을 현저히 개선하고 가속시 슬립율을 제어하여 차량의 주행 능력을 향상하는 시스템이다. 초기에 적용하던 TCS(traction control system)는 가속 시 슬립율을 제어하는데 주안점을 두었으나 최근에는 슬립율 제어는 물론 선회시 스티어링의 회전각과 차량의 횡력을 검출하여 선회시 안전성을 확보 할 수 있도록 트레이스(trace) 제어의 기능을 두고 있다.

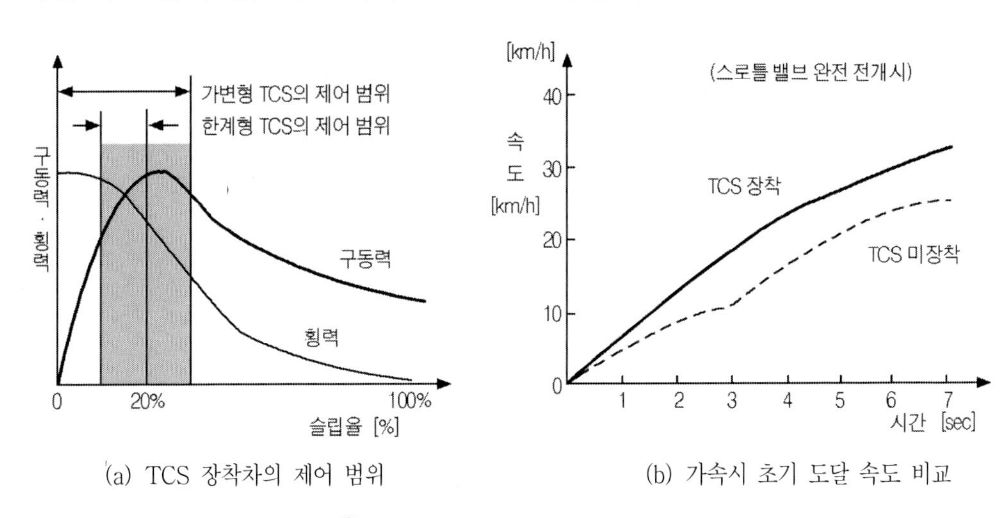

(a) TCS 장착차의 제어 범위

(b) 가속시 초기 도달 속도 비교

그림2-25 TCS 장착차의 비교 특성

(3) TCS의 제어 방식

TCS시스템은 구동력과 횡력을 제어하기 위한 방법으로 표(2-1)과 같이 차륜의 속도를 제어하는 브레이크 제어 TCS 방식, 동력을 전달하는 클러치 및 기어비를 제어하는 동력 전달 제어 TCS 방식, 엔진의 출력을 제어하는 엔진 제어 TCS 방식이 사용되고 있다.

[표2-1] TCS의 제어 방식

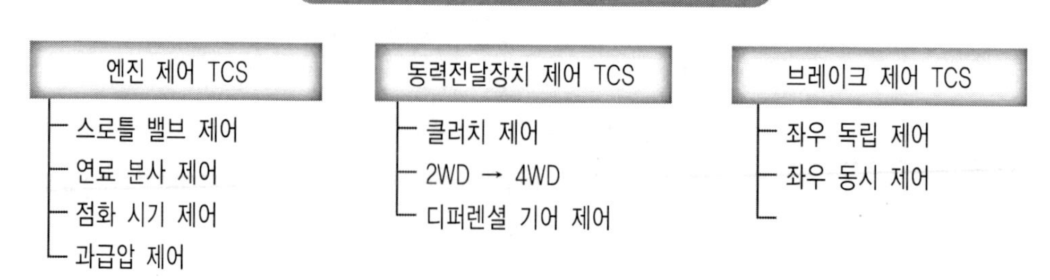

브레이크 제어 TCS 방식이나 동력전달 제어 TCS 방식은 구동력과 횡력을 제어하는 범위가 한정되어 있어 최근에는 구동력과 횡력을 제어하는 범위를 크게 개선하기 위해 엔진의 출력을 제어하는 엔진 제어 TCS 방식을 많이 사용하고 있다. 엔진 제어 TCS 방식의 경우에도 자동차 메이커마다 제어하는 방식이 다르다.

미쓰비시 자동차의 경우에는 스로틀 밸브를 제어하여 엔진 토크를 제어하는 방식을 채택하고 있는가 하면 혼다의 자동차의 경우에는 연료 분사량과 점화시기를 제어하여 엔진 출력을 제어하고 있는 방식을 채택하고 있다. 한편 TCS 시스템은 ABS 시스템과 별도로 TCS 시스템을 적용 하는 경우가 있는가 하면 그림(2-26)과 같이 하나의 ECU(컴퓨터)에 ABS 시스템을 포함하고 있는 혼합 시스템을 적용하는 경우가 있다. 이와 같은 시스템은 최근에는 CAN 통신을 통한 통합 제어 시스템으로 보편화 되고 있는 추세에 있다.

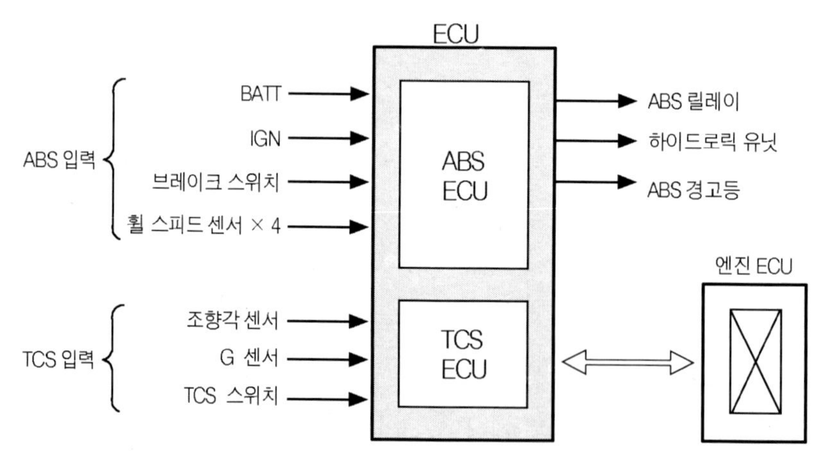

그림2-26 ABS & TCS 시스템

2. TCS 시스템의 구성

(1) TCS 시스템의 구성

TCS 시스템(Ttraction Control System)의 구성은 그림 (2-27)과 같이 제동 슬립율 제어를 위한 ABS와 구동 슬립율 제어를 위한 TCS 가 복합된 대표적인 구성도를 나타낸 것이다. TCS 시스템의 구성도를 살펴보면 차륜의 회전 속도를 검출하기 4개의 휠 스피드 센서(전륜 또는 후륜의 회전 속도를 검출하기 위한 2개의 휠 스피드 센서와 트랜스-미션의 드리븐 기어의 회전수를 검출하는 차속 센서)를 사용하고 있으며 스티어링의 조향 회전각을 검출하기 위한 조향각 센서, 횡 가속도를 검출하기 위한 G-센서, 제동 슬립율을 제어하기 위한 하이드로릭 유닛으로 구성되어 있다.

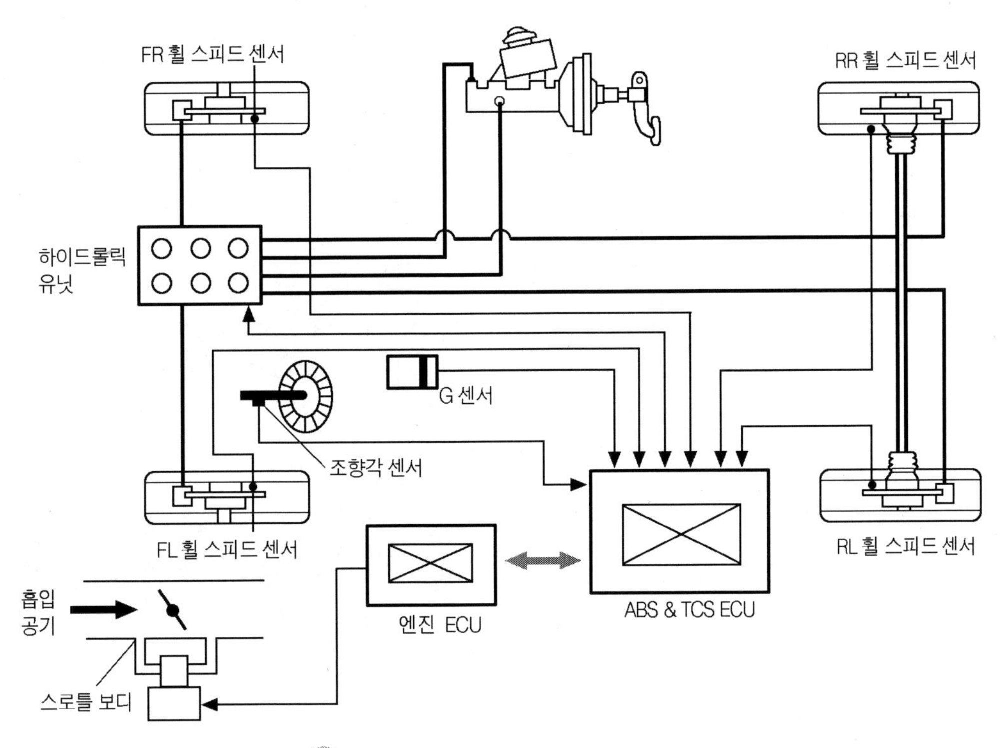

그림2-27 ABS & TCS 시스템 구성도

앞에서 설명한 것과 같이 TCS 시스템은 구동 슬립율을 제어하는 방식에 따라 브레이크 제어 TCS, 동력 전달 장치 제어 TCS, 엔진 제어 TCS가 이용되고 있지만 여기서는 엔진 제어 TCS 시스템을 극한 하여 설명하고자 한다. 엔진 제어 TCS 방식은 구동 슬립율 제어

및 트레이스 제어를 하기 위해 TCS ECU 또는 ABS & TCS ECU는 휠 스피드 센서로부터 구동륜의 속도를 검출하고 TCS ECU 또는 ABS & TCS ECU는 이 신호를 받아 목표 구동력 제어를 하기 위해 엔진 ECU로 정보를 전송하고, 엔진 ECU는 구동 슬립율 및 트레이스 제어를 하기 위해 스로틀 밸브의 개도(또는 연료 분사 및 점화 시기)를 제어도록 하여 목표 구동 슬립율을 제어하고 있다. 따라서 엔진 제어 TCS 방식은 ABS & TCS ECU는 엔진 ECU와 통신 라인을 통해 정보를 주고받도록 하고 있어 엔진 제어 TCS 방식은 엔진 ECU도 TCS 시스템에 적용되고 있는 구성품 중 하나이다.

(2) VDC 시스템의 구성

요약하여 표현하면 ABS 시스템은 조향 안전성을 확보하기 위해 제동 슬립율을 제어하는 시스템이라 하면 TCS 시스템은 선회 안전성을 확보하기 위해 구동 슬립율을 제어하는 시스템이라 말할 수 있는 액티브 세이프티(active safety) 시스템이다. 그러나 최근에는 ABS & TCS 시스템의 기능은 보다 진보하여 선회시 자세 안전성 확보는 물론 비포장도로 주행시 요잉(yawing) 방지를 하도록 하는 첨단 VDC(vehicle dynamic control)시스템이 도입되기 시작하였다.

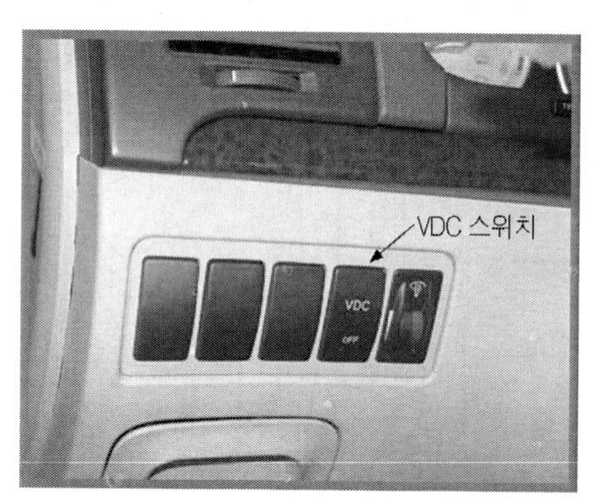

사진2-13 VDC 장착차량(1)

사진2-14 VDC 장착차량(2)

VDC 시스템의 구성은 그림(2-28)과 같이 ABS & TCS시스템에 적용된 구성품을 포함 비포장도로의 요잉을 검출하기 위한 요 레이트 센 서(yaw rate sensor), 횡 가속도를 검출하기 위한 G-센서로 구성되어 있다.

따라서 VDC 시스템은 기존의 ABS & TCS 시스템으로부터 제어하는 제동 슬립율 및 구동 슬립율을 제어하는 것은 물론 선회시 언더 스티어(under steer)가 발생되지 않도록

각 구동륜을 제어하여 자세 제어하고 비포장도로의 요잉을 방지하도록 요 모멘트(yaw moment)를 제어하는 첨단 안전 시스템이다.

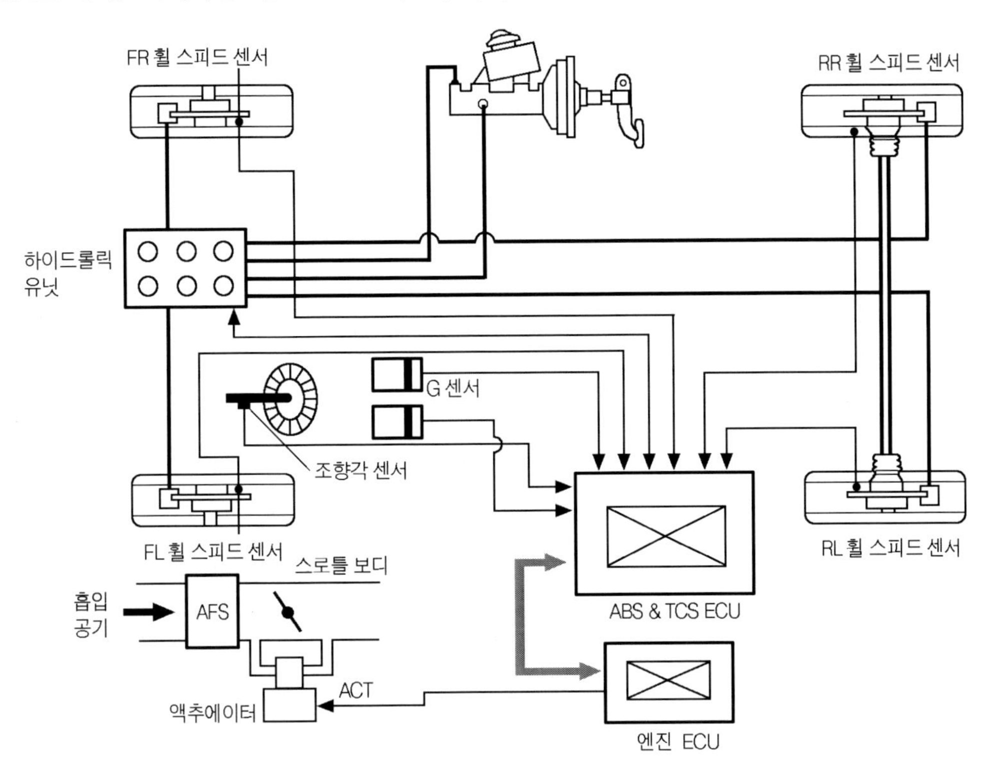

그림2-28 VDC 시스템 구성도

point

TCS 시스템

1 TCS의 목적과 기능

1. **TCS의 목적** : 선회시 구동력이 증가하면 횡력은 감소하여 구동륜의 축이 원심력에 걸려 타이어는 차량의 외측으로 슬립하게 돼 조안성이 저하하는 것을 방지 하는 안전시스템이다.
2. TCS의 기능
   ① 구동 슬립율 제어 : 급가속 시 타이어의 공전 현상을 방지하기 위한 제어
   ② 트레이스 제어 : 선회시 구동력과 횡력에 의해 타이어가 선회 외측으로 슬립하는 현상을 방지하기 위한 제어

2 TCS의 제어 방식

1. TCS의 제어 방식
   ① 엔진 제어 TCS 방식 : 엔진을 제어하여 구동 슬립율을 제어하는 방식
   ② 동력 전달 장치 제어 TCS 방식 : 주로 후륜 구동 또는 4W 차량의 경우 적용
   ③ 브레이크 제어 TCS 방식 : 브레이크의 압력을 이용한 구동 슬립율 제어
2. TCS 시스템의 구성
   ① ABS 시스템의 구성 : ABS ECU, 휠 스피드 센서, 하이드로릭 유닛
   ② TCS 시스템의 구성 : ABS + ENG ECU + G 센서, 조향각 센서
   ③ VDC 시스템의 구성 : ABS + TCS + 요 레이트 센서
   ※ VDC(vehicle dynamic control) 시스템은 차륜의 제동 슬립율, 구동 슬립율을 독립 제어를 통해 선회시 차량의 자세 제어를 하고 비포장도로의 요잉 현상을 방지하는 첨단 안전 시스템이다.

4 구성 부품의 기능과 특성

1. ABS의 구성 부품

(1) 마스터 실린더

마스터 실린더(유압식)의 기능은 파스칼의 원리를 이용, 피스톤 힘이 차륜 측에 부착된 캘리퍼 실린더에 전달 돼 차륜이 로크(lock)하도록 하는 구성 부품으로 ABS 시스템이 작동 중에는 마스터 실린더의 유압이 히이드로릭 유닛을 통해 제어하도록 하고 있다.

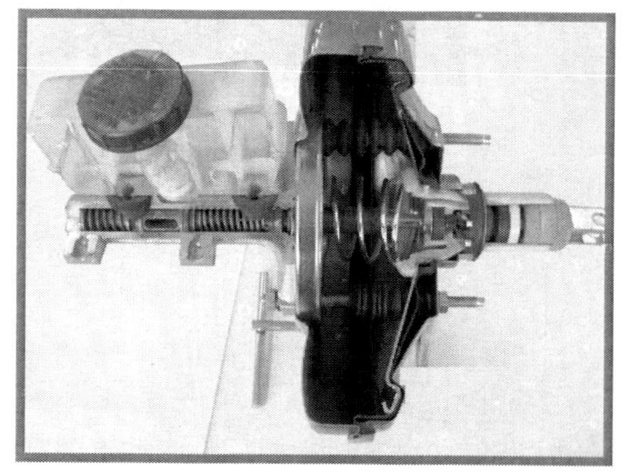

사진2-15 마스터 실린더의 구조

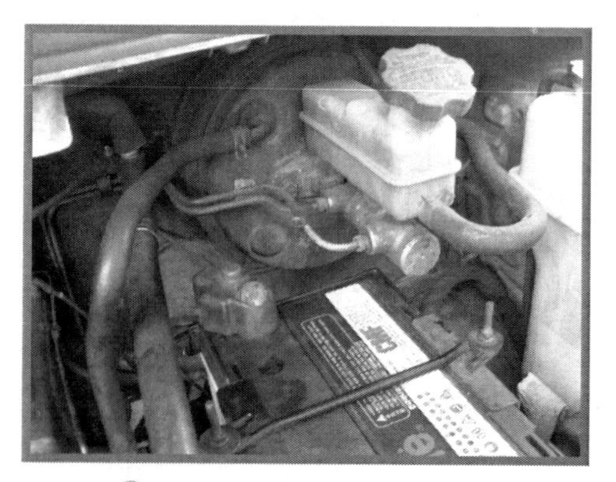

사진2-16 장착된 마스터 실린더

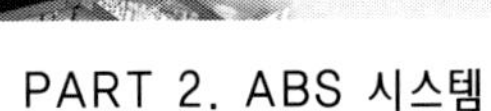

유압식 마스터 실린더의 구조는 그림(2-29)와 같이 브레이크 오일을 보급하는 리저브 탱크(reserve tank), 엔진의 진공압을 이용한 브레이크 부스터(배력 장치), 페달의 답력을 유압으로 전환하는 마스터 실린더로 구성되어 있다.

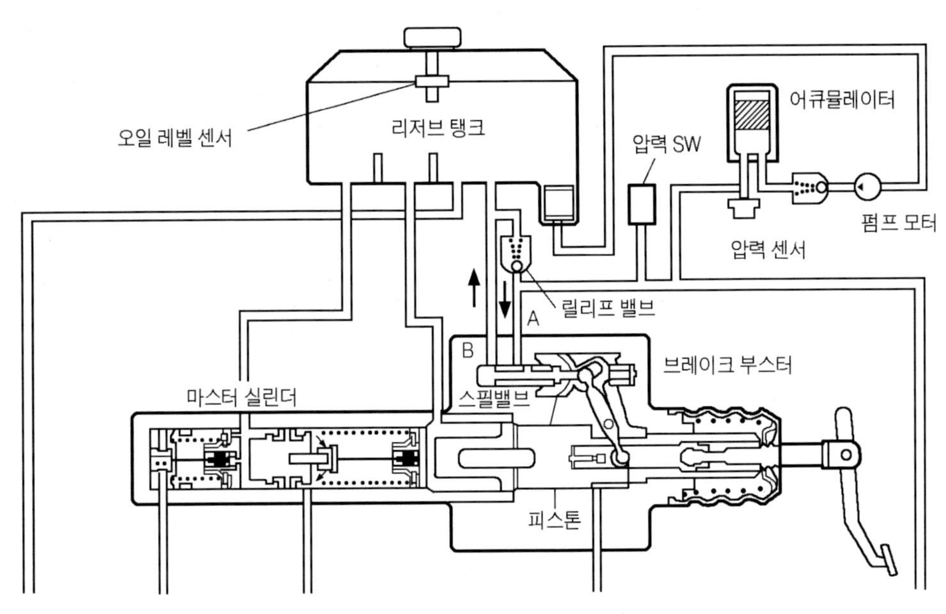

그림2-29 마스터 실린더의 구조(유압식)

마스터 실린더의 동작은 브레이크 페달을 밟으면 푸시로드와 연결된 피스톤은 앞으로 전진 하고 스필 밸브는 스프링 힘에 의해 앞으로 전진 하게 돼 부스터의 포트 A는 열리고 포트 B는 닫히게 된다. 포트 A는 어큐뮬레이터(accumulator)에 축적된 높은 압력의 브레이크 오일이 부스터로 유입하게 돼 마스터 실린더의 피스톤을 좌측으로 강하게 압력을 가하게 된다. 이렇게 전달된 브레이크 오일은 하이드로릭 유닛을 거쳐 갤리퍼에 전달하게 된다. 결국 ABS 용으로 사용되는 마스터 실린더도 ABS 미장착 차량용 마스터 실린더와 마찬가지로 브레이크의 답력을 유압으로 전환, 갤리퍼에 전달하는 기능을 가지고 있다.

(2) 하이드로릭 유닛(HU)

하이드로릭 유닛(hydraulic unit)은 마스터 실린더와 휠 실린더 사이에 위치하여 브레이크액의 유량을 제어하는 전자 밸브 반으로 자동차 메이커에 따라서는 액추에이터라고 표현하기도 하는 구성품이다. 이 책에서는 액추에이터 대신 하이드로릭 유닛 또는 약자로 HU(hydraulic unit)로 표현하고자 한다. 하이드로릭 유닛의 내부에는 브레이크 오일을

마스터 실린더 및 휠 실린더로 펌핑 하기 위해 리턴 펌프 모터와 브레이크 오일을 축압하기 위한 어큐뮬레이터, 그리고 브레이크 오일의 유량을 제어하기 위한 솔레노이드 밸브로 구성되어 있다.

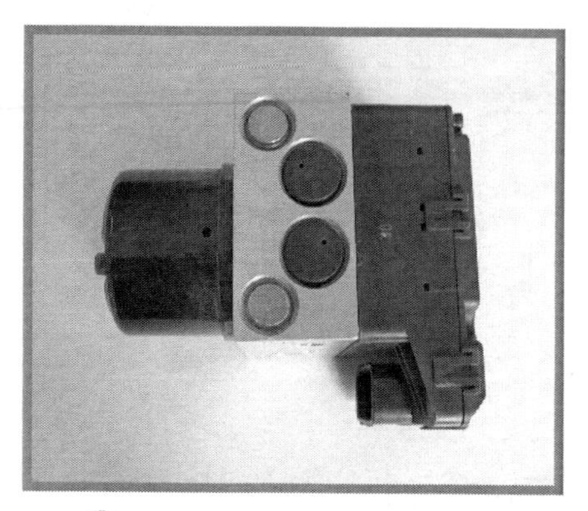

사진2-17 하이드로릭 유닛(HU)

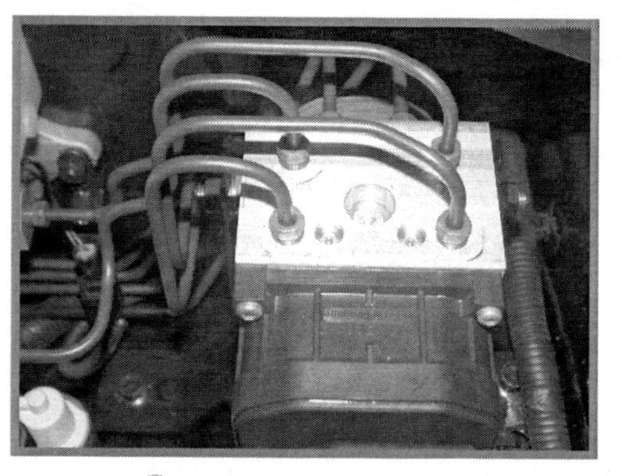

사진2-18 HU의 유압 라인

그림 (2-30)은 하이드로릭 유닛의 대표적인 유압 회로를 나타낸 것으로 브레이크 페달을 밟으면 마스터 실린더로부터 유압은 TC(트랙션 컨트롤) 밸브 거쳐 NO(노말 오픈) 밸브를 통해 휠 실린더로 유압이 전달되는 것을 그림을 통해 알 수 있다. 여기서 TC(트랙션 컨트롤) 밸브는 TCS(트랙션 컨트롤 시스템) 기능이 있는 경우에 해당한다.

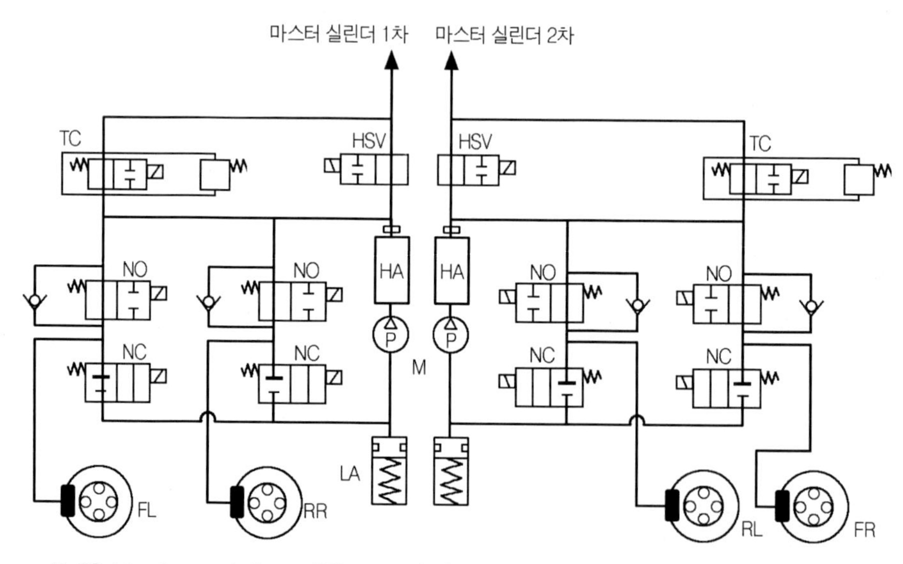

※• TC : traction control • NC : normal closed • NO : normal open
• LA : low pressure accumulator • HA : high pressure accumulator

그림2-30 하이드로릭 유닛 유압 회로(예)

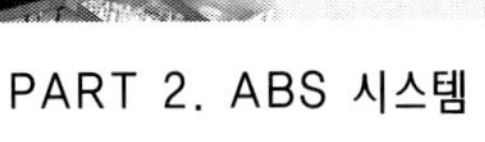

이 유압 회로를 세부적으로 그려보면 그림 (2-31)과 같이 구성되어 마스터의 실린더의 유압은 하이드로릭 유닛 내부의 솔레노이드 밸브를 통해 휠 실린더로 전달되도록 구성되어 있다. 따라서 ECU는 휠 스피드 센서(wheel speed sensor)의 신호를 받아 타이어의 슬립 상태를 검출하고 ABS ECU는 솔레노이드 밸브를 제어하여 휠 실린더로 가해지는 유압을 감압, 유지, 증압하도록 하는 것이 하이드로릭 유닛의 기능이다. 하이드로릭 유닛 내의 솔레노이드 밸브 제어는 자동차 메이커에 따라 ON, OFF 제어를 하는 방식과 ABS ECU로부터 전류의 량을 0A, 2A, 5A정도의 전류를 제어하여 증압, 유지, 감압하도록 하는 전류제어 방식이 사용되고 있다. 참고로 최근에는 자동차 부품 모듈화 작업 일환으로 하이드로릭 유닛에 ABS ECU가 부착되어 나오는 제품도 발매되고 있다.

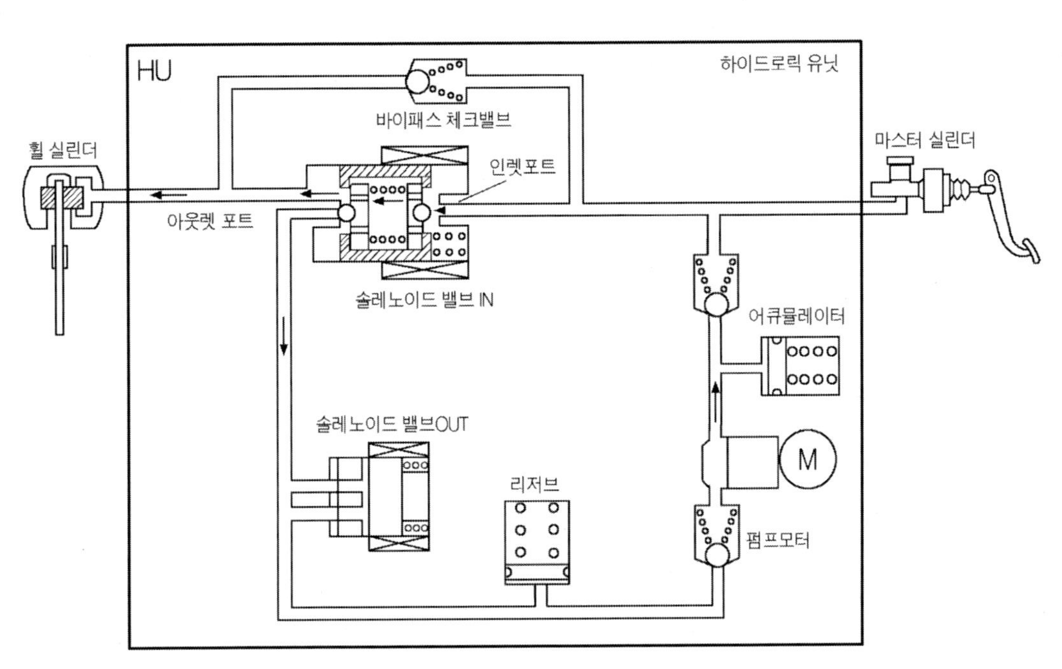

그림2-31 하이드로릭 유닛

(3) 프로포셔닝 밸브

프로포셔닝 밸브(proportioning valve)는 과거 일부 차종에 적용된 것으로 그 기능은 급제동 시 후륜이 조기에 로크(lock) 되는 것을 방지하기 위해 제동시 후륜 측에 걸리는 브레이크 압력을 제어하는 밸브이다. 프로포셔닝 밸브를 이용한 방법만으로 안전한 제동

을 확보하는 것은 불충분하므로 현재에는 전륜과 후륜을 정밀하게 제어할 수 있는 전자제어식 ABS가 주류를 이루고 있다. 전자제어식 프로포셔닝 밸브는 하이드로릭 유닛 또는 모듈레이터 내에 내장되어 마스터 실린더의 유압을 솔레노이드 밸브를 이용하여 ABS가 작동 중에는 마스터 실린더와 휠 실린더 간에 유로를 차단하여 ABS ECU가 하이드로릭 유닛의 유압을 조절하여 휠 실린더를 제어하고 있는 방식에 적용하고 있는 밸브이다.

사진2-19 프로포셔닝 밸브

사진2-20 브레이크 캘리퍼

(4) 브레이크 스위치

ABS 시스템의 제어 목적은 제동 시 타이어가 로크(lock) 되는 것을 방지하여 타이어의 슬립율을 제어하는 시스템으로 브레이크 페달을 밟지 않을 때에는 ABS 시스템은 작동하지 않도록 할 필요가 있다.

따라서 ABS ECU(ABS 컴퓨터)가 브레이크 페달을 밟은 상태인지 아닌지를 판단하기 위해서는 ABS ECU의 입력 신호를 제동 등에 사용되는 브레이크 스위치 신호를 입력으로 사용하게 된다. 즉 브레이크 스위치는 운전자가 브레이크 페달을 밟은 상태인지 아닌지를 검출하는 센서인 셈이다. 일부 차종에서는 브레이크 스위치와 브레이크 압력 스위치를 직렬로 연결하여 ABS ECU로 입력하는 경우도 있다.

브레이크 스위치와 압력 스위치를 직렬로 연결하여 ABS ECU에 브레이크 신호로 입력하는 경우는 브레이크 스위치 하나만으로 운전자의 브레이크 상태를 검출하는 경우보다 정확성을 높이기 위한 것이다. 이러한 방식은 브레이크 유압이 약 3kg/㎠ 이상이 되는 경우에 유압 스위치가 ON 상태가 되도록 되어 있어 엔진이 시동 중에는 언제나 NC(노말 클로즈) 스위치와 같이 작동하도록 하고 있는 방식이다.

사진2-21 브레이크 스위치

사진2-22 장착된 브레이크 스위치

(5) 휠 스피드 센서

휠 스피드 센서는 차륜의 회전 속도를 검출하는 센서로 ABS 구성 부품 중 가장 중요한 센서 중 하나이다. 회전수를 검출하는 휠 스피드 센서의 구성은 휠과 일체로 된 로터와 신호를 검출하는 센서로 구성되어 있어서 휠과 일체로 된 로터의 장착 위치에 따라 구분하고 있기도 하다. 허브(hub)와 일체로 된 로터는 허브 일체형이라 부르며 드라이브 샤프트(drive shaft)와 일체로 된 로터는 드라이브 샤프트 일체형이라 부른다. 로터의 잇(tooth) 수는 차종에 따라 다소 차이는 있지만 회전 속도를 검출하는 원리는 동일하다.

마그네틱 픽업 방식 또는 펄스 제너레이터 방식의 휠 스피드 센서의 내부에는 영구 자석에 철심을 붙여 코일을 감아 놓은 것으로 동작 원리는 그림(2-32)의 (a)와 같다. 동작 원리는 휠 허브에 부착된 로터가 회전을 하면철심에 자력선은 변화를 받아 코일에는 유도 기전력이 그림 (2-32)의 (b)와 같이 교류 전압 파형이 출력하게 된다. 이 전압은 로터의 회전 속도가 빠르면 빠를 수 록 자력선의 변화량 증가하여 휠 스피드 센서로부터 출력되는 전압의 크기는 커지고 파형의 주기는 짧아지게 된다.

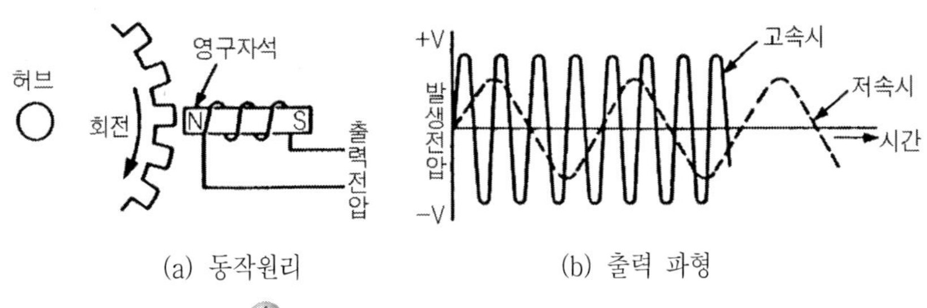

그림2-32 휠 스피드 센서의 출력 전압

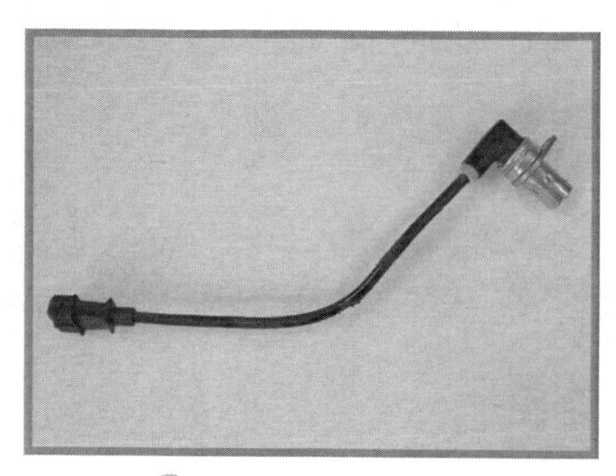

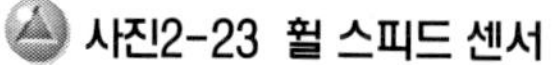
사진2-23 휠 스피드 센서

사진2-24 휠 스피드 센서의 로터

휠 스피드 센서의 출력 전압은 표(2-2)와 같이 차속이 7km/h 내에서는 보통 150mVpp 이하로 출력되며 코일의 저항은 제조사에 다르지만 0.8 ~ 2.0kΩ 정도 범위이다. 또한 로터의 잇수(tone wheel)를 알면 출력되는 주파수를 산출 할 수 있다.

예를 들어 로터의 잇수가 46개이고 사용하는 타이어가 205/60R 15 사이즈의 타이어를 사용하고 있다고 가정하면 타이어의 하중 반경은 301 ± 7mm 이므로 타이어의 외주는 301 × 2π = 1890.3mm 가 된다. 한편 차속이 20km/h시 주행 거리는 5.555m가 되므로 타이어의 회전수는 1초간에 5.555/1.89 = 2.939 회전수가 되어 1초간 타이어의 회전수 2.939 × 잇수를 곱하면 135 Hz 가 된다. 이 주파수는 타이어의 회전수가 증가하면 할 수 록 주파수는 증가하고(주기는 짧아지고) 출력 전압값은 증가하게 된다.

주기는 1/f(주파수) 값으로 주어지기 때문에 135Hz에 대한 주기는 7.4ms가 된다. 또한 마그네틱 픽업 방식의 센서는 회전 자속의 쇄교에 비례하여 유도 기전력이 발생하게 되므로 휠 스피드 센서의 자극(철심)과 로터의 잇(tooth) 사이에 에어 갭(air gap)이 거리에 따라 출력 전압 변화하므로 점검시 반드시 확인하여야 하는 항목 중 하나이다.

[표2-1] 로터의 사양(예)

항목	A사	B사	비고
톤 휠(잇수)	46개	47개	
코일 저항	1200 ± 50Ω	1100 ± 50Ω	
출력전압(Vpp)	150mV	150mV	7km/h에서
에어 갭	0.2~0.9mm	0.2~0.7mm	

※ 코일저항은 대개 0.8kΩ~2.0kΩ범위 내에 있다.

(6) G 센서

ABS 시스템에 적용되는 G(gravity) 센서는 차량의 가속도를 검출하는 센서로 4륜 구동형 차량에만 적용하고 있는 센서이다. 4륜 구동형 차량은 2륜 구동형 차량과 달리 4개의 휠에 모두 동력이 전달되기 때문에 주행 중 제동 시에는 4개의 휠에 작용하는 구동력이 차이가 발생하게 되며 이로 인한 타이어의 슬립 정도가 다르게 나타날 수 있다.

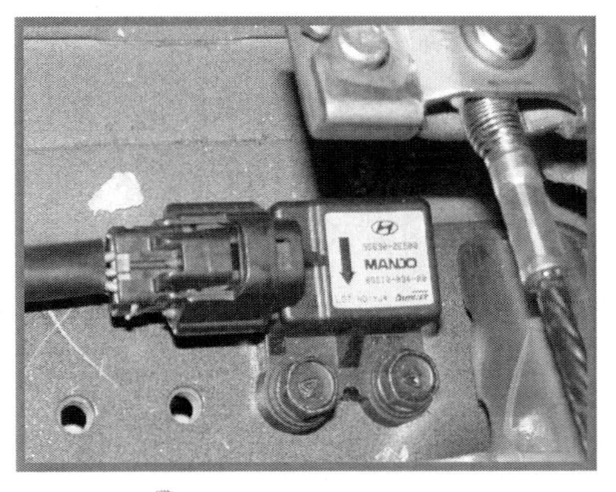

사진2-25 장착된 G센서

이러한 이유로 차량의 감속도에 따른 브레이크 유압을 제어하기 위한 보정용 신호로 G 센서를 사용하고 있다. G 센서는 자동차의 메이커 마다 트랜스(trans)를 이용한 차동 트랜스식 G 센서, 수은을 이용한 수은식 G 센서, 압전 세라믹을 이용한 반도체 압전 세라믹식 G 센서가 이용되고 있는데 차량의 전후 방향의 가속도를 검출하여 ABS ECU의 보정 신호로 사용되는 것은 같다. 따라서 여기서는 차동 트랜스식 G 센서에 대해서만 소개하고자 한다. 차동 트랜스식 G 센서는 그림(2-33)의 (a)와 같이 1차코일과 2차 코일로 이루진 일종의 트랜스(trans)로 1차코일과 2차 코일에 이동하는 코어가 놓여 있는 구조로 되어 있다.

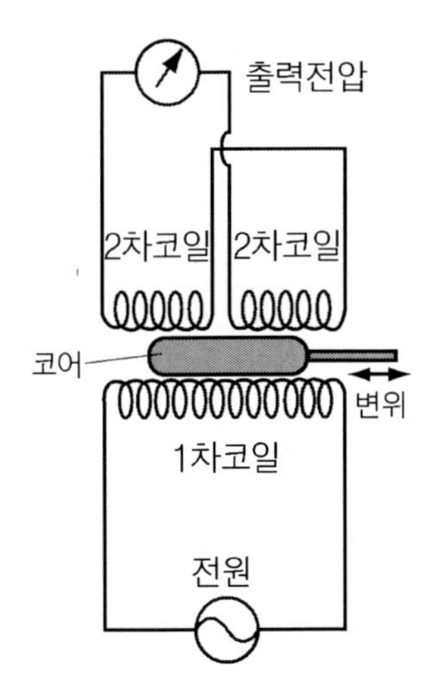

(a) 차동 트랜스식 G센서의 원리

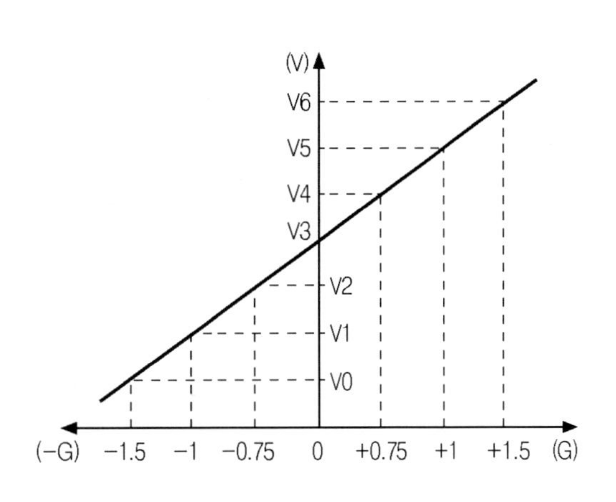

(b) 트랜스식 G센서의 출력 특성

그림2-33 G센서의 원리와 특성

보통 코어는 코일의 중앙에 위치해 있다가 G 센서에 감속도를 받으면 코어가 이동하여 1차 코일에 공급하고 있던 교류 신호의 전압은 상호 유도 작용에 의해 2차 코일에도 코어의 변위량과 코일의 권수비에 따라 유도 기전력이 발생하게 된다. 이렇게 발생된 유도 기전력은 OP AMP(연산 증폭기)를 통해 증폭되어 차량의 가속도에 따라 표 (2-3)과 같이 출력 전압이 출력하게 된다.

[표2-3] 차동 트랜스식 G 센서의 출력 전압(예)

구 분	V0	V1	V2	V3	V4	V5	V6
가속도(m/s^2)	-14.7	-9.8	-7.35	0	7.35	9.8	14.7
출력 전압	1V	1.5V	1.75V	2.5V	3.0V	3.5V	4.0V

2. TCS 구성 부품

(1) 조향각 센서

ABS 시스템은 간단히 말하면 제동 슬립율을 제어하는 시스템이라 하면, TCS 시스템은 구동 슬립율을 제어하는 것이라 생각하면 쉽고 이해 할 수 있다. TCS 시스템은 선회시 구동 슬립율 제어는 휠 스피드 센서는 물론 차속과 조향각 센서의 신호를 받아 운전자가 안정적인 자세로 선회할 수 있는 범위로 선회하도록 엔진 가속도를 제어한다.

사진2-26 조향각 센서의 위치

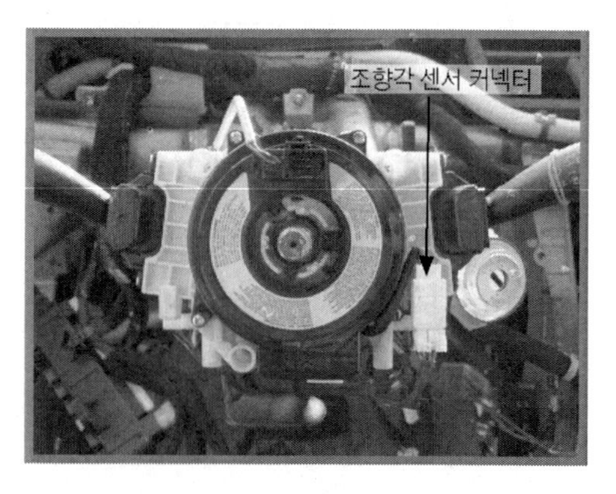

사진2-27 조향각 센서 커넥터

TCS 시스템에 사용되는 조향각 센서는 스티어링의 축에 부착하여 스티어링의 회전각을 검출하는 센서로는 보통 포토커플러(photo coupler)를 이용하고 있다. 이 센서는 발광 다이오드로부터 발광 된 빛을 슬릿 판을 통해 포토 TR(트랜지스터)이 수광하여 증폭기를 통해 신호를 출력하도록 한 것이다. 이와 같은 광전식 조향각 센서는 3쌍의 포토커플러로 이루어져 있어 그림(2-34)의 (a)와 같은 구형파가 출력 된다. 여기서 발생되는 ST1과 ST2의 출력 신호는 스티어링의 좌회전과 우회전의 회전각을 검출하기 위한 신호이며 STN 포터 커플러로부터 출력되는 신호는 LOW 상태(중립 신호)에서만 ST1과 ST2를 판정하도록 하는 기준 신호용이다. 광전식 포토커플러 센서는 자동차 메이커가 적용하는 슬릿 판의 구멍수에 따라 8° / pulse, 12° /pulse 등 다양하게 적용되고 있다.

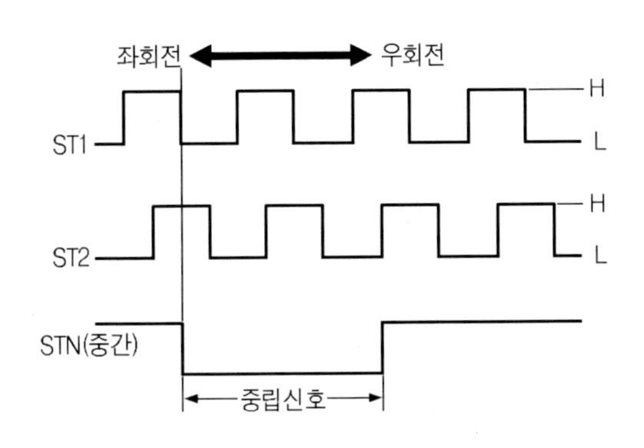

(a) 조향각센서 신호의 파형(포토 TR식)

판 정	센서	전	후
우회전	ST1	L	L
	ST2	H	L
좌회전	ST1	L	L
	ST2	L	H

※ 중립신호는 LOW상태일 때

(b) 조향 휠의 판정 신호(예)

그림2-34 조향각 센서 신호의 판정

(2) 횡 G 센서

횡 G 센서는 횡 가속도를 검출하는 센서로 전술 바와 같이 차량이 선회하면 타이어의 중심선 방향으로 굴러가려는 구동력과 직각으로 횡력이 작용한다고 하였다. 이때 차륜이 선회 하려는 힘의 밸런스는 구동력과 횡력의 힘의 합으로 나타나게 되는데 횡 G 센서는 횡 가속도를 검출하여 차륜의 슬립차를 보정하기 위한 보정용 센서로 사용하고 있다.

사진2-28 횡 G센서

그림(2-35)는 정전 용량식 횡 G 센서의 원리를 나타낸 것으로 작동 원리는 고정 전극의 사이를 두고 가동 전극이 차량의 관성력에 따라 힘이 상하로 작용하게 되면 2개의 전극 간 용량차가 발생하게 된다. 전극 간 용량 차는 전하량을 축적 할 수 있는 전위차가 변화하게 되어, 이 전위차를 OP AMP(연산 증폭기)를 통해 증폭 하도록 하여 센서의 신호원으로 사용하고 있는 방식이다.

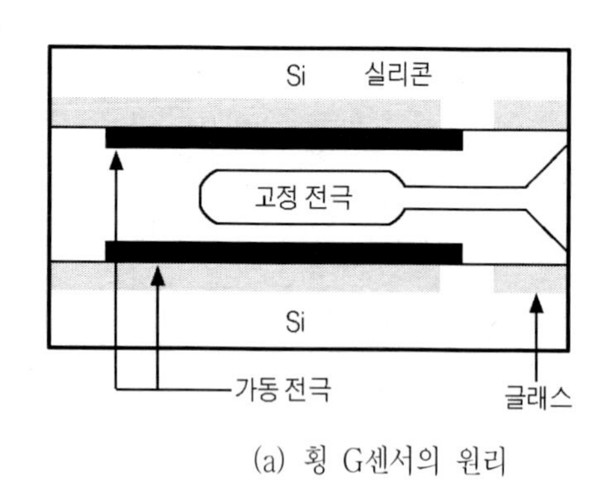

(a) 횡 G센서의 원리

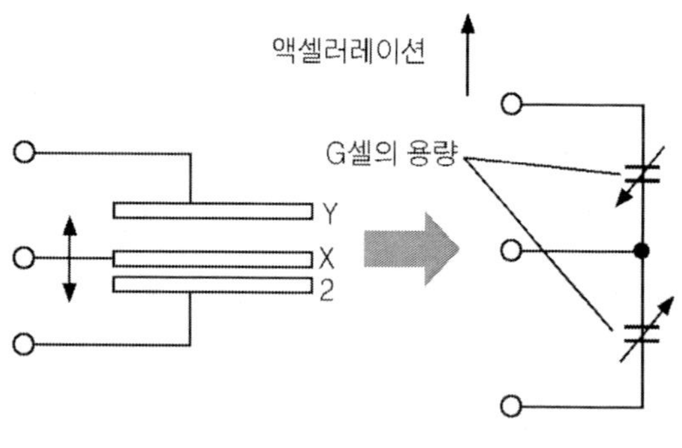

(b) G셀의 등가 회로

그림2-35 횡 G센서의 원리와 등가회로(정전 용량식)

그림(2-36)은 정전 용량식 횡 G 센서의 대표적인 출력 특성을 나타 낸 것으로 가속도 양수 값은 우회전 시를 가속도 음수 값은 좌회전 시를 나타내고 있다. 이와 같은 횡 G 센서 및 요 레이트 센서는 차량의 주행 안전성을 확보하기 위해 첨단 VDC 시스템(vehicle dynamic control system) 등에 적용하고 있다.

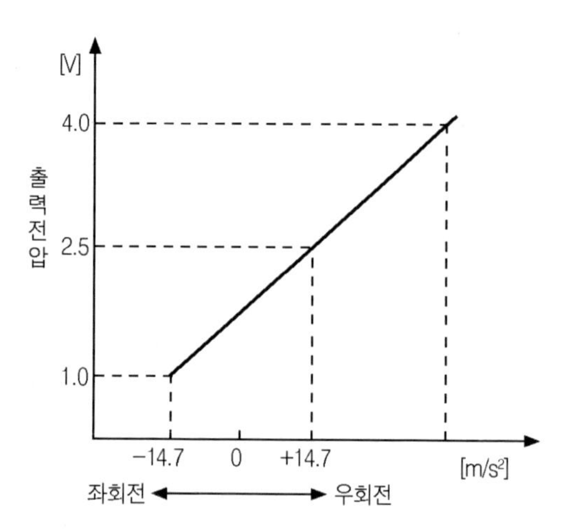

그림2-36 횡 G센서의 출력 특성(예)

(3) 요 레이트 센서

요 레이트 센서(yaw rate sensor)는 차량의 도로 상태를 검출하여 주행시 요잉을 방지하도록 첨단 VDC 시스템에 적용되고 있는 센서이다. 요 레이트 센서의 구조는 그림(2-37)의 (a)와 같이 지지기판 위에 4각의 진동 빔을 놓고 4각의 2면에 진동을 검출할 수 있는 압전 세라믹 2매를 붙여 놓은 것으로 진동 빔이 회전을 하지 않을 때에는 2매의 압전 소자에서 발생되는 전압은 없어도 센서 내부의 발진 회로에 의해 동위상의 교류

신호가 발생되어 OP-AMP(연산 증폭기)를 통해 출력하게 된다. 그림(2-37)의 (b)는 요 레이트 센서의 출력 특성을 나타낸 것으로 정지시에는 각속도가 0(deg/sec)이므로 특성의 중앙에 위치한 2.5V 전압 값을 출력하게 된다. 따라서 요 레이트 센서는 진동 빔의 진동에 따라 2.5V를 기준으로 각속도의 전압 값이 변화하는 특성을 갖는 것을 알 수 있다.

사진2-29 장착된 요 레이트 센서

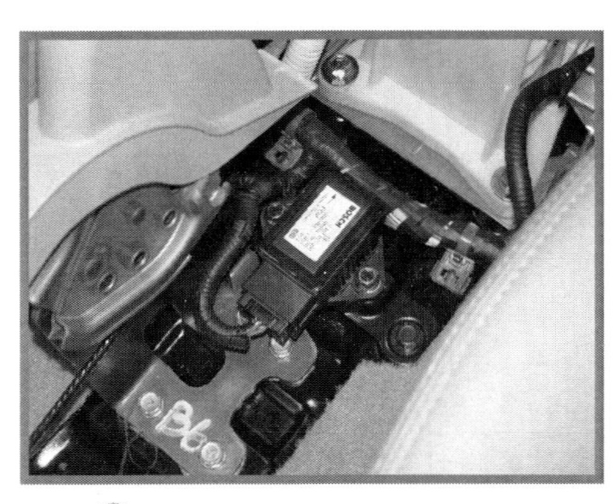

사진2-30 장착된 하이드로릭 유닛

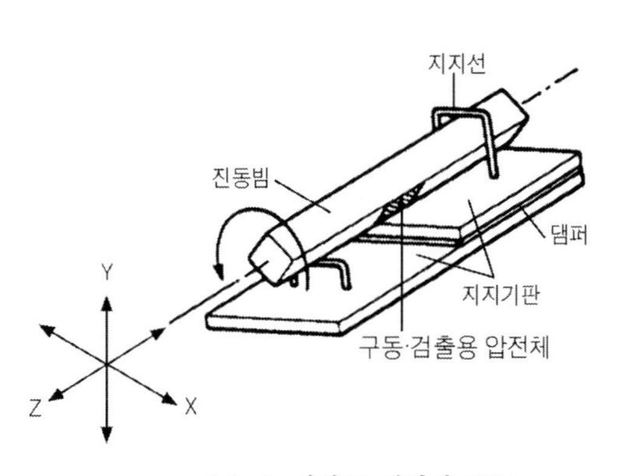

(a) 요 레이트 센서의 구조

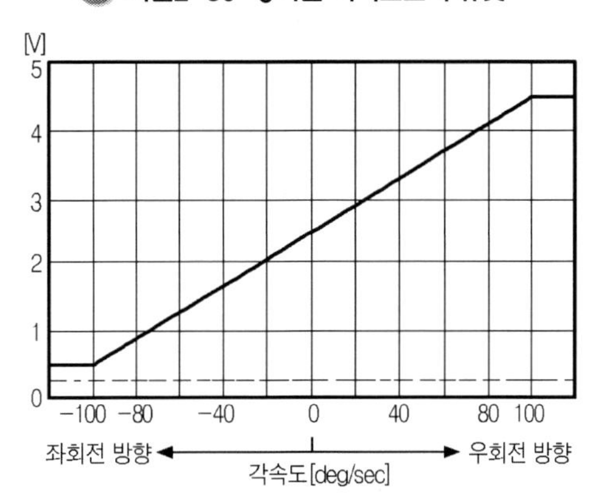

(b) 요 레이트 센서의 출력 특성

그림2-37 요 레이트 센서의 구조와 특성(예)

point

ABS & TCS 구성 부품

1 ABS의 구성 부품의 기능

(1) 마스터 실린더 : 운전자의 답력을 파스칼의 원리를 이용 유압으로 전환하는 실린더

(2) 하이드로릭 유닛

① 기능 : ECU의 명령에 의해 휠 실린더로 가는 유량 및 유압을 제어하는 유닛

② 구성 부품

- 모터 : 직류 모터로 모터의 축에 압입되어 있는 편심 캠의 회전으로 피스톤 펌프를 작동하는 기능을 한다.
  ※ 모터의 소비 전류 : 약 35A 정도(차종에 따라 다름)
- 펌프 : 2개의 (FL/RR용, FR/RL용) 방사형 유압 발생 피스톤으로 구성되어 ABS 작동시 유압을 발생시켜 브레이크액을 압송하는 역할을 한다.
  ※ ABS 작동 중에만 동작 한다.
- 어큐뮬레이터 : ABS 작동 시 펌프로부터 토출된 고압의 브레이크액을 일시적으로 저장하여 유압에 의해 발생하는 맥동 현상을 완충하는 기능을 가지고 있다.
- 솔레노이드 밸브 : ABS ECU의 명령에 의해 휠 실린더로 흘러가는 유량 및 유압을 제어하기 위한 밸브로 주로 ON, OFF 제어하도록 되어 있다.
- 리저버 : 급제동시 타이어가 로크(lock) 직전 솔레노이드 밸브는 작동하여 휠 실린더의 유압은 감압되며 이때 리턴 된 브레이크 오일은 리저버 탱크에 들어가 저장하게 되는 기능을 가지고 있다.

(3) **프로포셔닝 밸브** : 급제동시 후륜이 조기에 로크(lock) 되는 것을 방지하기 위한 밸브

(4) **브레이크 스위치** : ABS의 모터 펌프는 ABS 기능이 작동 중에만 작동하도록 되어 있다. 따라서 ECU는 현재 운전자가 제동중인지, 아닌지를 판단하기 위해 이 스위치 신호를 입력으로 이용되고 있다.

(5) **휠 스피드 센서**

① 기능 : ABS의 기본 기능은 타이어의 슬립율 제어이다. 따라서 휠 스피드센서는 타이어의 회전 속도를 검출, 타이어의 슬립 정보를 산출하는 센서로 활용하고 있다.

② 종류 : 마그네틱 픽업 방식, 홀 효과 방식 등이 사용되고 있다.

- 마그네틱 픽업 방식의 출력 파형 : 정현파 교류 신호 파형
- 홀 효과 방식의 출력 파형 : 구형파 디지털 신호 파형

(6) G 센서

- 차량의 가속도를 검출하기 위한 센서로 4륜 구동형 차량의 구동력 제어를 하기 위해 보정용 신호로 사용하고 있다.

2 TCS의 구성 부품의 기능

(1) **조향각 센서** : 스티어링의 회전각을 검출하는 센서로 선회시 주행 안전성을 확보하기 위해 구동력 제어의 신호로 사용되고 있는 센서이다.

(2) **횡 G 센서** : 횡 가속도를 검출하기 위한 센서로 차량의 선회시 차륜의 슬립차를 보정 하여 주기 위해 사용하는 센서이다.

(3) **요 레이트 센서** : 요잉을 방지하기 위한 목적으로 차량의 도로 상태의 정보를 검출하는 센서이다.

5. ABS & TCS의 기능

1. 제동 슬립율 제어

ABS ECU는 각 차륜의 휠 스피드 센서로부터 차륜 속도 신호를 연산하고 이 신호를 토대로 의사 차속 신호를 산출하여 제동 슬립율을 20% 전후로 제어 할 수 있도록 하이드로릭 유닛에 명령한다. 하이드로릭 유닛은 이 명령을 받아 타이어의 슬립율이 20% 전후로 제어 될 수 있도록 휠 실린더를 통해 브레이크의 압력을 3가지 제어(감압, 유지 증압 제어) 모드로 제동 슬립율을 제어한다.

사진2-31 휠 실린더 측(캘리퍼)

사진2-32 유압 제어측(HU)

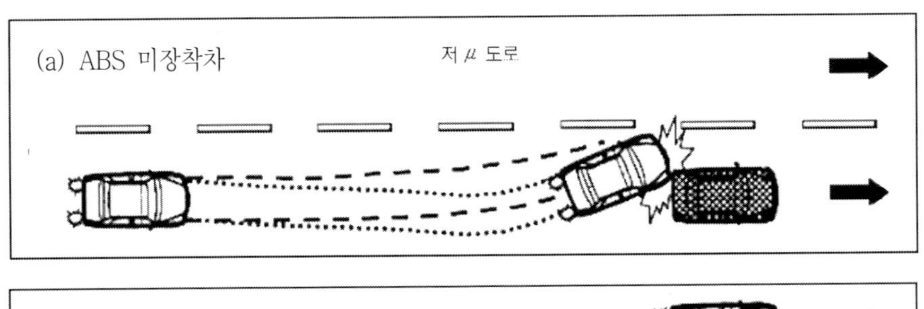

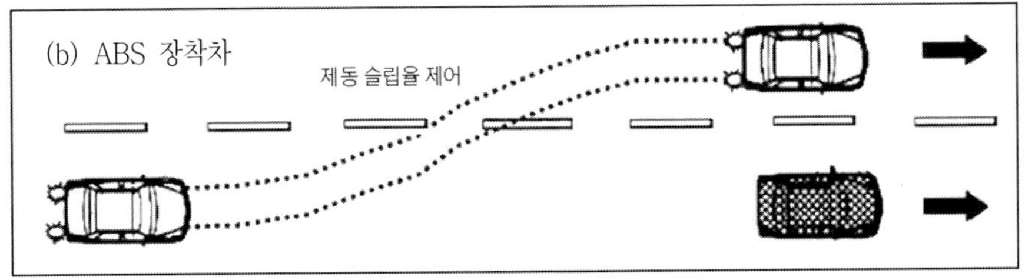

그림2-38 ABS 효과

(1) ABS 시스템의 고장 시

ABS ECU(컴퓨터)는 4개의 휠 스피드 센서로부터 차륜의 속도를 검출하고 차륜의 가감 속도를 연산하여 차륜의 슬립 상태를 판단, 슬립율을 20% 전후로 제어 하도록 하이드로릭 유닛 내에 내장된 솔레노이드 밸브를 통해 브레이크 유량을 제어하는 장치이다.

이 ABS 시스템의 이상이 발생하면 그림 (2-39)와 같이 2개의 입·출력 솔레노이드 밸브(IN, OUT SOL V/V)는 모두 OFF 상태가 된다. 솔레노이드 밸브 IN은 NO(노말 오픈) 형식의 밸브로 전원이 차단되면 밸브는 스프링 힘에 열리게 되어 있어 브레이크를 밟으면 브레이크 오일은 마스터 실린더의 유압에 의해 솔레노이드 밸브 IN을 통해 휠 실린더로 가압하게 된다. 브레이크 페달을 놓으면 마스터 실린더의 유압은 저하되어 휠 실린더에 가해졌던 유압은 체크 밸브(check valve)와 솔레노이드 밸브 IN을 통해 마스터 실린더로 리턴(return)되어 브레이크는 해제 된다. 따라서 ABS 시스템이 작동되지 않더라도 일반 브레이크 장치로 작동 할 수 있게 된다.

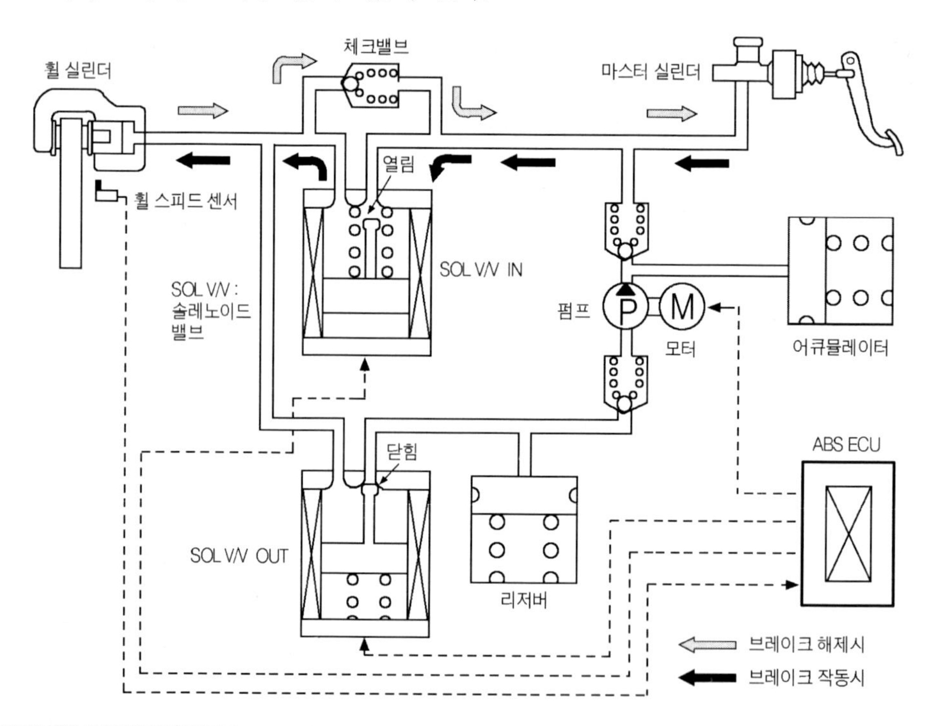

SOL V/V	통전 상태	밸브 상태	개폐 통로
IN	OFF	열림	마스터 실린더 ↔ 휠 실린더
OUT	OFF	닫힘	휠 실린더 ↔ 리저버

그림2-39 ABS 고장시

(2) 감압 제어

급제동 시 차륜이 로크(lock) 상태에 이루면 ABS ECU는 슬립율을 판단하여 휠 실린더에 가해진 압력을 감압하도록 하이드로릭 유닛에 명령을 하게 된다. 하이드로릭 유닛 내에 장착된 솔레노이드 밸브는 이 명령을 받아 솔레노이드 밸브 IN 및 OUT을 통전 한다. 솔레노이드 밸브 IN은 NO(노말 오픈)형식으로 전원을 공급하면 밸브는 닫히고, 솔레노이드 밸브 OUT은 NC(노말 클로즈)형식으로 전원을 공급하면 밸브는 열리게 돼 그림(2-40)과 같이 마스터 실린더로부터 브레이크 오일은 차단되고 휠 실린더에 가해진 압력은 솔레노이드 밸브 OUT를 통해 리저버에 도달하게 된다.

결국 휠 실린더에 가해진 압력은 감압되어 차륜이 로크(lock) 되는 것을 방지하게 된다.

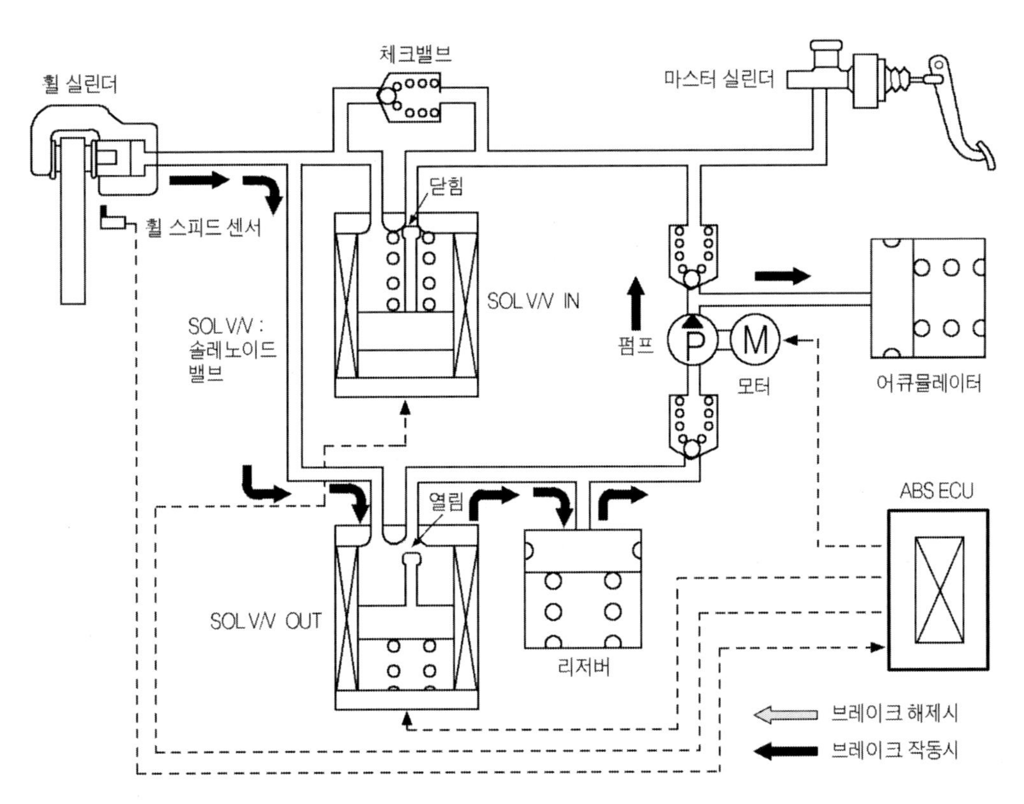

SOL V/V	통전 상태	밸브 상태	개폐 통로
IN	ON	닫힘	마스터 실린더 ↔ 휠 실린더
OUT	ON	열림	휠 실린더 ↔ 리저버

그림2-40 감압 제어(ABS 작동시)

(3) 유지 제어

휠 실린더의 유압이 어느 상태까지 감압하게 되면 ABS ECU는 슬립율을 산출한 데이터 값에 따라 유압을 유지시키는 명령을 하이드로릭 유닛에 하게 된다. 하이드로릭 유닛이 신호를 받아 솔레노이드 밸브 IN은 ON시키고, 솔레노이드 밸브 OUT은 OFF 시킨다.

그림(2-41)과 같이 솔레노이드 밸브 IN이 통전되면 밸브는 닫히게 되고 솔레노이드 밸브 OUT이 차단되어도 밸브는 닫히게 돼 휠 실린더에 가해진 압력은 일정하게 유지하게 된다. 즉 휠 실린더에 가해진 압력이 어느 상태까지 감압하게 되면 2개의 솔레노이드 밸브 IN과 OUT 닫히게 돼 휠 실린더에 가해진 압력은 감압 된 채로 일정하게 유지하게 된다.

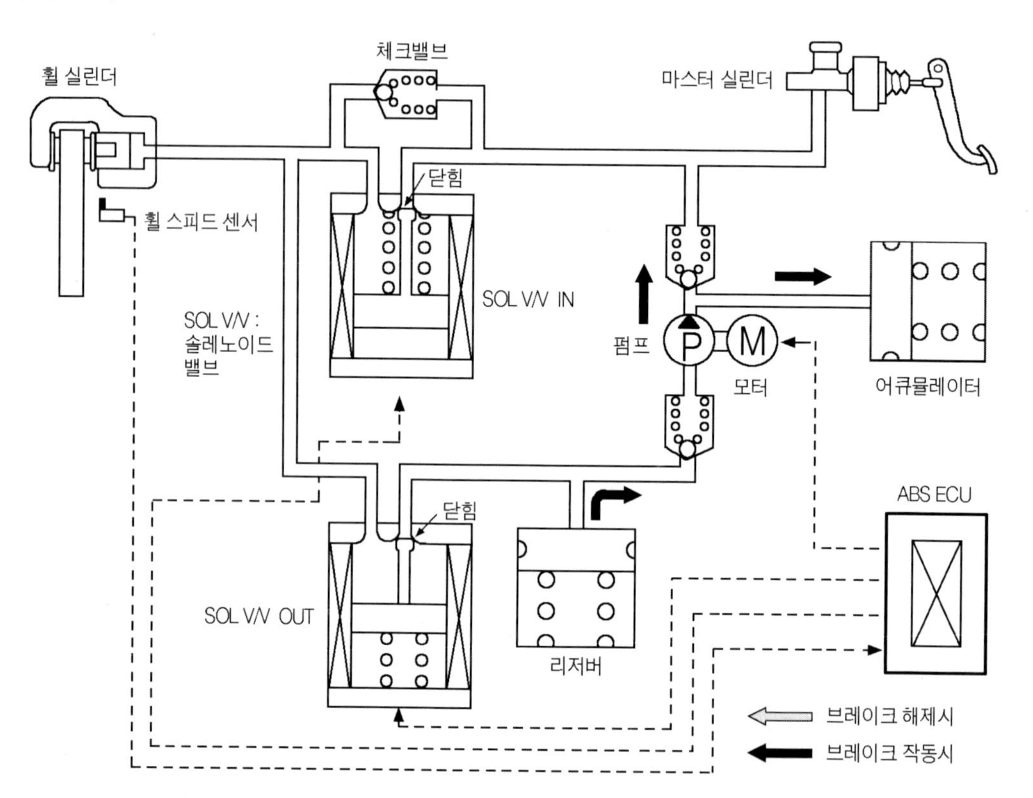

SOL V/V	통전 상태	밸브 상태	개폐 통로
IN	ON	닫힘	마스터 실린더 ↔ 휠 실린더
OUT	OFF	닫힘	휠 실린더 ↔ 리저버

그림2-41 유지 제어(ABS 작동시)

(4) 증압 제어

휠 실린더의 유압이 감압되어 ABS ECU는 휠 스피드 센서로부터 차륜이 더 이상 로크(lock) 되지 않는 다고 판단하면 ABS ECU는 하이드로릭 유닛의 솔레노이드 밸브를 OFF 시킨다. 솔레노이드 밸브 IN 및 OUT 이 OFF 상태가 되면 그림(2-42)와 같이 솔레노이드 밸브 IN은 열리게 되고 솔레노이드 밸브 OUT은 닫히게 된다. 또한 ABS ECU는 ABS 릴레이를 작동하여 펌프 모터를 구동하게 된다. 펌프 모터가 구동하면 리저버 탱크에 있던 브레이크 오일은 펌프를 통해 솔레노이드 밸브 IN를 거쳐 휠 실린더에 가압하게 된다. 결과적으로 ABS 시스템은 차륜이 로크(lock) 되지 않도록(슬립율이 20% 전후로 유지되도록) 감압 → 유지 → 증압을 빠른 속도로 반복하여 차륜의 슬립율을 제어 하도록 하는 시스템임을 알 수 있다. ABS 시스템은 보통 시속 6km/h 이상(차종에 따라 다소 차이는 있음)에서 작동하도록 하고 있어 6km/h 이하에서는 작동하지 않는 것이 일반적이다.

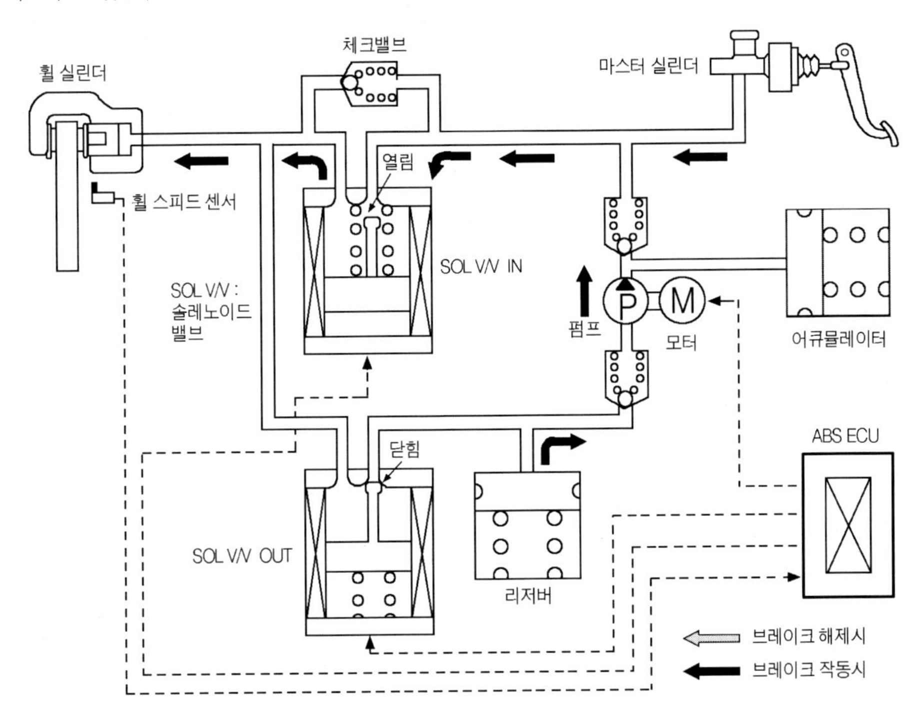

SOL V/V	통전 상태	밸브 상태	개폐 통로
IN	OFF	열림	마스터 실린더 ↔ 휠 실린더
OUT	OFF	닫힘	휠 실린더 ↔ 리저버

그림2-42 증압 제어(ABS 작동시)

2. 구동 슬립율 제어

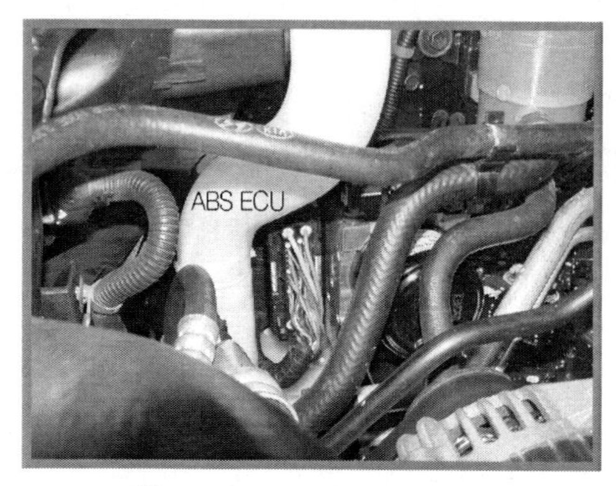

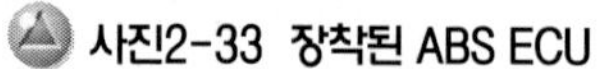
사진2-33 장착된 ABS ECU

사진2-34 하이드로릭 유닛

(1) 구동 슬립율 제어

ECU(컴퓨터)는 좌우측의 후륜으로부터 얻은 차속을 구동륜의 회전 속도(좌우측 구동륜의 평균 회전 속도)에 의해 구동륜의 슬립율을 산출하고 차체의 전후 가속도(차체의 속도 변화율)로부터 노면의 마찰 계수를 판단한다. 슬립율 제어는 마찰 계수가 다른 노면에서 높은 구동력을 얻을 수 있도록 마찰 계수에 의한 슬립비를 검출하여 엔진 출력을 슬립비에 맞추어 제어도록 한다. 슬립율 제어는 이렇게 엔진 출력을 슬립비에 맞추어 제어도록 하여 발진 가속성을 향상시키고 있다.

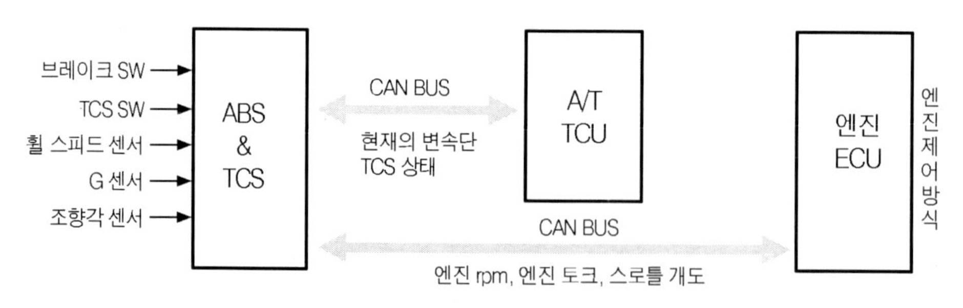

그림2-43 ABS & TCS 시스템 구성도

한편 운전자는 스티어링 휠(핸들)을 조향 할 때 차속과 조향각으로부터 산출한 횡 가속도가 기준치 보다 크다고 판단하면 ABS & TCS ECU는 전륜의 슬립율을 감소하는 방향으로 엔진 출력을 제어하도록 하고 있다. 즉 구동 슬립율 제어는 구동륜의 구동력을 향상

할 목적으로 타이어의 슬립율을 검출하여 엔진 출력을 제어하는 기능이다. 엔진 출력을 제어하는 TCS 시스템은 자동차 메이커에 따라 스로틀 밸브의 개도 및 점화 시기 제어 또는 연료 분사 기통 제어 및 점화 시기 제어 등을 사용하고 있다. 또한 이와 같은 TCS 시스템은 선회 가속 시 슬립 제어를 우선으로 하고 있다.

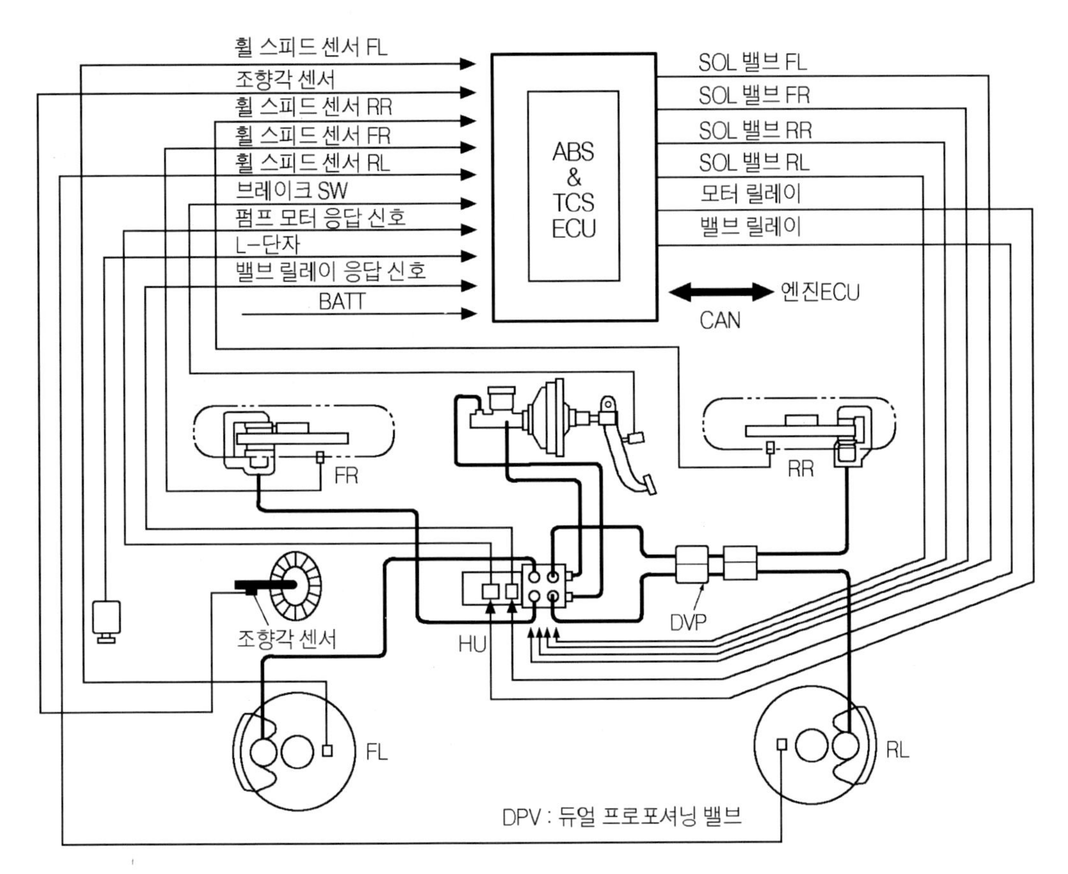

그림2-44 ABS & TCS 시스템 구성도

(2) 트레이스 제어

기존의 TCS 시스템은 마찰 계수가 낮은 노면으로부터 슬립율 제어 기능을 적용하여 발진 가속성을 향상 한 기능에 추가하여 중고속 상태 중 선회시에도 가속 선회가 가능하도록 트레이스(trace) 제어 기능을 도입 한 것으로 차종에 따라 적용 기능이 다르다. 트레이스 제어는 FF(전륜 구동형) 차량에서 선회시 가속 페달을 너무 많이 밟으면 발생하는 언더스티어(under steer)와 드리프트(drift) 현상을 방지하기 위해 엔진 출력을 저하시켜

제어하고 있다. 트레이스 제어는 폭 넓은 트랙션 제어가 가능하도록 ROM 메모리 내에 미리 데이터를 맵(map)화 시켜 놓아 맵핑(mapping) 데이터에 따라 예측 가능 하도록 엔진 출력을 제어하고 있다. 이 데이터 값은 포장도로나 비포장도로, 시가지나 산악로 등을 미리 주행해 그 곳에서 발생하는 횡 가속도 값을 차속에 대응하여 안전하게 운전 할 수 있는 횡 가속도를 산출하여 이 값을 기준 데이터로 활용하고 있다.

사진2-35 VDC 스위치

사진2-36 ABS & TDC 경고등

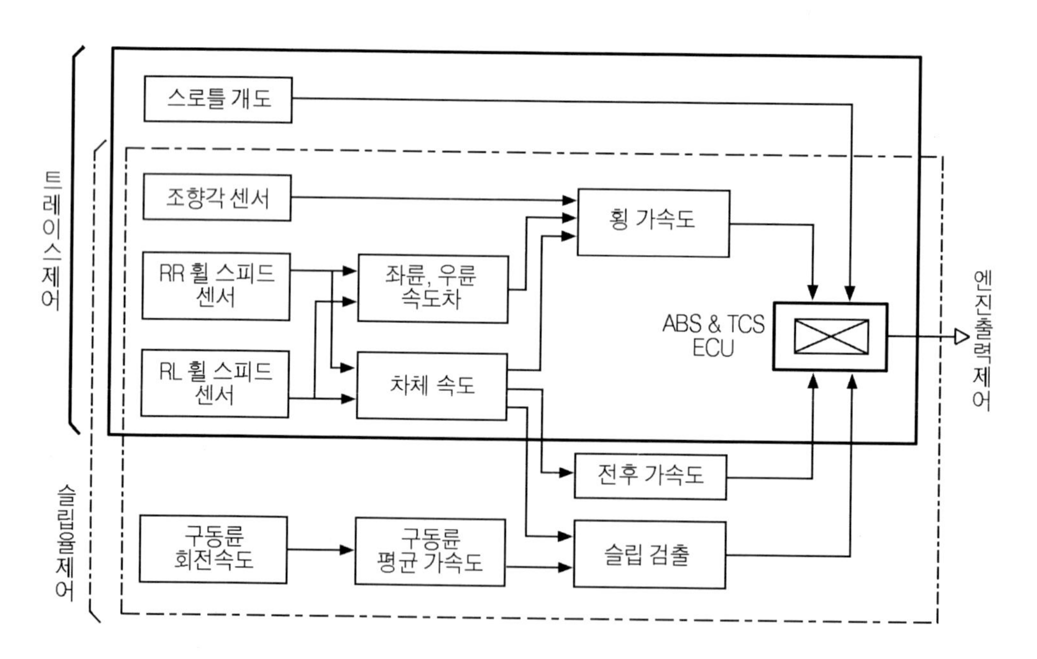

그림2-45 TCS 제어 블록도

횡 가속도의 산출은 ECU(컴퓨터)가 차량의 속도와 조향 각을 가지고 이론적으로 산출하고 있다. 차속은 좌우 후륜(비구동륜) 신호의 평균치를 검출하고, 횡 가속도는 이 때 차속과 조향각의 값으로 산출한다.

또한 좌우 차륜의 차로 요잉도 산출하고 있다. 이렇게 산출된 데이터 값은 맵(map)화된 기준 데이터 값과 비교하여 엔진 출력의 제어량을 결정하게 된다. 최근에는 별도로 횡 가속도를 검출하는 센서를 적용하여 센서로부터 직접 데이터를 검출하고 있는 방식을 채택하고 있기도 하다.

사진2-37 ABS ECU

사진2-38 휠 스피드 센서

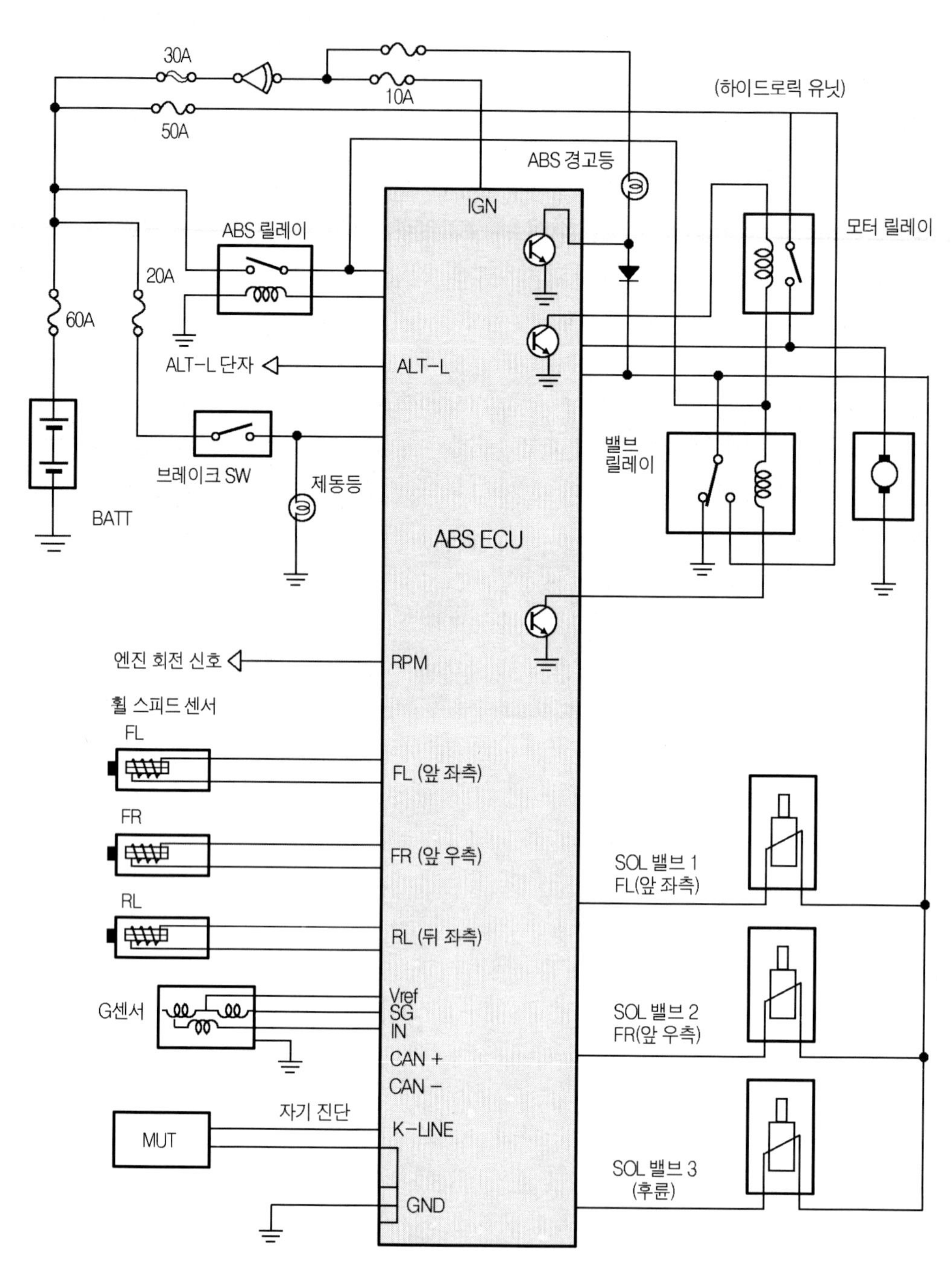

그림2-46 ABS 회로도(후륜 구동)

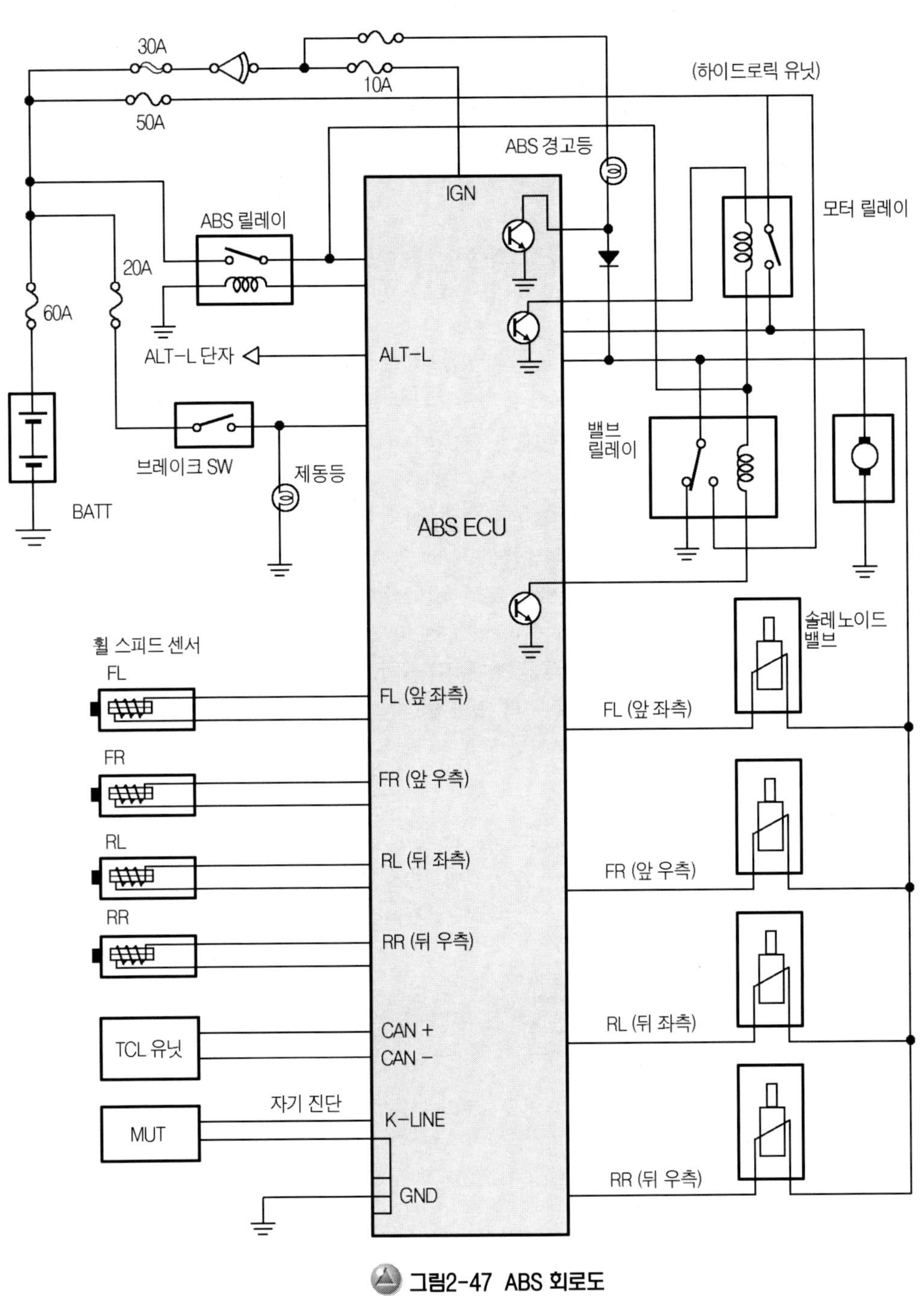

그림2-47 ABS 회로도

point

ABS & TCS의 기능

1 ABS의 기능

① **제동 슬립율 제어**

- 휠 스피드 센서의 신호로부터 차륜 속도 및 차속을 산출하여 제동 슬립율을 20% 전후로 제어 하도록 하이드로릭 유닛에 명령 한다.
- 하이드로릭 유닛은 이 신호를 받아 휠 실린더를 감압, 유지, 증압을 반복하며 제동 슬립율을 20% 전후로 제어 한다.

② **제동 슬립율 제어 모드**

- 감압 제어 : 급제동시 차륜의 로크(lock) 되는 것을 방지하기 위해 휠 실린더의 압력을 일시적으로 감압하는 제어
- 유지 제어 : 휠 실린더의 유압이 어느 상태까지 감압되면 더 이상 유압이 감압 되지 않도록 유지하는 제어
- 증압 제어 : 휠 실린더로부터 더 이상 차륜이 로크(lock) 되지 않는다고 판단하면 모터 펌프를 작동하여 증압 하는 제어

※ ABS 시스템은 결국 감압, 유지, 증압을 반복하면 차륜의 제동 슬립율을 20% 전후로 제어하여 운전자의 조향 안정성을 확보하는 시스템이다.

2 TCS의 기능

(1) TCS의 기능

※ 트랙션(구동력)제어를 통해 가속 및 선회 안전성을 확보하기 위한 시스템

① 급발진 슬립율 제어 : 가속시 발생되는 차륜의 스핀 현상 방지

② 트레이스 제어 : 선회시 가속에 의해 차량의 언더스티어와 드리프트 현상이 발생하는 것을 방지

- 언더스티어 : 선회시 원심력에 의해 차량의 외주로 나가려는 특성
- 드리프트 현상 : 선회시 차륜이 옆으로 미끌리는 현상

(2) 구동 슬립율 제어

- 마찰 계수가 다른 노면으로부터 높은 구동력을 얻기 위해 엔진의 스로틀 개도 및 점화시기를 통해 엔진 출력을 제어

  주) 엔진 출력을 제어하는 방식은 자동차 메이커의 차종에 따라 다름

(3) 트레이스 제어

- 선회시 차속과 조향각(스티어링 휠의 회전각)으로부터 산출한 횡 가속도가 기준치보다 크면 전륜 슬립율을 감소하는 방향으로 엔진 출력을 제어하는 기능

03

ECS 시스템

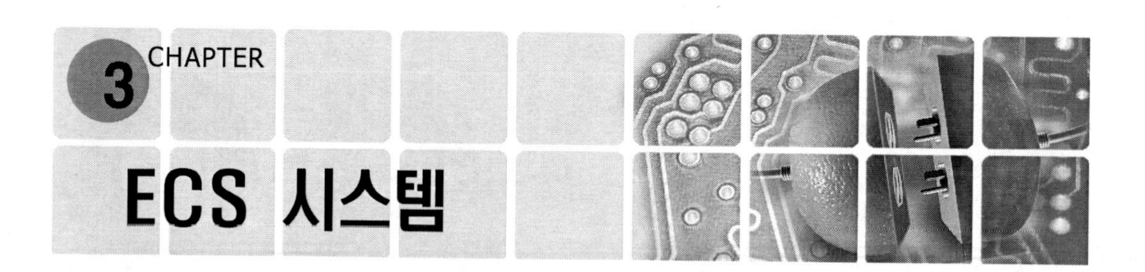

ECS 시스템

1. 현가장치의 기본 지식

1. 현가장치의 요구 사항

(1) 현가장치에 대한 요구

현가장치(suspension system)는 차축과 차체 사이에 스프링을 설치하여 놓은 완충 장치와 차축과 차체 사이를 연결하는 연결 장치로 이루어져 있어서 차량이 주행 할 때 노면으로부터 받는 충격이나 진동을 차체에 직접 전달하지 않도록 하고 있다. 보통 현가장치의 구성은 노면으로부터 충격을 지탱 및 완화하는 스프링과 차체의 진동을 억제하는 쇽 업소버(shock absorber), 스프링과 같이 하중을 지탱하는 목적 외에 차체의 수평을 유지 할 목적으로 승용차의 전륜 또는 후륜 측에 스테이빌라이저(stabilizer) 등의 기구로 구성되어 있다.

따라서 현가장치의 역할은 차체의 손상이나 탑재 된 화물의 손상을 방지하고 승차감을 좋게 하는 것은 물론 주행시 선회 안정성, 주행 안전성을 좋게 하기 위한 중요한 장치이다. 또한 현가장치는 차량이 주행할 때 충격 및 진동 완화, 제동시 차체의 쏠림 현상, 선회시 원심력에 의한 쏠림 현상 등을 충분히 감안하지 않으면 안 된다. 이러한 기능을 갖기 위해서는 첫째 노면으로부터 받는 충격을 완화하고 차체가 상하 운동하는 상태에서의 결합이 요구 된다. 둘째는 바퀴로부터 발생하는 구동력이나 제동력 및 차량이 선회할 때 원심력 등에 견딜 수 있도록 충분한 결합이 요구된다.

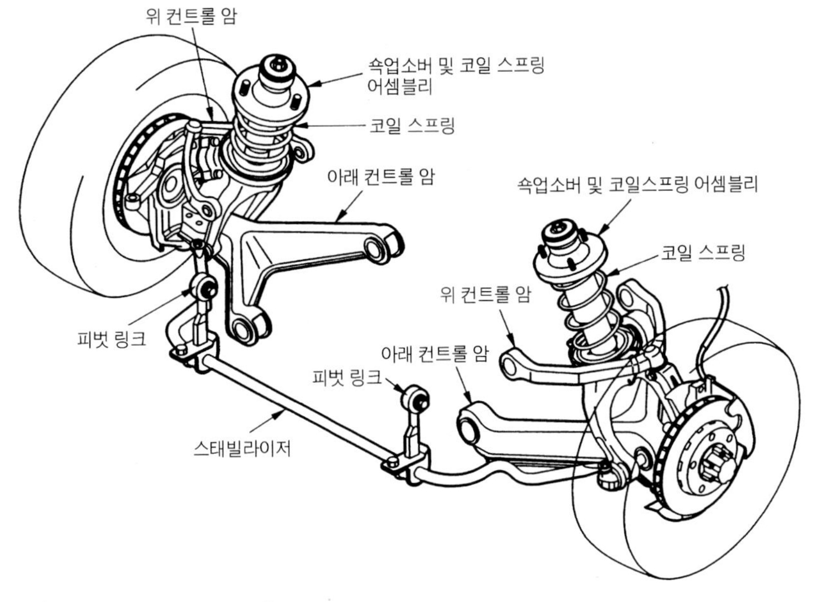

그림3-1 앞측 독립식 현가장치

사진3-1 뒤측 독립식 현가장치

사진3-2 뒤측 독립식 현가장치

(2) 쇽 업소버의 기능과 원리

차축의 노면으로부터 충격은 스프링을 이용 충격 흡수를 완화하지만 그림(3-2)의(a)와 같이 쇽 업소버를 사용하지 않고 스프링만으로 차체의 진동을 흡수하면 차체는 상당한 시간 진동을 지속하고 만다. 이와 같은 차체의 진동은 사람의 자율 신경에 영향을 주어 쉬 피로감을 느끼는 등 승차감에 악영향을 미치게 된다.

또한 차량의 진동은 타이어의 접지성 나쁘게 되어 조향 안전성에도 악영향을 미치게 된다. 보통 사람의 경우 보행 시 진동 사이클은 60 ~ 70사이클/min이 되지만 승차감을 좋게 하기 위해 차량의 경우는 분당 진동 주파수를 60 ~ 120 사이클/min 정도로 맞추어 주고 있는 것도 이 때문이다. 차량에 쇽 업소버를 사용한다는 것은 차량의 진동을 그림(3-2)의 (b)와 같이 감쇄하여 차량에 적절한 진동 주파수를 맞추어 주기 위한 것이다. 결국 자동차는 충격을 실제 흡수하는 것은 현가장치의 스프링이 하지만 스프링이 충격을 흡수한 후에 스프링의 관성에 의해 차체의 진동을 억제하는 것은 쇽 업소버가 하게 된다. 따라서 쇽 업소버는 이러한 진동 억제 기능으로 일명 댐퍼라고 부르기도 한다.

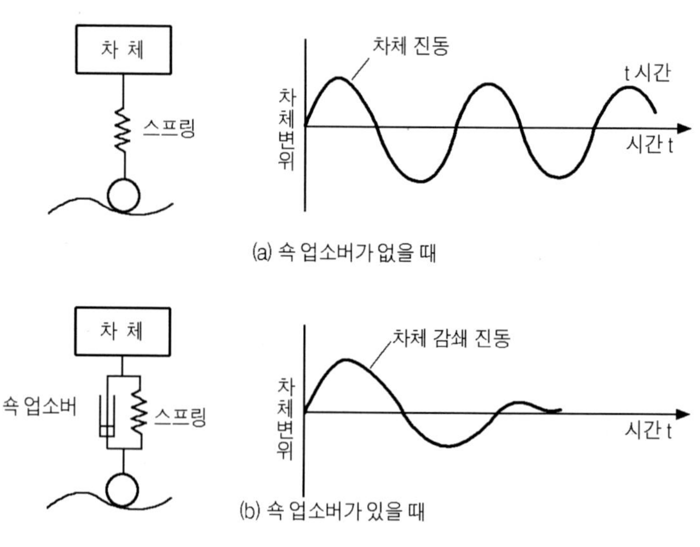

그림3-2 쇽업소버의 기능

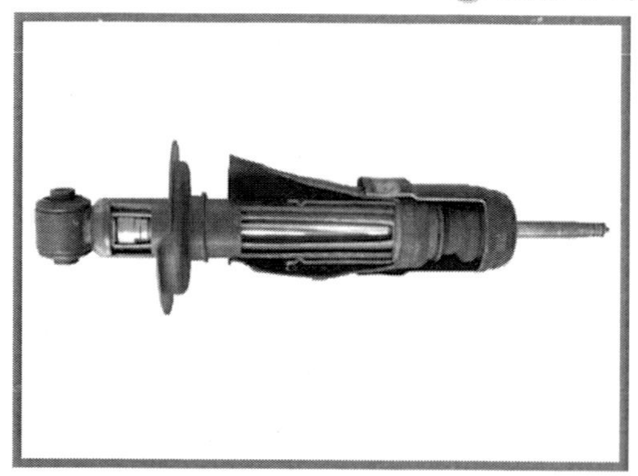

사진3-3 쇽업소버의 절개품

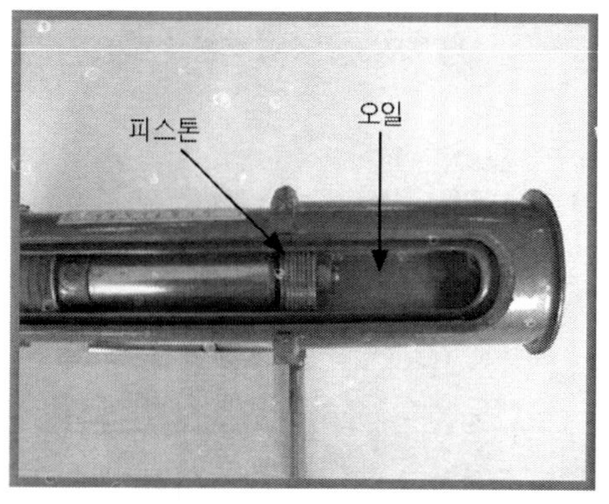

사진3-4 쇽업소버의 내부

이와 같은 쇽 업소버(shock absorber)에 문제가 발생하면 차체는 크게 흔들려 안정감이 없어지게 되고 선회시 롤각(roll angle)이 크게 변화하여 차량의 선회 성능은 크게 저하하게 된다. 또한 타이어의 접지성도 크게 악화하게 되어 구동력 및 제동력도 떨어지게 돼 차량의 안정감 및 연비에도 영향을 미치게 된다.

쇽 업소버(shock absorber)의 역할을 나누어 생각하면 첫째 차체의 진동을 빨리 억제하여야 한다. 둘째 차체의 자세 변화를 제어하고 노면으로 타이어가 튀어 접지성이 떨어지는 것을 방지하여야 한다. 이러한 쇽 업소버의 내부 구조를 보면 일반적으로 그림(3-4)와 같이 외측과 내측의 2개의 튜브(tube)를 사용하는 트윈 튜브(twin tube)식 쇽 업소버를 많이 사용하고 있다. 쇽 업소버의 기본적 원리는 그림 (3-3)과 같이 쇽 업소버의 튜브(tube) 내에 점도가 낮은 오일을 봉입하여 놓고 피스톤이 상하 운동을 하도록 되어 있다. 피스톤 상하 운동으로 오일을 통과 할 때 피스톤에는 오리피스(작은 구멍)를 몇 개 설치하여 놓고 있어서 오리피스(작은 구멍)에 오일이 통과 할 때 오일의 저항에 의해 피스톤에는 감쇠력이 발생하게 된다.

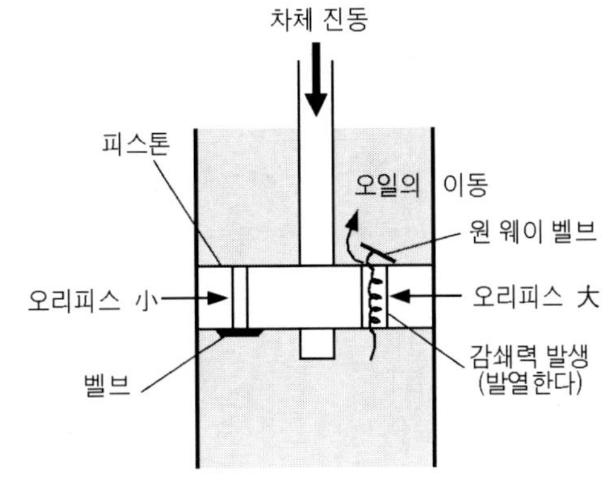

그림3-3 쇽업소버의 원리

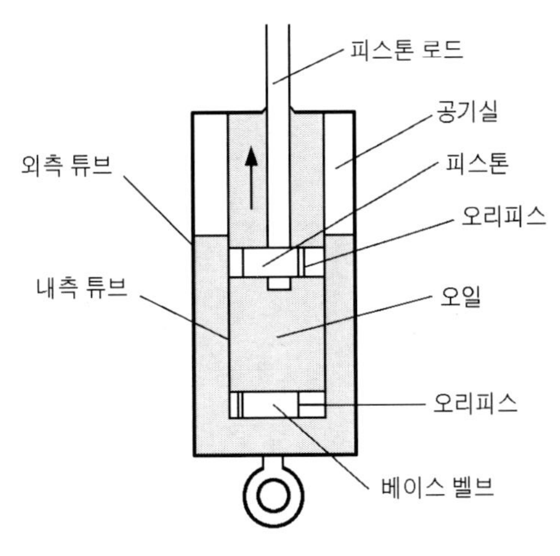

(a) 트윈 튜브식 공기 쇽업소버

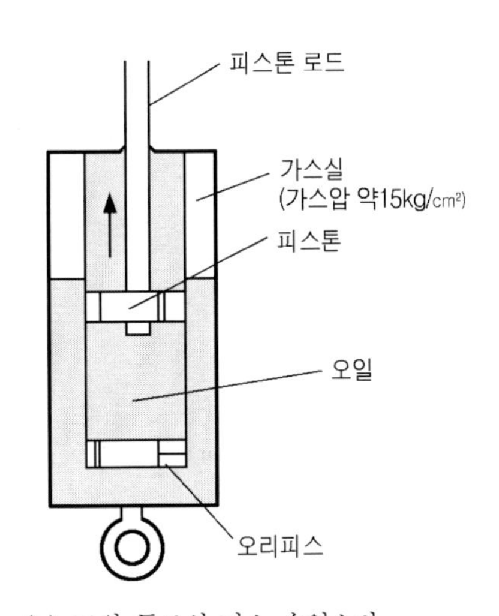

(b) 트윈 튜브식 가스 쇽업소버

그림3-4 트윈 튜브식 쇽업소버의 구조

이때 오일의 유동 마찰에 의해 오일의 온도는 상승하게 돼 오일은 점도가 낮고 온도 변화에 따른 노화가 일어나지 않는 스핀들 오일(spindle oil)을 사용하게 된다. 또한 베이스 밸브에 오리피스(orifice)를 두는 것은 피스톤이 하강 할 때 피스톤이 침입분 만큼 외측 튜브에 오일량을 증가 시켜 오일 록(oil lock) 현상을 방지하고 있다.

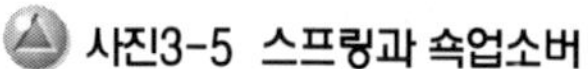
사진3-5 스프링과 쇽업소버

사진3-6 후륜측 쇽업소버

그림(3-5)와 같이 차량이 요철을 타고 넘을 때 쇽 업소버의 상하 움직임을 보면 요철을 타고 넘는 순간은 스프링의 위에는 차체 중량이 크게 걸려 스프링은 수축하게 된다. 다음 동작은 스프링이 흡수한 에너지를 방출하여 차체를 들어 올리게 된다. 이때 차량이 어느 정도 들어 올려 지는가는 차량의 속도에 관계되는 것으로 스프링의 신장하는 장력을 상회하면 차체는 튀어 올라 상하 운동을 반복하게 된다.

쇽 업소버는 이와 같이 차체가 요철을 통과 할 때 스프링의 신장하는 장력을 상회하여 차체가 튀어 오르는 것을 억제하는 역할을 한다. 즉, 쇽 업소버는 스프링의 움직임을 제어함으로서 승차감을 향상하게 된다. 스프링의 움직임을 제어하는 것을 우리는 감쇠력을 제어라고 한다. 이 감쇠력을 어느 정도 제어해 주는 것이 좋으냐는 노면과 운전 조건에 따라 달라지지만 승차감이 좋은 적정 감쇠력은 차종에 따라 요망하게 된다.

승차감이 좋은 감쇠력을 얻기 위해서는 그림 (3-6)과 같이 차량이 돌기를 타고 넘는 순간 가능한 스프링이 수축하는 것이 쉽도록 수축측의 감쇠력이 제로(zero)에 가까운 것이 좋다. 또한 돌기의 정상 지점에서는 차체가 크게 튀어 오르지 않도록 신장측 감쇠력을 크게 하는 것이 좋다. 한편 차량이 정상 지점을 통과 후에는 차체가 급격히 가라 앉지 않도

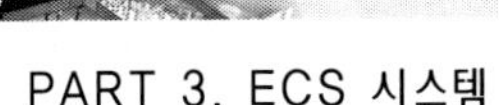

록 스프링이 빨리 신장하는 것이 좋기 때문에 신장측의 감쇠력은 작게 하는 것이 좋고, 돌기를 내려간 순간에는 어느 이상 차체가 가라 앉지 않도록 수축측의 감쇠력을 크게 할 필요가 있다.

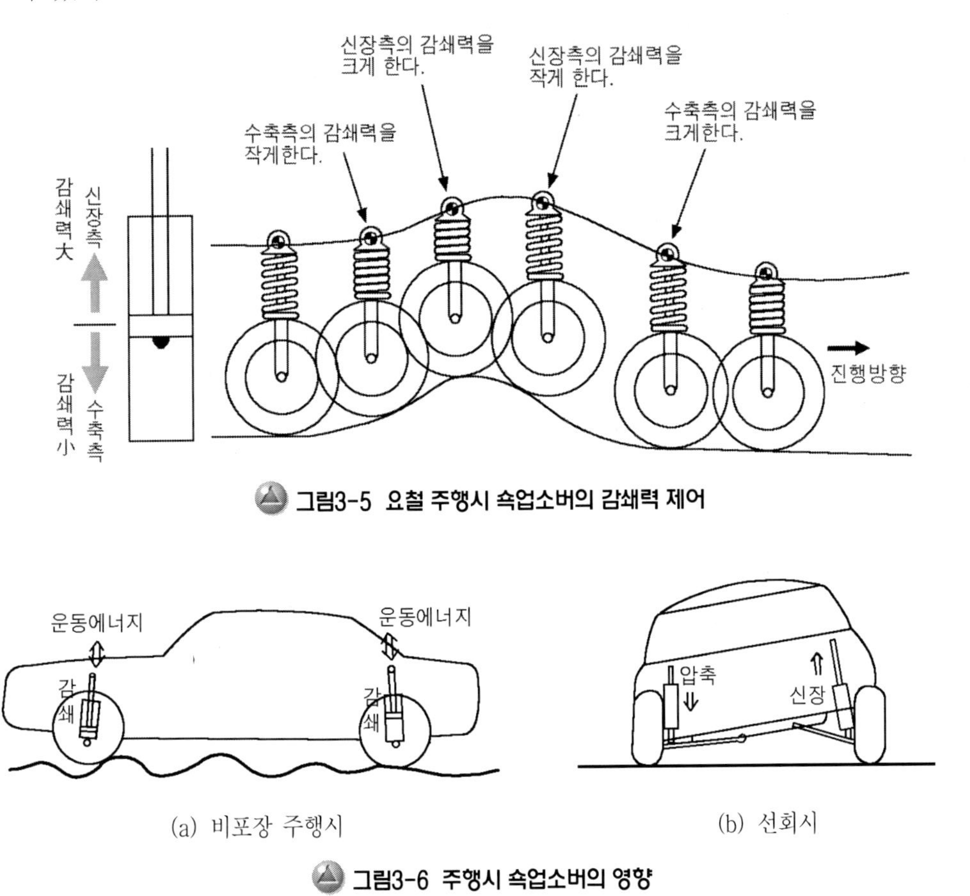

그림3-5 요철 주행시 쇽업소버의 감쇄력 제어

(a) 비포장 주행시

(b) 선회시

그림3-6 주행시 쇽업소버의 영향

이와 같이 승차감을 좋게 하기 위해 차량이 돌기를 타고 넘을 때에는 스프링이 빨리 수축 할 필요가 있어 수축측의 감쇠력을 낮게 설정 할 필요가 있다. 반면 신장측 감쇠력은 수축한 스프링이 차체를 밀어 올리는 것을 억제하는 쪽으로 신장측 감쇠력을 높게 설정하고 있다. 일반적으로 수축측 감쇠력은 신장측 감쇠력의 1/4 ~ 1/2 정도로 설정하고 있는 것이 많다. 결과적으로 노면의 기폭이 큰 도로에 의한 낮은 진동은 큰 감쇠력에 의해 차체가 흔들리는 것을 억제하여야 좋은 승차감을 얻을 수 있고, 낮은 요철이 지속된 노면에서는 감쇠력 크게 하면 승차감이 떨어지기 때문에 감쇠력을 작게 하는 것이 좋은 승차감을 얻을 수 있다.

2. 감쇠력과 주행 안정성

쇽 업소버는 지금까지 설명한 감쇠력에 의해 승차감에 크게 영향을 주지만 그 밖에도 쇽 업소버는 차량의 과도적인 자세 변화에도 영향을 준다. 예컨대 주행 중인 차량에 제동을 걸면 앞측이 가라 앉는 노이즈 다이브(nose dive), 가속 시 뒤측이 가라앉는 스커트(squat) 현상, 선회시 좌우가 유동하는 롤링(rolling) 등을 억제하는 방향으로 작용하여 차체를 안정시켜 준다. 특히 코너(corner)에 진입 할 때 롤링의 억제 효과는 스프링 보다 쇽 업소버의 감쇠력이 훨씬 커서 쇽 업소버의 감쇠력 특성에 따라 차량의 조향 안정성이 크게 좌우하게 된다.

그러나 차량이 코너에 진입해 롤링이 안정되면 이때에는 감쇠력에 영향을 받지 않게 된다. 따라서 노면의 조건이나 운전 조건에 따라 대응하여 감쇠력을 조정하여 주는 것이 전자제어 현가장치의 기본 개념이라 할 수 있다. 그림 (3-7)은 노면과 주행 조건에 따라 여러 가지로 차량이 자세가 변화하는 모습을 나타낸 것이다. 쇽 업소버의 감쇠력은 전술한 바와 같이 압축 시와 신장 시 감쇠력이 달라 이에 대한 각각에 대한 대응이 필요하다. 표 (3-1)은 자세 변화에 대응한 것을 나타낸 것이다.

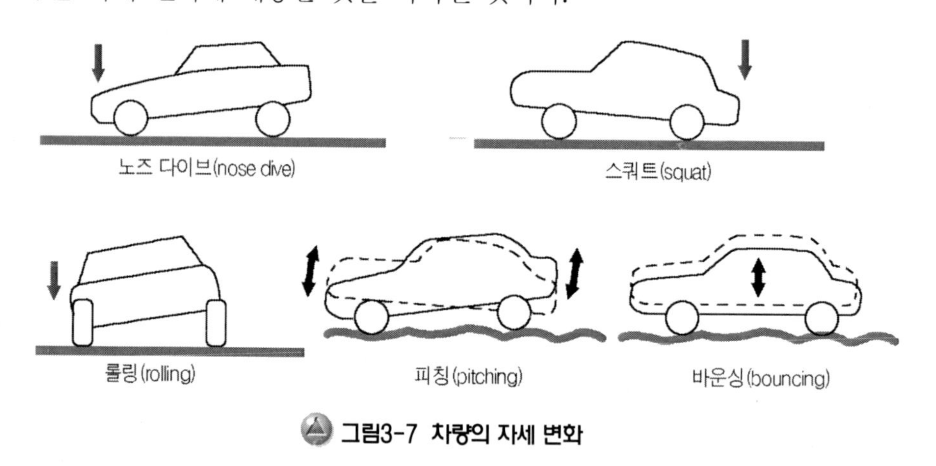

그림3-7 차량의 자세 변화

(1) 롤링에 대한 대응

차량이 선회시에는 롤링(rolling) 현상이 발생하지만 차량의 중심에는 원심력이 작용하여 현가장치에는 롤(roll)에 대한 저항력을 갖게 된다. 이 저항력을 우리는 롤 강성이라 부르며 롤강성은 스프링의 탄력, 스테이빌라이저의 강도, 차륜의 거리에 의해 영향을 받게 된다.

[표3-1] 자세 변화에 대한 대응 제어

쇽업소버의 변화	자세 변화	대응제어	비 고
감쇄력大 신장측 / 감쇄력小 수축측	피칭		
	바운싱	진동의 감쇄 제어	※ 승차감 향상
	노즈 다이브		타이어의 접지성 향상
	스쿼트	차체의 자세 제어	압축이 지나치면 충격을 흡수할 수 없게 된다.
	롤링		

그러나 그림 (3-8)의 (a)와 같이 선회시에는 외측 쇽 업소버는 압축하고 내측 쇽 업소버는 신장하게 되어 이 때 감쇠력이 크면 쇽 업소버의 피스톤 이동 시간이 길게 되기 때문에 차체의 롤(roll)에 대한 저항력은 크게 되고 롤링(rolling)이 어렵게 할 수가 있다. 이와 같이 감쇠력은 선회시 뿐만 아니라 발진시 차량의 스커트(squat) 현상이나 제동 시 다이브(dive) 현상에도 저감 효과를 가지고 있다.

(2) 선회시 대응

그림(3-8)과 같이 차량의 선회시에는 원심력이 작용하고 원심력에 대응하여 타이어와 노면 사이에는 코너링 포스(cornering force)가 발생한다는 것은 이미 앞장에서 설명하였다. 이 코너링 포스는 타이어의 접지 하중에 의한 영향이 크고 외측 차륜의 접지 하중 크게 되는 만큼 코너링 포스는 감소하는 경향이 있다. 쇽 업소버의 감쇠력은 차체가 롤링(rolling)을 하려고 할 때 이에 대응한 저항력 역할을 하게 되어 외측 타이어의 하중이 증가하게 된다. 이것 때문에 감쇠력이 큰 쇽 업소버를 사용하면 외측 타이어는 접지 하중이 증가하고 이 분만큼 코너링 포스(corner force)는 감소하게 된다.

따라서 앞 측과 뒤 측의 쇽 업소버의 감쇠력을 각각 다르게 하면 코너링 포스에 변화가 생겨 선회 특성(under steer, over steer)이 바뀌게 된다.

예를 들면 그림 (3-8)의 (b)와 같이 앞 측의 쇽 업소버의 감쇠력을 크게 하고 뒤 측의 쇽 업소버의 감쇠력을 작게 하면 앞 측의 코너링 포스는 작게 되기 때문에 이 경우에는 언더스티어(under steer),가 강해 질 수가 있다. 이것을 역으로 하게 되면 오버 스티어

(over steer)가 될 수 있다. 결국 쇽 업소버의 감쇠력은 조향 안정성에 크게 영향을 주는 것을 알 수가 있다.

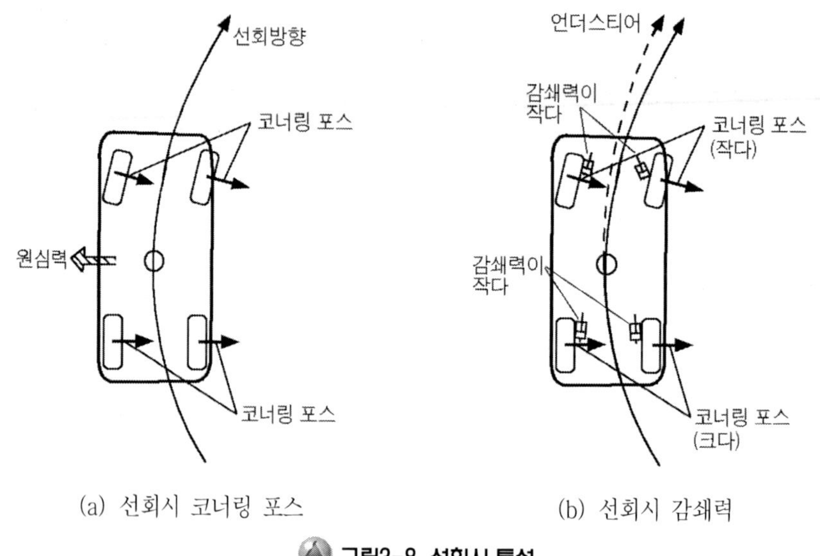

(a) 선회시 코너링 포스 (b) 선회시 감쇄력

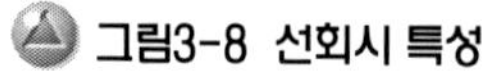
그림3-8 선회시 특성

* **언더스티어**(under steer) : 선회 중 속도를 올리면 올릴수록 선회 반경이 커지는 특성
* **오버스티어**(over steer) : 선회 중 속도를 올리면 올릴수록 선회 반경이 작아지는 특성

(3) 선회시 FF(전륜 구동형) 차량

FF(전륜 구동형) 차량의 경우는 엔진과 구동륜이 앞 측에 있어 전륜측 하중 부담은 보통 60 ~ 65% 정도가 돼 후륜에 비해 2배에 근접하게 된다. 따라서 전륜 구동형 차량이 선회 할 때 원심력에 의해 외륜측의 하중이 이동하게 되어 전륜측과 후륜측의 코너링 포스(cornering force) 특성은 그림(3-9)의 특성과 같이 된다.

선회시 외륜측으로 하중이 이동하면 하중이 증가하는 만큼 코너링 포스는 증가하지 않고 내륜과 외륜의 코너링 포스를 더한 값은 하중 이동이 없는 직진 상태 일 때 보다 작게 된다. 후륜측도 점점 하중 부담이 작아져 하중 부담에 의한 코너링 포스의 합계치 저하는 작게 된다. 전륜의 경우 조향은 앞바퀴를 이용하고 있어 구동력을 노면에 전달하여 주지 않으면 안 된다. 그렇지만 타이어의 마찰력은 한계가 있어 구동력과 제동력 등의 종방향의 마찰력이 가해 질 때 코너링 포스(횡방향 마찰력)는 점점 작아지게 된다.

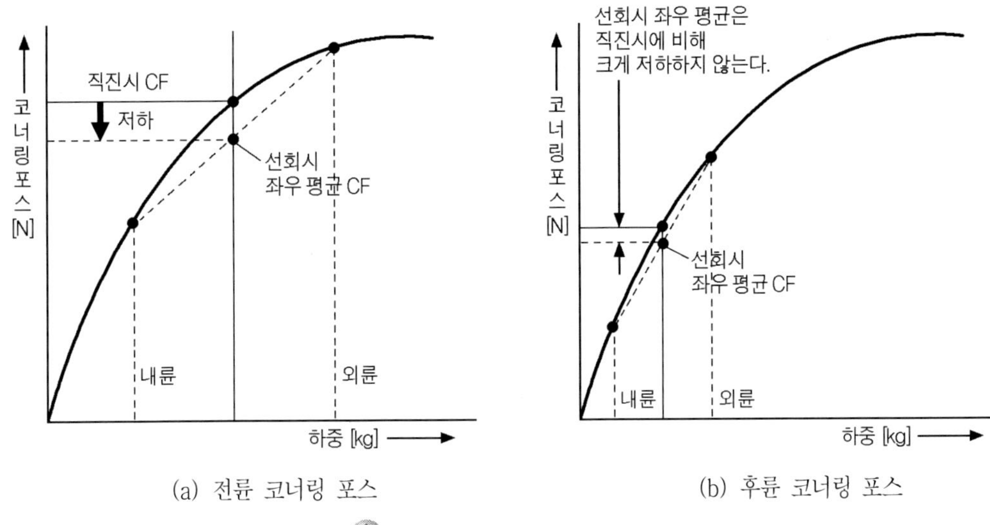

(a) 전륜 코너링 포스 (b) 후륜 코너링 포스

그림3-9 선회시 코너링 포스

반대로 선회 중에 가속을 하게 되면 전륜은 바로 공전하는 결과를 얻게 된다. 따라서 코너링 포스(cornering force)를 크게 해 선회 능력을 높이기 위해서는 전륜측 타이어의 폭을 증가 시키는 것을 생각 해 볼 수 있지만 후륜측 타이어의 폭이 작아져 차체가 흔들리는 경우 복원력이 요구로 직진성이 떨어지게 된다. 이러한 이유로 선회시 하중이 이동 할 때 외측 전륜의 코너링 포스가 충분히 증가하지 않는 것을 요망하게 된다. 결국 선회시 하중 이동을 하지 않도록 하는 것이 좋다. 실제로 선회시 차체가 롤링(rolling)이 발생하면 후륜측을 롤링에 대항하도록 하고 있다. 즉 전륜측의 롤 강성을 낮게 하고 후륜측의 롤 강성을 높게 하는 것이 된다.

(4) 감쇠력 특성

쇽 업소버(shock absorber)에서 발생하는 감쇠력은 피스톤의 움직이는 속도에 따라 현저하게 차이가 나 보통 피스톤의 속도를 0.3(m/s)를 기준으로 나타내고 있다. 그림(3-10)의 (a)는 일반 승용차의 감쇠력 특성을 나타낸 것으로 피스톤의 속도가 0.3(m/s)일 때 신장측 감쇠력 100(kgf), 압축측 감쇠력은 60(kgf)을 나타내고 있다. 승용차의 경우 이 비율은 일반적으로 6 : 4 정도 인 반면 승합차의 경우는 7 : 3 ~ 8 : 2 정도로 하고 있다. 그림(b)는 승합차의 경우 감쇠 특성을 나타낸 것으로 승용차에 비해 감쇠력이 큰 것을 볼 수 있다.

이에 반해 전자제어 현가장치의 감쇠력은 그림 (3-11) 의 (b)와 같이 노면과 차체의 자세에 따라 3단계로 감쇠력 변화를 주고 있는 것을 알 수 있다.

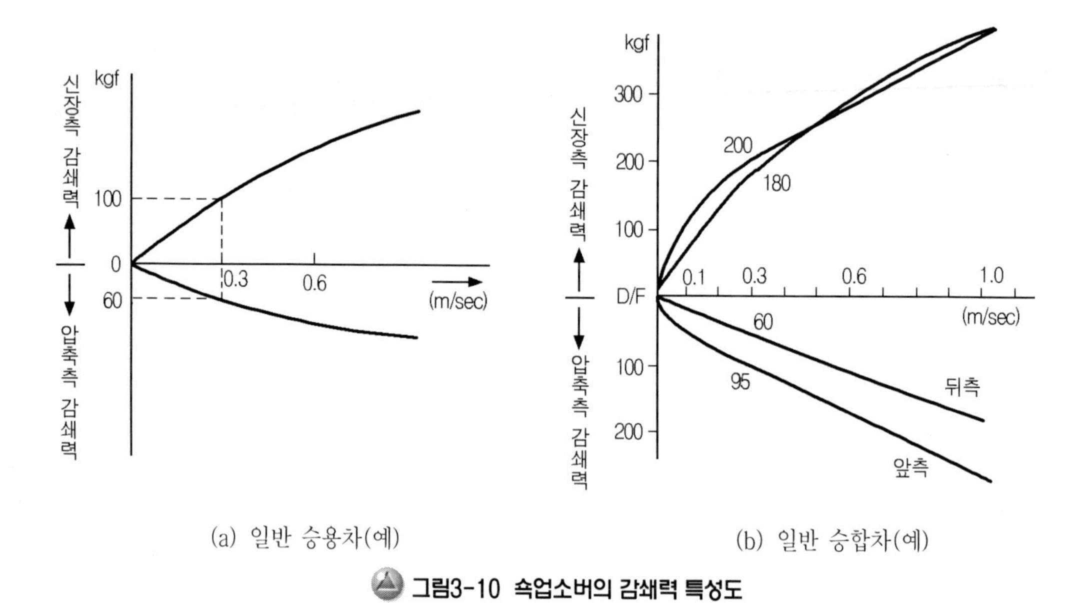

(a) 일반 승용차(예)

(b) 일반 승합차(예)

그림3-10 쇽업소버의 감쇄력 특성도

(a) F1 포뮬러 경주용 차량(예)

(b) 전자제어현가장치 차량(예)

그림3-11 쇽업소버의 감쇄력 특성도

point

현가장치의 기본 지식

1 현가장치에 대한 요구

1. 현가장치의 요구 사항
   ① 화물의 파손, 승원의 피로감으로부터 충분히 보호하기 위해 노면으로부터 충격 및 진동 완화
   ② 차체가 상하 운동하는 상태에서 차륜과 충분한 결합이 요구
   ③ 바퀴로부터 발생하는 구동력이나 제동력, 선회 할 때 원심력 등에 대해서도 차체와 충분한 결합이 요구 된다.
2. 쇽 업소버의 감쇠력 변화
   ① 쇽 업소버 : 코일 스프링에 의한 차체의 자유 진동 억제
   ※ 감쇠력 : 차체의 완충용 스프링에 의해 차체가 상하 운동하는 것을 억제하는 저항력
   ② 주행중 감쇠력 변화 : 노면의 상태나 운전자의 주행 조건에 따라 요구되어지는 감쇠력이 달라진다.
   ③ 바람직한 감쇠력 :
   – 노면의 기폭이 큰 도로의 경우 : 감쇠력 증가 필요
   – 노면의 기폭이 작은 도로의 경우 : 감쇠력 감소 필요

2 감쇠력과 주행 안전성

1. 차량의 자세 변화
   ① 노이즈 다이브(nose dive) : 제동시 차량이 앞으로 쏠리는 현상
   ② 스커트(squat) : 급출발시 차량이 뒤로 쏠리는 현상
   ③ 바운싱(bouncing) : 요철 주행시 차체가 상하 운동하는 현상
   ④ 피칭(pitching) : 요철 주행시 차체가 전후 운동하는 현상
   ⑤ 롤링(rolling) : 선회시 차량이 옆으로 쏠리는 현상
   ⑥ 요잉(yawing) : 차체가 좌우로 흔들리는 현상
2. 자세 변화에 대한 대응
   ① 바운싱, 피칭(bouncing & pitching) : 감쇠력 제어
   ② 다이브, 스커트, 롤링(dive, squat & rolling) : 차체의 자세 제어
3. 선회시 대응
   ① 선회시는 차체의 하중이 이동되어 주행 안전성이 크게 떨어져 선회시에는 가능한 하중이 이동이 되지 않도록 차체를 자세 제어

【 참고 】 감쇠력
① 일반 승용차의 감쇠력
– 피스톤의 속도가 0.3(m/s)일 때 -- 신장측 감쇠력 약 100(kgf), 압축측 감쇠력 약 60(kgf)
② 감쇠력 비 -- 신장측 감쇠력 : 압축측 감쇠력의 비는 약 6 : 4 정도

2. ECS 시스템의 구성과 종류

1. ECS 시스템의 개요

(1) 전자제어 현가장치의 개요

차량은 도로와 주행 조건 및 현가장치의 성능에 따라 차체에 충격 및 진동에 의해 승차감 및 주행 안전성에 크게 영향을 받게 된다. 특히 현가장치의 성능과 운전 조건에 따라서 그림(3-12)와 그림(3-13)과 같이 차량이 자세가 크게 변화하여 승차감 및 주행 안전성에 크게 영향을 받게 된다. 제동 시 차량이 앞으로 급격히 가라 앉는 노이즈 다이브(nose dive) 현상, 선회시 차량이 좌우로 쏠리는 롤 현상, 비포장 도로의 요철에 의한 차량이 아래위로 튀는 바운싱 및 피칭(bouncing & pitching) 현상이나 급출발 시 차량이 뒤로 가라 않는 스커트 현상 등은 현가장치의 성능에 따라 크게 영향을 미치게 된다.

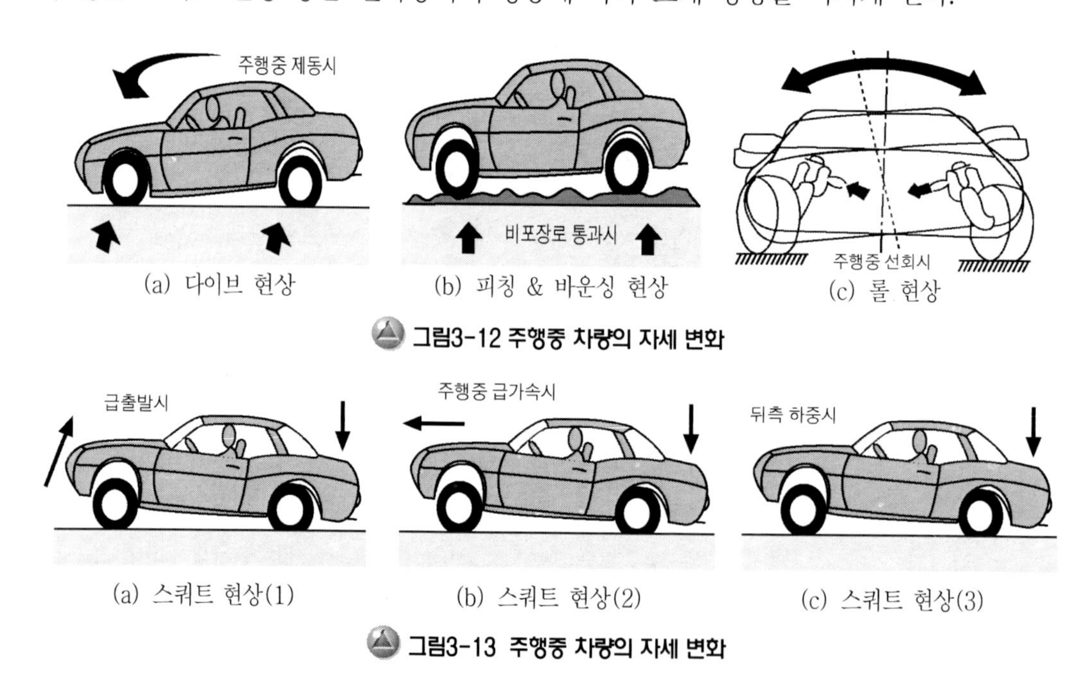

그림3-12 주행중 차량의 자세 변화

그림3-13 주행중 차량의 자세 변화

보통 우리가 말하는 좋은 자동차라는 것은 주행 성능뿐만 아니라 승차감 및 주행 안전성, 편의성, 쾌적성, 환경 기준 등에 만족하는 자동차를 의미하는 것이다. 이 중 특히 좋은

승차감 및 주행 안전성을 추구하기 위해서는 현가장치의 고급화는 필연적이라 할 수 있다. 그러나 현가장치는 승차감 및 주행 안전성을 동시에 만족하기란 쉽지 않은 특성을 가지고 있다. 예컨대 쇽 업소버의 감쇠력을 낮게 하여 승차감을 향상하면 직진시나 선회시 주행 안전성이 크게 떨어지게 되고 반대로 감쇠력을 높게 하여

주행 안전성을 향상하면 승차감이 떨어지는 상반된 특성을 가지고 있다. 이와 같이 승차감과 주행 안전성에 대한 상반된 특성을 만족하기 위해서는 쇽 업소버의 감쇠력을 주행 조건에 따라 가변 하여 주는 것이 필요하게 되는데 기계적인 방법으로는 한계를 가지게 된다. 결국 쇽 업소버의 감쇠력을 컴퓨터를 이용하여 제어하여 주는 것이 ECS(Electronic Control Suspension System) 시스템이 핵심이라 할 수 있다. 이와 같은 이유로 ECS 시스템은 쇽 업소버의 감쇠력을 유압이나 공압을 이용하여 차량의 자세를 전자제어 함으로서 승차감 및 주행 안전성을 획기적으로 향상한 것이 전자제어 현가장치의 기본적인 개념이다.

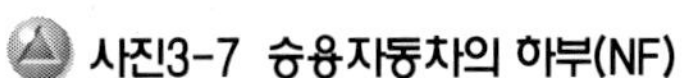
사진3-7 승용자동차의 하부(NF)

사진3-8 가변 감쇄력 전자밸브

(2) 전자제어 현가장치

쇽 업소버의 감쇠력이 소프트(soft)하면 승차감은 좋아지지만 가속시나 선회시 차체의 자세는 변화하여 피칭(pitching), 롤링(rolling)과 같은 현상이 발생하게 되고 반대로 감쇠력을 하드(hard) 하게 하면 승차감은 떨어지지만 주행시 차체의 흔들림을 줄여 바운싱(bouncing), 피칭, 롤링과 같은 현상을 감소 할 수가 있다. 따라서 전자제어 현가장치를 적용한 목적은 쇽 업소버(shock absorber)의 감쇠력을 컴퓨터를 이용하여 제어하고 승차감과 주행 안전성을 양립하여 확보하는데 그 목적이 있다고 하겠다.

이러한 관점에서 생각하면 전자제어 현가장치는 가속시나 선회시에는 쇽 업소버의 감쇠력을 적절히 높이는 방법을 생각해 볼 수가 있는데, 전자제어 현가장치는 가속 시나 선회시를 검출하기 위한 수단으로는 그림(3-14)와 같이 차량의 속도를 검출하는 차속 센서, 운전자의 가감속을 검출하는 TPS(스로틀 포지션 센서), 브레이크 스위치, 운전자의 조향의지를 검출하는 조향각 센서 등의 신호를 입력 신호로 사용하게 된다. 또한 액티브(active) ECS에서는 차체의 정확한 움직임과 자세를 검출하기 위해 G-센서 및 차고 센서를 적용하고 있다. ECS ECU(컴퓨터)는 이러한 센서 신호의 입력 정보를 바탕으로 쇽 업소버의 감쇠력 제어, 차체의 자세 제어를 하고 있다.

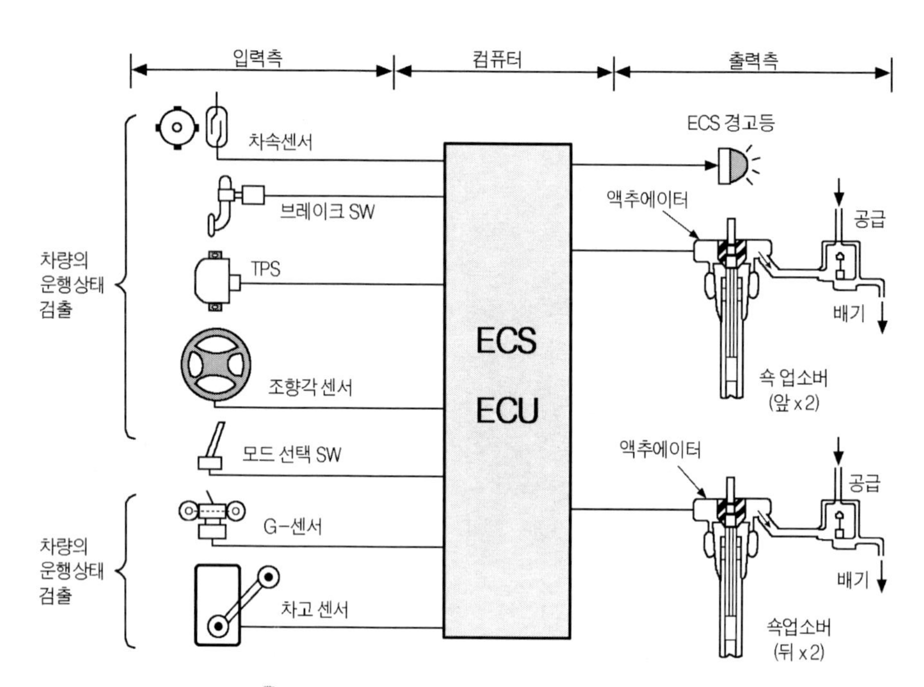

그림3-14 전자제어현가장치의 입력과 출력

2. ECS 시스템의 구성

ECS(Electronic Control System) 시스템은 유압이나 공압의 압력을 솔레노이드 밸브 및 액추에이터를 이용하여 쇽 업소버의 감쇠력과 차체의 자세를 제어하여 차량의 승차감과 주행 안전성을 확보하는 시스템으로 그 구성 부품은 그림(3-15)와 같다.

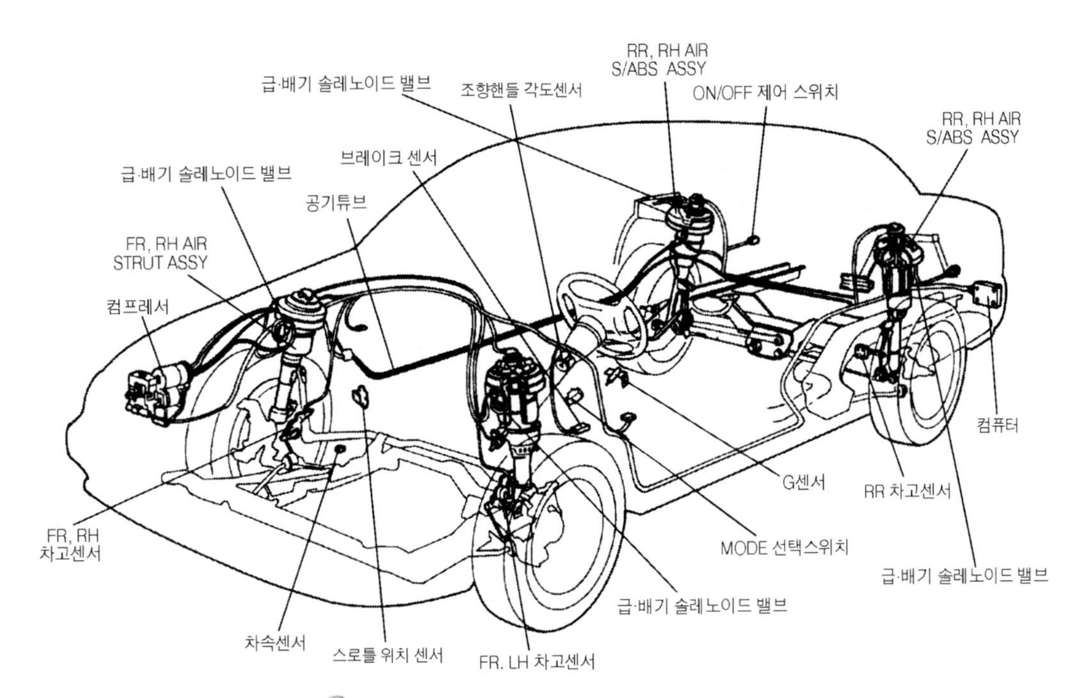

그림3-15 ECS 시스템의 구성(H사 제품의 예)

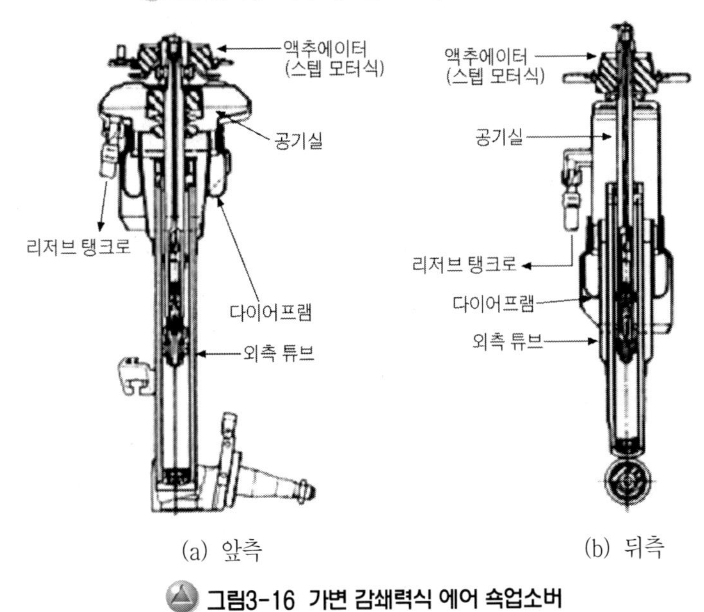

그림3-16 가변 감쇄력식 에어 쇽업소버

ECS 시스템에 사용되는 쇽 업소버에는 유압이나 공압을 제어하기 위해 전자반인 솔레노이드 밸브나 스텝 모터(액추에이터 : actuator)가 부착되어 있어 가변 감쇠력식 쇽 업

소버라 부르기도 한다. 이 감변 감쇠력식 쇽 업소버에는 리저브 탱크(저장 탱크)로부터 유압이나 공압을 공급하기 위해 호스 연결구가 설치되어 있다. 전자제어 현가장치는 이 호스를 통해 유압이나 공압을 공급하여 차체의 자세 변화를 하고 있다. 전자제어 현가장치라도 종래에 사용하는 완충용 스프링을 계속사용하고 있어 유압이나 공압을 통해 차체의 자세 변화를 보정하기 위해 사용한다하여 오일 스프링 또는 공기 스프링이라는 표현을 사용하기도 한다.

공압을 이용한 전자제어 현가장치에는 컴프레서로부터 토출된 압력을 저장하기 위해 별도의 저장 탱크(리저브 탱크)를 두고 있는데 차량에 따라 전륜과 후륜을 나누어 2개의 저장 탱크를 두는 것과 한 개의 저장 탱크로 전후륜을 공급하는 저장 탱크(리저브 탱크)를 사용하고 있다. 컴프레서로부터 공급된 공압은 저장 탱크를 거쳐 공기의 량을 제어하기 위해 공기의 흐름을 개반(열고 닫는)하는 전자 솔레노이드 밸브를 두고 있다.

사진3-9 액추에이터(스텝 모터)

사진 3-10 액추에이터(스텝 모터)

이 전자 솔레노이드 밸브를 통해 공급된 공기의 량은 호스를 통해 가변 감쇠력식 쇽 업소버로 공급하게 하고 쇽 업소버의 감쇠력은 액추에이터를 통해 제어하도록 구성되어 있다. 전자제어 현가장치의 입 · 출력 구성을 살펴보면 그림(3-17)과 같이 가속시나 선회시 차량의 상태를 검출하기 위한 센서 신호와 이 센서 신호로부터 모은 정보를 원하는 목표값으로 산출하기 위한 ECS ECU(컴퓨터), 쇽 업소버의 감쇠력을 제어하기 액추에이터(actuator)와 공기 스프링의 공기량을 공급하기 위한 공급 및 배기 솔레노이드 밸브를 두고 있다.

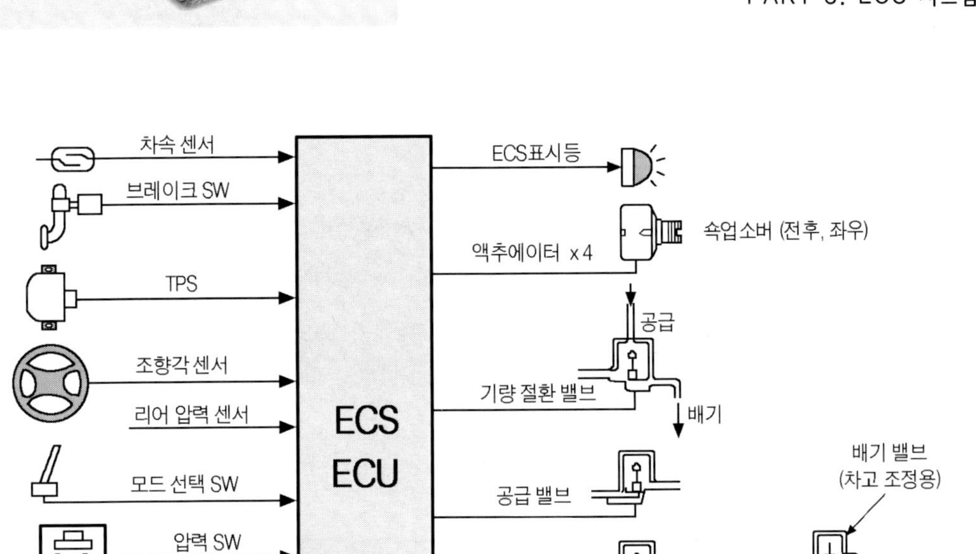

그림3-17 액티브 ECS 시스템의 입출력 구성

ECS 시스템의 구성을 간단히 정리하여 보면 차량의 상태를 검출하기 위한 센서부와 검출된 정보를 원하는 감쇠력 및 차량의 자세를 제어하기 위한 가변 감쇠력 쇽 업소버, 그리고 유압이나 공압의 량을 제어하기 위한 솔레노이드 밸브로 구성되어 있다.

사진3-11 리저브 탱크(저장탱크)

사진3-12 솔레노이드 밸브 ASS'Y

3. ECS 시스템의 구분

전자제어 현가장치의 구분은 크게 나누어 생각하면 세미 액티브(semi active) 현가장치와 액티브(active) 현가장치로 구분 할 수 있다. 여기서 말하는 세미 액티브 현가장치는 표(3-2)와 같이 유압이나 공압을 사용하여 노면의 상태와 주행 조건에 따라 쇽 업소버의 감쇠력을 제어하여 주는 것은 액티브 현가장치와 동일하다. 그러나 이에 반해 액티브 현가장치라 부르는 것은 감쇠력뿐만 아니라 차량의 자세 변화를 제어하여 승차감과 주행 안정성을 높여 주고 있는 현가장치이다.

[표3-2] 현가장치의 구분

구분	패시브 현가장치	세미 액티브 현가장치	액티브 현가장치
제어 방식	기계적인 방식	전자제어방식	전자제어방식
ECU	×	○	○
쇽업소버	기계식	가변 감쇄력식	가변 감쇄력식
감쇄력 제어	×	○	○
자세 변화 제어	×	×	○

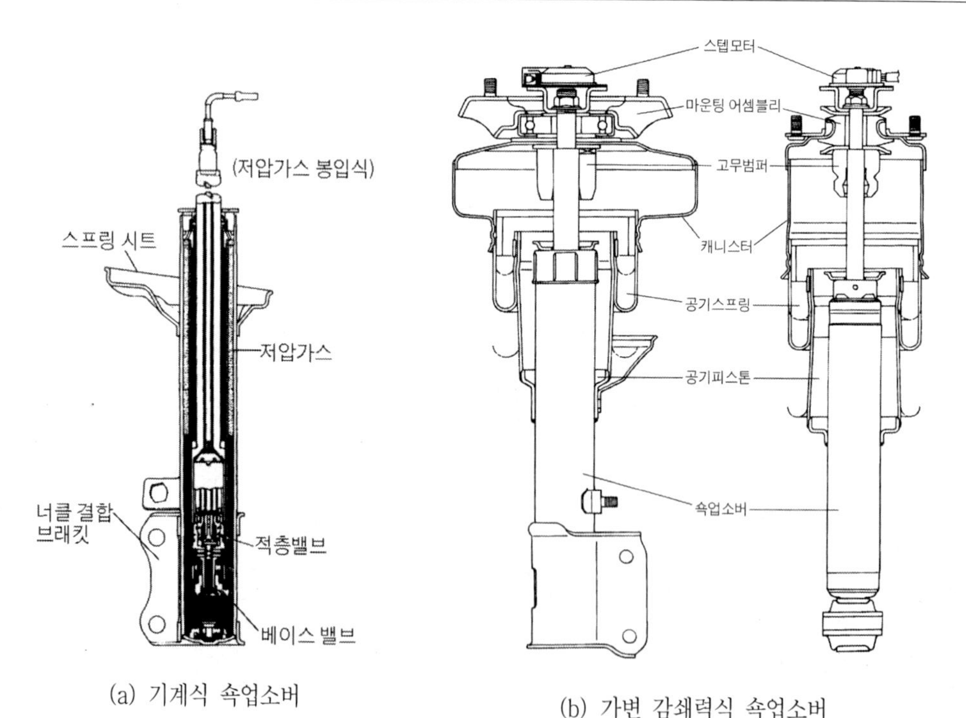

(a) 기계식 쇽업소버

(b) 가변 감쇄력식 쇽업소버

그림3-18 일반 가스 봉입식 쇽업소버와 가변 감쇄력식 쇽업소버

여기서 말하는 자세 변화란 단순히 차고 조절을 말하는 것뿐만 아니라 롤(roll) 이나 피칭(pitching) 현상 등에 대해 차량의 자세 변화를 하는 것을 말한다. 예를 들면 차량의 선회시에는 내측에 있는 타이어는 압축하게 되고, 외측에 있는 타이어는 신장 및 바운싱하게 되어 차체는 롤 현상이 발생하게 된다. 따라서 액티브 ECS 시스템에서는 내측에 있는 쇽 업소버의 공기 스프링에 공기를 공급하고 외측에 있는 쇽 업소버의 공기 스프링에 공기를 배기하여 롤 현상을 최소화하는 시스템을 말한다. 이와 같이 액티브 현가장치는 승차감뿐만 아니라 차량의 운동을 크게 향상하고 있는 현가장치로 여기서는 액티브 현가장치에 대해 중점적으로 다루어 나가도록 하겠다.

point

ECS 시스템

1 전자제어 현가장치의 개요

① ECS 시스템의 기본 개념 : 승차감과 주행 안전성을 향상하기 위해 쇽 업소버의 감쇠력과 차량의 자세 제어를 노면과 차량의 주행 상태에 따라 제어하여 주는 장치

② ECS 시스템의 동작 개념 : ECS 시스템의 동작 개념은 컴프레서로부터 발생된 유압이나 공압을 ECU (컴퓨터)를 이용하여 솔레노이드 밸브 및 액추에이터를 통해 제어하여 쇽 업소버의 감쇠력과 차량의 자세를 제어하도록 하고 있다.

2 ECS 시스템 구성

① 입력부

- 차량의 운행 상태 검출 : 차속 센서, 조향각 센서, 브레이크 SW, TPS 등
- 차량의 자세 변화 검출 : 차고 센서, G-센서 등

② 제어부 : ECS ECU(전자제어 현가장치의 컴퓨터)

③ 출력부 : - 유량 또는 기량 절환 밸브 : 절환 밸브, 공급 밸브, 배기 밸브
- 감쇠력 저절 : 액추에이터(스텝 모터 또는 솔레노이드 밸브)

3 ECS 시스템의 구분

① 세미 액티브 현가장치 : 노면의 상태나 주행 조건에 따라 가변 감쇠력식 쇽 업소버의 감쇠력 및 공기 스프링을 제어하여 차량의 승차감 및 주행 안전성을 확보하는 전자제어 현가장치를 말한다.

② 액티브 현가장치 : 주행시나 선회시 감쇠력 제어는 물론 선회시 차량의 롤이나 피칭현상 등이 발생할 때 좌우 차륜의 치고에 따라 차체의 변화를 제어하는 능동적인 전자제어 현가장치를 말한다.

3. 구성 부품의 기능과 특성

1. 전자제어 현가장치의 쇽 업소버

(1) 솔레노이드 밸브식 가변 감쇠력 쇽 업소버

쇽 업소버(shock absorber)의 감쇠력은 노면의 상태나 운전 조건에 따라 요구되는 감쇠력이 달라 감쇠력을 노면의 상태나 운전 조건에 따라 변화하여 주도록 하는 것이 가변 감쇠력식 쇽 업소버다. 쇽 업소버의 감쇠력을 얻는 기본 원리는 내부 피스톤이 상하로 움직일 때 발생하는 저항력을 얻는 것을 기본으로 하고 있다. 이 원리를 토대로 가변 감쇠력식 쇽 업소버는 내부 피스톤이 상하 운동 할 때 오일 또는 공기의 통과량을 조절하기 위해 오리피스(orifice : 작은 구멍)의 크기를 달리하여 피스톤이 상하로 움직일 때 감쇠력을 얻도록 구조를 가지고 있다. 그림 (3-19)는 솔레노이드 밸브를 이용하여 가변 감쇠력을 얻는 쇽 업소버의 구조를 나타낸 것이다.

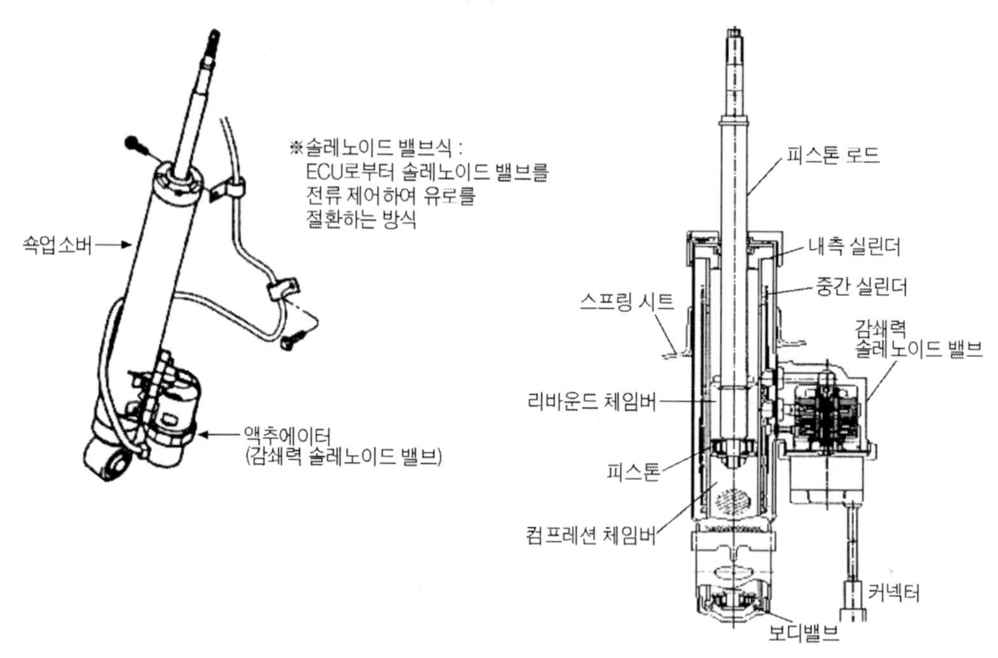

(a) 솔레노이드 밸브식 쇽업소버 ASS'Y　　(b) 솔레노이드 밸브식 쇽업소버의 구조

그림3-19 가변 감쇄력식 쇽업소버의 구조(솔레노이드식)

이 방식은 솔레노이드 밸브를 전류 제어하여 솔레노이드 밸브의 내부에 스풀 밸브(spool valve)를 이동시키고 이동된 스풀 밸브는 유로의 통로 크기를 조절하므로 가변 감쇠력을 얻고 있는 방식이다. 이 방식은 스텝 모터식에 비해 정확성을 떨어지지만 그림(3-20)과 같이 선형적 특성으로 연속적 제어가 가능한 특징을 가지고 있다. ECS ECU(컴퓨터)로부터 출력되는 전류는 약 0.3~1.3A까지 선형적으로 제어가 가능하며 출력 전압 파형은 12V에 500(Hz)의 구형파 펄스를 출력하고 있다.

그림 (3-20)의 감쇠력 특성을 살펴보면 ECU로부터 솔레노이드 밸브로 제어 전류가 0.3~0.8A로 변화될 때 스풀 밸브(spool valve)는 제어 전류분 만큼 이동하여 압축측 감쇠력은 일정하고 신장측 감쇠력은 hard ↔ soft 모드로 가변된다. 또한 제어 전류가 0.8~1.3A로 변화될 때에는 스풀 밸브는 스프링을 이기고 우측으로 이동하여 신장측 감쇠력은 일정하고 압축측 감쇠력은 soft ↔ hard 모드로 가변된다. 제어 전류가 0.8A의 인접 부근에서는 신장측과 압축측의 감쇠력이 낮아져 soft 모드로 동작하는 특성을 나타내고 있다.

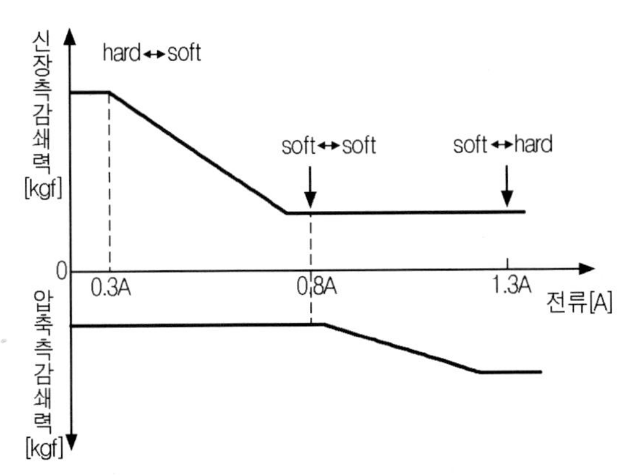

※ 참고
출력전류 : 0.3~1.3A
코일저항 : 4.1±0.3Ω
PWM 주파수 : 500Hz

그림3-20 감쇄력 특성(솔레노이드 밸브식 : H사 예)

(2) 스텝 모터식 가변 감쇠력 쇽 업소버

가변 감쇠력 쇽 업소버의 액추에이터를 스텝 모터로 적용한 방식은 일반적으로 그림(3-21)과 같은 구조를 가지고 있다. 피스톤 부위에 설치된 오리피스(orifice) 부는 피스톤이 상하 운동을 할 때 오일이 오리피스를 통과하며 감쇠력을 얻고 있다. 보통 피스톤의 하부에는 크기가 다른 오리피스(orifice)를 두고 있어 스텝 모터는 컨트롤 로드를 회전시켜 오일의 저항력을 얻는다.

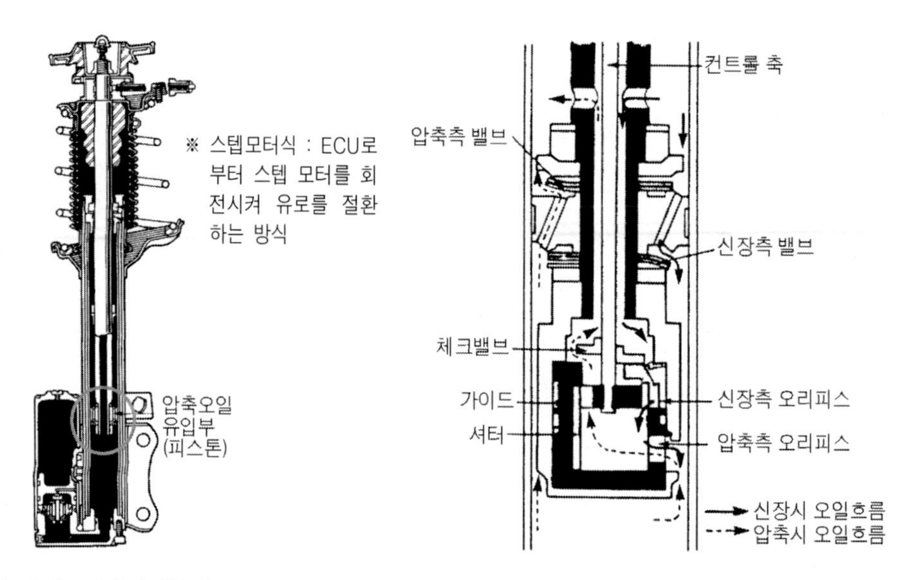

(a) 스텝모터식 쇽업소버 ASS'Y (b) 피스톤부 확대 그림

그림3-21 가변 감쇄력식 쇽업소버의 구조(스텝 모터식)

사진3-13 SOL밸브식 액추에이터

사진3-14 스텝모터식 액추에이터

그림 (3-22)는 가변 감쇠력식 쇽 업소버의 A사 제품 내부를 나타낸 것으로 동작 원리는 동일하다. 좀 더 구체적으로 설명하면 컨트롤 로드의 끝 부분에는 오일의 통로를 조절하도록 그림 (3-22)의 (a)와 같이 오리피스가 설치된 가이드(guide)와 셔터(shutter)가 설치되어 있어서 스텝 모터로부터 회전된 셔터는 오리피스의 유로를 조절 한다. 그림 (3-22)의 (b) 그림은 가이드와 셔터의 단면을 나타낸 것으로 가이드에는 크기가 다른 오리피스(작은 구멍)가 3개 있다.

셔터가 회전하여 오리피스의 크기가 가장 큰 것으로 쉽게 유로가 통과되면 감쇠력은 작아져 소프트 모드(soft mode)로 절환 되고, 오리피스의 크기가 중간 것으로 유로가 통과하면 감쇠력은 중간 정도가 돼 미디엄 모드(medium mode)가 된다. 또한 오리피스의 크기가 가장 작은 것으로 연결 돼 유로의 저항은 증가하면 감쇠력은 증가하게 돼 하드 모드(hard mode)로 절환하게 된다.

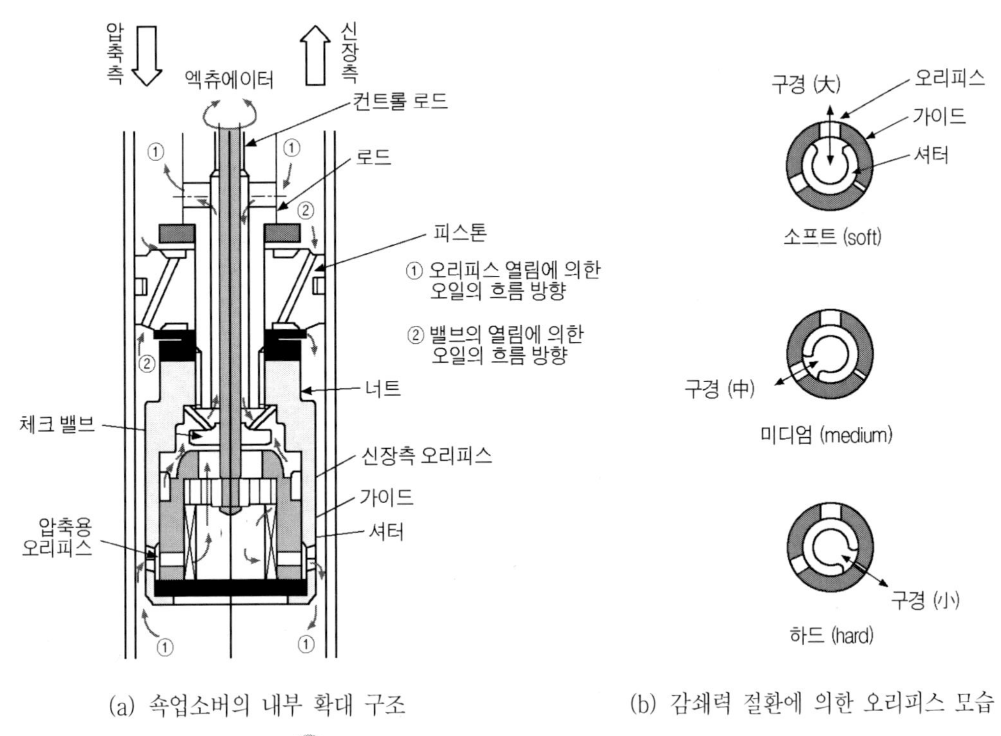

(a) 쇽업소버의 내부 확대 구조 (b) 감쇄력 절환에 의한 오리피스 모습

그림3-22 가변 감쇄력 쇽업소버(A사 제품)

그림(3-23)은 스텝 모터를 사용한 가변 감쇠력식 쇽 업소버의 내부 구조를 나타낸 B사 제품으로 피스톤 로드에는 3개의 A, B, C 유로 구멍을 가지고 있다. 로터리 밸브에는 그림(3-23)의 (b)와 같이 aa', bb'의 2개의 오리피스(작은 구멍)과 cc'의 1개의 오리피스(작은 구멍)를 가지고 있어 오리피스의 면적의 증감으로 감쇠력을 4단 제어하고 있다.

그림(3-24)는 로터리 밸브의 유로 단면을 나타낸 것으로 로터리 밸브의 회전에 따라 감쇠력이 절환되는 것을 나타낸 것이다. 소프트 모드(soft mode)시에는 단면 A, B의 오리피스로부터 유입된 오일은 피스톤 너트에 설치된 밸브를 통해 압축 오일은 피스톤 하실로 흘러 열린 셔터를 통해 단면 C의 오리피스로 흐르게 돼 낮은 감쇠력을 얻게 되고, 승차

감은 소프트(soft)하게 된다. 미디엄 모드(medium mode) 시에는 피스톤 하실로부터 흘러 들어온 압축 오일은 셔터(로터리 밸브)에 의해 단면 C의 오리피스는 차단되고 단면 A, B의 작은 오리피스를 통해 압축 오일은 흐르게 돼 감쇠력은 미디엄 상태를 얻게 된다.

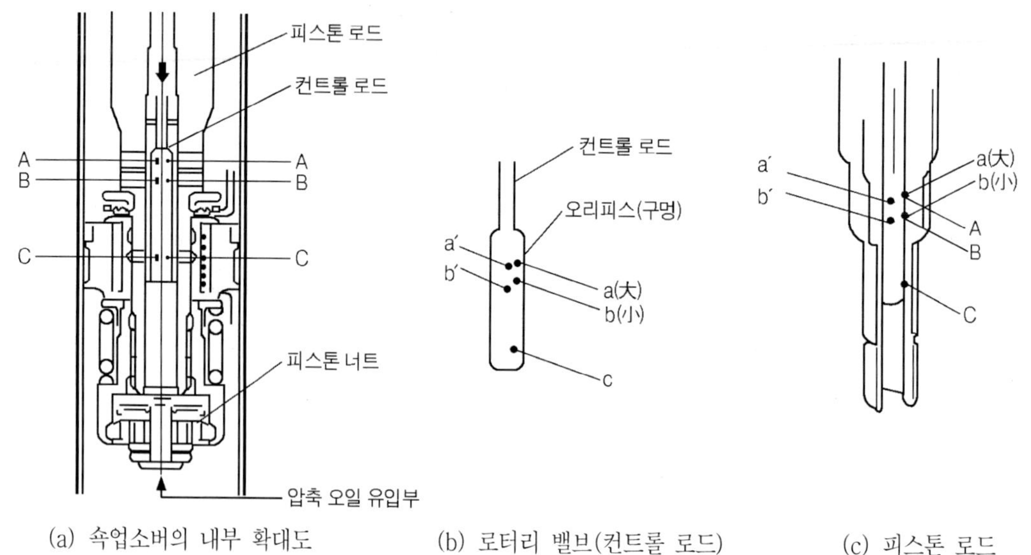

(a) 쇽업소버의 내부 확대도 (b) 로터리 밸브(컨트롤 로드) (c) 피스톤 로드

그림3-23 쇽업소버의 내부 구조(B사 제품 예)

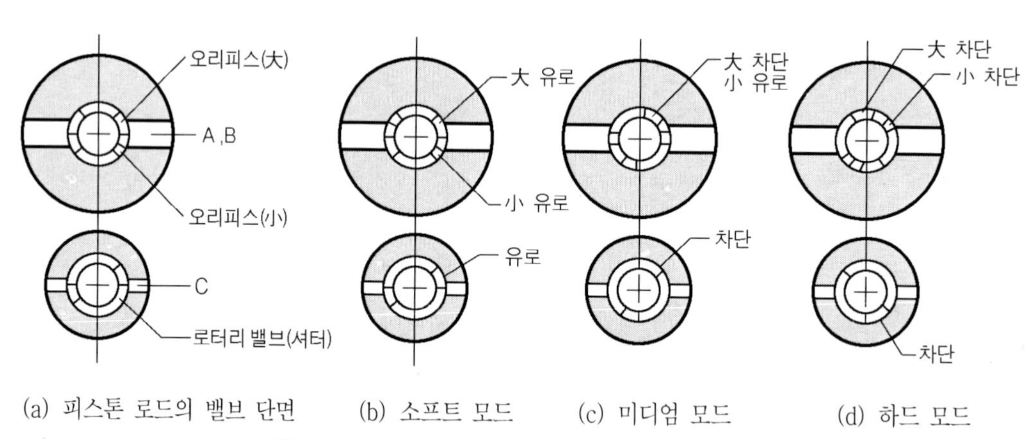

(a) 피스톤 로드의 밸브 단면 (b) 소프트 모드 (c) 미디엄 모드 (d) 하드 모드

그림3-24 로터리 밸브의 회전시 유로의 단면

또한 하드 모드(hard mode) 시에는 피스톤 하실로부터 흘러 들어온 압축 오일은 셔터(로터리 밸브)에 의해 단면 C의 오리피스는 차단되고 단면 A, B의 2개의 오리피스도 차단되어 큰 감쇠력을 얻도록 하고 있다. 오토 소프트 모드(auto soft mode) 시에는 피스톤

하실로부터 흘러 들어온 압축 오일은 셔터(로터리 밸브)에 의해 단면 C의 오리피스는 반분 열리고, 단면 A, B의 작은 오리피스는 차단되어 큰 오리피스는 반분 열리게 돼 감쇠력 특성이 소프트(soft)와 미디엄(medium)의 중간 특성을 얻고 있다.

(2) 액추에이터

쇽 업소버의 액추에이터에는 ECU로부터 전류 제어하는 솔레노이드 밸브식 액추에이터와 ECU로부터 펄스 신호에 의해 제어되는 스텝 모터식 액추에이터가 적용되고 있다. 솔레노이드 밸브식 액추에이터의 내부 구조는 그림 (3-25)의 (a)와 같이 솔레노이드 코일과 플런저 그리고 플런저를 밀치는 스프링 등으로 구성되어 있어서 솔레노이드 코일에 전류가 흐르면 플런저는 이동하여 쇽 업소버의 스풀 밸브를 이동시킨다. 이동된 스풀 밸브에는 오리피스로 통과 되는 유로 면적을 조절하도록 되어 있어 피스톤 하부로부터 흘러 들어온 압축 오일은 오리피스를 통과하여 쇽 업소버의 감쇠력을 얻도록 하고 있다.

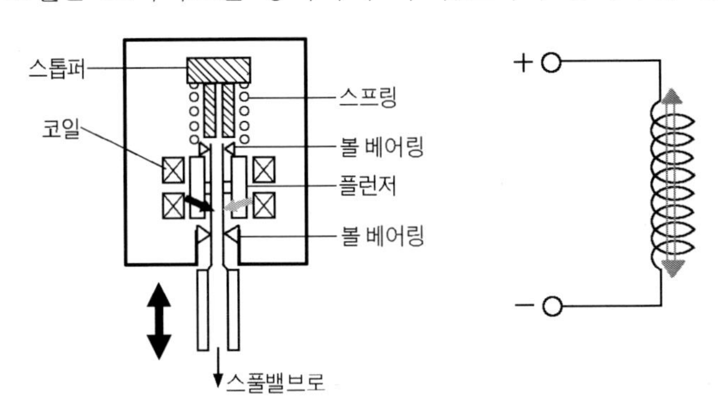

(a) 솔레노이드 밸브 내부 구조 (b) 회로 심볼

그림3-25 솔레노이드 코일식 액추에이터

사진3-15 장착된 스텝 모터

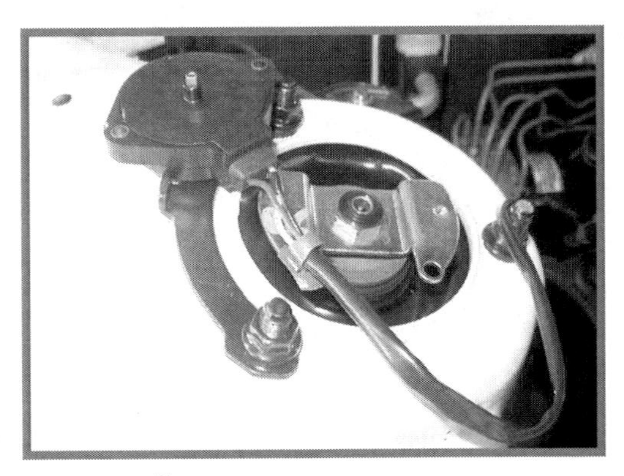

사진 3-16 탈착된 스텝 모터

이 방식은 자동차의 제조사에 따라 다르지만 보통 0.5 ~ 2.0A 정도의 전류를 솔레노이드 코일에 흐르도록 되어 있다. 이에 반해 스텝 모터식 액추에이터는 ECU로부터 출력 되는 펄스 신호에 의해 컨트롤 로드가 회전하여 로터리 밸브로부터 오리피스의 유로 통과 면적을 대, 중소로 절환하여 감쇠력을 얻고 있는 방식이다. 스텝 모터는 디지털 신호로 제어하여 기동, 정지, 정회전, 역회전이 용이하고 회전축을 정밀하게 제어 할 수 있는 특징이 있어 널리 사용하고 있는 액추에이터 중 하나이다. 이곳에 적용되고 있는 PM형(영구 자석형) 스텝 모터의 구조를 보면 그림 (3-26)과 같이 영구 자석을 회전자로 사용하고 스테이터 코일 상측에는 A상, 하측에는 B상 코일을 그림 (b)와 같이 코어(core)에 감아 놓은 구조를 갖고 있다.

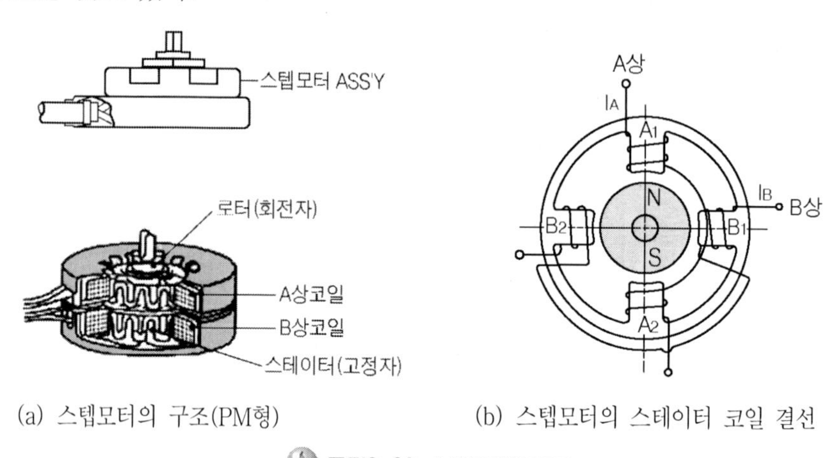

(a) 스텝모터의 구조(PM형) (b) 스텝모터의 스테이터 코일 결선

그림3-26 스텝모터의 구조

스테터 코일의 권선은 바이폴러 권선의 경우 그림 (3-27)과 같이 A상 코일 A1, A2와 B상 코일 B1, B2를 감아 코어를 자화 시켜 로터(회전자)를 회전하도록 하고 있다. 그림 (3-28)은 스텝 모터의 ECU의 출력 회로와 출력 신호를 나타낸 그림으로 회전 토크 증대하기 위해 2상 여자 방식을 주로 사용하고 있다.

스텝 모터의 회전은 A상(A1, A2), B상(B1, B2)의 4개의 스테터 코일을 순차적으로 여자시켜 로터를 회전시키고 있다. 스테터 코일의 여자는 그림 (3-28)의 (b)와 같이 A1 코일에 전류를 흘리고 있는 동안 B1 코일에 전류를 흘리고, B1 코일에 전류를 흘리고 있는 동안 B2 코일에 전류를 흘리고 B2 코일에 전류를 흘리고 있는 동안 A2 코일에 전류를 흘려 순차적으로 스테터 코일을 여자시켜 로터(회전자)를 정회전 하고 있다.

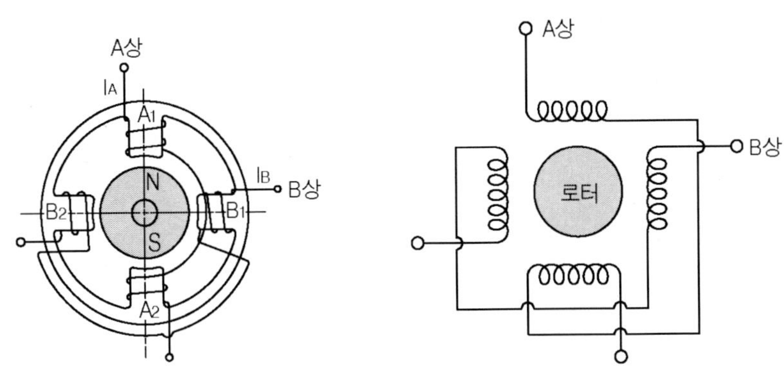

(a) 스텝모터의 내부 결선 (b) 스테이터 코일의 내부 결선 회로

그림3-27 스텝 모터의 권선 방식(예)

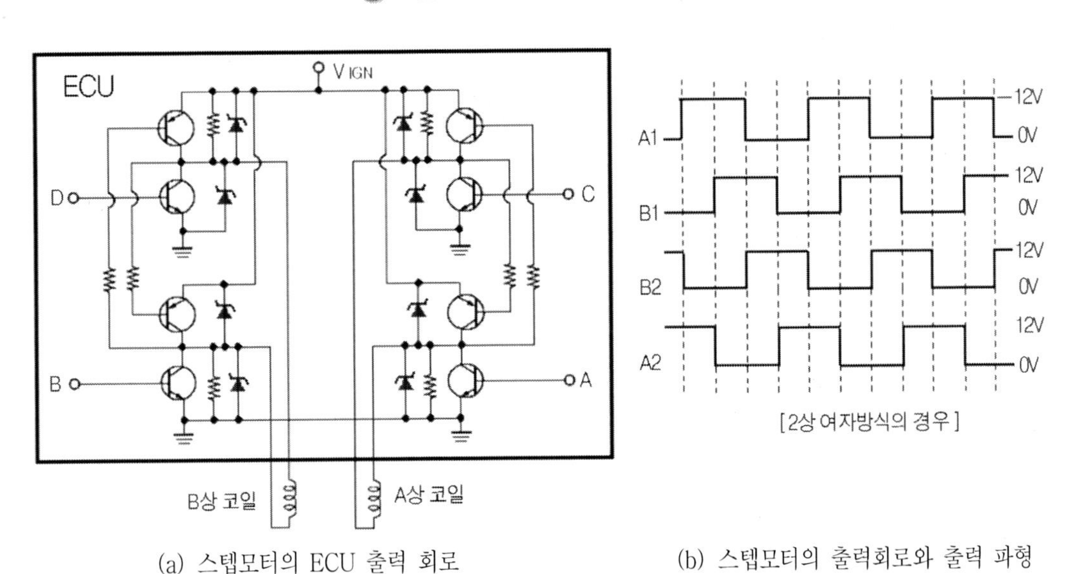

(a) 스텝모터의 ECU 출력 회로 (b) 스텝모터의 출력회로와 출력 파형

그림3-28 스텝모터의 출력회로와 출력파형

모터의 역회전은 지금까지 흘리고 있던 전류에 역순으로 흘려 모터를 역회전 시킨다. 이렇게 회전된 로터는 속 업소버의 컨트롤 로드(control rod)와 연결돼 그림 (3-29)의 (b)와 같이 180°를 정회전과 역회전 하도록 한 것이다.

그림 (3-30)은 B사 제품의 예를 나타낸 것으로 감쇠력이 하드(hard) 모드의 경우에는 스텝 모터는 16스텝(120°) 회전하고, 소프트 모드의 경우에는 8 스텝(60°)을 회전한 경우를 나타낸 것이다.

오토 모드(auto mode)의 경우에는 노면의 상태나 주행 조건에 따라 24스텝×7.5° 를 회전하여 적절한 감쇠력을 얻고 있다.

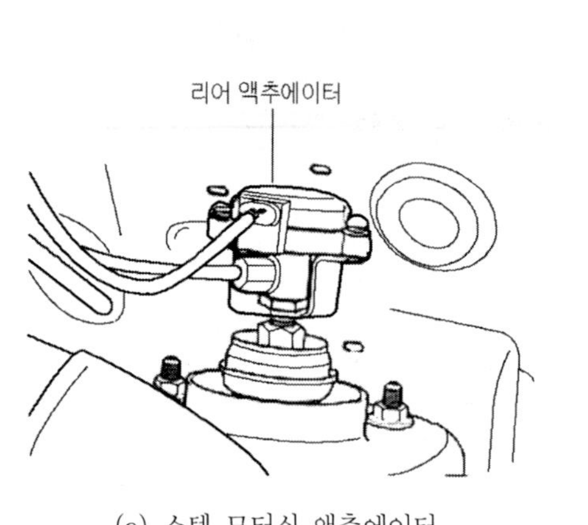

(a) 스텝 모터식 액추에이터

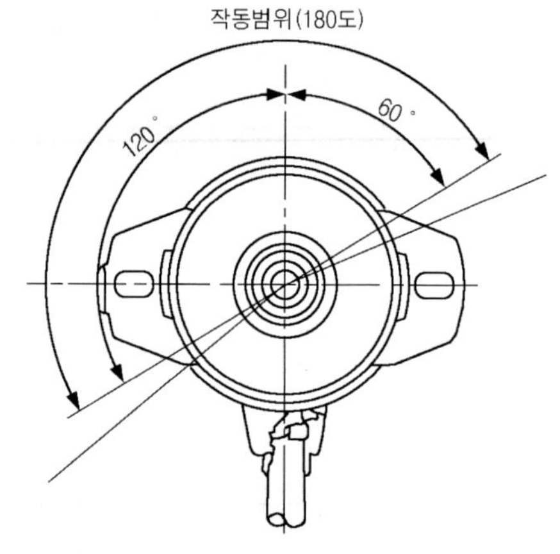

(b) 회전축에서 본 단면

그림3-29 스텝 모터식 액추에이터

위 치	1	2 기준위치	3	4	5
회전각도 (회전축의 정치위치)	60	0	37.5°	60°	120°
감쇄력	HARD	MEDIUM	AUTO · SOFT	SOFT	HARD

그림3-30 스텝 모터의 회전축 정지 위치

2. 공압 회로의 구성품

(1) 컴프레서

가변 감쇠력 쇽 업소버의 공기 스프링은 컴프레서(compressor)로부터 토출된 압축 공기를 그림 (3-31)과 같이 드라이어(drier)와 리저브 탱크를 거쳐 송압하여 쇽 업소버의 감쇠력과 차고를 조절 하도록 하고 있다. 드라이어는 압축된 공기에 포함된 수분을 제거하기 위해 내부에는 실리카 겔을 내장하고 전후 배기 밸브에는 체크 밸브를 설치하고 있다. 컴프레서 구조는 그림 (3-31)과 같이 전동 모터와 공기를 압축시키는 피스톤, 그리고 에

어 필터(air filter) 및 체크 밸브(check valve)로 구성되어 자세 제어 및 차고 제어에 필요한 압축 공기를 만든다. 또한 컴프레서는 제조사에 따라서는 차고 조정에 필요한 배기 밸브에 릴리프 밸브(relief valve)를 겸하고 있는 것도 사용되고 있다. 릴리프 밸브로부터 토출된 압력은 보통 약 10 ~ 15kg/㎠ 정도이다.

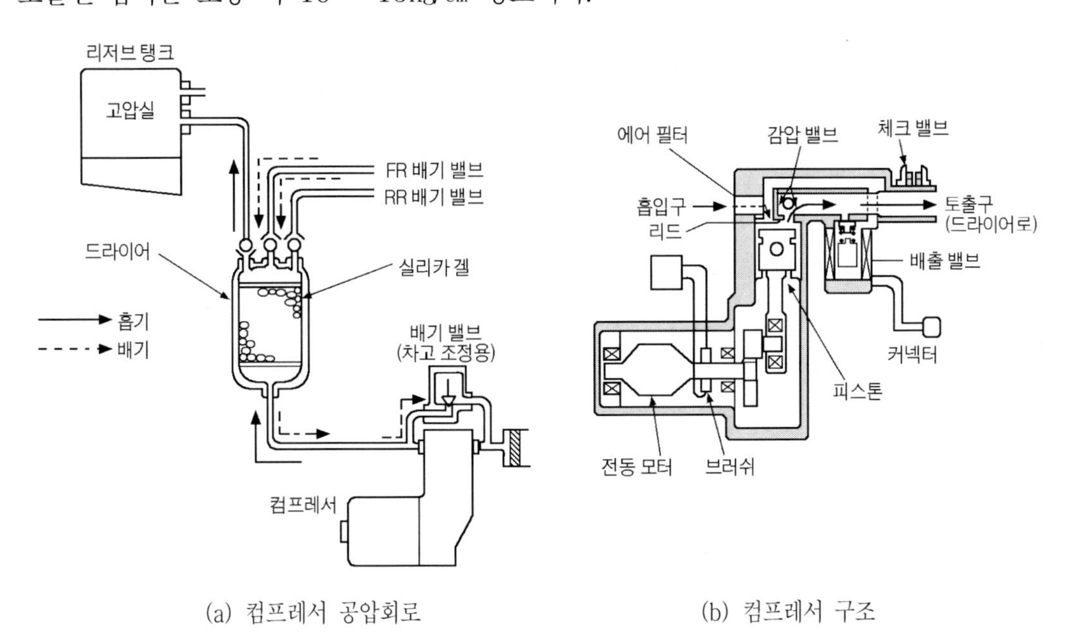

(a) 컴프레서 공압회로 (b) 컴프레서 구조

그림3-31 전자제어현가장치의 컴프레서

사진3-17 ECS 컴프레서(a)

사진3-18 ECS 컴프레서(b)

(2) 저장 탱크(리저브 탱크)

일본 미쓰비시(사)의 ECS 시스템은 압축 공기를 저장하기 위해 그림 (3-32)와 같이 주저장 탱크와 보조저장 탱크를 가지고 있다. 이것은 쇽 업소버의 에어 스프링에 공기를 공급하여 짧은 시간 내에 차량의 자세를 제어하기 위해서는 많은 압축 공기량이 필요하기 때문이다. 한 개의 저장 탱크로 차체를 들어올리기 위해서는 압축 공기의 용량에 대한 탱크의 용적은 어느 정도 커야하는 문제점이 따른다. 용적이 큰 탱크는 장착상의 문제로 저장 탱크를 2개 사용하여 장착상의 문제점을 고려하고 있다.

이 저장 탱크(리저브 탱크)내부에는 그림 (3-32)와 같이 고압탱크와 저압탱크로 분할되어 있다. 고압탱크는 컴프레서로부터 압축된 공기를 저장하고 차량의 자세 제어시 쇽 업소버의 에어 스프링에 공기를 공급하는 역할을 한다. 저압탱크는 자세 제어시 배기밸브로부터 배출되는 공기를 저장하고 있는 탱크이다. 또한 주저장 탱크에는 리턴 펌프가 내장되어 있어 일정 압력 이상이 되면 저압탱크 측의 공기를 고압탱크 측으로 보내고 있다.

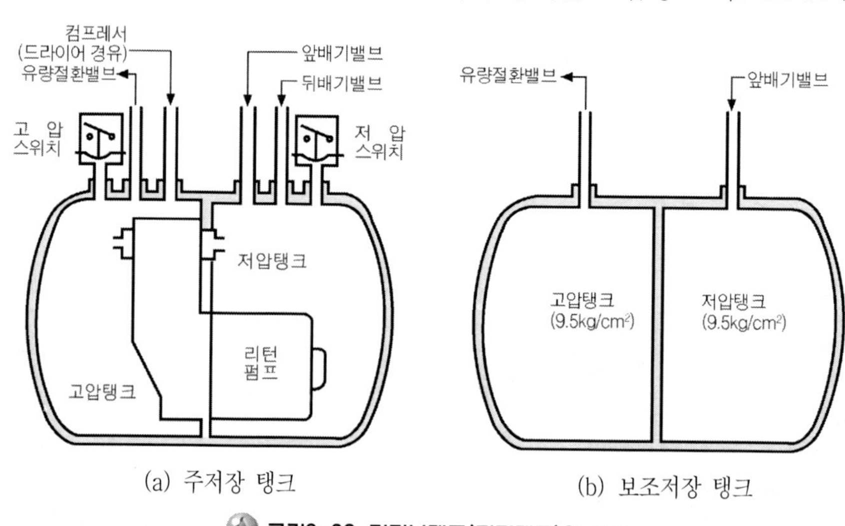

(a) 주저장 탱크 (b) 보조저장 탱크

그림3-32 리저브탱크(저장탱크)의 구조

사진3-19 주저장 탱크

사진3-20 보조저장 탱크

(3) 압력 스위치

압력 스위치는 라인내의 압력이 일정압 이하가 되면 자동으로 컴프레서를 구동하기 위한 스위치로 주로 리저브 탱크(reserve tank)측에 설치하고 있다. 이 압력 스위치는 제조사에 따라 그림(3-33)의 (a)와 같이 리저브 탱크에 고압 SW와 저압 SW를 설치하고 있다. 이들 스위치는 탱크 내의 압력이 일정압 이하로 떨어지면 신속한 공기를 공급하기 위해 컴프레서를 구동하기 위한 목적으로 설치한 압력 스위치이다.

이곳에 사용하고 있는 고압 SW는 NC 접점 SW(상폐 접점 스위치)로 약 7.6kg/㎠ 이하이면 ON 상태가 되고, 약 9.6kg/㎠ 이상이면 접점은 OFF 상태가 된다. 또한 저압 SW의 경우도 NC 접점 SW(상폐 접점 스위치)로 1.0kg/㎠ 이하 이면 ON 상태가 돼 리턴 펌프를 구동하고, 약 1.4kg/㎠ 이상이면 접점은 OFF 상태 돼 리턴 펌프를 차단하는 역할을 하고 있다. 또한 리턴 펌프의 구동은 배기 밸브로부터 배기된 저압 탱크의 공기를 고압 탱크로 송압하여 급기와 배기가 원활히 하기 위한 것이다.

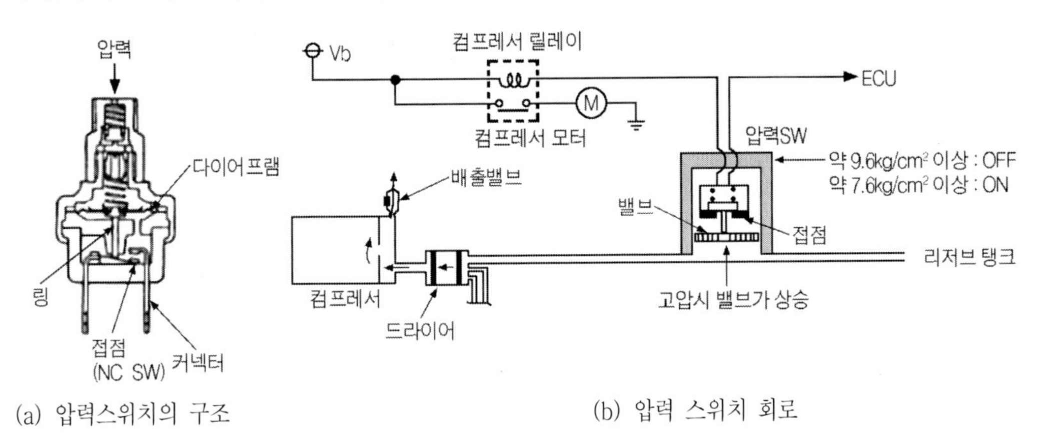

(a) 압력스위치의 구조 (b) 압력 스위치 회로

그림3-33 압력스위치의 구조와 회로

(4) 솔레노이드 밸브

그림(3-34)는 일본 미쓰비시(사)의 액티브 ECS 시스템에 적용되고 있는 공기 유량 제어의 공압 회로를 나타낸 회로이다. 이 공압 회로의 솔레노이드 밸브 구성을 보면 공기 유량을 급, 배기 할 수 있는 자세 제어 솔레노이드 어셈블리 3조와 앞측 쇽 업소버의 공기 스프링을 공급하기 위한 3조의 앞 제어 솔레노이드 밸브 어셈블리, 그리고 뒤측 쇽 업소버의 공기 스프링을 공급하기 위한 3조의 뒤 제어 솔레노이드 밸브 어셈블리로 구성되어 있

다. 이 시스템에 사용되는 밸브는 전원을 공급되면 밸브가 열리는 노말 클로스(normal close)형 밸브로 컴프레서로부터 압축된 공기의 유량을 밸브의 여닫이로 제어하여 주행 조건에 따라 공기 스프링의 급 · 배기 하도록 되어 있다.

자세 제어 솔레노이드 밸브의 3조중 F CON(유량 절환 밸브)는 고압 탱크로 압송된 공기를 쇽 업소버의 공기 스프링으로 공급하는 기능을 하고, F EXE(앞배기 밸브)와 R EXE(뒤배기 밸브)는 공기 스프링의 유량을 제어하기 위해 배기하는 유량을 제어하도록 하여 주행시 차량 자세를 제어한다.

한편 F CON(유량 절환 밸브)로부터 공급된 공기는 앞측 공기 스프링과 뒤측 공기 스프링의 좌우를 공급하기 위한 F SUP(앞 공급 밸브)의 3조와 R SUP(뒤 공급 밸브)의 3조에 유량을 공급하고 있다. 이 밸브로부터 공급된 공기는 차량의 자세 제어시 쇽 업소버의 공기 스프링에 공급하며 이때 차고를 상향으로 조절하는 경우 급기 되어 밸브는 ON(도통) 상태가 되고 차고를 하향 조절하는 경우 배기 되어 밸브는 OFF(비도통) 상태가 되도록 ECU는 제어한다.

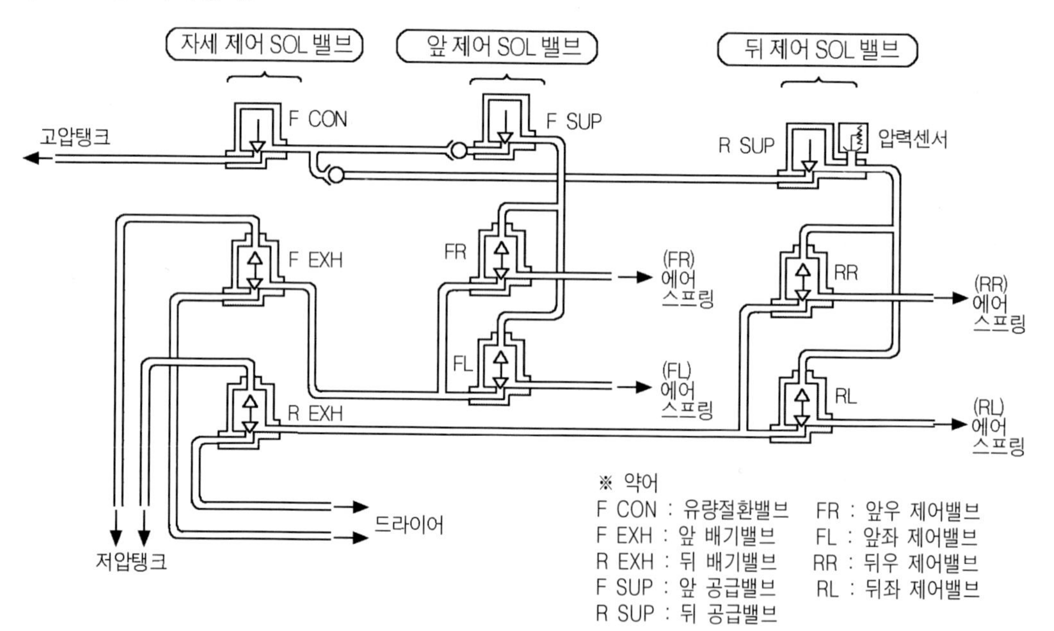

그림3-34 액티브 ECS의 공기유량 제어 회로

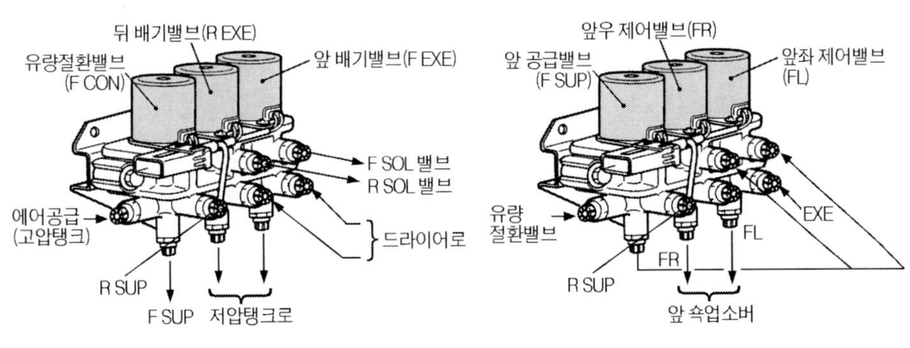

(a) 자세제어 SOL밸브 ASS'Y (b) 앞제어 SOL밸브 ASS'Y

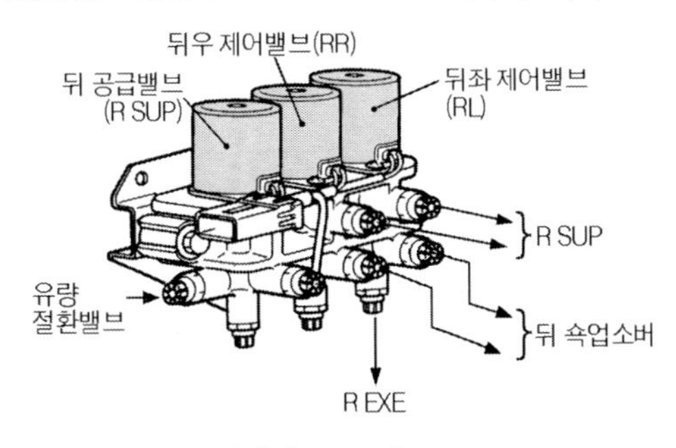

(c) 뒤제어 SOL밸브 ASS'Y

그림3-35 에어스프링 제어 솔레노이드 밸브 ASS'Y

[표3-3] 솔레노이드 밸브의 기능

구분	밸브 명칭	기 능
유량 절환	F CON(유량 절환 밸브)	F SUP, R SUP 밸브의 유량 공급 밸브
	F EXE(앞 배기 밸브)	공기 스프링용 FR, FL 밸브의 배기 및 순환 밸브
	R EXE(뒤 배기 밸브)	공기 스프링용 RR, RL 밸브의 배기 및 순환 밸브
앞 급기	F SUP(앞 공급 밸브)	앞측 밸브의 공급용 밸브
	FR(앞 우측 밸브)	앞 우측 공기 스프링의 공급 밸브
	FL(앞 좌측 밸브)	앞 좌측 공기 스프링의 공급 밸브
뒤 급기	R SUP(뒤 공급 밸브)	뒤측 밸브의 공급용 밸브
	RR(뒤 우측 밸브)	뒤 우측 공기 스프링의 공급 밸브
	RL(뒤 좌측 밸브)	뒤 좌측 공기 스프링의 공급 밸브

이 시스템에 적용되는 공압용 솔레노이드 밸브(solenoid valve)는 전원을 공급하면 밸브가 열리는 노말 클로스(normal close)형 전자반 밸브로 그 구조는 그림(3-36)의 A형 솔레노이드 밸브와 그림 (3-37)의 B형 솔레노이드 밸브를 사용하고 있다.

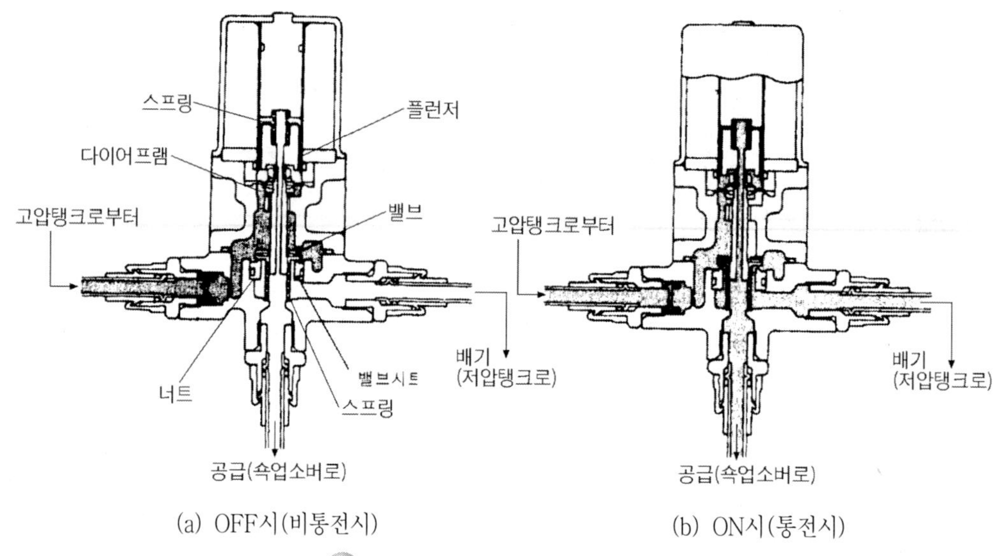

그림3-36 A형 솔레노이드 밸브의 구조

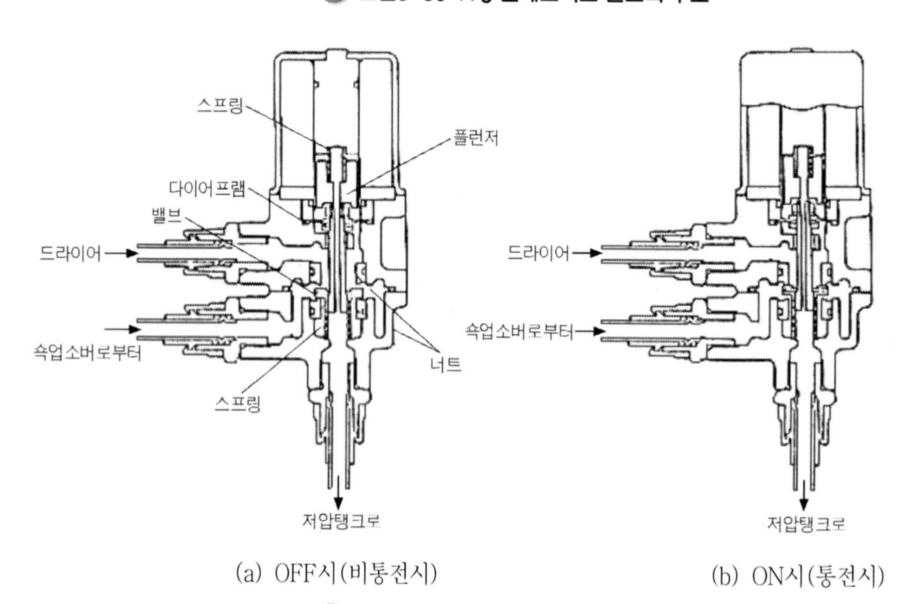

그림3-37 B형 솔레노이드 밸브의 구조

이곳에 사용된 A형 솔레노이드 밸브는 F CON(유량 절환 밸브), F SUP(앞 공급 밸브), R SUP(뒤 공급 밸브)로 사용하였고, B형 솔레노이드 밸브는 공기 스프링의 공급 밸브 및 배기 밸브로 사용하고 있다. 이들 밸브 구조는 솔레노이드 코일(solenoid coil)에 플런저(plunger)를 넣고 스프링의 힘에 의해 밸브가 닫히도록 되어 있어 코일에 전류가 흐르면 플런저는 자화되어 플런저는 상하로 이동하여 밸브를 열고 닫히는 일반적인 솔레노이드 밸브의 구조와 유사하다. 따라서 쇽 업소버의 공기 스프링을 제어하는 솔레노이드 밸브는 자동차 제조사의 차종에 따라 크게 다르지 않다.

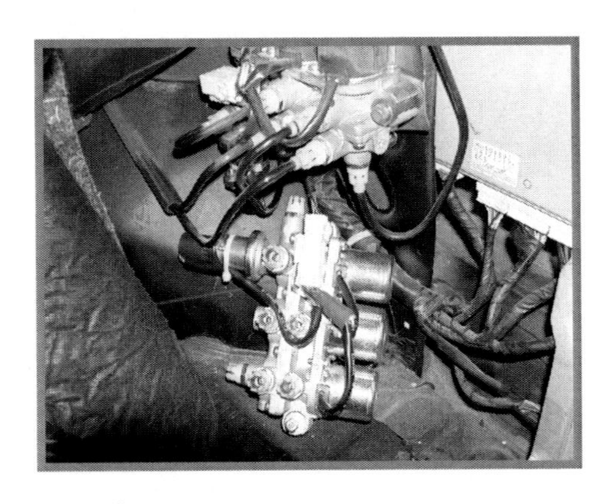

사진3-21 뒤제어 SOL밸브 ASS'Y

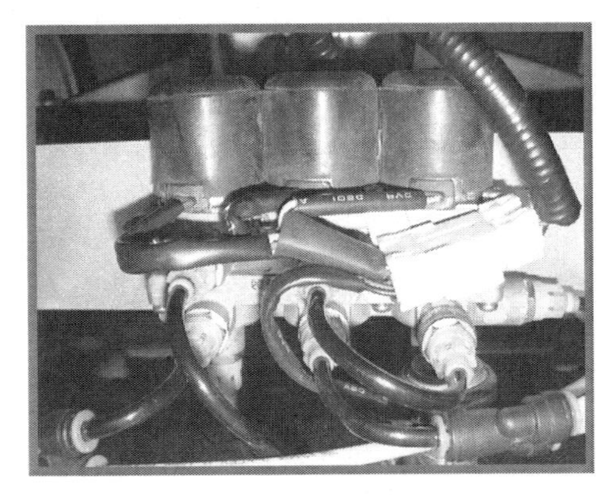

사진3-22 앞제어 SOL밸브 ASS'Y

3. ECS의 입력 센서

(1) 리어 압력 센서

일본 미쓰비시(사)의 액티브 ECS 시스템은 승차 인원 및 화물의 하중 감지 기능을 차고 센서와 리어 압력 센서가 하고 있는 특징을 가지고 있다. 이 센서는 뒤 제어 솔레노이드 밸브 어셈블리에 사진 (3-24)와 같이 장착되어 뒤측 쇽 업소버의 공기 스프링의 급기 압력 검출로 차량의 뒤측 승차원 및 화물의 적재 하중을 비교 검출하고 있는 포텐쇼미터(potentiometer)식 센서이다.

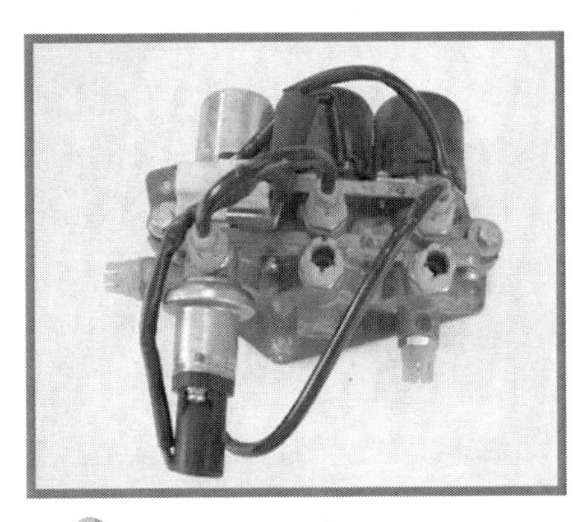

사진3-23 뒤 제어 SOL밸브 ASSY

사진3-24 리어 압력 센서

즉 뒤측 쇽 업소버의 공기 스프링 압력을 하중에 따라 검출하여 공기 스프링의 급기 시간과 배기 시간을 ECU에 미리 설정된 MAP화 된 데이터에 따라 제어하도록 하고 있다.

이 센서의 구조는 그림 (3-38)과 같이 스프링 위에 다이어프램(diaphragm)을 두고 다이어프램과 연결된 로드(rod)에 따라 가변 저항(일명 포텐셔미터)이 움직이도록 되어 있는 구조를 가지고 있다. 이에 대한 특성은 그림 (3-38)의 (b)에 나타낸 것과 같이 저항값의 변화에 대한 전압값이 선형적으로 변화하는 특성을 가지고 있다.

(a) 압력센서의 구조 (b) 압력센서의 출력 특성

그림3-38 압력센서의 구조와 특성

(2) 차고 센서

차고 센서는 전자제어 현가장치의 자세 제어 및 차고 조절을 하기 위해 입력 정보용으로 사용되는 센서로 차량의 앞측을 검출하는 앞 차고 센서와 뒤측을 검출하는 뒤차고 센서가 있다. 이 센서는 주로 가변 저항이나 포토커플러(photo coupler)를 이용하여 차고 위치를 검출하고 있다.

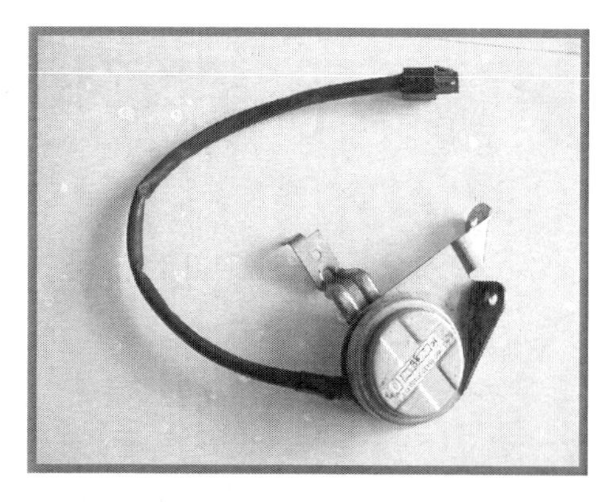

사진3-25 차고센서

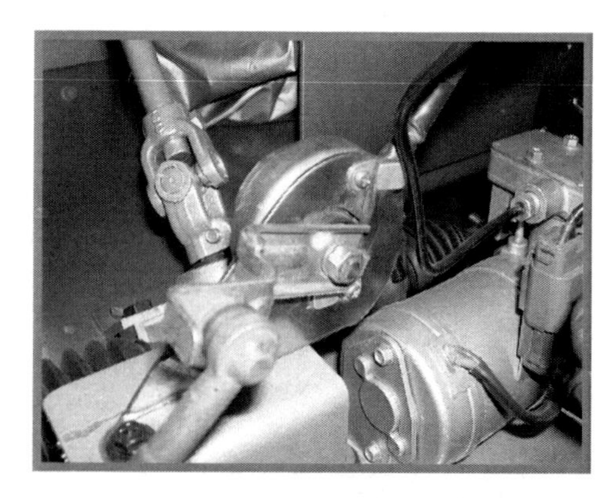

사진3-26 장착된 차고센서

차고 센서는 그림 (3-39)의 (a)와 같이 센서의 본체 축과 연결된 로드(rod)는 차축과 연결하고, 차고 센서의 본체는 차체측에 연결하여 차체의 상하로 움직이는 것을 센서축의 회전각으로 검출 할 수 있도록 되어 있다. 따라서 차고 센서의 로드(rod)의 길이가 틀려지면 차체가 상하로 움직일 때 센서축의 회전각은 제조사가 정한 규정값이 변화하게 되므로 장착 시 로드 길이가 규정값에 맞지 않으면 안된다.

차고 센서의 회전각을 검출하는 방식으로는 가변 저항을 이용하여 검출하는 방식과 포토커플러(photo coupler)를 이용하여 검출하는 방식을 사용하고 있다. 가변 저항을 이용하여 검출하는 가변 저항 방식의 차고센서의 출력 신호는 전압값으로 출력되고, 포토커플러를 이용하여 검출하는 방식의 차고센서는 디지털 신호로 출력하도록 되어 있다.

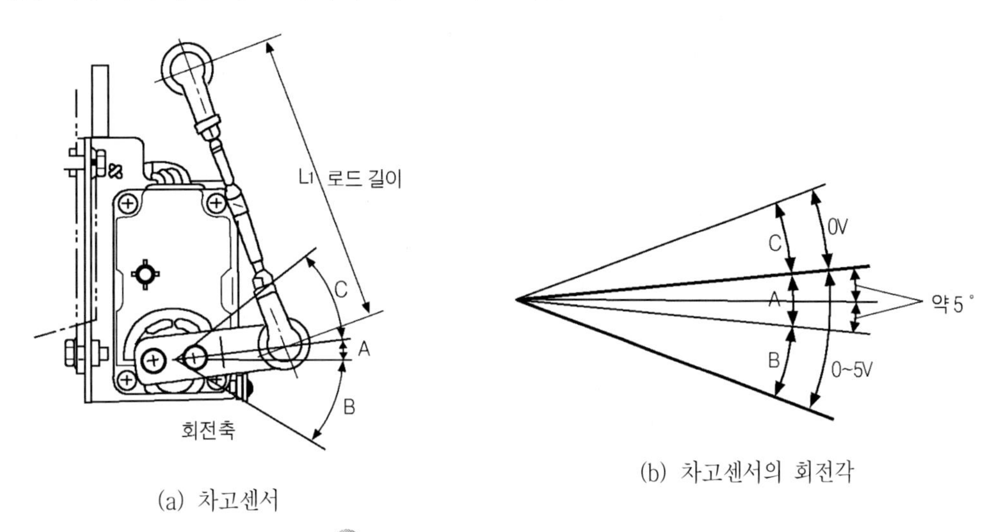

(a) 차고센서

(b) 차고센서의 회전각

그림3-39 차고센서의 링크 회전각

그림(3-40)은 가변 저항 방식의 차고센서의 입력 회로와 센서의 출력 특성을 나타낸 것으로 차고 센서의 회전각이 변화할 때 가변 저항(포텐셔 미터)값이 변화하여 출력 전압값은 그림 (3-40)의 (b)와 같이 선형적으로 변화하는 특성을 가지고 있다. 이에 반해 포토커플러를 이용한 센서는 발광 다이오드(LED)로부터 발생되는 빛을 슬롯(slot)판의 구멍을 통해 입사하도록 되어 있어 입사된 빛을 포토트랜지스터(photo transistor)가 수광하고 수광된 신호를 증폭하여 출력하도록 되어 있다.

따라서 이 방식의 센서의 출력 신호는 그림 (3-41)의 (b)와 같이 2진화(binary code)된 디지털 신호(digital signal)로 출력되어 차체의 위치를 차고 센서의 회전각에 따라 디

지털 신호로 검출하고 있다.

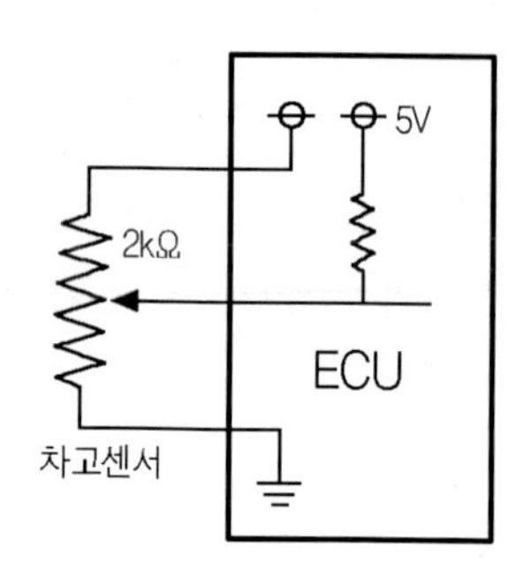

(a) 가변 저항식 차고센서의 입력 회로

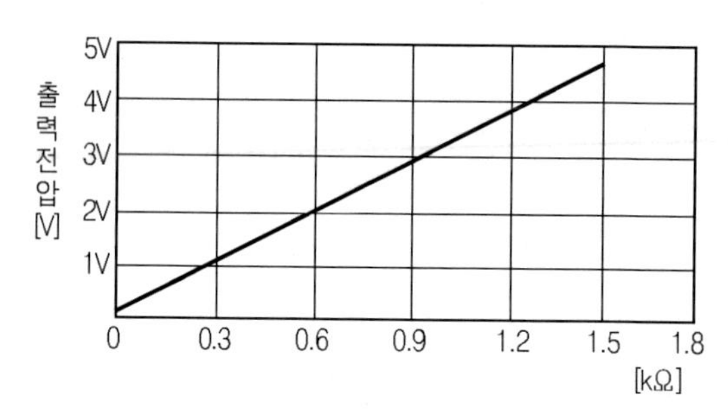

(b) 가변 저항식 차고센서의 출력특성

그림3-40 가변 저항식 차고센서의 입력회로와 특성

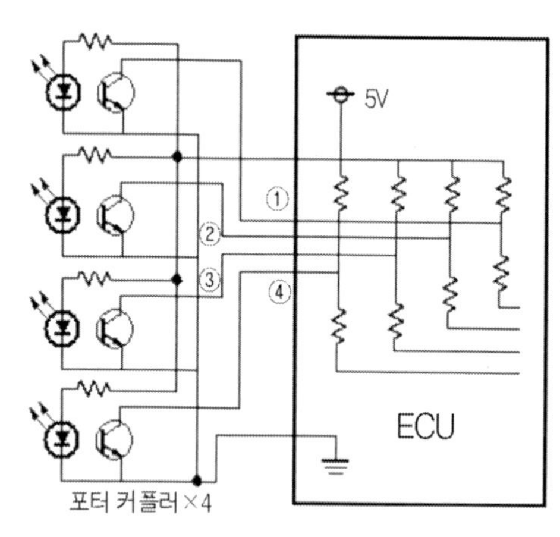

(a) 차고센서의 입력회로

차 고	출력신호				비 고
	(1)	(2)	(3)	(4)	
EX HIGH	1	0	1	0	최대 높이
VERY HIGH	1	0	1	1	
HIGH	1	0	0	1	
NORMAL HI	1	1	0	1	
NORMAL	1	1	1	1	중 간
NORMAL LOW	0	1	1	1	
LOW	0	0	0	1	
VERY LOW	0	0	0	1	
EX LOW	0	0	0	0	최소 높이

(b) 차고센서의 출력신호

그림3-41 포터 커블러식 차고센서의 입력회로와 출력 신호

(3) 차속 센서와 TPS

차속 센서는 사진 (3-27)과 같이 변속기의 드리븐 기어(driven gear)에 장착되어 차량의 주행 속도를 검출하고 있는 센서로 리드 스위치(reed switch)를 이용한 리드 스위치 방식의 차속 센서와 홀 소자(hall element)를 이용한 홀 센서 방식의 차속 센서를 사용하고 있다. 이 센서의 기능은 차량 선회시 롤(roll)의 정도를 판단하는 기준 신호로 사용하고 또한 주행시 차량의 자세 제어시 기준 신호로도 사용하는 역할을 한다. 한편 TPS 센서

(throttle position sensor)는 가속 페달을 밟은 량과 가속 페달의 속도를 검출하여 ECU(컴퓨터)로 입력하면 ECU는 이 신호를 기준으로 운전자의 가감속 의지를 검출 한다. 최근에는 제어 기술의 발달로 TPS 센서로부터 검출된 가감속 신호는 ECS ECU로 직접 입력하지 않고 엔진 ECU로부터 CAN 통신을 통해 입력되는 방식을 사용하는 경우가 채택되고 있다. 이 신호는 차량의 앤티 스커트(anti squat) 제어 시 차량의 가속 정도를 판단하는 기준 신호로 사용하는 신호이다.

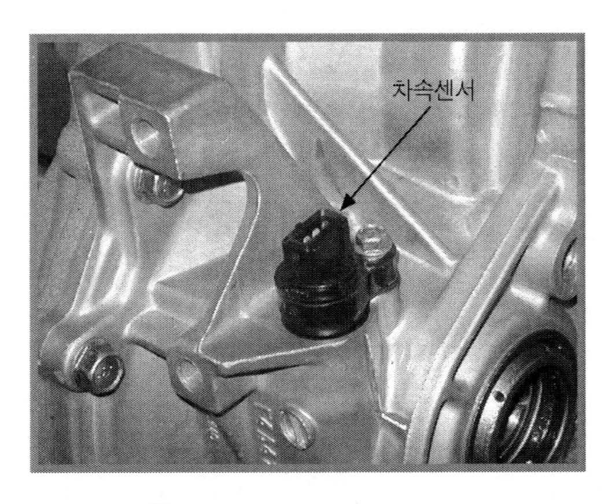

사진3-27 장착된 차속센서

사진3-28 TPS 센서

(4) 모드 선택 스위치

전자제어 현가장치에는 운전자가 도로 조건이나 주행 조건에 따라 차량의 감쇠력 특성을 조절 할 수 있도록 모드(mode) 절환 스위치를 대시 보드(dash board)에 설치하여 두고 있다. 이 모드 절환 스위치는 AUTO 모드와 SPORT 모드로 절환 되도록 하여 계기판의 지시등에 표시되도록 하고 있는 것이 보통이지만 그림 (3-42)의 회로와 같이 HI 모드가 추가된 경우도 있다.

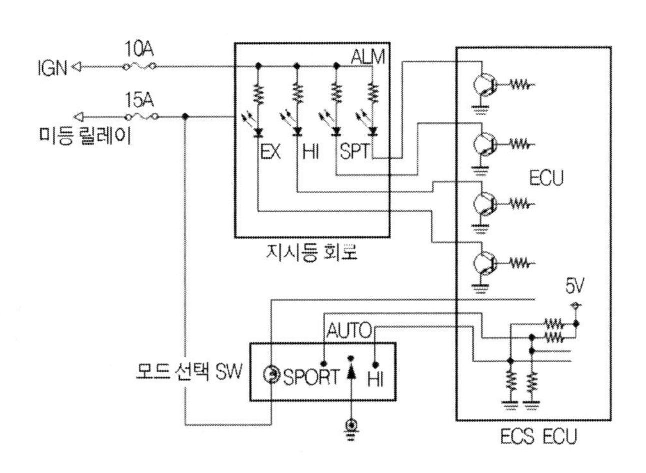

그림3-42 모드 선택 스위치의 입력 회로

이 모드 스위치를 AUTO 모드로 절환하면 감쇠력 특성은 주행 조건에 따라 SOFT, AUTO SOFT, MEDIUM, HARD 모드로 자동으로 절환하게 된다. 보통 정속 주행시에는 SOFT 모드로 감쇠력 절환이 되지만 차량이 고속으로 주행시는 AUTO SOFT 모드나 MEDIUM 모드로 절환하게 된다. 이 절환 스위치를 SPORT 모드로 절환하면 차량 안정감을 느낄 수 있도록 MEDIUM, HARD 모드로 절환하게 된다.

또한 ACTIVE ECS(액티브 전자제어 현가장치)에서는 AUTO 모드로 절환시 노면의 조건에 따라 감쇠력 특성은 자동으로 SOFT, MEDIUM, HARD 모드로 절환하도록 하고 있다. 모드 절환 스위치를 HI(하이) 모드로 선택하면 차고는 NORMAL(노말) 상태 보다 약 30mm 정도 상승하게 된다. 이 모드는 도로 사정이 좋지 않는 비포장도로에 사용하는 경우로 시속 약 70km/h(자동차 메이커에 따라 다름)의 속도에서 적용이 가능하도록 하고 있다.

사진3-29 ECS 모드 지시등

사진3-30 모드 선택 스위치

(5) 조향각 센서

조향각 센서는 사진 (3-32)와 같이 스티어링 칼럼에 설치되어 조향 휠의 속도와 회전 방향의 각도를 검출하고 있는 센서이다. 이 센서는 보통 포터 커플러(photo coupler)라 부르는 LED(발광 다이오드)와 포토 TR(photo transistor)로 구성되어 있는 센서를 사용하고 있다. LED(발광 다이오드)와 포토 TR 사이에는 그림 (3-43)과 같이 알루미늄의 원판에 슬롯(slot : 구멍)을 내어 발광 다이오드로부터 발광되는 빛을 이 슬롯(slot)을 통해 통과하도록 하면 통과된 빛은 수광 소자인 포토 TR(photo transistor)를 통해 검출하도록 되어 있어 조향 휠의 회전 방향과 각도를 검출 할 수가 있다.

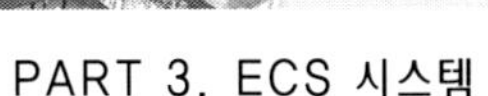

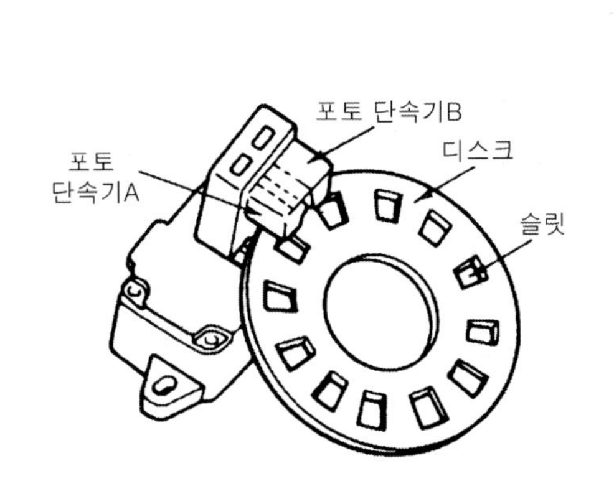

(a) 조향각 센서의 구조

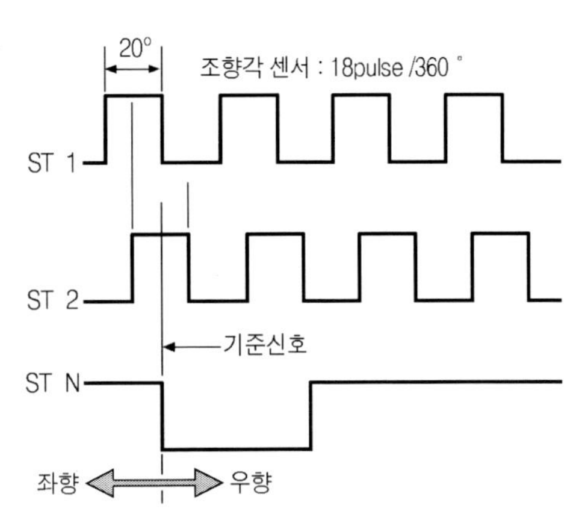

(b) 조향각 센서의 출력 신호

그림3-43 조향각센서의 구조와 출력 신호

따라서 센서의 동작 원리는 LED(발광 다이오드)로부터 발광되는 빛이 슬롯(slot)을 통과 할 때는 포토TR은 ON 상태가 되어 조향각 센서의 출력 신호는 약 0.8V 이하로 전압이 강하되고, LED(발광 다이오드)로부터 발광되는 빛이 차단 될 때에는 포토 TR은 OFF 상태가 되어 조향각 센서의 출력 신호는 약 4.0V 정도 출력되어 조향 각 센서의 출력 신호는 그림(3-43) (b)와 같이 조향 휠의 회전에 따라 펄스 파형이 출력 하게 된다. 조향 휠의 회전각은 결국 슬롯(slot)의 구멍수에 의해 산출되며 회전 방향은 기준 신호(STN)를 기준으로 HIGH, HIGH 신호가 입력되면 좌향, LOW, HIGH 신호가 입력되면 우향으로 판정한다.

사진3-31 스티어링 컬럼의 분해

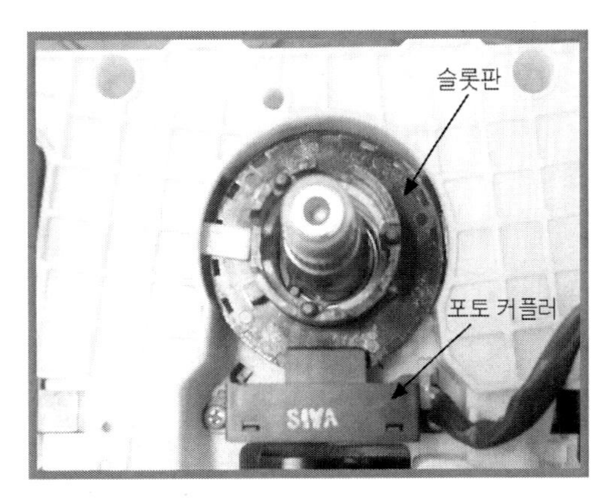

사진3-32 조향각 센서의 위치

(6) G- 센서

G-센서에서 G의 의미는 (gravity : 중력)을 나타내는 것으로 차체의 가속 시 발생하는 중력 가속도나, 선회시 발생하는 중력 가속도 또는 충격 시 발생하는 중력 가속도를 검출하는 용도로 사용되는 센서이다. 이 센서는 적용 목적에 따라 장착 위치가 달라진다. ECS 시스템에 적용되는 G-센서는 차체 선회시 차체의 기울어짐의 정도와 기울어지는 방향을 검출하는 센서로 앤티 롤(anti roll) 제어시 보정 신호로 사용하고 있다. G-센서는 검출 방식에 따라 가동 철편형과 압전 소자형(piezo electric type), 정전용량형(capacitive type)이 사용되고 있지만 여기서는 그림 (3-44)에 나타낸 가변 철편형 G-센서에 대해 설명하도록 하겠다.

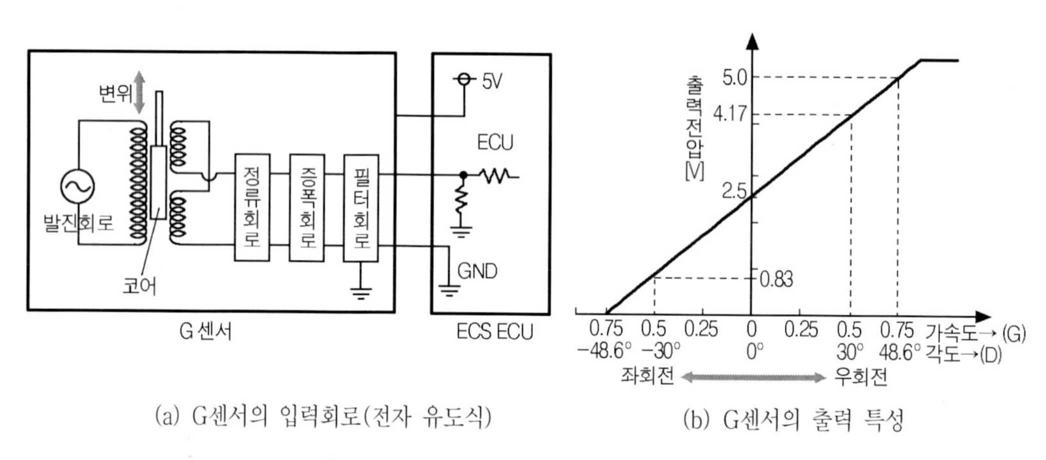

(a) G센서의 입력회로(전자 유도식) (b) G센서의 출력 특성

그림3-44 G센서의 입력회로와 출력 특성

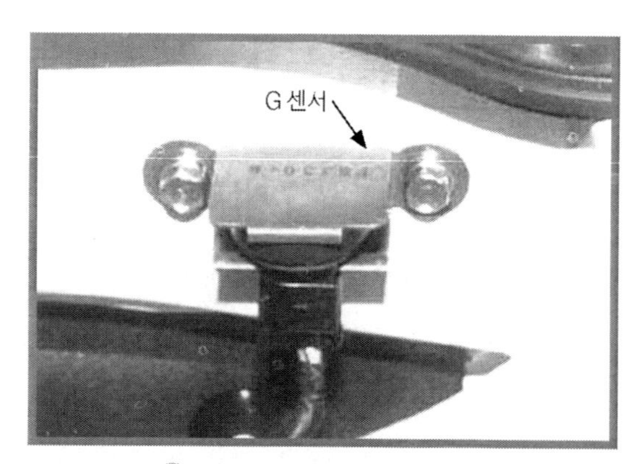

사진3-33 G센서(압전 소자)

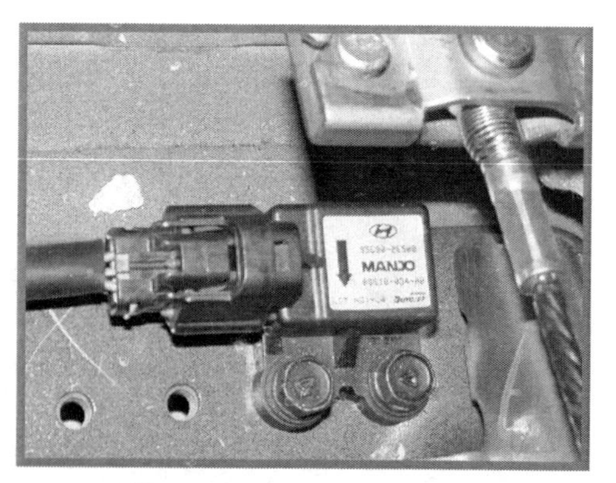

사진3-34 G센서(압전 소자)

가변 철변형 G-센서는 변압기(trans)의 원리를 이용한 것으로 1차 코일과 2차코일 사이에 가동 코어(가동 철편)를 삽입하여 놓고 차체가 선회시 기울어지면 가동 코어가 이동하여 유도 기전력이 발생하도록 한 센서이다. 가동 코어가 1차 코일과 2차 코일의 중앙에 위치하면 2차 코일의 L1과 L2에서 발생하는 기전력은 서로 역방향이 되어 0V가 되고 이 값은 정류 회로와 필터 회로를 통해 2.5V로 출력하게 된다. 가동 코어의 위치가 좌우로 이동하게 되면 2차 코일의 L1과 L2에서 발생하는 기전력은 차이가 발생되어 플러스(plus), 마이너스(minus)의 유도 기전력이 발생하게 돼 차체의 기울질 때 가속도를 검출할 수 있도록 하고 있다.

[표3-4] 구성부품의 기능

구분	부 품	기 능
입력	모드 선택 SW	주행 상황에 따라 감쇄력 특성을 자동 또는 수동으로 절환하는 스위치(AUTO, SPORT MODE)
	차고 조절 선택 SW	노면과 주행에 따라 차체의 높이를 자동 또는 수동으로 절환하는 스위치(AUTO, HIGH, SPORT MODE)
	차고 조절 SW	변속 레버의 P(파킹), N(중립), D(주행) 위치 검출
	인히비터 SW	변속 레버의 P(파킹), N(중립), D(주행) 위치 검출
	도어 SW	탑승자의 승하차 검출
	브레이크 SW	주행중 제동 상태 검출
	아이들 SW	가속 페달 조작 상태 검출
	TPS 센서	차량의 가감속 검출
	차속 센서	현재의 주행 속도 검출
	미등 릴레이	야간 고속 주행시 차고 제어용 입력 신호
	조향각 센서	조향 휠의 회전각도 검출
	앞 차고 센서	차체의 전륜측 높이를 검출
	뒤 차고 센서	차체의 후륜측 높이를 검출
	G 센서	주행시나 선회시 차량의 전후, 좌우 가속량 검출(선회시 차량의 가속도 검출)
	저압 SW	저압 탱크의 압력에 의한 ON, OFF 압력 SW (리턴 펌프 릴레이 제어 : H 사 제품)
	고압 SW	고압 탱크의 압력에 의한 ON, OFF 압력 SW (컴프레서 릴레이 제어 : H 사 제품)
	리어 입력 센서	리어 공기 스프링의 내부 압력 검출 (뒤측 솔레노이드 밸브 ASS'Y에 부착)
	ALT-L 단자	엔진 작동 상태 검출

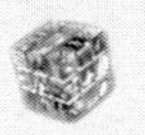

구분	부 품	기 능
출력	메인 릴레이	점화키 ON시 ECS 시스템 전원 공급
	솔레노이드 릴레이	메인 릴레이로부터 공급된 전원은 솔레노이드 전원 릴레이를 거쳐 솔레노이드 밸브에 전원 공급
	컴프레서 릴레이	컴프레서 전원 공급 릴레이
	ECS 지시등	감쇄력 모드, 차고 조절 위치 표시(계기판)
	컴프레서	차고 증가 및 자세 제어에 필요한 압축 공기 발생
	리턴 펌프	저압탱크의 압력이 0.7kg/cm² 이상시 고압탱크로 압축공기를 공급한다.
	액추에이터	쇽업소버의 컨트롤 로드를 회전시키는 스텝모터식 또는 솔레노이드 밸브식이 사용되고 있다.(기능 : SOFT, MEDIUM, HARD 모드로 감쇄력 절환)
	저압 저장 탱크	공기 스프링으로부터 배기되는 공기를 저장(자세 제어시에만 작동)
	고압 저장 탱크	컴프레서부터 발생되는 압축 공기를 저장
	공기류량 절환 밸브	차고 조절시 압축 공기 절환(자세 제어시)
	앞, 뒤 배기밸브	공기 스프링의 공압을 배기하여 내부로 재순환시켜 공기 스프링의 압력을 제어하는 밸브
	앞 공급 밸브	FR측, FL측 공기 스프링의 공기 공급
	뒤 공급 밸브	RR측, RL측 공기 스프링의 공기 공급
	앞 좌우 밸브	FR측, FL측 공기 스프링의 압축 공기를 흡입 또는 배출을 위해 밸브를 개폐(ON, OFF)한다.
	뒤 좌우 밸브	RR측, RL측 공기 스프링의 압축 공기를 흡입 또는 배출을 위해 밸브를 개폐(ON, OFF)한다.
	자기 진단	자기 진단을 하기 위한 데이터 전송 단자

point 

구성부품의 기능과 특성

1. 가변 감쇠력식 쇽 업소버

① 솔레노이드식 가변 감쇠력 쇽 업소버 : 솔레노이드 밸브의 스풀 밸브를 전류 제어하여 이동시켜 유로의 통로를 조절하여 감쇠력을 제어한다.

② 스텝 모터식 가변 감쇠력 쇽 업소버 : 쇽 업소버의 내부에 있는 컨트롤 로드의 끝 부위에 설치된 셔터를 스텝 모터를 이용하여 회전시켜 유로 통로를 조절하여 감쇠력 제어한다.

2. ECS의 컴프레서와 리져브 탱크

① 에어 컴프레서 : 차량의 차고 제어를 하기 위해 가변 감쇠력 쇽 업소버의 공기 스프링에 압축 공기를 공급 하는 역할을 하고 있다.

② 리져브 탱크(공기 저장 탱크) : 컴프레서로부터 토출된 압축 공기를 저장하여 쇽 업소버의 공기 스프링에 짧은 시간에 차량의 자세를 제어하기 위해 사용되는 공기 저

장 탱크이다.

3. 압력 스위치

압력 스위치는 공압 라인 내에 일정압 이하 시 자동으로 컴프레서를 작동하기 위해 압력 검출 스위치를 두고 있다.

① 고압 SW : 컴프레서를 구동하기 위해 고압 라인의 압력을 검출하는 스위치
② 저압 SW : 리턴 펌프를 구동하기 위해 저압 라인의 압력을 검출하는 스위치

4. 공기 유량 조절 솔레노이드 밸브

차량의 자세 제어를 하기 위한 급, 배기 솔레노이드 밸브를 말 한다. 이들 급, 배기 솔레노이드 밸브는 자동차의 메이커가 설계한 공압 회로에 따라 다소 차이는 있지만 자세제어를 하기 위한 근본 원리는 동일하다.

① 유량 절환 밸브 : 컴프레서로부터 공기 스프링으로 공기를 공급 및 순환 시키기 위해 설치한 솔레노이드 밸브
② 앞 급배기 밸브 : 앞측 공기 스프링에 공기 압력을 공급 및 배기하기 위해 설치한 솔레노이드 밸브
③ 뒤 급배기 밸브 : 뒤측 공기 스프링에 공기 압력을 공급 및 배기하기 위해 설치한 솔레노이드 밸브

※ 리어 압력센서 : 차량의 하중을 검출하기 위해 미쓰비시(사)의 차량에만 설치한 가변 저항식 센서

5. 차고 센서

전자제어 현가장치의 자세 제어 및 차고 조절을 하기 위해 입력 정보용으로 사용되는 센서로 주로 차고에 따라 저항값이 변화하는 포텐쇼미터 방식의 센서나 차고에 따라 펄스 파형이 출력되는 포토커플러를 이용한 센서를 사용하고 있다.

① 앞측 차고 센서 : 차량의 앞측 차고를 검출하는 센서
② 뒤측 차고 센서 : 차량의 뒤측 차고를 검출하는 센서

6. TPS 센서와 차속 센서

① TPS 센서 : 운전자의 가·감속 의지를 검출하는 센서로 앤티 스커트(anti squat) 제어 시 차량의 가감속 정도를 판단하는 기준 신호로 사용하고 있다.
② 차속 센서 : 차량의 주행 속도를 검출하는 센서로 앤티 롤(anti roll) 제어 시 차량의 롤 정도를 판단하는 기준 신호로 사용하고 있다

7. 모드 선택 SW

운전자가 차량의 주행 조건이나 도로 조건에 따라 차량의 감쇠력 특성 및 차고 조절을 할 수 있도록 한 선택 스위치

① AUTO 모드 : 노면과 차량의 주행 조건에 따라 SOFT, MEDIUM, HARD 모드로 자동으로 절환되는 모드
② SPORT 모드 : 운전자의 취향에 따라 선택 할 수 있는 모드로 MEDIUM 모드와 HARD 모드로 자동으로 절환되는 모드
③ HIGH 모드 : 요철과 같은 비포장도로 도로 시 차량의 하부를 보호하기 위해 차고를 높여 주행 할 수 있도록 한 모드

8. 조향각 센서 : 조향 각도 및 조향 속도를 검출하는 센서로 차량 선회시 앤티롤(anti roll) 제어의 기준 신호로 사용하고 있다.

9. G-센서 : 선회시 차량의 선회 가속도를 검출하여 차체의 기울어짐 정도를 판단하기 위한 센서로 앤티 롤(anti roll) 제어시 보정 신호로 사용하고 있는 센서이다.

4. ECS의 기능

1. ECS의 주요 기능

전자제어 현가장치의 기능을 나누어 보면 표(3-5)와 같이 차량의 승차감을 제어하는 감쇠력 제어 기능과 차량의 자세를 제어하는 자세 제어 기능, 그리고 노면의 상태와 운전 조건에 따라 차체의 높이를 조절하는 차고 제어 기능으로 구분 할 수 있다. 또한 그밖에 기능으로는 고속 주행시 주행 안정성 확보를 위해 고속 안정성 제어, 초기 세트시 자동으로 AUTO 모드(오토 모드)로 절환 되는 초기 세트 제어, 리저브 탱크의 일정 공기량 확보를 위한 컴프레서 구동 제어, 시스템 이상을 검출하는 경고등 제어 기능 등이 있다.

[표3-5] 액티브 ECS의 주요 기능

감쇄력 제어	자세 제어	차고 제어
소프트(soft) 모드	앤티 롤(anti roll) 제어	최상(extra high)
미디엄(medium) 모드	앤티 다이브(anti dive) 제어	상위(high)
하드(hard) 모드	앤티 스쿼트(anti squat) 제어	중간(normal)
	바운싱(bouncing) 제어	하위(low)
	피칭(pitching) 제어	최하(very low)

감쇠력 제어기능에는 표(3-6)과 같이 노면의 상태나 운전 상황에 따라 AUTO Mode (오토 모드)와 SPORT 모드(스포츠 모드)로 선택하여 운행 할 수 있도록 되어 있다.

이것은 운전자가 도로의 조건이나 주행 조건에 따라 적절한 승차감을 얻기 위한 것으로 일반 포장도로나 정속 주행시는 AUTO 모드로, 비포장도로나 고속 주행시는 SPORT 모드로 선택 할 수 있도록 한 것이다. AUTO 모드(오토 모드)의 경우는 제조사의 차종에 따라서 3 ~ 5단계로 감쇠력 제어를 할 수 있도록 한 것이 보통이다. 여기서 나타낸 표(3-6)의 예는 SUPER SOFT(매우 부드러움), SOFT(부드러움), MEDIUM(중간 부드러움), HARD(딱딱함)의 4단계로 제어하고 있는 것을 나타내었다.

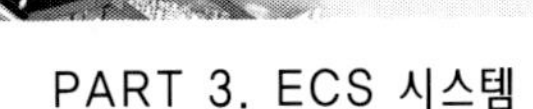

[표3-6] 모드 선택 SW에 의한 주요 제어기능(예)

감쇄력 제어		자세 제어	차고 제어	
AUTO 모드	SUPER SOFT SOFT MEDIUM HARD	ANTI-ROLL ANTI-DIVE ANTI-SQUAT ANTI-BOUNCING ANTI-PITCHING 기타 제어	AUTO 모드	HIGH NORMAL LOW
SPORT 모드	MEDIUM HARD		HIGH 모드	HIGH
			EXHIGH 모드	EXTRA HIGH

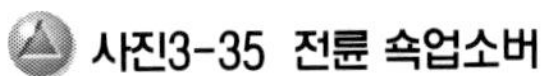
사진3-35 전륜 쇽업소버

사진3-36 후륜 쇽업소버

차종에 따라서는 다소 차이는 있지만 일반적으로 AUTO 모드 선택 시는 표(3-7)과 같이 감쇠력 제어는 SUPER SOFT ~ HARD 모드 영역까지 제어하고, MEDIUM MODE(미디엄 모드) 선택 시에는 SUPER SOFT ~ SOFT 모드 영역까지 제어한다. 또한 SPORT MODE(스포츠 모드) 선택 시에는 MEDIUM ~ HARD 모드 영역까지 제어한다. 차량의 자세 제어 기능은 쇽 업소버(shore absorber)의 공기 스프링의 공기 압력을 제어함에 따라 차량의 발진시나 제동시 또는 선회시 차체의 기울기를 수평으로 유지할 수 있도록 제어하여 운전자의 주행 안정성을 확보하는 기능이다. 자세 제어 기능에는 ROLL 제어(롤 제어), SQUAT 제어(스커트 제어), DIVE 제어, PITCHING & BOUNCING 제어(피칭 및 바운싱 제어) 기능 등이 있다.

[표3-7] 대표적인 ECS시스템의 제어 종류

구분	제어	제어시기	비고
감쇄력 제어	AUTO 모드 제어	AUTO 모드시	SUPER SOFT ~ HARD
	SUPER SOFT 모드	MEDIUM 모드시	
	SOFT 모드 제어		
	MEDIUM 모드 제어	SPORT 모드시	
	HARD 모드 제어		
자세 제어	ROLL 제어	선회시	
	SQUAT 제어	출발시, 가속시 및 급가속시	
	DIVE 제어	제동시	
	SHIFT SQUAT 제어	변속 레버의 절환시	N → D, N → R
	피칭&바운싱 제어	요철 주행시	작은 요철 통과시
	SKY HOOK 제어	요철 주행시	큰 요철 통과시
	노면 대응 제어	고속 주행시	
	급속 차고 제어	험로 주행시	비포장로
	통상 차고 제어	일반 주행시	포장도로

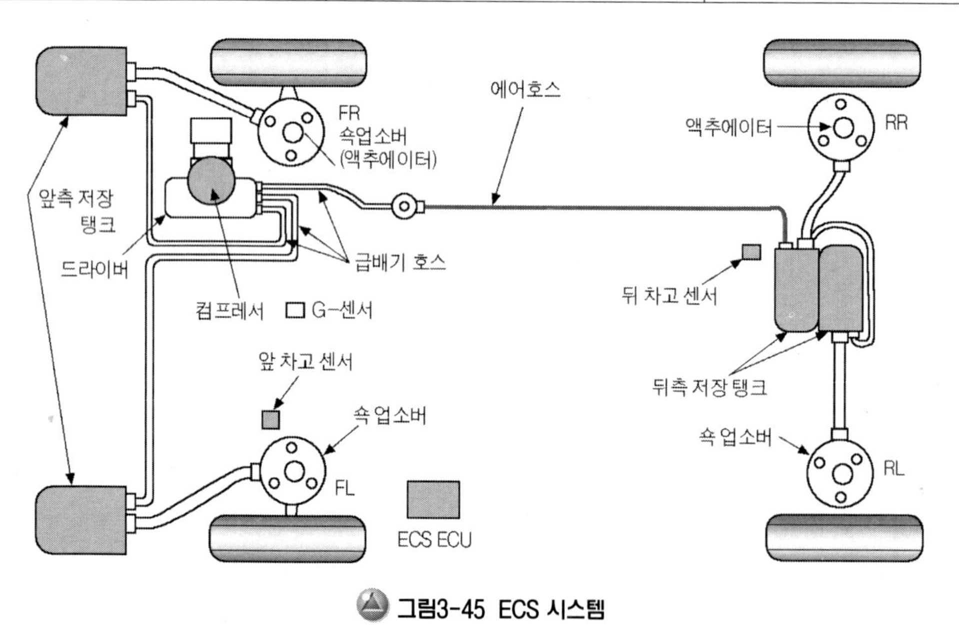

그림3-45 ECS 시스템

차량이 선회시에는 원심력에 의해 차량의 내측과 외측의 차고가 변화하는 ROLL(롤) 현상, 발진시 차량의 뒤측이 가라앉는 SQUAT(스커트) 현상, 제동시 차량이 앞측이 가라

않는 DIVE(다이브) 현상, 요철 등에 의해 차체가 상하 운동하는 PITCHING & BOUNCING (피칭 및 바운싱) 현상 등은 탑승객의 피로감과 운전자의 주행 안정성이 떨어지는 주된 요인이 된다. 이와 같이 차량의 자세 제어 기능은 주행 안정성을 크게 향상하기 위해 쇽 업소버(shore absorber)의 공기 스프링을 제어하여 차량의 자세 제어를 하고 있는 기능이다. 또한 액티브 전자제어 현가장치에는 승차 인원수나 화물의 변화량을 검출하고 주행 상태에 따라 감쇠력과 차고를 조절하여 차량의 주행 안정성을 확보하고 있다. 차고 제어 기능에는 표(3-6)과 같이 탑승 인원이나 주행 상태에 따라 AUTO 모드(오토 모드)나 HIGH 모드(하이 모드)로 운전자가 모드 선택 스위치를 조작하여 차고 조절이 가능하도록 하고 있다.

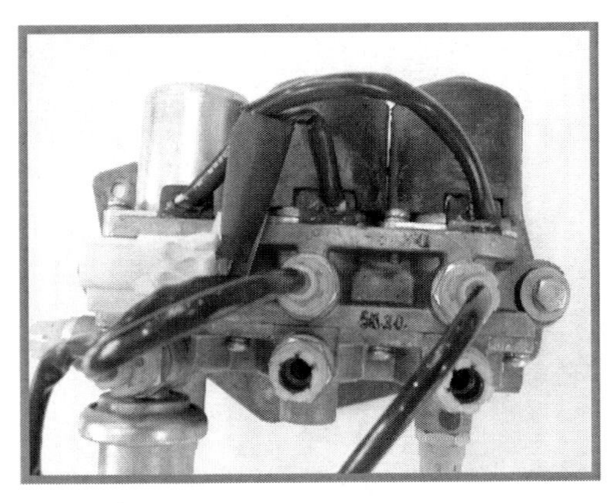

사진3-37 급배기 솔레노이드 밸브

사진3-38 SOL 밸브식 액추에이터

이와 같이 전자제어 현가장치에는 감쇠력 제어 기능이나 자세 제어, 차고 제어 기능을 실행하기 위해서는 별도의 시스템 구성이 필요하게 된다. 그림(3-46)의 ECS 시스템의 입출력 신호 구성을 살펴보면 차량의 주행 정보를 검출하고 있는 차속 신호, TPS 센서 신호, 인히비터 스위치, 브레이크 스위치 신호, 조향각 센서 신호 등과 차체의 상태를 검출하고 있는 차고 센서 신호와 G-센서 신호등이 필요하게 된다. 이와 같은 입력 신호의 정보를 토대로 시스템의 출력측으로는 차량의 감쇠력 제어 기능을 하기 위해 쇽 업소버(shore absorber)의 오일 유량을 제어하도록 액추에이터(actuator)를 두고 있다.

또한 차량의 자세 제어와 차고 제어 기능을 실행하기 위해 컴프레서(compressor)와 각종 유압 또는 공압을 제어하기 위한 솔레노이드 밸브를 설치하여 자세 제어 기능 등을 하고 있다.

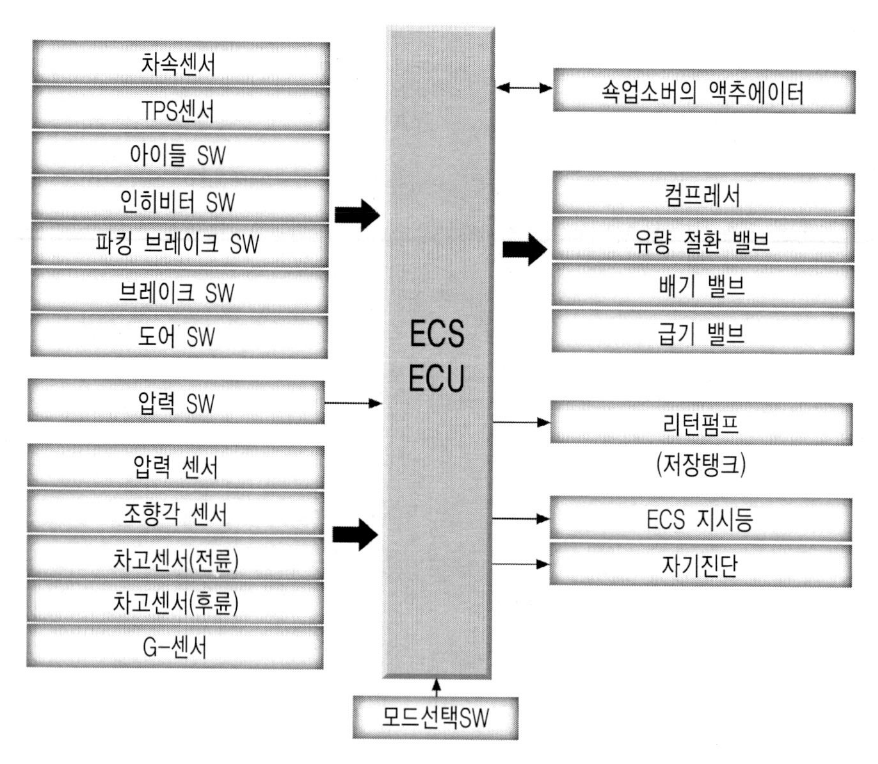

그림3-46 ECS 시스템의 입출력 신호

사진3-39 ECS ECU(LUCAS 사)

사진3-40 장착된 ECS ECU

그림(3-47)은 대표적인 액티브 현가장치의 공압회로를 나타낸 것으로 에어 컴프레서(air compressor)로부터 압축된 공기는 리저브 탱크(reserve tank)로 일시 저장하고 저장된 압축된 공기는 속 업소버의 공기실로 보내 자세 제어 및 차고 제어를 하는데 사용하

게 된다. 리저브 탱크(저장 탱크)에 압축된 공기는 전륜과 후륜에 가까이에 있는 차고 센서의 신호를 받아 ECU는 지정된 목표값으로 차고를 조절하도록 급배기 밸브를 제어하게 된다. 또한 제조사의 차종에 따라서는 보조 탱크(sub reserve tank)를 설치하여 감쇠력 제어 시 SOFT 모드(소프트 모드)에서는 리저브 탱크(저장 탱크)로도 사용하고 있다.

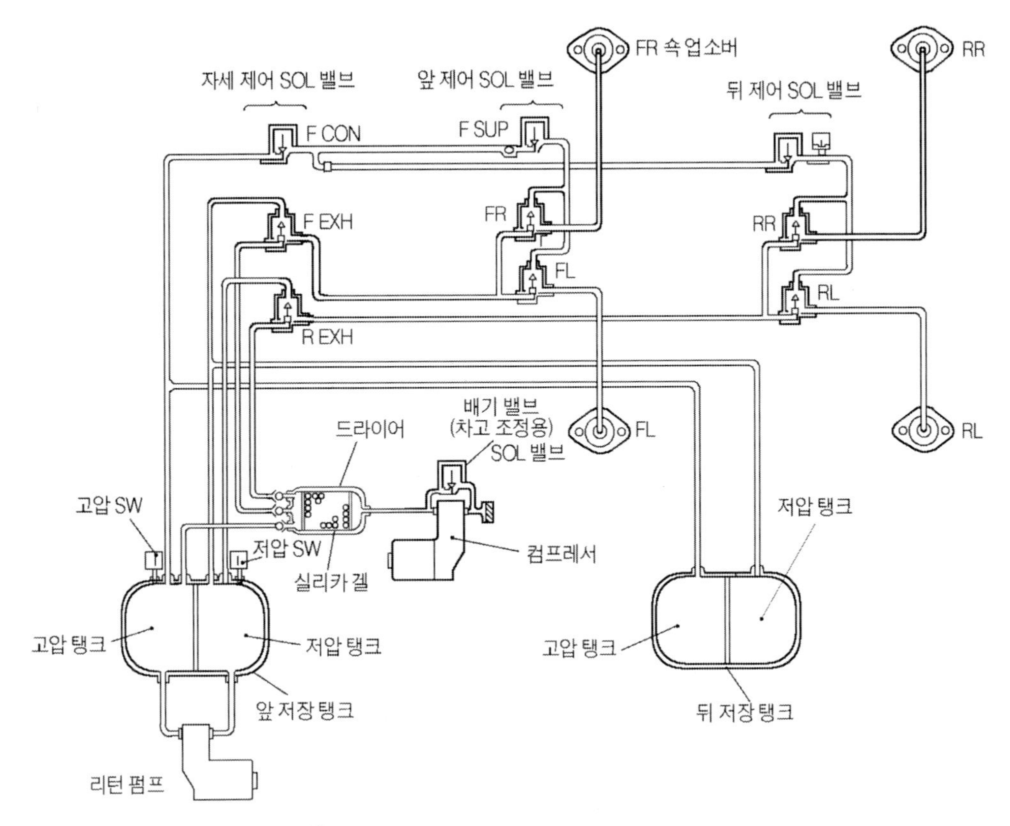

그림3-47 액티브 현가장치의 공압제어 회로

사진3-41 ECS 에어 컴프레서

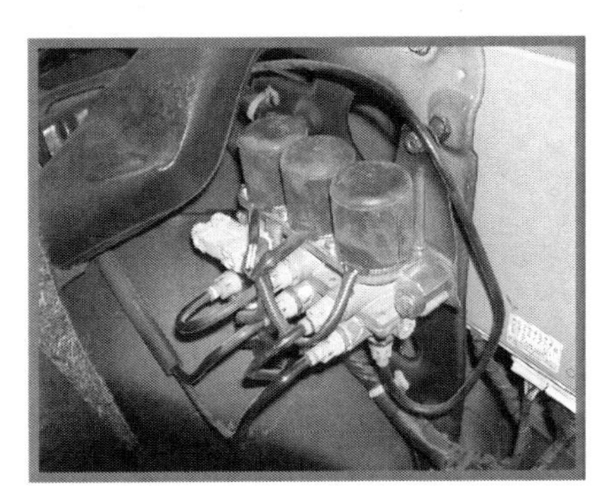

사진3-42 장착된 급배기 밸브

2. 감쇠력 제어

쇽 업소버(shore absorber)의 감쇠력은 노면의 상태나 운전 조건에 따라 필요한 감쇠력 서로 달라 스프링 정수가 고정된 일반 쇽 업소버로는 차량의 승차감 및 주행 안정성을 확보 할 수가 없다. 이러한 것을 착안해 전자제어 현가장치에서는 쇽 업소버의 피스톤 하부에 그림(3-49)과 같이 서로 다른 오리피스(작은 구멍)를 설치해 셔터(shutter)를 회전시킴으로 오리피스의 구멍을 통과하는 오일의 저항에 의해 필요한 감쇠력을 얻고 있다. 즉 감쇠력을 노면이나 운전 조건이 양립 할 수 있도록 변화하여 뛰어난 승차감과 주행 안정성을 얻을 수 있도록 하고 있다. 이와 같이 셔터(shutter)의 회전에 따라 감쇠력이 변화하는 쇽 업소버(shore absorber)를 가변 감쇠력식 쇽 업소버라 부른다.

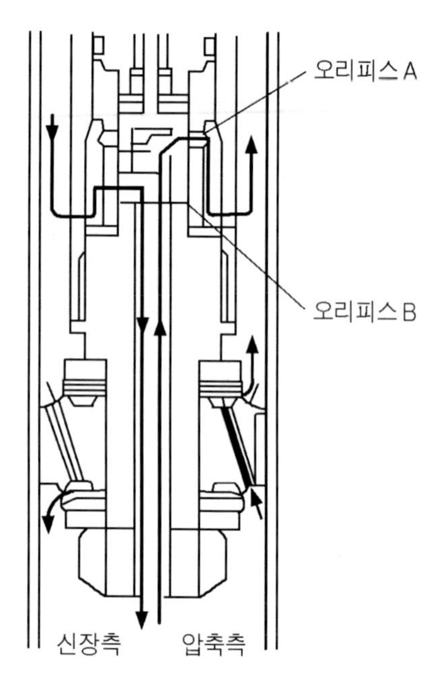

(a) 쇽업소버의 구조(A사 제품)

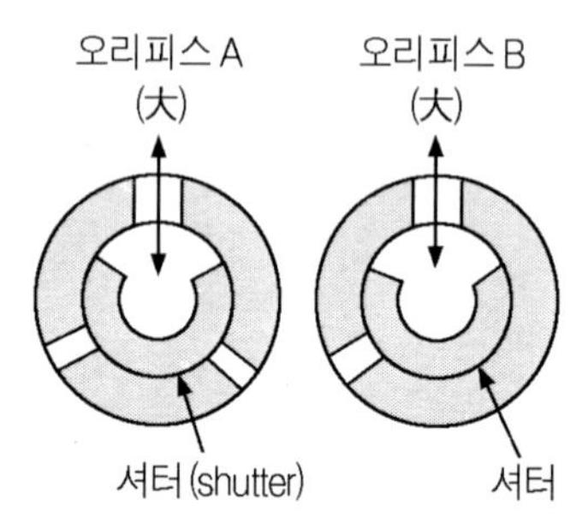

오리피스 구경이 크게 열려 공기의 유량이 쉽게 오리피스를 통과할 때 감쇄력은 작아져 소프트(soft)모드로 절환하게 된다.

(b) 소프트 모드

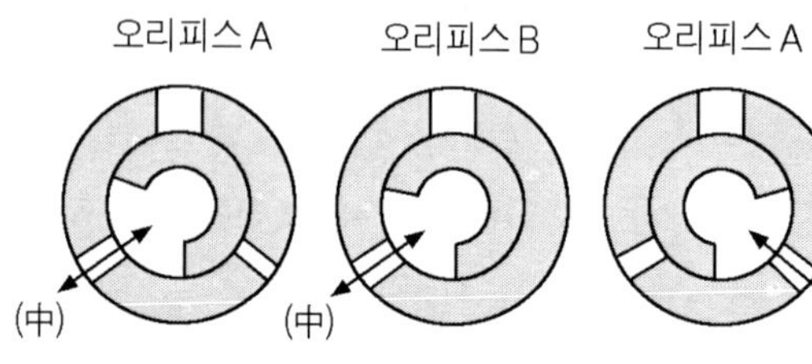

오리피스 구경의 중간 것이 열릴 때 감쇄력이 미디엄(medium) 모드로 절환하게 된다.

(c) 미디엄 모드

오리피스 구경의 작은 것이 열릴 때 감쇄력이 하드(hard) 모드로 절환하게 된다.

(d) 하드 모드

그림3-48 감쇄력 절환에 의한 오리피스의 작동 모습

사진3-43 장착된 스텝 모터

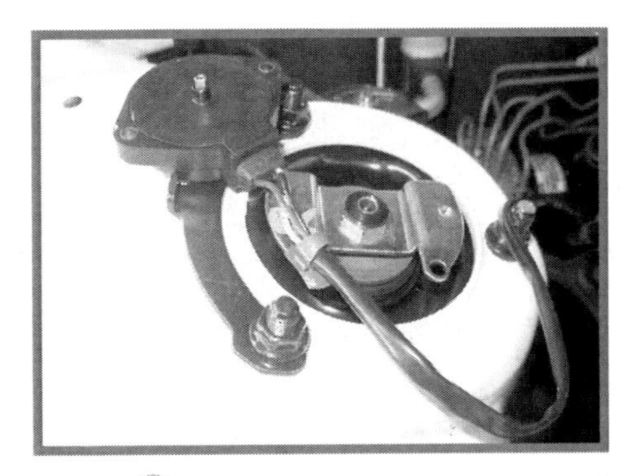

사진 3-44 탈착된 스텝 모터

가변 감쇠력식 쇽 업소버의 감쇠력 특성은 그림(3-49)와 같이 모드 선택에 따라SOFT(소프트), MEDIUM(미디엄), HARD(하드)로 쇽 업소버의 감쇠력(스프링 정수값)이 변화하는 것을 볼 수 있다. 전자제어 현가장치의 감쇠력 제어 기능은 결과적으로 차량이 가속 시나 감속시 또는 선회시 감쇠력을 높게 하는 것이 주행 안정성 측면에서는 좋고, 정속 주행시에는 감쇠력을 낮게 하는 것이 좋다.

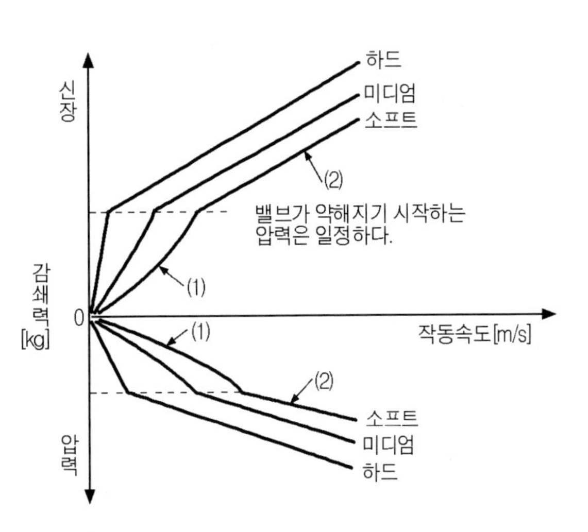

그림3-49 ECS 시스템의 감쇄력 특성

따라서 감쇠력 제어 시에는 그림(3-50)과 같이 가감속을 검출 할 수 있는 차속 센서, TPS 센서, 인히비터 SW, 브레이크 SW가 필요하게 되며 선회시를 차량의 상태를 검출할 수 있는 조향각 센서, G- 센서 등이 필요하게 된다.

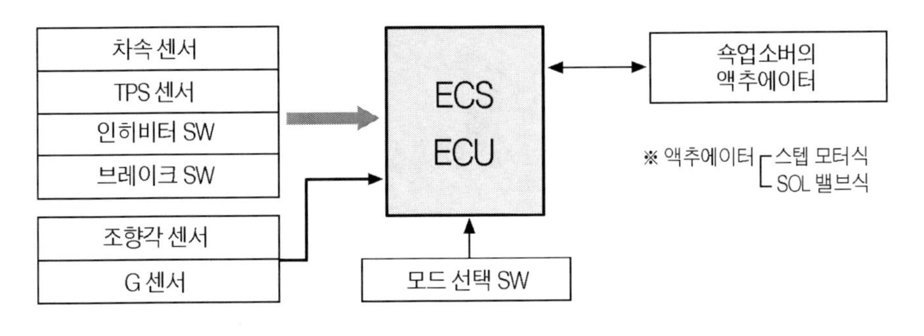

그림3-50 감쇄력 제어시의 입출력 신호

한편 ECU는 이러한 입력 신호를 바탕으로 감쇠력 제어의 우선순위와 목표 감쇠력을 제어하게 된다. 감쇠력 제어의 우선순위는 우선 모드 선택 스위치에 의해 실행되는 것이 가장 높고 자세 제어(롤, 스커트, 다이브, 피칭, 바운싱 등)시에 요구되는 감쇠력이 실행되도록 하고 있다. 또한 제조사의 차종에 따라서는 노면에 대응한 감쇠력 제어를 차 순위로 제어하고 있기도 하다. 그밖에 감쇠력 제어에는 고속 주행시 감쇠력을 높여 차량의 안정성을 확보하는 고속 주행 제어가 있으며 제조사의 차종에 따라서는 요철이 심한 도로를 주행시 감쇠력을 높이는 제어 기능 등이 있다.

3. 자세 제어

전자제어 현가장치의 자세 제어 기능은 차량의 발진시나 정지시, 주행시나 선회시에 나타나는 차량의 자세를 제어 하는 기능으로 앤티 롤 제어, 앤티 다이브 제어, 앤티 스커트 제어, 앤티 피칭 및 앤티 바운싱 제어, 스카이 훅 제어 기능 등을 들 수 있다. 이러한 자세 제어 기능은 쇽 업소버의 액추에이터를 제어하여 노면의 상태에 따른 감쇠력을 제어하고 그림(3-51)과 같이 공압 회로를 구성하여 쇽 업소버의 공기 스프링 압력을 제어하여 차량의 자세 제어를 하는 기능이다.

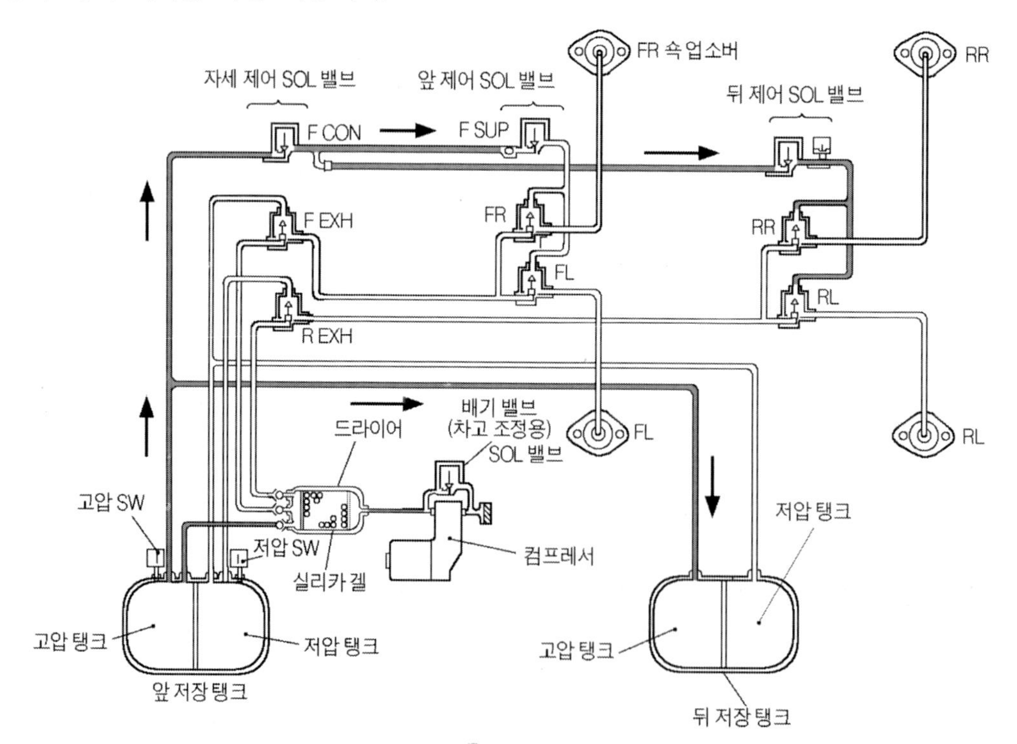

그림3-51 액티브 현가장치의 공기류량회로(H사 제품)

차체가 기울어지면 기울어지는 측의 공기 스프링에 공기를 급기하고 반대로 차체가 들리면 들리측의 공기 스프링을 배기하여 차량의 자세를 제어하는 기능이다. 따라서 ECS 시스템의 입 · 출력 신호는 그림 (3-52)와 같이 차량의 주행 상태를 검출하는 차속 센서, TPS 센서, 브레이크 SW, 조향각 센서 등이 정보가 필요하게 되며, 출력 측으로는 감쇠력 제어를 하기 위한 액추에이터(actuator), 공기 스프링의 공압을 제어하기 위한 솔레노이드 밸브(solenoid valve)가 필요하게 된다.

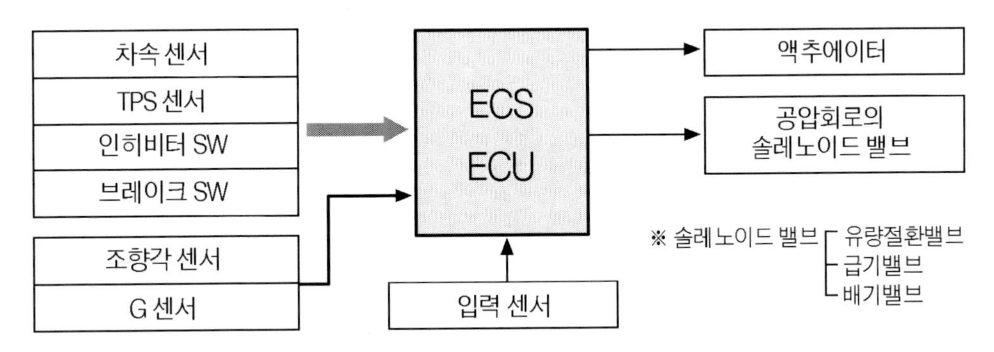

그림3-52 자세 제어시의 입출력 신호

(1) ANTI ROLL 제어

주행 중 선회시에는 차량의 원심력과 코너링 포스(cornering force)가 작용하여 차륜의 내측은 올라가고 외측은 내려가는 현상이 발생하게 돼 운전자는 조향 시 중심을 잃게 되는 현상이 발생하게 된다. 이 현상을 **롤 현상**이라 하며 롤 현상을 제어하는 기능을 **앤티 롤 제어 기능**이라 한다. 앤티 롤 제어 기능은 핸들(조향 휠)을 회전 할 때 핸들(조향 휠)의 회전 속도와 회전 방향, 회전 각도를 검출하고, 차속과 선회시 발생하는 횡가속도를 검출하여 ECS ECU(컴퓨터)는 이 신호를 기준으로 그림(3-53)과 같이 제어한다.

G-센서로부터 검출된 횡가속도의 신호는 필터1로부터 위상을 제어하고 저역 필터로부터는 작은 영역의 진동 신호는 무시 하도록 하여 그림 (b)의 차속에 대한 이득(gain)에 따라 쇽 업소버의 공기 스프링의 목표 제어값을 제어 하도록 되어 있다. 이때 감쇠력 절환은 ROM 내에 미리 설정된 목표 제어값에 따라 내륜은 SOFT → HARD로, HARD → SOFT로 절환하고, 외륜은 HARD → SOFT로, SOFT → HARD로 절환 하여 선회시 롤링(rolling) 하지 않고 선회할 수 있도록 제어하고 있다. 여기서 사용하는 G-센서는 쇽 업소버(shore absorber)의 감쇠력을 제어할 때 차체측의 움직임을 정확히 검출하기 위

해 사용하고 있는 센서이다.

[표3-8] 앤티 롤 제어시 시스템 상태

입력신호	선택모드 SW	감쇄력 제어	자세 제어		급배기 제어
			전 륜	후 륜	
차속 센서	AUTO	MEDIUM or HARD	외륜 급기	외륜 급기	좌우 통로 차단
조향각 센서					
G 센서	SPORT	HARD	내륜 배기	내륜 배기	좌우 통로 차단
압력 센서					

※ 압력 센서의 하중이 약 $7.0kg/cm^2$ 이상일 때 급배기 제어 상태

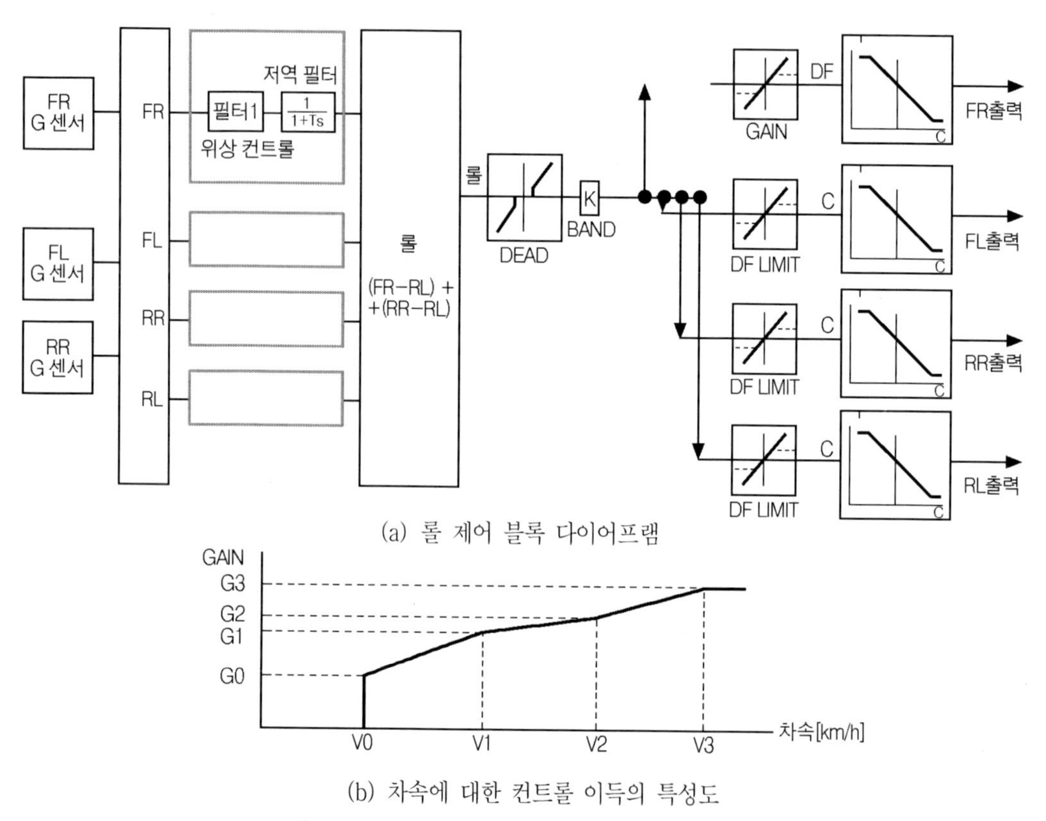

(a) 롤 제어 블록 다이어프램

(b) 차속에 대한 컨트롤 이득의 특성도

그림3-53 ECS 시스템의 롤 제어 논리 흐름도

(2) ANTI DIVE 제어

주행 중 브레이크 페달을 밟으면 차체는 앞으로 내려가는 현상을 **다이브**(dive) **현상**이라 하며 다이브 현상을 제어하는 기능을 **앤티 다이브**(anti dive) **기능**이라 한다.

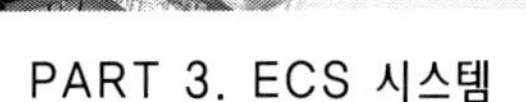

앤티 다이브 기능은 제동 시 감속도를 검출하는 차속 신호와 브레이크 스위치 신호를 기준으로 차량의 자세를 제어하는 기능이다.

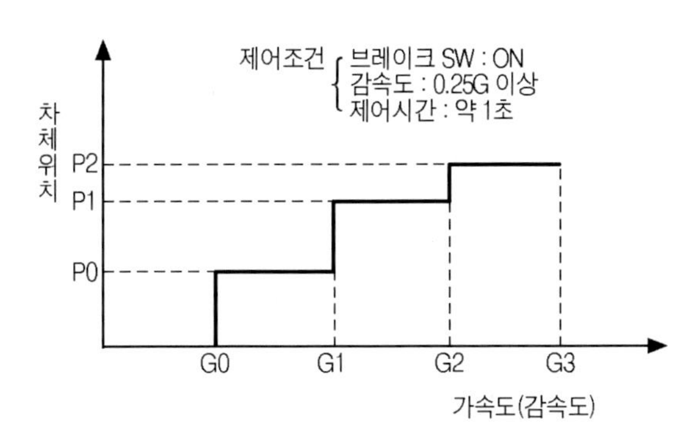

그림3-54 앤티 다이브 제어의 검출 특성(예)

ECU는 차속 센서와 브레이크 스위치 등의 입력 정보를 기준으로 다이브 현상이 발생될 조건을 판단하면 표 (3-9)와 같이 전륜 쇽 업소버의 공기 스프링을 급기로 제어하여 차체가 내려가는 현상을 방지하게 된다.

이 기능의 제어 조건은 차량의 일정 속도 이상에서 브레이크 스위치(brake switch)가 ON 되는 순간 ECU는 전륜측 공급 솔레노이드 밸브를 열어 급기 상태로 절환하게 하고, 가속도(감속도)를 계산하여 목표 감쇠력을 설정한다. 이때 감쇠력은 AUTO 모드 → MEDIUM 모드로, SPORT 모드 → HARD 모드로 절환하게 된다. 차량의 속도 증가로 브레이크 스위치(brake switch) ON시 가속도가 더욱 증가하면 표(3-9)와 같이 동시에 전륜측은 급기로 제어하고, 후륜측은 배기로 제어 한다. 차량의 속도가 감속하여 가속도가 일정치 이하로 떨어지면 전륜측은 급기와 후륜측은 배기한 시간만큼 급배기하여 원래의 상태로 되돌리도록 제어하게 된다.

[표3-9] 앤티 다이브 제어시 시스템 상태

입력신호	선택모드 SW	감쇄력 제어	자세 제어		급배기 제어
			전 륜	후 륜	
차속 센서 조향각 센서	AUTO	MEDIUM or HARD	전륜 급기	후륜 배기	전륜만 제어
G 센서 압력 센서	SPORT	HARD	전륜 급기	후륜 배기	전륜만 제어

※ 압력 센서의 하중이 약 7.0kg/cm² 이상일 때 급배기 제어 상태

(3) ANTI SQUAT 제어

앤티 스커트(anti squat) 제어 기능은 급발진 시나 주행 중 급가속시 발생하는 스커트 현상을 제어하기 위한 기능으로 ECU(컴퓨터)는 그림(3-55)와 같이 차속 신호와 TPS 신호를 기준으로 목표값을 제어한다. 차체의 앞쪽은 올라가고 뒤쪽은 내려가는 스커트 현

상을 제어하기 위해 차속 센서와 TPS 센서의 입력 정보를 기준으로 ECU는 스커트 현상이 발생될 조건을 판단하면 표(3-10)과 같이 전륜측 쇽 업소버의 공기 스프링을 배기로 제어하여 차체가 올라가는 현상을 방지하게 된다.

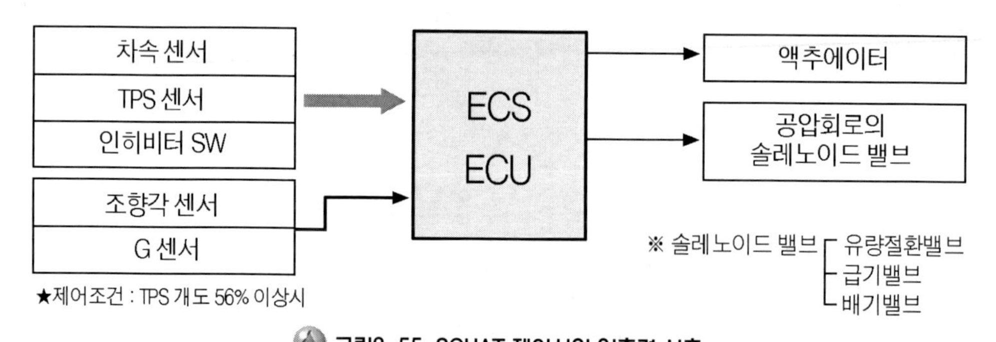

그림3-55 SQUAT 제어시의 입출력 신호

[표3-10] 앤티스쿼트 제어시 시스템 상태

입력신호	선택모드 SW	감쇄력 제어	자세 제어		급배기 제어
			전 륜	후 륜	
차속 센서 TPS	AUTO	MEDIUM or HARD	전륜 배기	후륜 급기	전륜만 제어
압력 센서	SPORT	HARD	전륜 배기	후륜 급기	전륜만 제어

※ 압력 센서의 하중이 약 7.0kg/cm² 이상일 때 급배기 제어 상태

이 기능의 제어 조건은 차량의 급발진이나 저속 상태에서 급가속하면 ECU는 TPS 신호의 개도량과 개도의 변화량을 기준으로 배기 솔레노이드 밸브를 열어 배기 상태로 절환하게 하고, 차량의 속도 변화량으로 가속도를 산출하여 목표 감쇠력을 설정하게 된다. 이때 스로틀 개도량은 보통 약 56% 이상이다. 스로틀 개도량이 약 56% 이상 되고 스로틀 변화량이 규정치 이상이 되면 ECU는 표(3-10)과 같이 전륜측 공기 스프링은 배기하고, 후륜측 공기 스프링은 급기로 제어한다. 이때 감쇠력 제어는 AUTO 모드 → MEDIUM 모드로 절환하고, SPORT 모드 → HARD 모드로 약 1초 동안 제어 한 후 복귀하게 된다. A/T(오토 미션) 장착 차량의 경우에는 차속이 약 3km/h 이상에서 TPS 신호 전압이 규정치 이상이 되면 ECU는 스톨 상태로 판단하고, 감쇠력은 HARD 모드로 제어하게 된다. 또한 차종에 따라서는 TPS 개도량이 완전 개방 상태로 1초 이상 지속되는 경우 감쇠력은 AUTO 모드 → MEDIUM 모드로 절환하고, SPORT 모드 → HARD 모드로 절환하여 제어하는 경우도 있다.

(4) 앤티 피칭 및 바운싱 제어

앤티 피칭, 바운싱(anti pitching & bouncing) 제어 기능은 차량이 비포장도로나 요철을 통과 할 때 차체는 상하로 진동 또는 차량의 진행 방향에 따라 기울어지는 현상을 제어 기능으로 그림(3-56)과 같이 차고 센서와 G-센서의 입력 신호를 기준으로 쇽 업소버의 감쇠력 제어와 급배기 제어를 하는 기능이다. 이 기능은 차고 센서와 G 센서의 입력 신호를 기준으로 ECU는 앤티 피칭, 바운싱 제어 조건으로 판단하면 피칭, 바운싱(pitching & bouncing) 현상이 발생하지 않도록 표(3-11)과 같이 쇽 업소버의 감쇠력과 신축 상태에 따라 공기 스프링의 급배기를 제어한다.

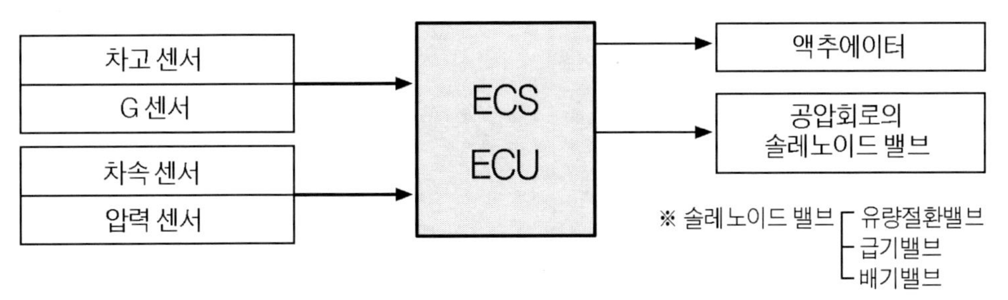

그림3-56 피칭, 바운싱 제어시 입출력 신호

[표3-11] 앤티 피칭 및 바운싱 제어시 시스템 상태

입력신호	선택모드 SW	감쇄력 제어	자세 제어		급배기 제어
			전 륜	후 륜	
차속 센서	AUTO	MEDIUM or HARD	신장측→배기	신장측→배기	급배기 제어장치
차고 센서			수축측→급기	수축측→급기	
압력 센서	SPORT	HARD	신장측→배기	신장측→배기	급배기 제어장치
			수축측→급기	수축측→급기	

※ 압력 센서의 하중이 약 7.0kg/cm² 이상일 때 급배기 제어 상태

그림(3-57)은 바운싱 제어의 목표값을 제어하기 위한 논리 흐름도를 나타낸 것이다. 여기서 저역 필터는 G-센서, 차고 센서로부터 검출한 작은 진동은 필터를 통해 무시되고 일정 진동 이상 검출되면 목표 신호값을 연산하여 감쇠력은 최대로 제어 한다. 또한 차고 센서의 신축 신호에 따라 쇽 업소버의 공기 스프링이 신장측은 배기로 제어하고, 압축측은 급기로 제어하게 돼 차량의 진행 방향에 따라 기울어지는 현상을 제어할 수 있게 된다.

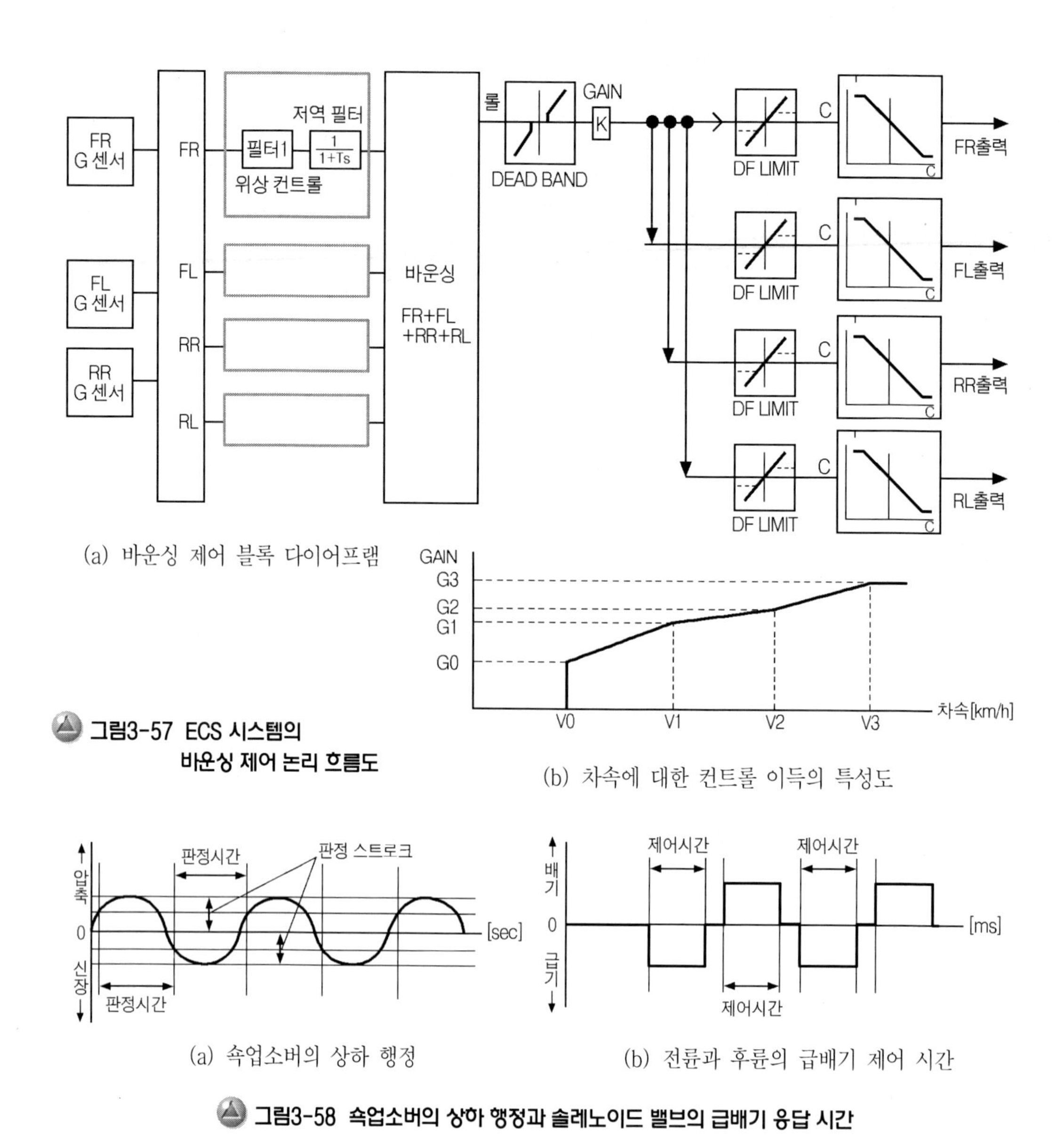

(a) 바운싱 제어 블록 다이어프램

(b) 차속에 대한 컨트롤 이득의 특성도

그림3-57 ECS 시스템의 바운싱 제어 논리 흐름도

(a) 쇽업소버의 상하 행정

(b) 전륜과 후륜의 급배기 제어 시간

그림3-58 쇽업소버의 상하 행정과 솔레노이드 밸브의 급배기 응답 시간

4. 차고 제어

(1) 선택 모드별 차고 제어

차고 제어 기능은 차량의 주행 조건이나 운전자의 선택 모드에 따라 보통 3~5단계 정도(very low, low, normal, high, extra high)로 제조사의 차종에 따라 제어 되고 있다.

차고 제어는 운전자의 선택 모드에 따라 차량의 앞측과 뒤측에 설치된 차고 센서 신호와 차속 센서에 의해 ECU는 목표 차고를 연산하여 쇽 업소버의 공기 스프링을 제어하고 있다. 이 제어는 선택 모드 스위치의 선택에 따라 표 (3-13)의 예와 같이 제어하고 있다. 선택 모드 스위치가 AUTO 차고 모드의 경우에는 승차 인원수, 화물의 적재량과 차 속에 따라 차고 조절은 자동으로 LOW ~ HIGH(3단계)로 공기 스프링의 압력을 자동으로 제어 한다. 이때 차고 제어는 차량의 앞측과 뒤측 차고 센서의 입력 신호를 기준으로 차고 조절 개시, 목표 차고 조절 및 정지 결정을 ECU는 행하게 된다.

모드 선택 스위치는 도로의 조건이나 운전자의 주행 조건에 따라 일반 도로의 경우에는 AUTO 모드로 요철이나 비포장도로의 경우에는 HIGH 모드 또는 EXTRA HIGH 모드로 절환 하여 주행 안정성을 향상 할 수 있다.

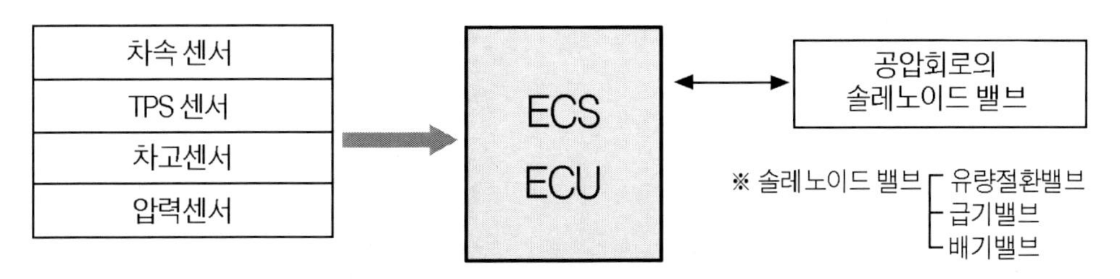

그림3-59 차고 제어시의 입출력 신호

[표3-13] 선택 모드별 차고제어(일본 미쓰비시사 차량 예)

선택 SW	제어 모드	제어 조건	적용 도로	차 고
AUTO 모드	LOW	10초 이상 90km/h 이상일 때	포장도로	normal-10mm
		100km/h 이상일 때		
		헤드램프 ON 시		
	NORMAL	70km/h 이하일 때	포장도로	약 380mm
HIGH 모드	HIGH	40km/h 이하일 때	비포장 도로, 요철	normal + 30mm
		70km/h 이하일 때	비포장 도로, 요철	normal + 30mm
		70km/h 이상시 AUTO 모드로 자동복귀		
EXTRA	EXTRA	10km/h 이하일 때	험로	normal + 30mm
HIGH 모드	HIGH	10km/h 이상시 AUTO 모드로 자동복귀		

선택 스위치가 AUTO 모드 시에는 차종에 따라 약 100km/h 이상이 되면 자동으로 NORMAL → LOW로 하향 조절되고, 약 70km/h 이하가 되면 자동으로 LOW →

NORMAL 로 목표 차고가 조절 된다. 또한 제조사의 차종에 따라서는 야간 운행시 전조등의 조사 위치를 확보하기 위해 전조등 스위치를 ON 시키면 차고는 자동으로 LOW 상태로 절환 차고 조절시 보다 약 2초간 급속히 차고 조절이 되도록 하고 있다. 한편 EXTRA HIGH 모드시에는 차고 조절은 승차 인원과 적재 화물에 따라 차량의 앞측과 뒤측의 높이가 다르게 조절하는 경우도 있다. HIGH 모드의 경우에는 요철이나 비포장 도로 주행시 차량의 주행 안정성을 향상하기 위한 것으로 약 70㎞/h 이하 시에 만 절환이 가능하도도록 되어 있다. 선택 모드별 차량의 차고는 제조사의 차종에 따라 다르므로 필요시 정확한 차고 값은 해당 제조사의 정비 매뉴얼을 참조하여 보면 좋다.

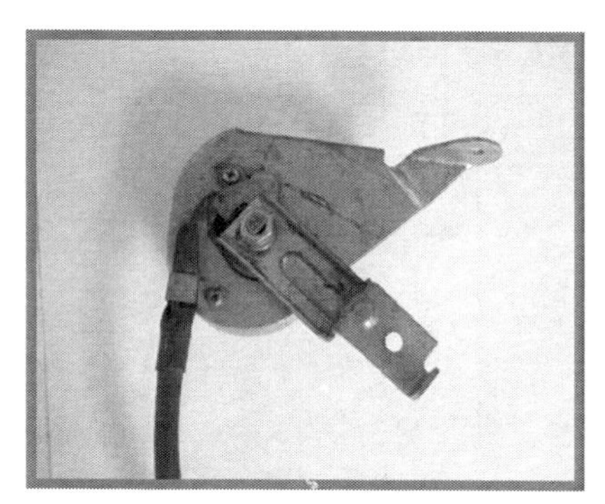
사진3-45 차고센서(후면)

사진3-46 차고센서(전면)

(2) 고속 안정 차고 제어

고속 안정 차고 제어 기능은 차량의 일정 속도 이상이 되면 자동으로 차고를 낮추어 주행 안정성을 향상하기 위한 기능으로 ECU는 차속 신호로부터 약 110㎞/h 이상 검출하면 자동으로 차고를 LOW 모드로 낮추어 주행 안정성을 향상한다. 이때 감쇠력 제어도 표(3-14)와 같이 증가시켜 주행 안정성을 높이고 있다. 차종에 따라 다르지만 복귀 시에는 약 90㎞/h 이하가 검출되면 자동으로 원래 상태로 복귀한다.

[표3-14] 고속 차고 제어시 시스템 상태

입력신호	선택모드 SW	감쇄력 제어	자세 제어		급배기 제어
			전 륜	후 륜	
차속 센서	AUTO	super SOFT or SOFT	NORMAL → LOW	LOW → NORMAL	제어 즉시
압력 센서	SPORT	HARD	NORMAL → LOW	LOW → NORMAL	제어 즉시

※ 압력 센서의 하중이 약 7.0kg/cm² 이상일 때 급배기 제어 상태

(3) 비포장 도로 제어

비포장 도로의 제어 기능은 전륜 차고센서로부터 2초에 3.5Hz 이상 진동을 검출하면 ECU는 비포장 도로로 판정하고 감쇠력을 미디엄으로 제어하는 기능이다. 이때 선택 스위치는 AUTO 모드나 SPORT 모드에 상관없이 차고 센서에 의해 진동이 규정치(3.5Hz) 이상되면 ECU는 비포장 도로로 판정하게 된다. ECU는 비포장 도로로 판정하면 스카이 훅 제어는 금지된다. 그러나 주행중 그림 (3-60)과 같이 큰 기폭을 만나면 감쇠력은 소프트로 절환되어 차체의 충격을 흡수하게 된다. 기폭의 정상 지점을 통과할 때 충격은 쇽 업소버의 스프링을 통해 전달되기 때문에 기폭의 정점을 통과 후에는 신장측 감쇠력은 하드로 제어하여 차제의 충격 전달을 막는다. 이때 반동으로 인해 차체가 아래로 가라앉지 않도록 감쇠력을 적절히 제어하고 있다.

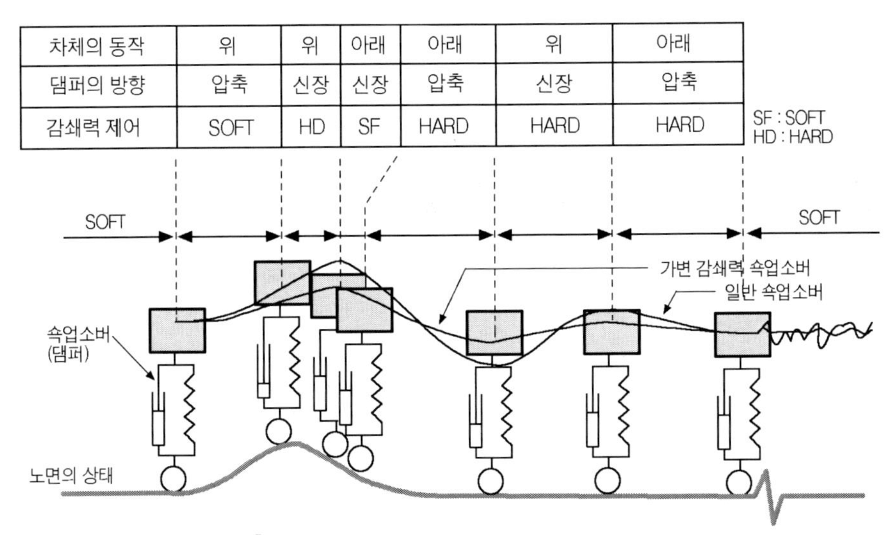

그림3-60 스카이 훅 제어시 감쇄력 변화

[표3-15] 제어 항목별 우선 순위 처리(예)

감쇄력 제어		차고 제어	
순위	제어 항목	순위	제어 항목
1	모드 선택 SW의한 제어시	1	모드 선택 SW의한 제어시
2	롤, 다이브, 스쿼트 HARD 제어시	2	롤(roll) 제어시
3	스카이 훅 대응 HARD 제어시	3	다이브(dive) 제어시
4	피칭, 바운싱 대응 HARD 제어시	4	스쿼트(squat) 제어시
5	노면 대응 HARD 제어시	5	피칭, 바운싱 제어시
6	롤, 다이브, 스쿼트 MEDIUM 제어시	6	급속 차고 제어시
7	노면 대응 MEDIUM 제어시	7	스카이 훅 제어시(AUTO 모드시)
8	차속 대응 감쇄력 MEDIUM 제어시	8	통상 차고 제어시

5. 기타 제어

(1) 초기 세트 제어와 배터리 백업 기능

점화 스위치를 OFF하면 ECU내의 CPU는 리셋(reset) 되어 초기 상태로 세트되고 점화 스위치를 ON 시키면 자동으로 AUTO 모드로 전환 된다. 또한 ECU는 자기 진단하여 ECS 경고등을 소등하게 된다. 이때 ECS 시스템이 이상이 있는 경우에는 미리 기억된 이상 코드를 재생하여 ECS 경고등을 점등하게 된다. 이 이상 코드는 소거하지 않는 한 점화 스위치를 OFF 한 후에도 배터리 백업(battery back up) 기능에 의해 메모리에 저장하고 있게 된다. 한편 점화 스위치를 OFF하면 차고 제어는 하향 조절하게 되며 이때 원래 설정된 차고로 조절 한 후 ECU 전원은 OFF하게 된다.

(2) 컴프레서 제어

컴프레서 제어 기능은 리저브 탱크(reserve tank)의 압력이 일정압 이하로 떨어지면 리저브 탱크의 공기를 충진 하기 위해 컴프레서(compressor)에 전원을 공급하는 기능을 말한다. 고압측 탱크 압력이 약 7.5kg/㎠ 이하이면 4분 이내에서 컴프레서를 작동하고 탱크 압력이 약 9.5kg/㎠ 이상이 되면 컴프레서의 작동을 중지한다. 리저브 탱크의 압력 검출은 리저브 탱크나 고압 라인에 설치된 압력 스위치에 의해 검출하여 ECU는 컴프레서 릴레이를 구동 한다. 고압 스위치는 약 7.5kg/㎠ 이하이면 ON 상태가 되고, 약 9.5kg/㎠ 이상이 되면 OFF 상태가 돼 컴프레서의 전원을 단속한다.

컴프레서의 전원 공급은 컴프레서 릴레이를 통해 공급하며, 릴레이 전원이 공급되면 약 200㎳ 동안 OFF 되지 않도록 하고 있다. 컴프레서와 달리 리턴 펌프(return pump) 제어 기능은 공기 스프링으로부터 배기된 공기는 저압 탱크로 저장되고, 저압 탱크의 압력이 규정압 (0.7 ~ 1.4kg/㎠) 이상이 되면 리턴 펌프를 구동하여 저장된 저압 탱크의 공기를 고압 탱크로 보내 저압 탱크의 압력을 규정압 내로 유지하도록 하고 있는 제어 기능이다. 리턴 펌프의 작동은 약 2분 이내에서 작동이 되며 저압 탱크의 압력이 0.7kg/㎠ 이하가 되면 저압 스위치는 OFF 상태가 돼 리턴 펌프의 구동을 멈추게 한다.

(3) 로터리 밸브 제어

로터리 밸브 제어 기능은 쇽 업소버(shore absorber)의 감쇠력을 변화하기 위한 제어 기능으로 정확한 사양은 해당 제조사의 정비 매뉴얼이나 규정값을 참고한다. 여기 소개한

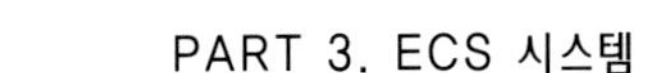

기능은 일본 미쓰비시(사)의 차종으로 이 기능은 점화 스위치 ON 시 로터리 솔레노이드 밸브(rotary solenoid valve)는 약 0.5초 후 목표 감쇠력을 제어하는 기능이다. 이때 ECU는 점화 스위치(IGN ON) 신호와 시동 신호(알터네이터의 L-단자 신호)를 받는 동시 약 0.5초 간 소프트(SOFT) 모드에서 목표 감쇠력으로 제어하는 기능을 말한다.

(4) 리어 압력 급배기 제어

리어 압력 급배기 제어 기능은 리어 압력 센서의 신호를 기준으로 공압 회로의 솔레노이드 밸브를 통해 급배기 제어하는 기능을 말 한다. 이 제어 기능은 리어 압력 센서의 출력 값이 약 2.25V(7.0kg/㎠)이상이면 표 (3-16)과 같이 제어하는 기능이다. 이 기능의 작동은 압력이 높은 경우 리저브 탱크의 압력을 규정압으로 유지하기 위해 급기는 길게 제어하고, 배기는 짧게 제어 하도록 하고 있다.

[표3-16] 리어 압력에 의한 급배기 제어(일본 미쓰비시 차종 예)

제어 항목	급배기 제어	제어 항목	급배기 제어
앤티 롤	좌우 통로 차단	피칭, 바운싱	급배기 제어 정지
앤티 다이브	전륜만 제어	스카이 훅	급배기 제어 정지
앤티 스쿼트	전륜만 제어	차고 제어	즉 시

5. ECS 시스템의 회로 구성과 자기 진단

1. ECS 시스템의 회로

ECS 시스템 회로의 구성은 기본적으로 시스템에 전원을 공급하기 위한 전원 공급 회로와 입력 정보를 제공하는 입력 회로, 모드(mode)에 따라 감쇠력 및 자세를 제어하기 위한 출력 회로, 신호를 처리하는 제어 회로로 구성되어 있다. 이들 시스템 회로의 구성은 제조사의 차량 종류에 따라 다르지만 일반적으로 그림 (3-61)과 같다.

그림(3-62)의 회로도는 일본 닛산 차량의 초기 모델에 적용한 ECS 시스템 회로로 차량의 차고 제어를 주안점으로 설계한 회로도로 현재에는 적용하고 있지 않는 방식이다.

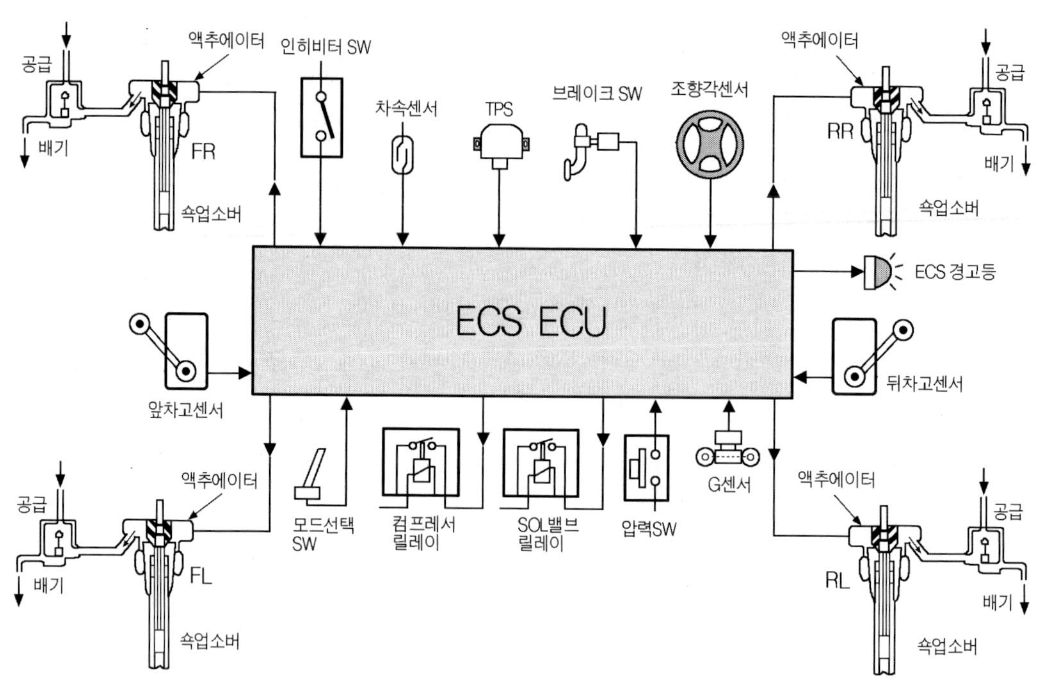

그림3-61 ECS 시스템의 회로 구성도

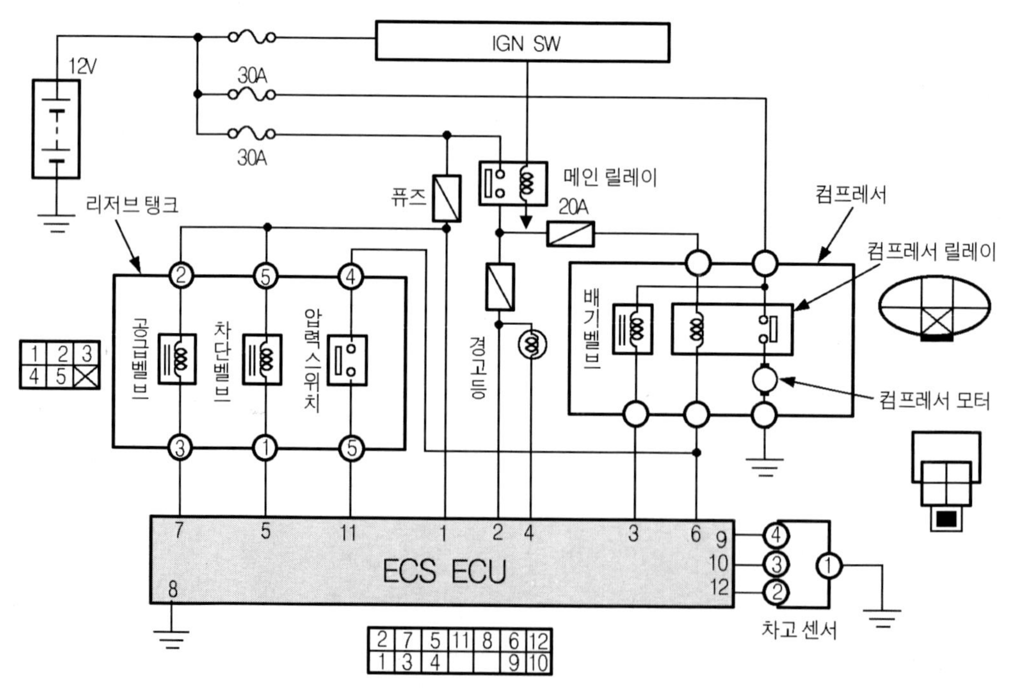

그림3-62 차고 제어 회로(닛산 예)

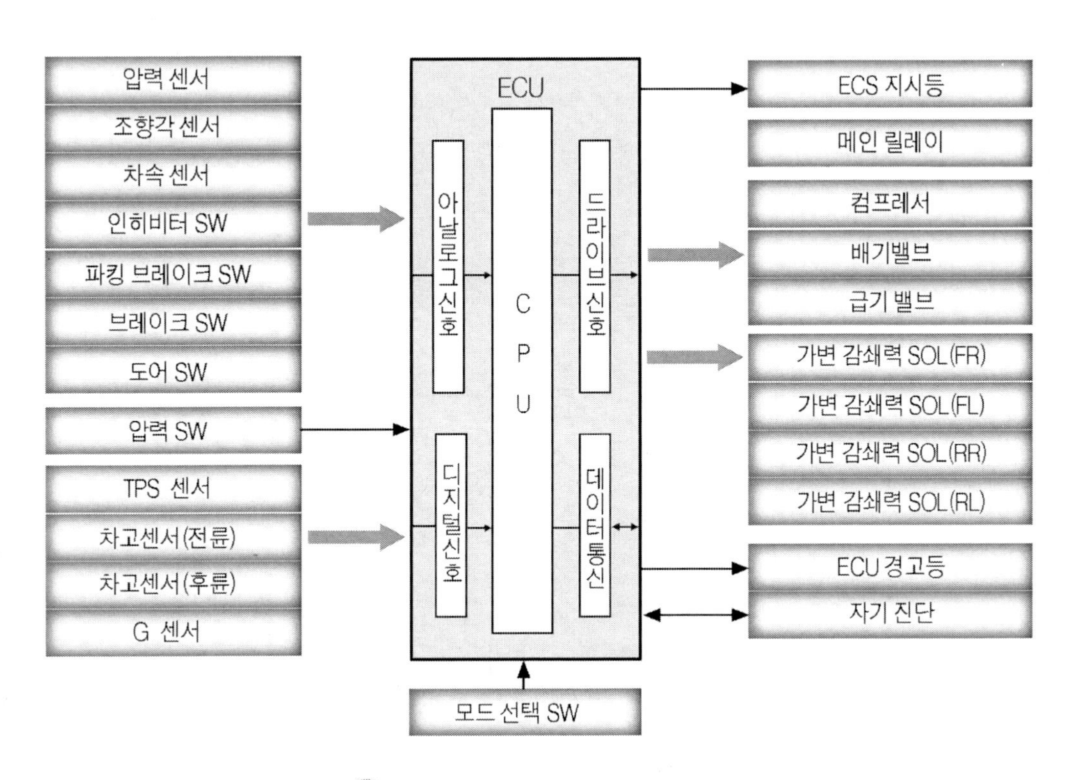

그림3-63 ECS 시스템의 입출력 구성

사진3-47 ECS 릴레이(K사 차종)

사진3-48 컴프레서

그림(3-64)는 세미 액티브 ECS(semi active ECS) 회로도와 그림(3-65)는 액티브 ECS(active ECS) 회로도를 나타낸 것으로 국내외 대표적으로 적용하고 있는 ECS 시스템의 회로도이다. 그림(3-64)의 세미 액티브 ECS 회로를 살펴보면 ECS 시스템에 전원

을 공급하기 위한 메인 릴레이를 설치하여 컴프레서와 쇽 업소버의 솔레노이드 밸브로 전원을 공급하고 있다. 발전기의 L-단자를 통해 공급하고 있는 전원은 신호용으로 사용하는 것으로 엔진의 회전 상태를 검출하는 신호로 사용하고 있는 단자이다.

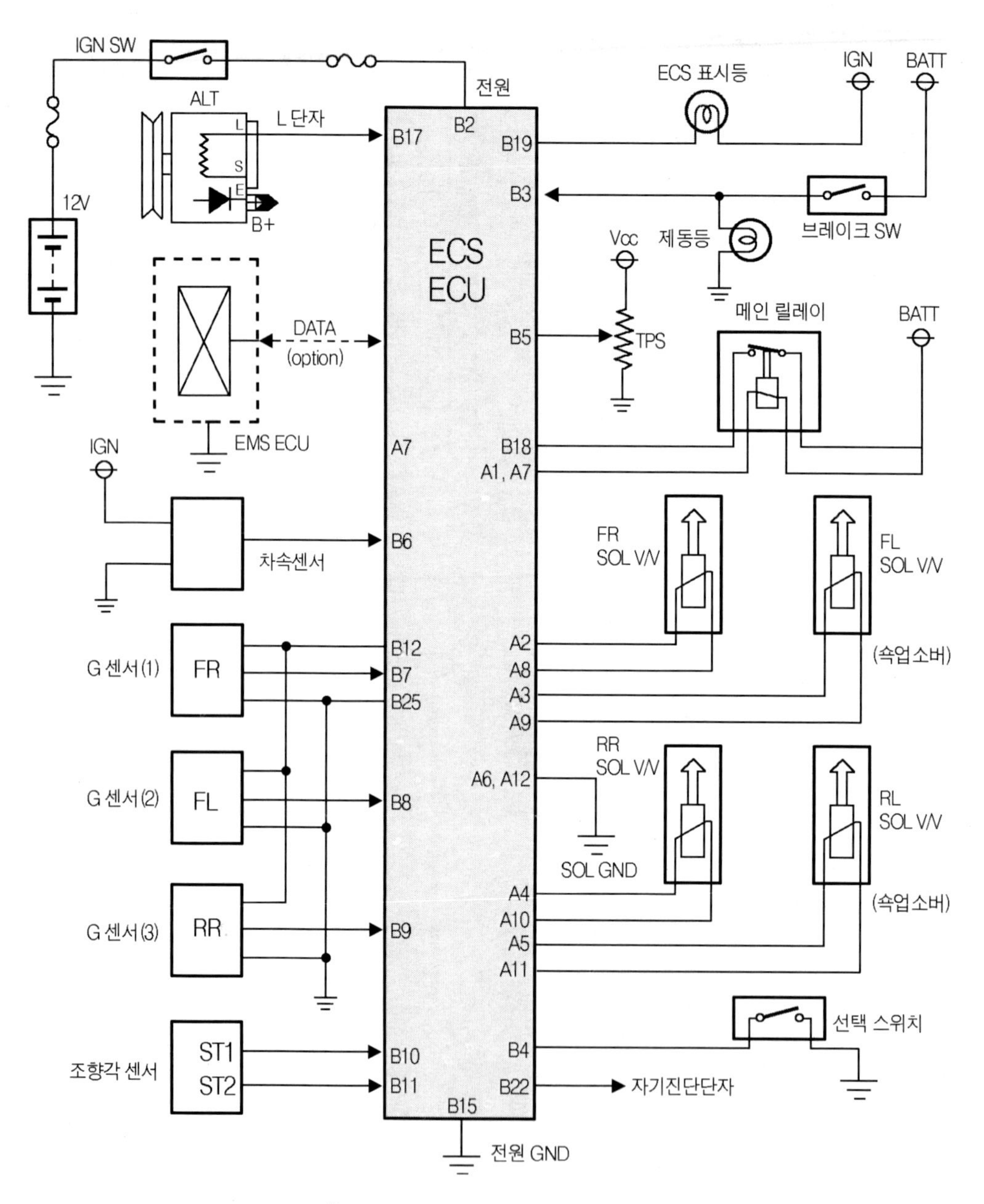

그림3-64 ECS 회로도(국내 K사 차종)

이 회로의 입력측 회로를 살펴보면 차속 센서와 3개의 G-센서, 그리고 조향각 센서가 축을 이루고 있는 것을 볼 수 있다. 여기에 사용한 차속 센서는 고속 안전 제어나 앤티 스커트(anti squat) 제어 시 입력 신호로 사용하고 있으며, 3개의 G-센서는 차량의 앞측 좌우 1개씩과 뒤측 1개가 장착되어 차량의 좌우 쏠림과 상하 진동을 검출하여 차량의 앤티 바운싱(anti bouncing), 앤티 피칭(anti pitching), 앤티 롤(anti roll) 제어를 하도록 한 구성 부품이다. 또한 브레이크 스위치를 입력 신호로 사용하는 것은 앤티 다이브(anti dive)제어를 하기 위한 신호용으로 구성한 회로도이다. 출력측의 회로는 차량의 감쇠력 제어와 자세 제어를 하기 위한 4개의 가변 감쇠력 쇽 업소버의 솔레노이브 밸브(solenoid valve)를 구동하도록 구성되어 있는 것을 볼 수 있다.

한편 이 회로는 옵션(option) 사양으로 EMS ECU(엔진 ECU)로부터 TPS 센서 신호를 통신 라인 통해 수신 할 수 있도록 하여 앤티 스커트(anti squat) 제어, 앤티 롤(anti roll) 제어를 수행할 수 있도록 구성되어 있는 회로이다.

그림(3-65)의 액티브 ECS(active ECS) 회로도를 살펴보면 먼저 공급 전원 회로는 파워 릴레이(power relay)를 통해 ECS 시스템의 전원을 공급하고 전력 소모가 비교적 큰 컴프레서(compressure)와 공기 스프링의 유량 절환 솔레노이드 밸브는 각 해당 전원 공급용 파워 릴레이를 통해 공급하도록 구성되어 있어 전원 회로 이상시 해당 부위의 점검이 용이하게 구성되어 있다. 이 회로의 입력측 회로는 브레이크 스위치(brake switch) 조향각 센서, 공기 라인의 압력을 검출하는 압력 스위치, 운전자의 가감속 의지를 검출하는 TPS 센서, 승객의 승하차를 검출하여 차고를 제어하기 위한 도어 스위치, 헤드라이트의 조사 빔의 위치를 보정하기 위해 자세 제어하는 헤드라이트 릴레이의 전원 검출 신호, 초음파를 이용 차체 전방의 노면 돌출부를 검출하기 위한 프리뷰 센서(차종에 따른 option 사양) 등의 회로가 구성되어 있는 것을 볼 수 있다.

출력측 회로에는 차량의 감쇠력을 제어하기 위한 전후, 좌우의 4개 액추에이터(스텝 모터)가 설치되어 있으며, 쇽 업소버의 공기 스프링의 유량을 제어하기 위한 10개의 유량 절환, 급배기 솔레노이드 밸브로 구성되어 있는 회로이다. 이들 ECS 시스템의 회로 구성은 다른 제조사의 차종에 비교하여 크게 다르지 않아 기본적인 시스템의 구성 요소를 이해하여 두면 다른 차종의 시스템도 쉽게 이해할 수 있다.

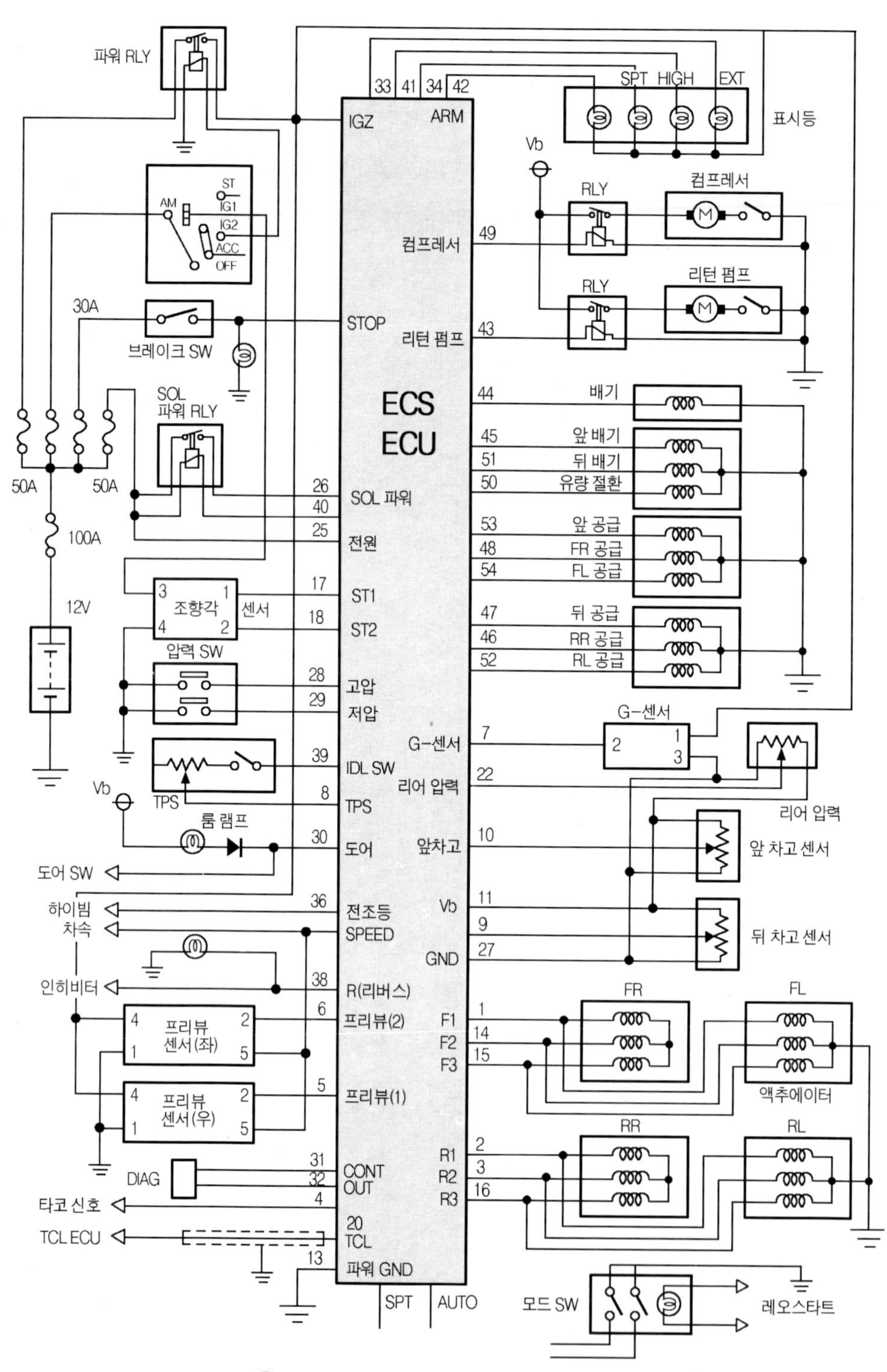

그림3-65 ECS회로도(일본, 미쓰비시 차종)

2. ECS 시스템의 제어 내용

지금까지 설명한 것과 같이 ECS 시스템의 제어 내용을 크게 나누어서 보면 표 (3-17)과 같이 승원의 승차감을 조절하는 감쇠력 제어와 차량의 주행 안전성을 확보하기 위한 자세 제어 및 차고 제어로 구분하여 정리 해 볼 수 있다.

[표3-17] ECS시스템의 제어 내용

제어 기능			제어 내용
운전자 선택		모드 선택 스위치	• 모드 선택 SW : AUTO, SPORT 모드
			• 차고 절환 SW : AUTO, HIGH, EXTRA - HIGH 절환
감쇄력	1	포장 도로 감쇄력 제어	• AUTO 모드 : SOFT ~ HARD
	2	비포장 도로 감쇄력 제어	• SOFT → MEDIUM, MEDIUM → HARD
	3	차속 감응 감쇄력 제어	• 정속주행 → SOFT, 가감속 주행 → HARD
자세 제어	1	앤티 롤 제어	• 차속, 횡가속도, 조향각 신호를 바탕으로 ROM 내에 MAP화 데이터에 의해 외륜측 공기 스프링 → 급기, 내륜측 공기 스프링 → 배기
	2	앤티 다이브 제어	• 브레이크 SW → ON, G 센서 → 0.2G 이상시 개시 : 앞 급기, 뒤 배기 복귀 : 앞 배기, 뒤 급기
	3	앤티 스쿼트 제어	• 차속, TPS의 개도량, 개도 시간을 바탕으로 개시 : 앞 배기, 뒤 급기 복귀 : 앞 급기, 뒤 배기
	4	앤티 피칭, 바운싱 제어	• 차고 신호의 상하 운동 주기를 기준으로 공기 스프링 수축측 → 급기 공기 스프링 신장측 → 배기
	5	A/T 시프트 스쿼트	• 브레이크, 주차 브레이크 및 변속 레버, 차속 신호를 기준으로 감쇄력 → HARD
차고	1	통상 차고 조절	• AUTO 모드시 : LOW ~ HIGH 절환
	2	급속 차고 조절	• 차고 신호를 기준으로 험로 검출 : 약 2초 내로 급속 차고 조정
기타 제어		컴프레서 제어	• 고압, 저압 SW에 의한 제어
		페일 세이프, 자기 진단	• 입출력 신호 검출 → 경고등 점등 • 페일 세이프 → 자기 진단 코드 출력
		서비스 데이터	• 스캐너의 명령에 의한 데이터 전송 제어

3. DTC 코드

[표3-18] DTC 코드의 판정 조건(일본 미쓰비시 차종 예)

고장코드	항목	경고등	판정조건	감쇄력	차고	급배기	모드		해제조건
							HIGH	SPT	
11	G센서	○	• IG ON 상태에서 G센서 : G<0.5V 또는 G>4.5V의 출력이 5분간 지속시 주 IG OFF→ON시 2초간 판정금지 • 3분 이상 롤 제어시	○	○		○	×	• IG ON • 2.4V≤G≤2.6V를 100m 이상시 • IG OFF → ON시
12	발전기	×	• 40km/h 이상, L-단자 전압이 1.5초 이상 5V↓ 입력시	×	×	#	×	×	• L-단자 전압 : 7.0V 이상시
13	저압 SW	×	• 30회 이상 배기 제어 해도 저압 SW가 OFF 되지 않을 때 (소착 불량) • 리턴 펌프가 2분→작동, 2분→정지를 10회 이상 반복시 (배선 단선) 주 감쇄력 변화는 가능 컴프레서 작동 정지	○	○	금지	×	×	• IG OFF → ON시 • 파워ON →OFF시
21	조향각	○	• 점화 SW ON 시 : 조향각 센서 출력이 2초 이상 0.5V 이하 또는 4.7V 이상 입력시	미디엄 고정	노말 고정	금지	×	○	• 입력전압 1V이상, 4V이하로 500ms이상 입력시
22	앞차고	○	• 앞차고 센서 : 10초 이상 0.1V이하 출력 10초 이상 4.8V이상 출력	미디엄 고정	금지	금지	×	○	• 입력전압 1V이상, 4V이하로 100ms이상 입력시
23	뒤차고	○	• 뒤차고 센서 : 10초 이상 0.1V이하 출력 10초 이상 4.8V이상 출력	미디엄 고정	금지	금지	×	×	• 입력전압 1V이상, 4V이하로 100ms이상 입력시
24	차속	○	• TPS 센서 : 1.5V 이상, • 발전기 L-단자 : HIGH 일 때 60초 이상 차속 신호가 입력되지 않을 때	미디엄 고정	노말 고정	금지	×	×	• 차속신호 입력시 • IG OFF → ON시
25	뒤압력	○	• ECS 릴레이 : ON 되고 3분 이상 전원 공급 차단시	#4	#3	금지	#3	×	• 4V 이하 입력시 • IG OFF→ON 시
42	ECS 릴레이	○	• ECS 릴레이 : ON 되고 펌프 릴레이 OFF시	미디엄 고정	금지	금지	×	×	• IG OFF→ON 시

고장 코드	항목	경고등	판정조건	감쇄력	차고	급배기	모드		해제조건
							HIGH	SPT	
43	펌프 릴레이	○	• ECS 릴레이 : ON시 ECU 내부 TR단선, 단락	미디엄 고정	금지	금지	×	×	• IG OFF → ON시
44	펌프 릴레이	○	• ECS 릴레이 : ON시 ECU 내부 TR단선, 단락	미디엄 고정	금지	금지	×	×	• IG OFF → ON시
45	배기 밸브	○	• ECS 릴레이 : ON시 ECU 내부 TR단선, 단락	미디엄 고정	금지	금지	×	×	• IG OFF → ON시
46	유량 밸브	○	• ECS 릴레이 : ON시 ECU 내부 TR단선, 단락	미디엄 고정	금지	금지	×	×	• IG OFF → ON시
47	배기 (좌우)	○	• ECS 릴레이 : ON시 ECU 내부 TR단선, 단락	미디엄 고정	금지	금지	×	×	• IG OFF → ON시
51	공급 밸브	○	• ECS 릴레이 : ON시 ECU 내부 TR단선, 단락	미디엄 고정	금지	금지	×	×	• IG OFF → ON시
52	앞측 밸브	○	• ECS 릴레이 : ON시 ECU 내부 TR단선, 단락	미디엄 고정	금지	금지	×	×	• IG OFF → ON시
53	뒤측 밸브	○	• ECS 릴레이 : ON시 ECU 내부 TR단선, 단락	미디엄 고정	금지	금지	×	×	• IG OFF → ON시
54	차고 이상	○	• 고압 SW OFF시 차고 조정이 3분 이상 계속 될 때	미디엄 고정	금지	금지	×	×	• IG OFF → ON시
55	차고 조정 이상	○	• 고압 SW ON시 차고 조정이 3분 이상 계속 될 때 • 컴프 4분 이상 계속 작동	미디엄 고정	금지	금지	×	×	• IG OFF → ON시
56	공기 누설	×	• 자세 제어가 되지 않고 리턴 펌프가 8회 이상 작동	○	○	○	○	×	
61	압축 액추 에이터	○	• 점화 SW ON 후 액추에이터가 작동하지 않을 때 • 0.3초 이상 3V 이하 시	미디엄 고정	금지	금지	×	×	
63	뒤측 액추 에이터	○	• 점화 SW ON 후 액추에이터가 작동하지 않을 때 • 0.3초 이상 3V 이하 시	미디엄 고정	금지	금지	×	×	

#1 : 롤 제어 시에만 급배기 금지
#2 : 차량 속도가 3km/h 이하 시는 금지
#3 : HIGH 모드에서도 AUTO 모드의 데이터 수신 가능
#4 : 고장 코드 25번 검출시 감쇄력은 MEDIUM 모드이며, SOFT 모드로는 변환 금지
#5 : 차고 제어 시간 초과시 차고 제어후 경고등 점등

point

ECS의 기능

1 액티브 ECS의 기능

1. 감쇠력 제어

모드 선택 스위치에 의해 도로 조건이나 주행 상태에 따라 쇽 업소버의 감쇠력이 자동으로 조절되는 모드로 보통 제조사의 차종에 따라 3단계에서 5단계 정도로 자동으로 절환 된다.

① SOFT 모드 : 정속 주행시 부드러운 승차감을 갖는 모드

② MEDIUM 모드 : 중속 주행시 중간 정도의 부드러운 승차감을 갖는 모드

③ HARD 모드 : 고속 주행시 주행 안전성을 확보하기 위해 승차감을 억제하는 모드

2. 자세 제어

주행시 차량의 주행 안전성을 확보하기 위한 제어 모드로 앤티 롤 제어, 앤티 스커트 제어, 앤티 다이브 제어, 앤티 피칭 및 바운싱 제어가 있다.

① 앤티 롤 제어 : 선회시 차량의 원심력에 의해 롤(roll) 현상을 제어하기 모드

② 앤티 스커트 제어 : 발진시나 가속이 차량의 뒤측이 들어 올려지는 현상을 제어하기 위한 모드

③ 앤티 다이브 제어 : 제동이 차량이 앞측이 가라앉는 현상을 제어하기 모드

④ 앤티 바운싱 제어 : 요철이나 비포장도로를 주행시 차량의 상하 운동하는 것을 제어하는 모드

3. 차고 제어

도로 조건이나 탑재 물건의 변화량에 따라 차체의 차고를 조절하여 주행 안정성을 확보하기 위한 모드

① LOW 모드 : 고속 주행시 주행 안전성을 확보하기 제어하는 모드

② NORMAL 모드 : 정속 주행시 주행 안전성을 확보하기 위해 제어하는 모드

③ HIGH 모드 : 험로 주행시 운전자의 선택 SW의 절환에 의해 제어하는 모드

4. 기타 제어

① 초기 세트 제어 : 초기 점화 스위치 ON시 CPU는 리셋 되고, 감쇠력 제어 모드는 자동으로 AUTO 모드로 절환된다. 또한 경고등이 소등 되도록 제어한다.

② 컴프레서 제어 : 리저브 탱크(공기 저장 탱크)의 압력이 일정압 이하로 떨어지면 공기를 충진하기 위해 컴프레서를 구동하는 제어

04
EPS 시스템

EPS 시스템

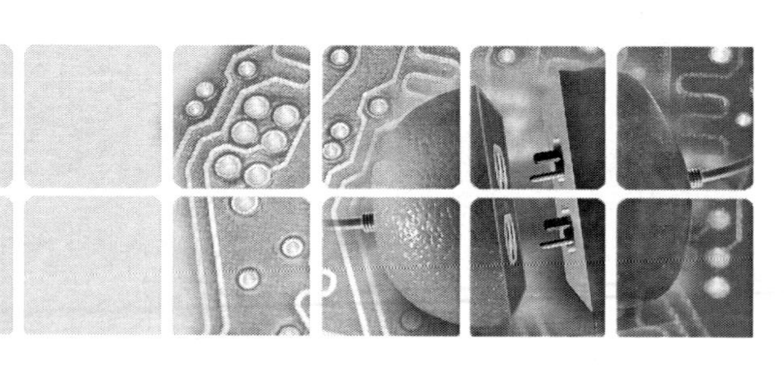

1. EPS 시스템의 개요와 분류

1. EPS 시스템의 개요

스티어링 휠(steering wheel)은 우리가 흔히 표현하는 조향 핸들을 말하는 것으로 여기서는 조향 핸들 대신 원어인 스티어링 휠이라 표현하여 설명하겠다. 스티어링 휠의 조타 기능은 기본적으로 차량의 목표 방향을 주행하기 위한 장치이지만 스티어링 휠의 조향 감각과 조향력은 운전자의 주행 안전성을 확보하기 위한 중요한 요소이다. 이 스티어링 휠의 조향 감각은 무겁지도 않고 가볍지도 않도록 항상 운전자의 조향 감각을 요구되고 있다.

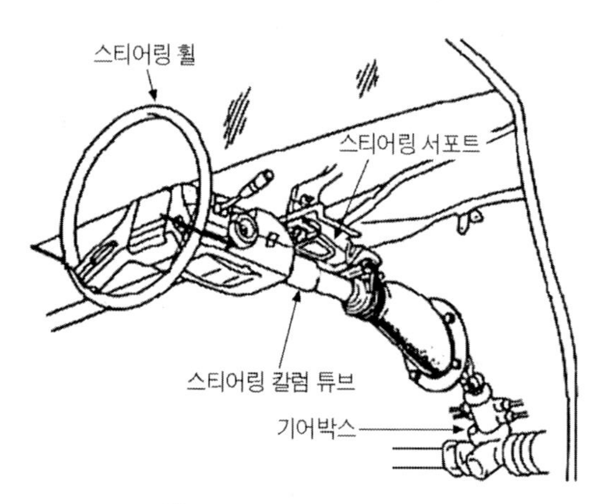

그림4-1 조향장치의 구조

사진4-1 스티어링 휠의 조향감

사진4-2 스티어링 휠의 탈착

저속에서는 가볍고 고속에서는 속도에 따라 서서히 중량감을 느끼도록 조향 특성을 가지는 것이 이상적인 스티어링 휠(조향 휠)의 조향감이라 말 할 수 있다. 이 조향 감각과 조향력을 향상하기 위해서는 별도의 링키지(linkage) 기구와 조향력을 어시스트(assist)하는 배력 장치가 필요하게 되는데, 이 배력 장치를 갖는 조향 장치를 우리는 파워 스티어링(power steering)이라 표현하고 있다. 종래의 파워 스티어링 장치는 그림 (4-2)와 같이 오일펌프(oil pump)를 엔진 동력을 이용해 구동하고, 오일펌프로부터 발생한 유압을 파워 실린더로 유입해 조향력을 감소시키고 있다.

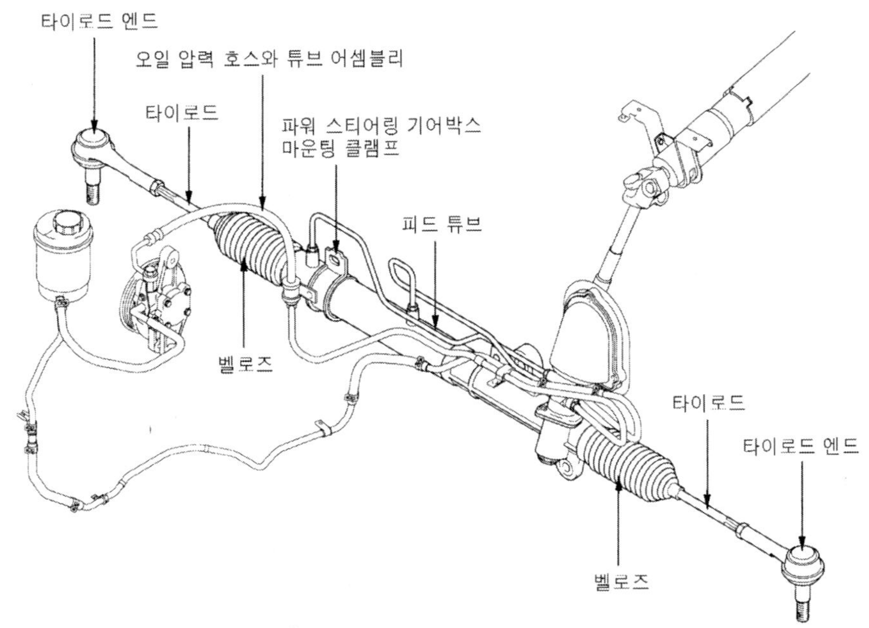

그림4-2 유압식 조향장치 기구

사진4-3 오일펌프의 절개부품

사진4-4 기어박스의 절개부품

그러나 오일펌프로부터 토출되는 오일의 량은 엔진의 회전수에 비례하게 되므로 엔진 회전수가 증가하면 오일 토출량이 증가하게 돼 오히려 고속 주행시 스티어링 휠의 조향감이 가벼워져 안전성이 크게 떨어지는 문제점을 가지게 된다. 실제로 스티어링 휠의 조향감은 저속시 큰 조향력이 필요하게 되므로 속도 감응형 파워 스티어링 장치가 등장하게 된다. 감응형 파워 스티어링 장치에는 엔진 회전수에 따라 유압을 조절하는 엔진 회전수 감응형 파워 스티어링 장치와 차속에 따라 유압을 조절하는 속도 감응형 파워 스티어링 장치가 적용되고 있다.

그림(4-2)는 엔진 회전수에 따라 오일펌프를 회전 시켜 유압을 얻는 엔진 회전수 감응형 파워 스티어링 장치이다. 이 장치는 요구되는 유압과 오일의 토출량은 서로 반비례하기 때문에 엔진이 저회전시 오일의 토출량을 충분히 크게 하여 고속 회전 시에는 릴리프 밸브를 열어 유압을 낮추는 역할을 해 스티어링 휠의 조향력을 조절하고 있는 방식이다. 그러나 이 방식은 차속에 따라 조향력을 얻는 데는 한계가 있어 현재에는 엔진의 회전수와 차속에 따른 감응형 전자제어 현가장치, 즉 EPS(Electronic Ppower Steering System) 시스템이 주류를 이루고 있다.

2. EPS 시스템의 분류

전자제어 조향장치는 크게 나누어 생각하면 유압을 이용 스티어링 휠의 조향력을 어시스트(assist)하는 유압 제어식 EPS 시스템과 전동 모터를 이용하여 조향력을 제어하는 전동 모터식 EPS 시스템으로 구분 할 수 있다. 본래 EPS 시스템은 종래에 사용하던 기계적인 동력 조향 장치(PS : power steering system)에 전자제어 장치를 추가하며 EPS 시스템으로 표현하게 되지만 자동차 제조사에 따라 electronic control power system의 처음 머리글자를 따서 ECPS 시스템의 약어를 표현하기도 한다. 또한 전동 모터식 EPS 시스템은 전동 모터에 의해 조향력을 어시스트 한다 하여 미쓰비시 자동차(주)에서는 MDPS(motor driven power steering system) 시스템이라 표현하기도 한다. 이 책에서는 독자의 혼란을 피하기 위해 일반적으로 표현하는 유압식 EPS 시스템과 전동 모터식 EPS 시스템이라 표현하여 설명하도록 하겠다.

(1) 유압식 EPS 시스템

이 책에서 말하는 유압식 EPS 시스템은 속도에 따라 조향력이 변화하는 속도 감응형 EPS 시스템을 말하는 것이다. 이 시스템의 구성은 그림(4-3)과 같이 랙 & 피니언(rack

and pinion gear)에 로터리 밸브(rotary valve)를 설치하고 로터리 밸브(rotary valve)를 전자 반인 솔레노이드 밸브(solenoid valve)를 통해 유압과 유량을 제어 하도록 하고 있는 방식이다.

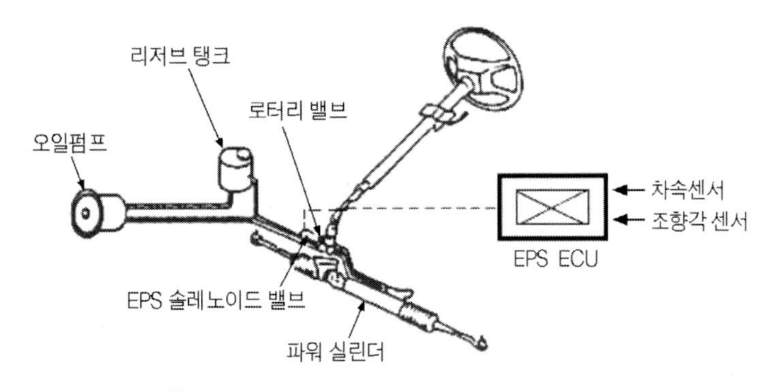

그림4-3 유압 제어식 EPS 시스템의 구성

사진4-5 장착된 EPS의 오일펌프

사진4-6 유압식 EPS의 오일펌프

이 방식의 유압 회로는 일반적으로 그림(4-4)와 같이 구성되어 오일펌프로부터 토출된 유압을 솔레노이드 밸브를 통해 유입되고, 유입된 유압은 로터리 밸브를 통해 파워 실린더(power cylinder)를 가압하여 조향력을 어시스트(assist)하는 방식이다.

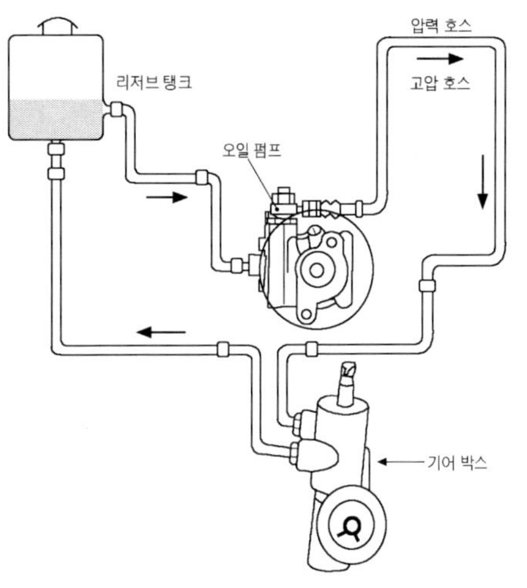

그림4-4 유압식 EPS 시스템의 유압 회로

(2) 전동 모터식 EPS 시스템

전동 모터식 EPS 시스템의 구성은 그림 (4-5)와 같이 조향 장치의 기어 박스(gear box)에 모터를 설치하여 차속과 조향 토크(torque)에 의해 조향력을 얻는 방식이다. 이 방식은 엔진의 구동에 의한 오일펌프(oil pump) 대신 전기 모터를 사용하기 때문에 엔진의 회전수에 관계없이 필요한 조향력을 얻을 수 있는 이점이 있다. 실제로 이 방식은 스티어링 휠(steering wheel)을 돌리지 않을 때는 전기 모터는 정지하여 전기 소모가 발생되지 않으며 엔진의 구동 벨트를 사용하지 않아 연비 향상에도 많은 도움이 된다. 이 방식은 차량의 속도와 스티어링 휠(steering wheel)의 사용 빈도에 따라 전기 모터를 몇 가지 모드(mode)로 나누어 제어 하고 있다. 그러나 전기 모터의 출력은 120W 이상의 비교적 전력 소모가 큰 모터를 사용하고 있어 전기 모터가 회전 시에는 발전기의 발전 전류를 고려하지 않으면 안 되는 결점을 가지고 있다.

이 전기 모터는 주로 스티어링 휠의 기어 박스(gear box) 옆에 설치하고, 클러치(clutch)와 감속 기어를 사이에 두어 피니언 기어(pinion gear)를 구동하여 조향력을 어시스트(assist) 하고 있다. ECS ECU(EPS 컴퓨터)로부터 전기 모터의 구동은 차속 센서와 조향각 센서, 그리고 조향력을 검출하는 토크 센서(torque sensor)의 신호를 기준으로 하고 있는 방식이다.

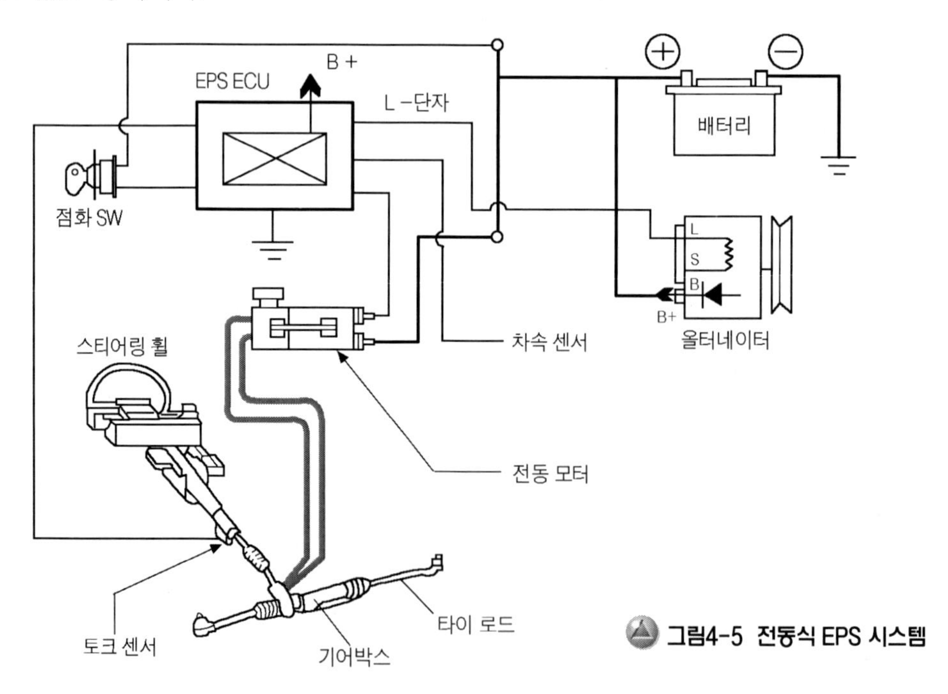

그림4-5 전동식 EPS 시스템

2. 유압식 조향 장치

1. EPS 시스템의 구성과 부품

유압식 EPS 시스템의 구성은 그림(4-6)과 그림(4-7)과 같이 다른 시스템(system)에 비해 비교적 간단하다. EPS ECU의 출력측에는 오일펌프(oil pump)로부터 토출된 유압을 조절하기 위한 PCSV(pressure control solenoid valve : 유압 조절 솔레노이드 밸브가 연결되어 있고, 입력측에는 차속 감응을 검출하기 위한 차속 센서, 엔진 회전수를 검출하기 위한 타코 신호, 운전자의 가감속 의지를 검출하는 TPS 센서가 연결 되어 있어 저속에서 고속까지 선형적인 조향감을 얻을 수 있도록 하고 있다.

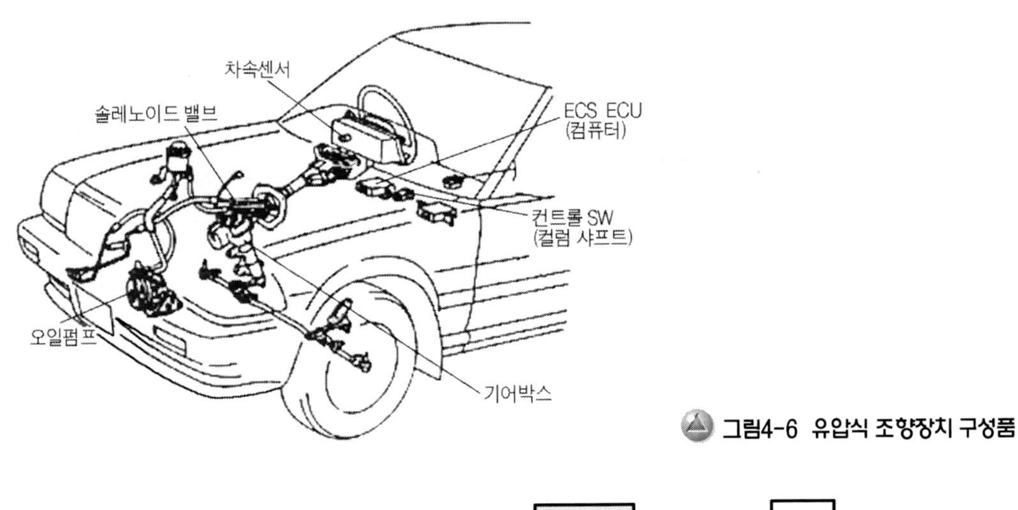

그림4-6 유압식 조향장치 구성품

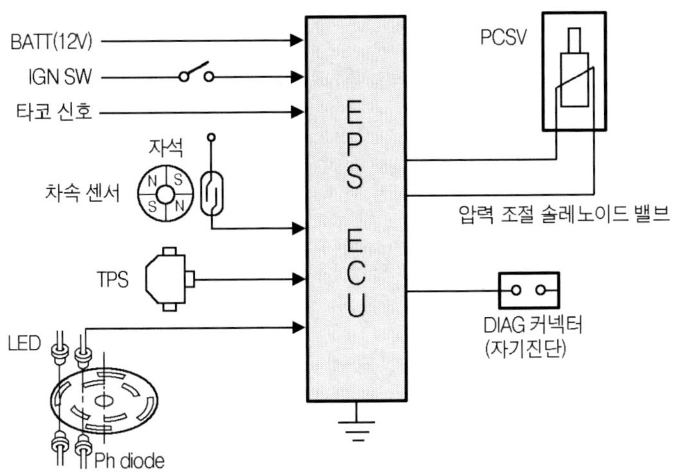

그림4-7 유압식 EPS 시스템의 입출력 구성

(1) 오일펌프

오일펌프(oil pump)는 사진(4-7)과 같이 파워 스티어링 오일(power steering oil)을 펌핑하기 위해 내부에 베인을 삽입하여 놓고 엔진의 크랭크 풀리(crank pulley)로부터 벨트를 걸어 구동하도록 하고 있다. 이 오일 펌프에는 오일 토출량을 일정하게 하기 위해 오일펌프 내부에는 플로 컨트롤 밸브(flow control valve)를 설치하여 두고 있다.

(2) 리저브 탱크

리저브 탱크는 파워 스티어링 시스템으로 공급하는 오일을 저장하여 놓는 저장용 탱크로 이곳에 사용되는 오일은 자동 미션 오일인 ATF와 혼용으로 사용하고 있기도 하다.

사진4-7 EPS의 오일펌프

사진4-8 EPS의 리저브 탱크

(3) 로터리 밸브

로터리 밸브는 스티어링의 기어 박스에 설치되어 있으며 로터리 밸브의 회전에 따라 오리피스(orifice : 작은 구멍)가 개폐 돼 파워 실린더(power cylinder)에 작용하는 유압을 변화 시키는 역할을 하고 있다. 이것은 로터리 밸브 내부에 저속용 오리피스와 고속용 오리피스가 오일펌프로부터 토출된 유압을 변환 시킬 수 있도록 한 것이다.

(4) PCSV(압력 조절 솔레노이드 밸브)

EPS 시스템에 사용되는 PCSV(압력 조절 솔레노이드 밸브)는 EPS ECU(EPS 컴퓨터)로부터 듀티 신호의 전기적인 신호에 의해 압력 조절하는 역할을 하고 있는 밸브이다.

(5) 차속 센서

변속기의 드리븐 기어(driven gear)로 검출된 차속 신호는 EPS ECU(EPS 컴퓨터)로 입력 돼 차속에 따라 조향력을 변화하도록 PCSV(압력 조절 솔레노이드 밸브)의 개반을 제어하도록 하고 있다.

(6) TPS 센서

TPS 센서는 운전자의 가감속 의지를 검출하기 위해 스로틀 개도량을 검출하는 센서로 EPS 시스템에서는 차속 센서 이상시 페일 세이프 모드(fail safe mode)로 전환하기 위해 자기 보정용으로 사용하고 있는 센서이다.

(7) EPS ECU

차속 감응 조향력을 제어하기 위해 차속 센서 신호, TPS 센서 신호, 타코 신호를 입력 받아 차속에 적절한 조향력을 제어 하도록 PCSV(압력 조절 솔레노이드 밸브)로 듀티 신호를 출력하도록 하는 컨트롤 유닛(control unit)이다.

사진4-9 EPS의 오일펌프

사진4-10 EPS의 리저브 탱크

2. EPS 시스템의 유압 회로와 동작

유압식 EPS 시스템의 유압 회로는 그림 (4-8)과 같이 오일펌프(oil pump), 기어 박스와 PCSV 밸브(유압 조절 솔레노이드 밸브), 오일을 순환하는 호스로 구성되어 있다. 따라서 오일펌프로부터 토출된 오일은 고압 호스를 통해 PCSV 밸브로 유입되고 유입된 오일은 로터리 밸브(rotary valve)를 거쳐 파워 실린더(power cylinder)로 가압하여 조향

력을 어시스트하는 역할을 한다. 한편 로터리 밸브로 유입된 오일은 리턴 호스(return hose)를 통해 리저브 탱크(reserve tank)로 유입되어 오일은 순환하게 된다.

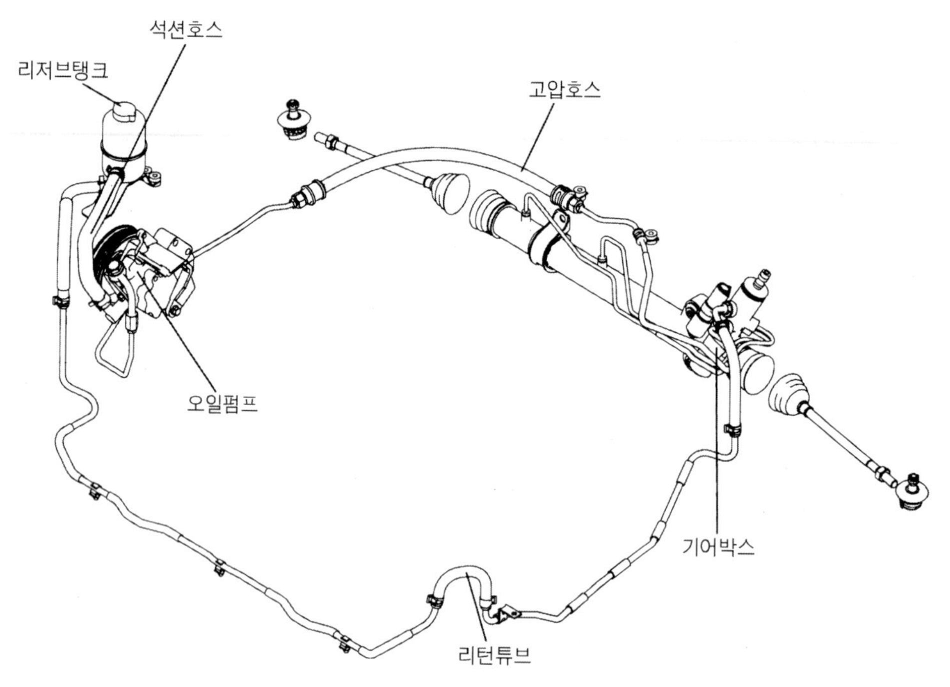

그림4-8 EPS 시스템의 유압회로

사진4-11 유압식 조향장치 ASS'Y

사진4-12 스티어링의 기어 박스

실제 유압 회로는 자동차 제조사의 차종에 따라 다소 차이는 있지만 근본적인 원리는 동일하다고 하겠다. 따라서 여기서는 외국 자동차의 대표적인 유압 회로와 국내 자동차의 대표적인 모델을 기준으로 설명하도록 하겠다.

(1) 유압 회로(1)

그림(4-9)의 유압 회로는 일본 N(사)에 적용한 모델로 파워 실린더와 리턴 포트(return port)간에 직렬로 2개의 가변 오리피스(orifice) R과 L을 설치하여 두고 있다. 또한 EPS ECU(EPS 컴퓨터) 의 명령에 의해 동작하는 솔레노이드 밸브 간에도 2개의 가변 오리피스 2R, 2L을 설치하여 두고 있다. 여기에 설치된 가변 오리피스 R, L 및 2R, 2L은 작은 조향력에 닫히도록 한 저속용 오리피스이고, 3R, 3L은 큰 조향력에 의해 닫히도록 한 고속용 오리피스를 설치하여 둔 유압 회로이다.

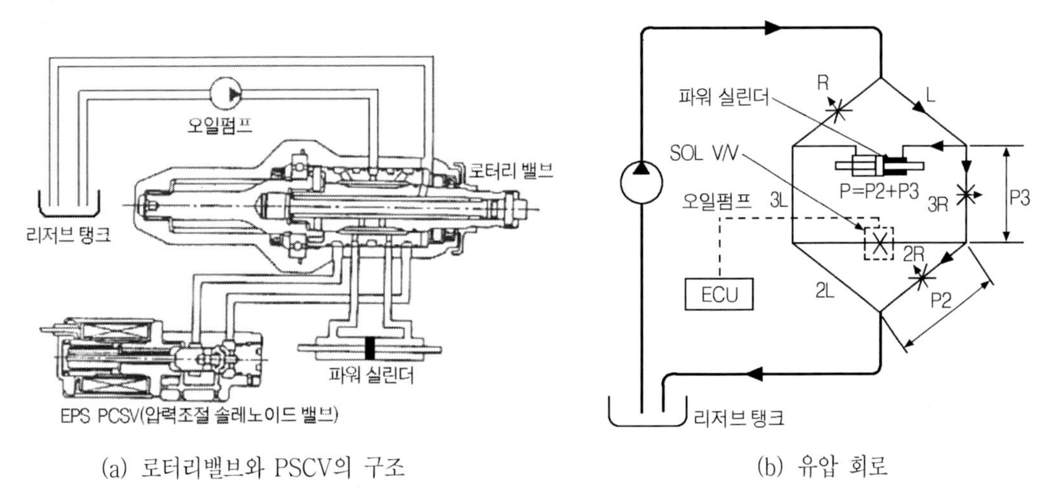

(a) 로터리밸브와 PSCV의 구조　　(b) 유압 회로

그림4-9 로터리 및 솔레노이드 밸브의 구조와 유압 회로

이 회로의 동작 원리는 차량의 정지 상태나 저속에서 스티어링 휠(조향 핸들)을 좌우로 회전하면 ECU는 차속 신호를 받아 솔레노이드 밸브를 차단하게 된다. 이 밸브가 차단되면 R, 3R, 2R의 가변 오리피스는 닫히게 되고 파워 실린더의 압력 P는 2R과 3R의 닫힌 압력 즉 2R과 3R에 발생한 압력(P= 2R +3R)으로 파워 실린더의 압력은 높아져 저속시에 가벼운 조향력을 얻을 수가 있도록 하고 있다. 이에 반해 고속 주행시에는 ECU로부터 솔레노이드 밸브(solenoid valve)는 열리게 되고, R, 2R, 3R의 가변 오리피스는 닫히게 된다. 이때 2R의 가변 오리피스는 EPS의 솔레노이드 밸브에 의해 리턴 포트(return port)로 바이패스(by pass : 우회)하게 된다. 결국 파워 실린더(power cylinder)에 가해지는 압력 P는 3R의 가변 오리피스 만의 발생 압력 P3에 의해 결정하게 돼 조향력은 적게 어시스트(assist) 하게 되고 스티어링 휠(조향 핸들)은 무겁게 되도록 하고 있다.

(2) 솔레노이드 밸브의 전류 제어(1)

이 EPS 시스템의 솔레노이드 밸브 구동은 전류 제어 방식으로 차속 신호로부터 EPS ECU는 그림(4-10)과 같이 약 200 ~ 1000(㎃) 정도 출력하여 제어하고 있다.

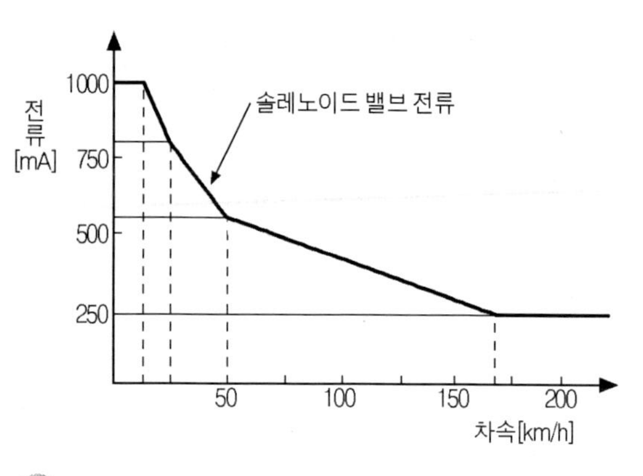

그림4-10 차속에 대한 솔레노이드 밸브의 전류 특성

EPS ECU로부터 출력 된 전류는 솔레노이드 밸브의 내부 오리피스의 통로 면적을 제어 하므로 유압을 제어 한다. 차량의 저속 시에는 출력 전류는 증가하여 오리피스는 닫히는 방향으로 작동하게 되고, 고속 시에는 출력 전류는 감소하여 오리피스는 열리는 방향으로 작동하게 돼 스티어링 휠(steering wheel)의 조향력은 작아지게 된다. 이와 같이 어시스트(assist)하는 조향력이 작아지면 스티어링 휠(조향 핸들)은 무겁게 되고, 오리피스(orifice) 가 닫혀 어시스트 하는 조향력이 커지면 스티어링 휠(조향 핸들)은 가볍게 된다.

(3) 유압 회로(2)

이 시스템은 그림(4-11)과 같이 EPS ECU(EPS 컴퓨터)의 출력 신호에 의해 유압 반력실에 작용하는 반력압(여기서 말하는 반력압이란 저항 압력을 말 한다)을 조절하는 PCSV(압력 조절 솔레노이드 밸브)가 설치되어 있고, 오일펌프로 토출된 오일을 솔레노이드 밸브 측(solenoid valve측)과 로터리 밸브 측(rotary valve측)으로 분류하여 주는 분류 밸브로 구성 되어 있다.

다른 시스템과 마찬가지로 분류 밸브로부터 압송된 오일은 로터리 밸브를 거쳐 파워 실린더(power cylinder)의 좌실과 우실의 압력차를 발생시켜 조향력을 어시스트 하도록 구성되어 있다. 또한 로터리 밸브 내에는 반력 플런저(plunger)에 의한 반력으로 컨트롤 샤프트(control shaft)를 제어하는 유압 제어실과 중속에서 부터 고속까지 스티어링의 반력을 증가시키도록 고정 오리피스(orifice)를 두고 있다. 이 시스템의 조향 특성은 그림(4-12)의 (a)와 같이 파워 실린더(power cylinder)의 유압에 대해 반력압(저항압)을 선형적으로 상승 시킬 수가 있어 중속에서 부터 고속시까지 파워 실린더의 유압을 낮은

영역에서도 서서히 상승 시킬 수 있는 특징이 있다. 따라서 조향각에 따라 조향력을 증가할 수가 있어 선회시 조향감을 향상 할 수가 있다.

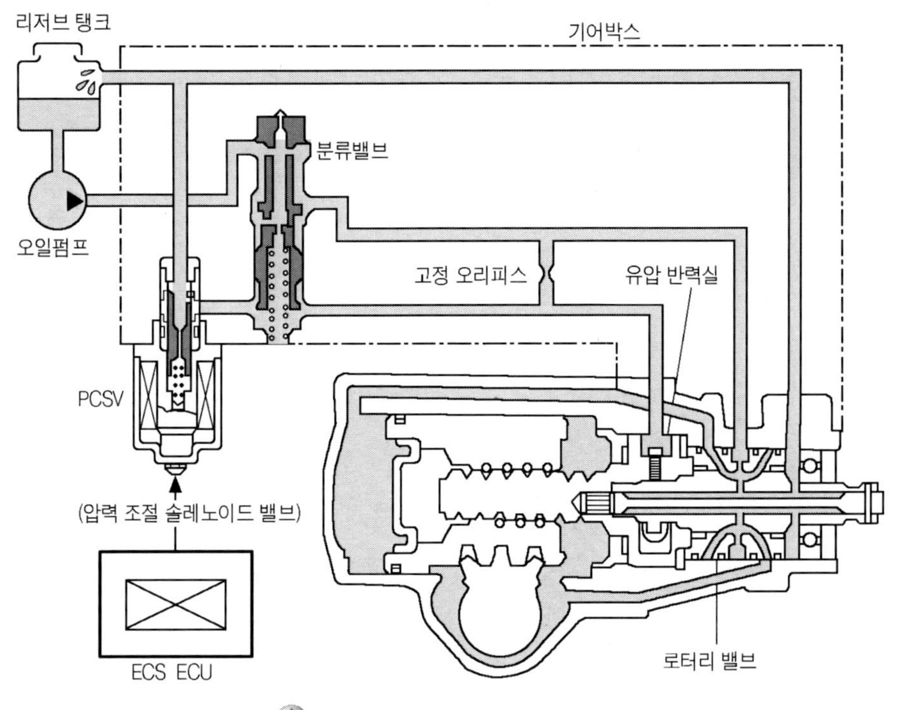

그림4-11 EPS 시스템의 유압회로

(4) 솔레노이드 밸브의 전류 제어(2)

이 시스템은 일본 T(사) 차량에 적용한 시스템으로 주행 조건에 따라 운전자가 선택 스위치에 의해 노말 모드(normal mode)와 스포츠 모드(sport mode)로 조향력을 선택할 수가 있도록 해 운전자의 취향에 맞는 조향감을 얻을 수 있도록 한 시스템이다.

이 시스템의 유압 제어는 EPS ECU(EPS 컴퓨터)는 선택 스위치와 차속 신호의 입력을 PCSV(유압 조절 솔레노이드 밸브)를 그림(4-12)의 (b) 특성과 같이 듀티 신호(duty signal)에 의해 제어 한다. 출력 신호의 듀티 컨트롤(duty control)은 한 사이클 동안 반주기 동안의 비율을 변화시켜 평균 전류로서 솔레노이드 밸브(solenoid valve)를 제어하는 방식이다. 이렇게 제어된 평균 전류는 전류값이 크면 큰 만큼 솔레노이드 밸브의 개도량도 커져 스티어링 휠(조향 핸들)의 조향력은 가벼워지도록 하고 있다.

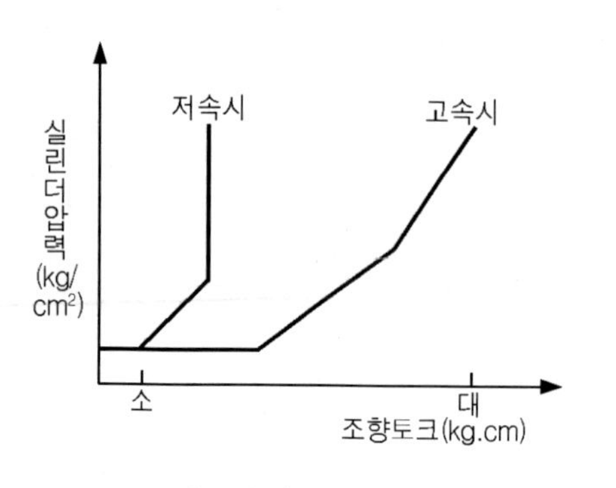

(a) 실린더 유압에 의한 조향 특성

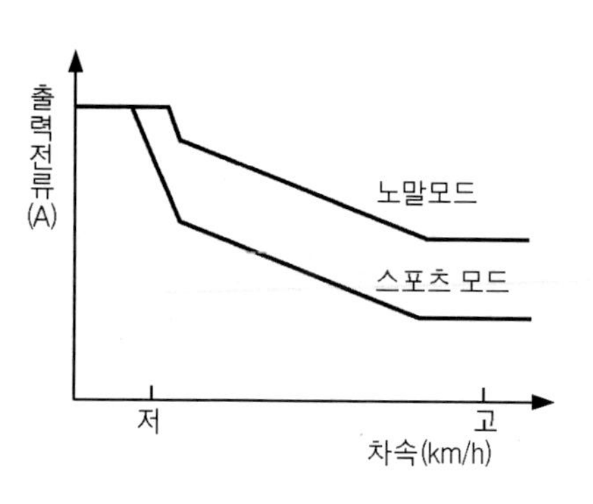

(b) 차속에 의한 솔레노이드 밸브의 전류 특성

그림4-12 조향특성과 솔레노이드 밸브의 출력 전류 특성

(5) 유압 회로(3)

그림(4-13)의 유압 회로는 국내 H(사) 차량에 적용되고 있는 대표적인 EPS 시스템의 유압회로로 다른 제조사의 차량 시스템과 크게 다르지 않다. 이 시스템도 다른 메이커의 시스템과 같이 차속에 따라 EPS ECU(EPS 컴퓨터)는 PCSV(유압 조절 솔레노이드 밸브)를 통해 로터리 밸브를 제어하고 있다.

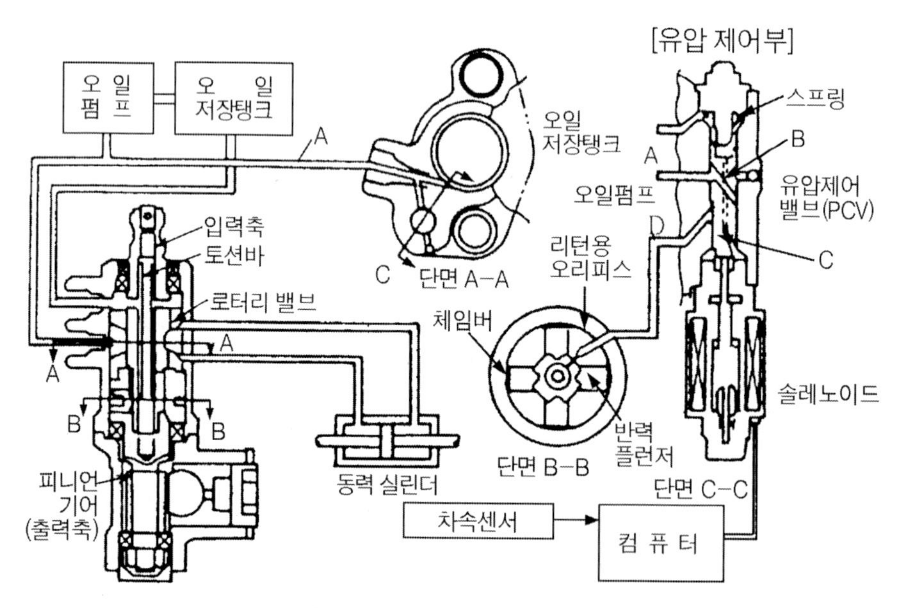

그림4-13 유압회로의 동작 원리

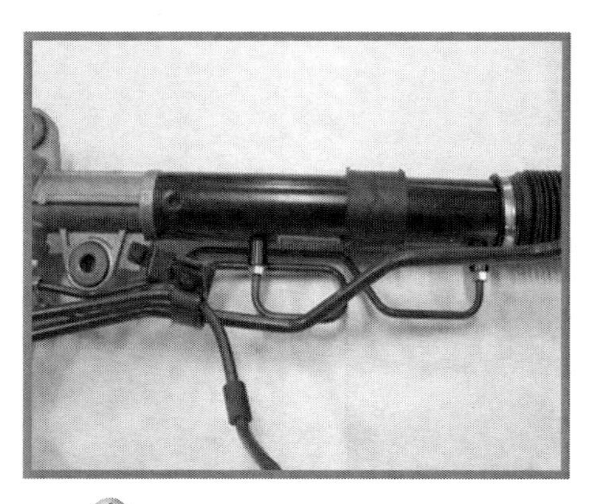

사진4-13 스티어링의 랙 하우징

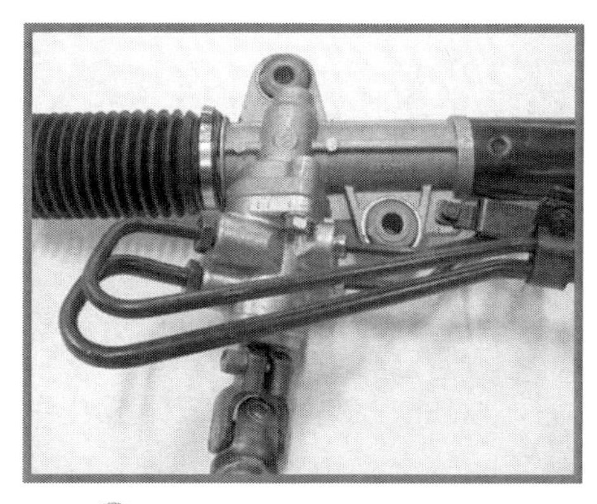

사진4-14 기어 박스와 연결 튜브

오일펌프로부터 유입된 오일은 로터리 밸브를 통해 파워 실린더(power cylinder)의 좌실과 우실의 압력차를 발생시켜 조향력을 어시스트 하도록 구성되어 있다. 또한 EPS ECU(컴퓨터)로 출력 된 솔레노이드 밸브의 출력값은 듀티 신호(duty signal)로 출력되어 평균 전류값으로 솔레노이드 밸브를 제어하고 있다. 이 평균 전류값은 차속에 따라 저속인 경우 약 0.8~1.0(A) 정도이고, 고속시에는 약 0.2~0.3(A) 정도의 평균 전류값을 출력하여 PCSV(유압 제어 솔레노이드 밸브)를 제어하고 있다.

저속 시에는 평균 전류값이 커 솔레노이드 밸브의 PCV 밸브(압력 조절 밸브)를 눌러 오일펌프로부터 유입되는 유로 A와 반력 플런저로 유입되는 유로 D를 차단하는 위치에 오게 한다. 이 결과 반력 플런저의 압력은 상승하고 조향력은 가벼워진다. 이에 반해 고속시에는 평균 전류값이 낮아져 솔레노이드 밸브의 PCV 밸브(압력 조절 밸브)는 스프링 힘에 의해 밀어내게 돼 오일펌프로부터 유입되는 유로 A와 D는 열리게 된다. 따라서 반력 플런저의 압력은 낮아지고 조향력은 무거워져 조향 안전성을 확보하게 된다.

사진4-15 차속 센서

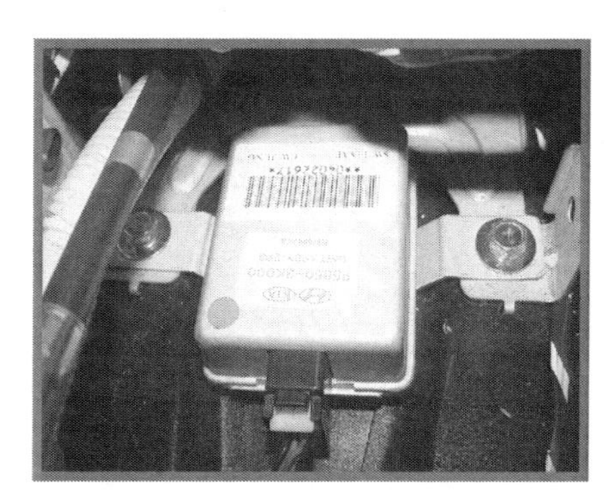

사진4-16 EPS ECU(EPS 컴퓨터)

3. 전동 모터식 조향 장치

1. 전동식 EPS 시스템의 분류

앞에서 설명한 바와 같이 유압식 EPS 시스템의 작동은 엔진의 크랭크 축 폴리에 벨트를 걸어 오일펌프(oil pump)를 구동하고 오일펌프로부터 토출된 오일은 PCSV(압력 조절 솔레노이드 밸브)에 의해 압력을 조절하여 로터리 밸브(rotary valve)를 통해 파워 실린더의 좌실과 우실의 압력차를 발생시켜 조향력을 어시스트 하는 조향 장치이다.

이에 반해 전동 모터식 EPS 시스템은 유압을 발생하는 오일펌프 대신 전동 모터를 사용 스티어링 기어를 직접 제어하여 조향력을 어시스트하고 있어 유압식 EPS 시스템에 비해 여러 가지 이점을 가지고 있다.

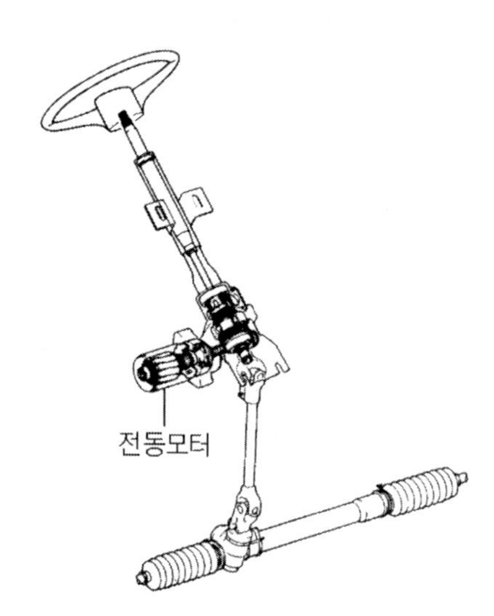

그림4-14 전동모터의 장착위치에 의한 분류

전동 모터식 조향 장치의 이점을 정리하여 보면 다음과 같이 열거 할 수 있다.

① 엔진 동력을 사용하지 않아 엔진의 출력 향상과 연비를 절감 할 수 있다.

② 오일펌프의 유압을 이용하지 않아 유로의 연결 호스(oil hose)가 필요 없다. 따라서 조향 장치를 경량화 할 수 있는 이점이 있다.

③ 제품 생산 시 module화 가능하여 제조 원가를 절감 할 수 있다.

④ ECU를 이용 모터를 제어하므로 조향력을 정밀하게 제어 할 수 있다.

이와 같이 전동 모터식 조향장치는 이점만 있는 것은 아니다.

① 전동 모터가 구동 시 큰 전류가 흘러 배터리 방전에 대한 대책을 하지 않으면 안 된다.

② 또한 초기 모터 회전 시 진동이 칼럼 샤프트(column shaft)를 통해 스티어링 휠에 전달 될 수가 있어 이에 대한 대책이 필요하다.

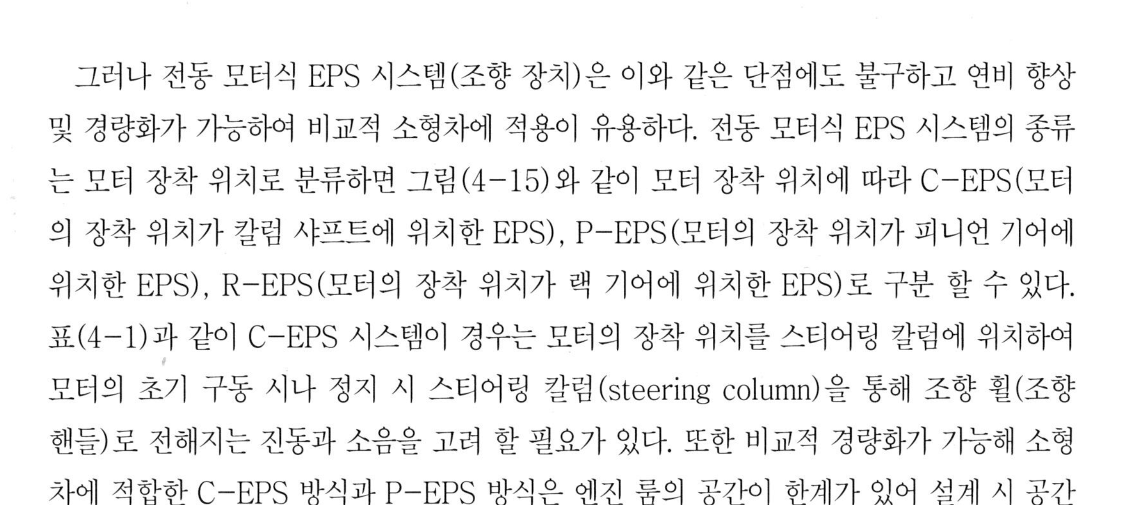
그러나 전동 모터식 EPS 시스템(조향 장치)은 이와 같은 단점에도 불구하고 연비 향상 및 경량화가 가능하여 비교적 소형차에 적용이 유용하다. 전동 모터식 EPS 시스템의 종류는 모터 장착 위치로 분류하면 그림(4-15)와 같이 모터 장착 위치에 따라 C-EPS(모터의 장착 위치가 칼럼 샤프트에 위치한 EPS), P-EPS(모터의 장착 위치가 피니언 기어에 위치한 EPS), R-EPS(모터의 장착 위치가 랙 기어에 위치한 EPS)로 구분 할 수 있다. 표(4-1)과 같이 C-EPS 시스템이 경우는 모터의 장착 위치를 스티어링 칼럼에 위치하여 모터의 초기 구동 시나 정지 시 스티어링 칼럼(steering column)을 통해 조향 휠(조향 핸들)로 전해지는 진동과 소음을 고려 할 필요가 있다. 또한 비교적 경량화가 가능해 소형차에 적합한 C-EPS 방식과 P-EPS 방식은 엔진 룸의 공간이 한계가 있어 설계 시 공간 제한에 대한 것을 고려하지 않으면 안된다.

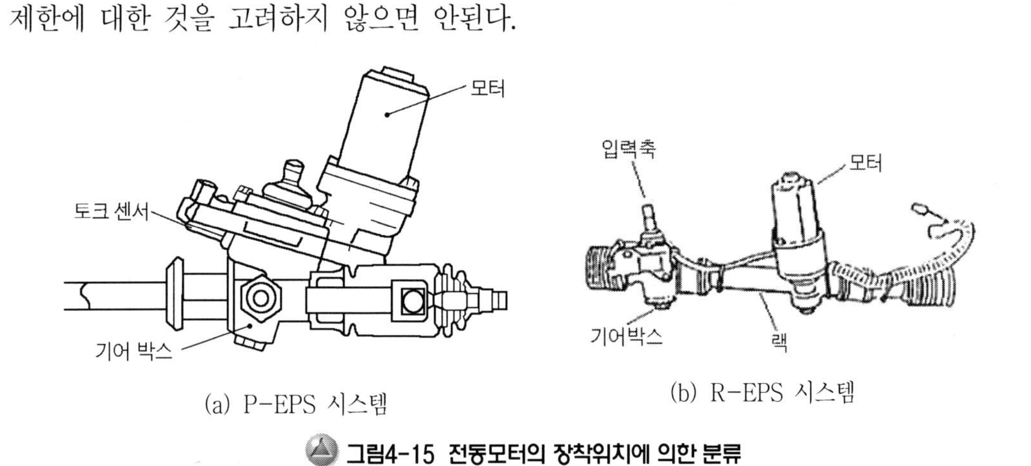

(a) P-EPS 시스템

(b) R-EPS 시스템

그림4-15 전동모터의 장착위치에 의한 분류

[표4-1] 전동 모터식 EPS 시스템의 종류

종 류	C EPS	P EPS	R EPS
적 용	소형 차량	중·소형 차량	중형 차량
모터 위치	컬럼 부	피니언 기어부	랙(rack) 부
소모 전류	25~60A	30~60A	60~90A
출 력	300~700kgf	400~700kgf	700~1000kgf
기 타	소음 대책 요구	설치 공간의 제한	기어 직경 증대

2. EPS 시스템의 구성과 부품

전동 모터식 EPS 시스템은 자동차 제조사에 따라 ECPS(Electronic Control Power Steering) 시스템 또는 MDPS(Motor Drive Power Steering) 시스템이라 표현하여 사용하고 있지만 이 책에서는 전동식 모터 EPS 시스템이라 통칭하여 설명하고 있다.

이 전동 모터식 EPS 시스템의 구성은 그림(4-16)과 같이 차속과 스티어링 휠(steering wheel)의 조향력을 검출하는 토크 센서(torque sensor)의 신호를 기준으로 모터를 제어하도록 되어 있다. 이 모터의 구동은 조향 장치의 기어 박스(gear box)에 장착 돼 기어의 회전을 어시스트(assist) 하도록 되어 있다.

파워 스티어링 장치에서 조향력을 어시스트 하는 것은 정지시나 저속 상태 구간으로 실제 전동 모터식 EPS에서도 자동차의 제조사에 따라 약 30 ~ 45km/h 이하에서 모터가 구동하여 조향력을 어시스트하도록 하고 있다. 모터의 구동시 모터에 흐르는 전류값은 스티어링 휠에 장착된 토크 센서의 신호를 기준으로 EPS ECU는 출력 전류값을 결정하도록 하고 있어 시스템의 입력 측에는 차속 센서와 토크 센서가 기준 입력 신호로 입력 되도록 구성하고 있다. 그러나 이 시스템은 모터의 구동 시 약 20 ~ 50A 정도의 대전류가 흘러 배터리의 방전에 대해 출력 측에는 엔진 ECU와 데이터 송신하여 아이들 업(idle up) 기능을 수행하도록 하고 있다.

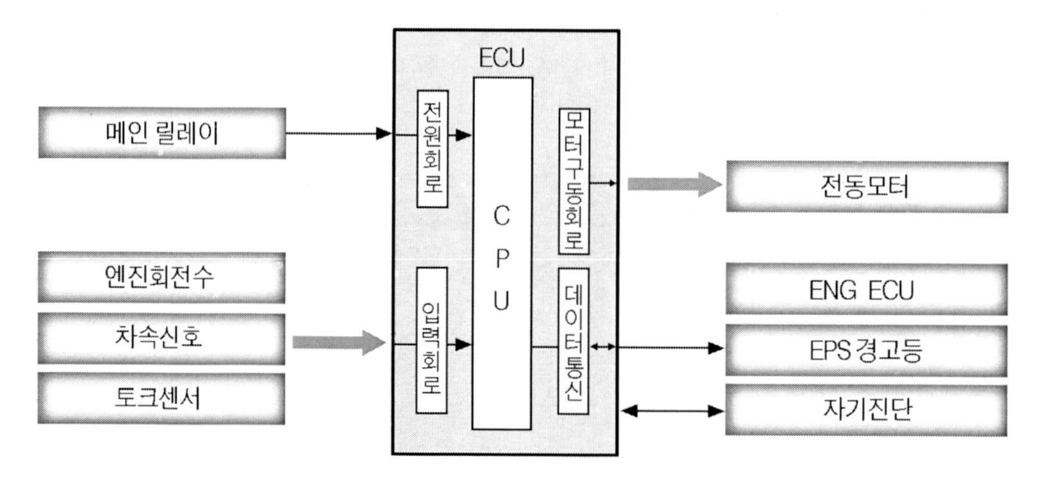

그림4-16 전동 모터식 EPS 시스템의 블록 다이어그램

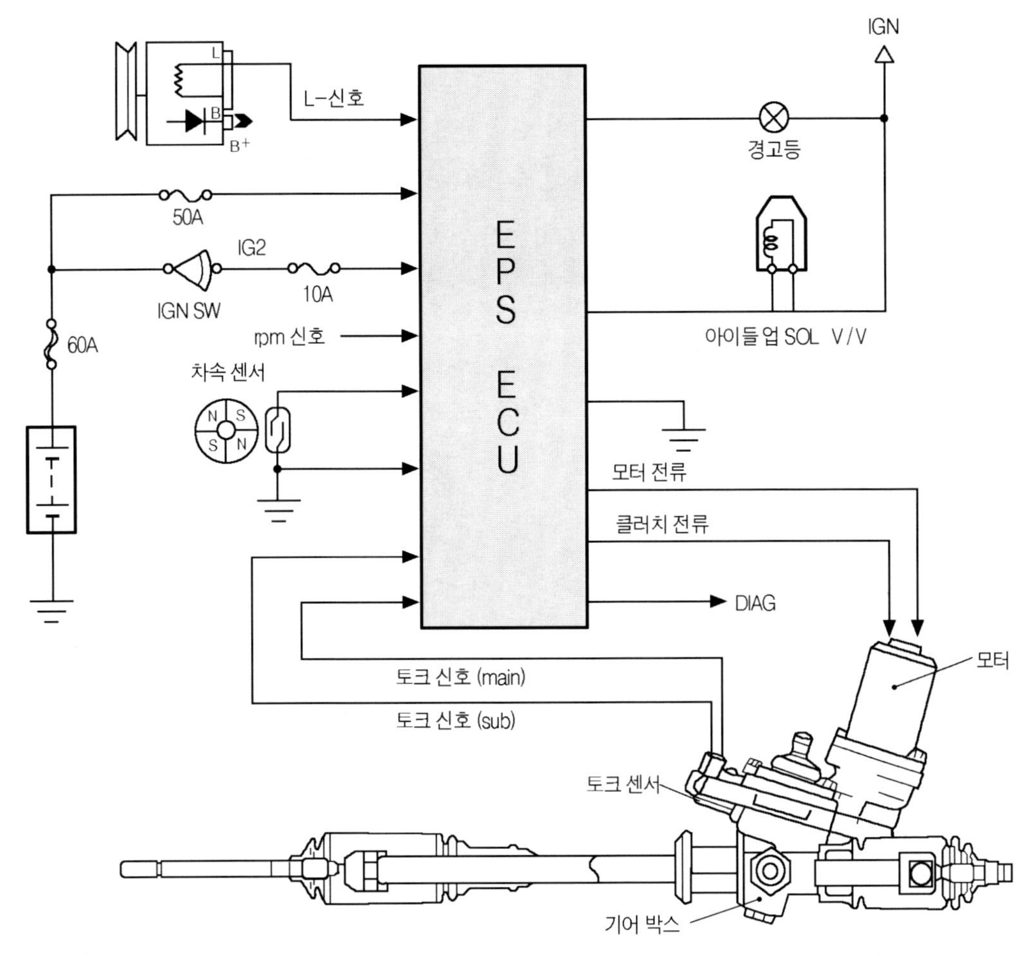

그림4-17 전동 모터식 EPS 시스템의 구성(국내 H사)

(1) 전동 모터

전동 모터식 EPS 시스템의 모터(motor)는 제조사의 모델에 따라 그림(4-18)과 그림(4-19)와 같이 대표적인 모델 2가지 나타내었다. 이 모터의 구동 전류는 스티어링 칼럼(steering column)부에 장착되어 있는 토크 센서(torque sensor)의 신호를 기준으로 ECU는 결정하도록 설계되어 있다. 차속이 0(km/h) 시에는 조향력의 어시스트를 최대로 하기 위해 모터의 구동 전류는 최대가 돼 모터를 구동하고, 차속이 약 45(km/h) 에서는 구동 전류를 최소가 돼 조향력을 어시스트(assist)하고 있다. 일반적으로 전동 모터식 EPS ECU(EPS 컴퓨터)는 차속 센서와 토크 센서의 신호를 입력 받아 조향력을 어시스트

하도록 되어 있어 쉽게 이해가 가능하다.

전동 모터식 EPS 시스템은 조향력을 어시스트(assist) 하기 위해 그림(4-18)과 같은 방식은 웜 기어(worm gear)를 이용하여 감속하고 그림 (4-19)와 같은 방식에서는 모터에 드라이브 기어(drive gear)를 사이에 끼워 감속하도록 하고 피니언 기어(pinion gear)를 이용 배력 하도록 하고 있다. 이 구동 모터는 DC(직류) 모터를 사용하고 있어 조향력을 얻기 위해 스티어링의 기어 박스(gear box)에 위성 기어를 사용하고 있다.

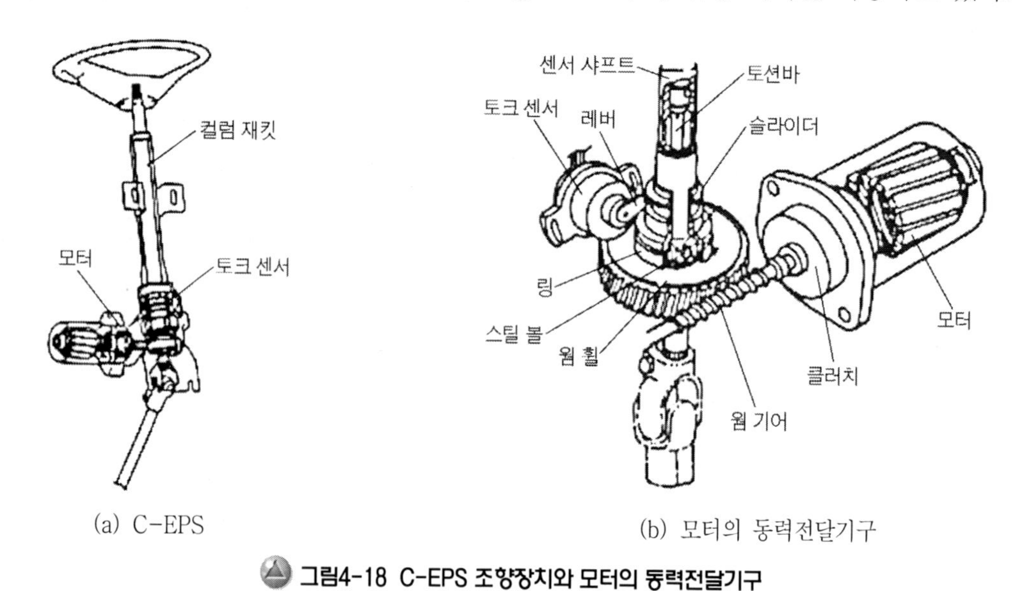

(a) C-EPS (b) 모터의 동력전달기구

그림4-18 C-EPS 조향장치와 모터의 동력전달기구

그림(4-19)와 같이 위상 기어(planetary gear) 부에는 입력 샤프트(input shaft)와 피니언 기어 측이 2단으로 나누어져 있어, 선 기어(sun gear)를 끼워 치합 하고 있다. 이 위성 기어의 피니언 기어A는 입력 샤프트 축에 고정되어 있고, 피니언 기어 B는 피니언 기어 축에 고정되어 있다.

입력 샤프트의 인터널 기어(internal gear) A에는 스풀을 끼워 토크 센서의 샤프트에 부착하고 있다. 따라서 이 방식은 2단으로 구성된 위상 기어에 의해 비틀림 각은 인터널 기어 A를 사이에 끼워 토크 센서에 전달하도록 하고 있다.

[표4-2] 모터의 제원(H사 모델)

구 분	제 원
형 식	DC 브러시 모터
정격 전류	45A
정격 토크	2.8 N.m
정격 회전수	900rpm
크 기	Φ77×1121mm

또한 모터의 클러치(clutch)는 전자석과 스프링(spring)으로 구성되어 동력을 드라이브 기어에 전달하고 있다. 한편 이 시스템은 모터의 구동 전류가 45(km/h) 이상이면 구동 전류의 출력을 중단하여 조향력을 수동으로 전달한다.

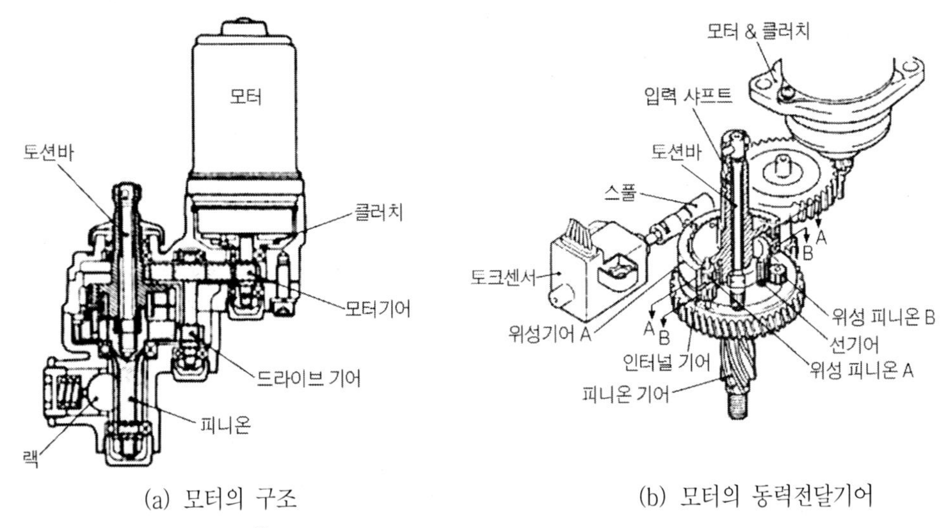

(a) 모터의 구조 (b) 모터의 동력전달기어

그림4-19 모터의 구조와 동력전달기어(P-EPS)

(2) 토크 센서

토크 센서는 스티어링 휠(조향 핸들)를 회전 시 토션바의 비틀림 정도를 검출하는 센서로 장착 위치와 구조는 그림(4-20)과 같다. 토크 센서의 동작 원리는 스티어링 휠(조향 핸들)을 회전 시 입력 축(input shaft)과 출력 축(output shaft)의 회전 방향이 차이가 발생하게 되며 이 회전 방향 차이로 토션바의 비틀림 토크 가 발생하게 된다. 이 때 그림(4-20)의 (c)의 구조를 갖는 전자 유도식 토크 센서를 사용하는 경우는 검출 코일로부터 그림(4-21)과 같은 유도 기전력이 발생하여 센서의 출력 신호로 이용하고 있다.

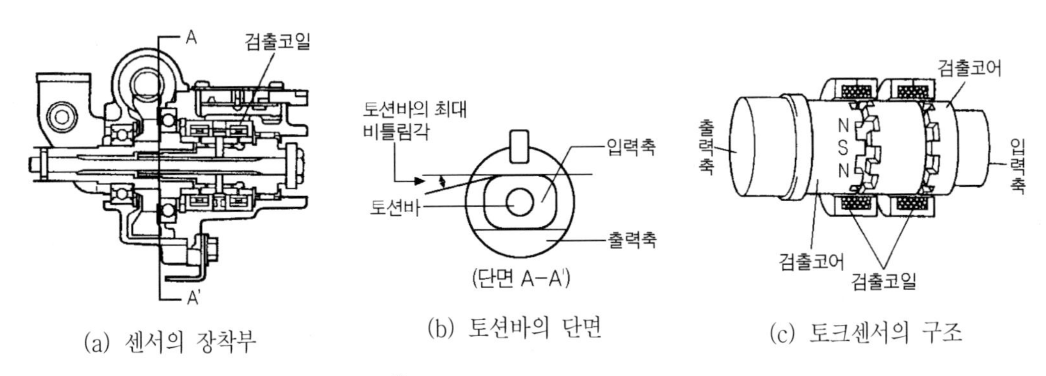

(a) 센서의 장착부 (b) 토션바의 단면 (c) 토크센서의 구조

그림4-20 토크센서의 장착부와 구조

조향 핸들을 우회전 시 토크 센서의 출력 파형은 그림(4-21)과 같이 A점의 전압이 2.5V를 기점으로 토크가 증대하면 전압값도 증가하여 최대 약 4V 정도까지 출력되고 있다. 센서의 신호 파형이 불규칙적으로 변화하는 것은 전자 유도 작용에 의한 것으로 실제 ECU는 그림(4-22)의 토크 센서의 출력 신호 특성을 입력될 수 있도록 내부 회로를 구성하고 있다.

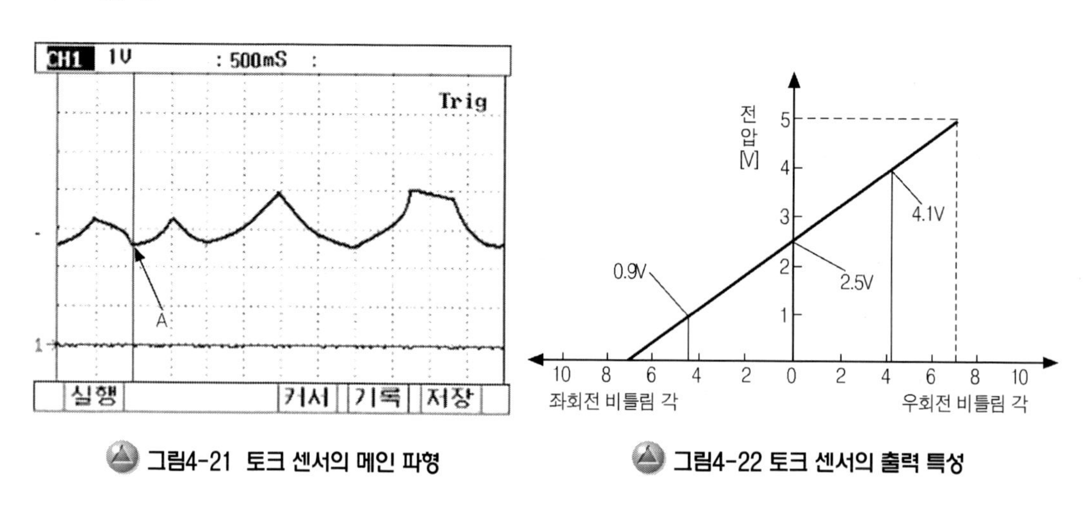

그림4-21 토크 센서의 메인 파형

그림4-22 토크 센서의 출력 특성

토크 센서의 검출 회전각은 약 4도 정도로 설정되어 있지만 위성 기어를 사용하여 움직이는 범위를 확대하여 검출 할 수 있도록 하고 있다. 이 센서의 방식은 메인과 서브 출력을 동기 하여 출력하도록 하고 있다. 또한 토크 센서는 포텐쇼미터를 이용하여 출력 신호 전압이 선형적으로 변화하도록 하는 경우도 사용되고 있다.

(3) 차속 센서

차속 센서는 트랜스미션(transmission)에 장착 된 드리븐 기어(driven gear)의 회전수를 검출을 하여 펄스 신호로 ECU로 입력하고 있는 센서이다. 이 센서는 신호를 검출하는 방식에 따라 리드 스위치 방식, 전자 유도식, 홀 센서 방식이 사용되고 있다. 그림(4-23)은 전자 유도 방식을 이용 한 차속 센서의 구조로 입력 축과 연결된 로터(rotor)에는 16극의 페라이트 자석을 설치하고, 주위에는 스테이터 코일(stator coil)을 설치 한 구조를 가지고 있다. 트랜스미션의 드리븐 기어의 회전에 따라 차속 센서의 입력축이 회전하면 16극의 페라이트 자석도 함께 회전하여 스테이터 코일로 전자 유도 기전력을 얻도록 하고 있는 방식이다.

이에 반해 홀 센서 방식은 스테이터 코일 대신 홀 효과를 이용한 홀 센서를 설치한 것으로 로터의 1회전 당 16개의 디지털 펄스 신호가 출력하도록 한 방식이다. 이 방식은 차속센서의 입력 축에 스피드 케이블(speed cable)을 연결하지 않아 제조 공정 및 엔진 공간 활용이 자유로운 이점을 가지고 있어 현재 널리 사용하고 있는 방식이다.

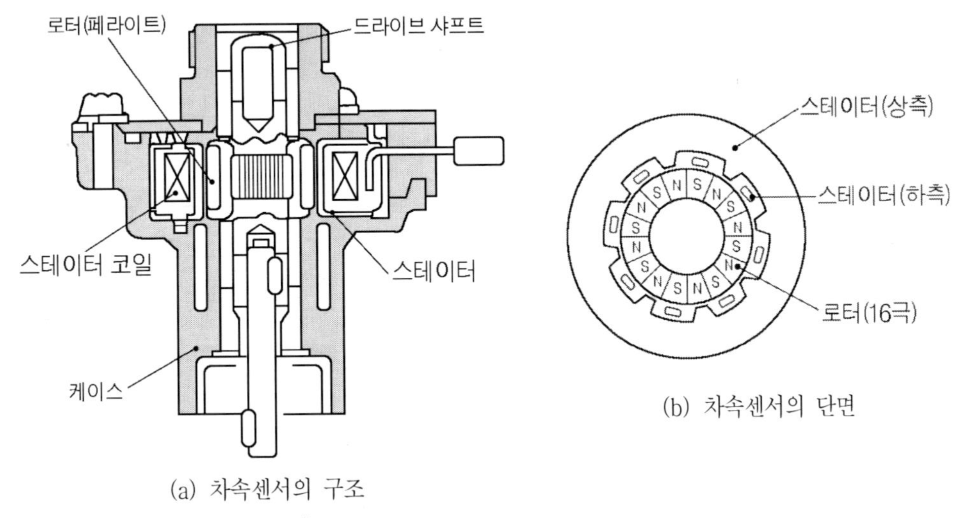

그림4-23 차속센서의 구조(전자 유도식)

사진4-17 차속 센서

사진4-18 드리븐 기어

(4) 전동 모터식 EPS ECU(전동 모터식 EPS의 컨트롤 유닛)

그림(4-24)는 대표적인 전동 모터식 EPS ECU의 내부 블록 다이어그램(block diagram) 나타낸 것으로 내부에는 8비트 원 칩 마이크로컴퓨터(8bit one chip micro computer)가 내장되어 입출력 신호를 제어하도록 하고 있다. ECU의 작동은 먼저 점화

스위치를 ON 시키면 시스템에 전원이 공급되어 전동 파워 스티어링은 작동 준비 상태를 하게 된다.

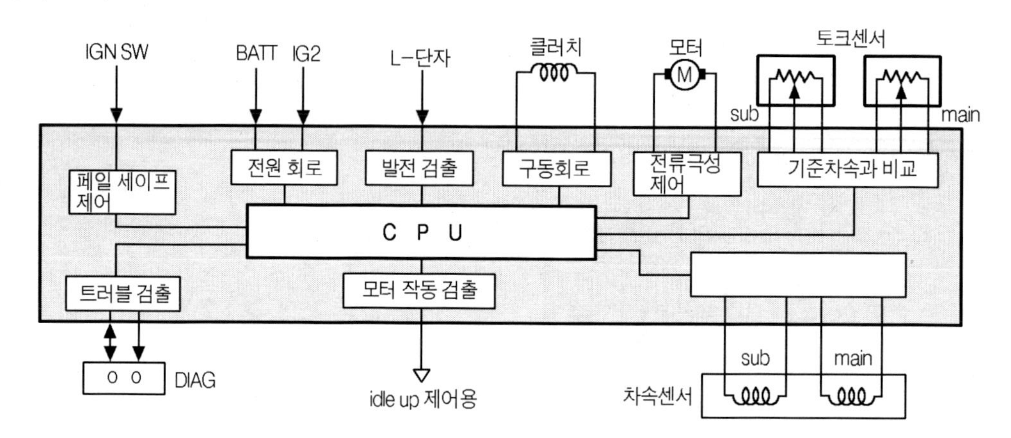

그림4-24 전동 모터식 EPS ECU의 내부 블록 다이어그램

이때 엔진 시동을 걸면 ECU는 올터네이터의 L-단자의 신호로부터 엔진의 회전 상태를 판단하고 전동 파워 스티어링은 작동을 개시하게 된다. 전동 파워 스티어링의 개시는 전자 클러치의 출력 신호에 의한 것으로 ECU로부터 전자 클러치의 신호가 출력되면 모터의 출력축과 감속 기어를 끼워 피니언 기어를 어시스트 할 수 있도록 된 상태를 말한다. 이때 운전자는 스티어링 휠을 회전하면 ECU는 토크 센서로부터 신호를 입력 받아 모터의 출력 전류를 출력하게 되어 조향력을 어시스트하게 된다.

차량의 주행시에는 그림(4-25)와 같이 차속 센서의 신호와 토크 센서의 신호를 입력 받아 모터의 출력 전류를 제어하게 된다. 모터의 출력 전류는 제조사의 차종에 따라 다르지만 소형에 차에 적용하는 전동 모터의 출력 전류는 0 ~ 40A 정도의 출력 전류로 제어하고 있다.

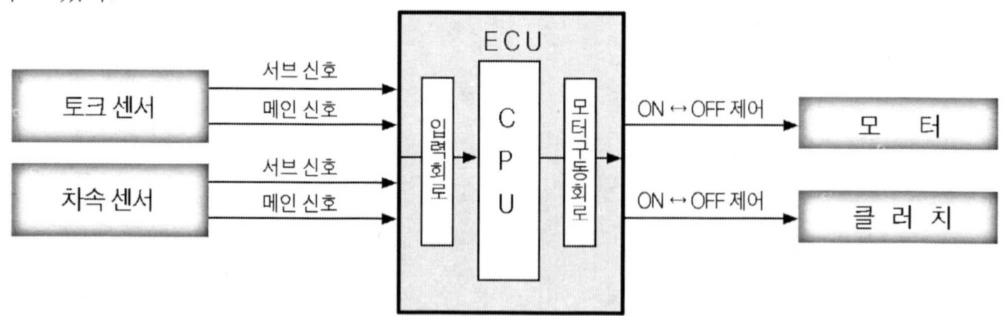

그림4-25 모터 구동 제어의 블록 다이어그램

3. EPS 시스템의 제어 기능

(1) 모터의 전류 제어

올터네이터(alternator)로부터 L-단자 신호(자동차 제조사에 따라서는 L-단자 신호 대신 엔진 회전수 신호를 입력으로 사용하는 경우도 있다)을 입력 받아 클러치 신호가 출력 되고 있는 상태에서 모터의 전류 제어는 차량의 주행 상태에 따라 정지시 제어와 차속 감응 제어 및 모터의 보호 전류 제어 등을 실행하고 있다. 차량의 정지시 제어는 토크 센서(torque sensor)의 신호를 입력 받아 모터를 구동하는 제어를 말하며 차속 감응 제어는 차속 센서의 신호를 입력 받아 실행하는 제어로 보통 차속의 범위는 0 ~ 45(km/h)에서 제어 하지만 현재에는 전 영역에서 제어하는 경우가 많다.

차속에 대한 모터의 전류제어는 그림(4-26)의 전동 모터의 전류 제어 특성과 같다. 이 전류 제어 특성은 5개 모드로 표시하고 있지만 실제로는 16개 정도의 모드로 나누어져 제어하도록 하고 있다. 그림(4-26)의 전류 제어 특성이 차속에 따라 어떻게 변화하는지 참고하여 두면 좋다.

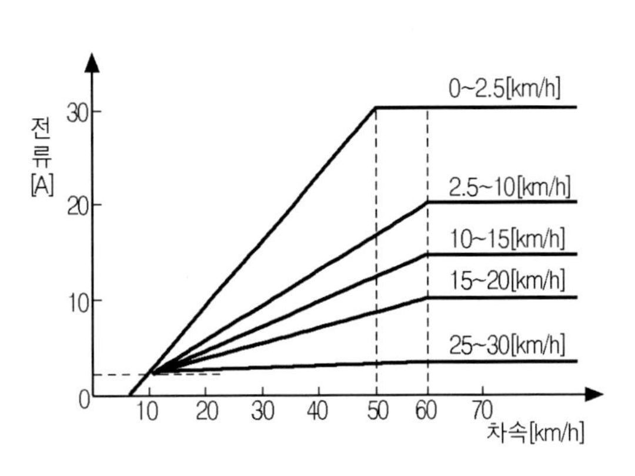

그림4-26 전동 모터의 전류 제어 특성

(2) 모터의 보호 전류 제어

정차 시 스티어링 휠을 완전히 회전을 하면 토크 센서의 신호에 의해 ECU는 모터의 출력 전류를 제어하게 되는데 이때 모터에 흐르는 전류 거의 최대 상태가 되어 모터에는 20 ~ 30A 정도의 전류가 흐르게 된다. 이 상태가 지속되면 모터와 ECU의 출력 구동 회로는 과열 상태가 돼 모터와 구동 회로에 좋지 않은 영향을 미치게 된다.

따라서 모터의 과열 방지와 ECU의 출력 회로를 보호하기 위해 모터의 보호 전류 제어를 실행하도록 하고 있다. 모터의 보호 전류 제어는 20 ~ 30A 정도의 일정한 전류가 모터를 통해 지속해서 흐르면 1A 씩 전류를 감소시켜 모터와 출력 회로를 보호하는 전류 제어이다. 이와는 반대로 스티어링 휠(조향 핸들)을 완전히 회전한 상태에서 해제하면 ECU는 모터의 출력 전류를 서서히 증가해 정상적인 작동 모드로 전류 제어하도록 하고 있다.

그림(4-27)의 특성 그래프는 국내의 H사 차량에 적용된 모터 보호 전류 특성을 나타낸 것으로 최대 8A 정도까지 제한하고 있다.

이 차량에 적용된 모터의 보호 전류 회로는 ECU 내부에 서미스터 소자를 내장하여 모터 구동 회로의 온도를 검출하여 출력회로를 보호하고 모터의 지속 전류가 20초 이상 흐르게 되면 약 3.2A 씩 감소하도록 하여 모터를 보호하고 있다. 한편 스티어링 휠(조향 핸들)을 약 20분 정도 조향하지 않는 경우는 정상 모드로 복귀 돼 모터의 구동 전류를 제어하고 있다.

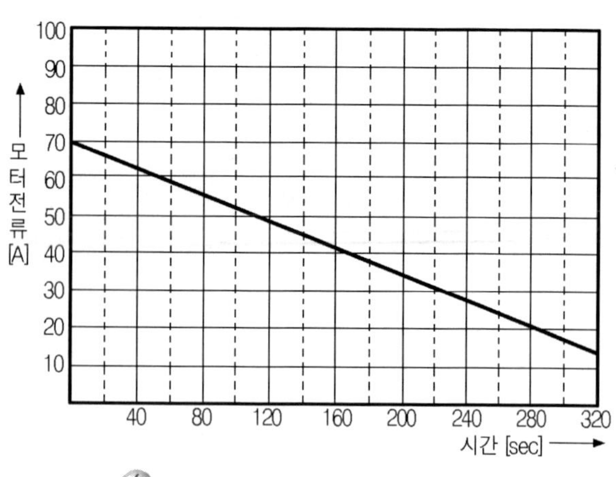

그림4-27 모터 보호 제어 특성

(3) 관성 보상 제어

전동 모터식 EPS 시스템에 사용되는 모터는 DC모터를 사용하고 있어 모터의 회전력에 의해 전기적인 관성을 보상하지 않으면 조향 시 응답 특성이 떨어져 이에 대한 보상이 요구되어 진다. 관성 보상제어는 이러한 모터의 전기적 관성을 보상하기 위해 ROM 내의 데이터 값은 일정한 상수값을 만들어 모터의 기속도 제어를 하도록 하고 있다.

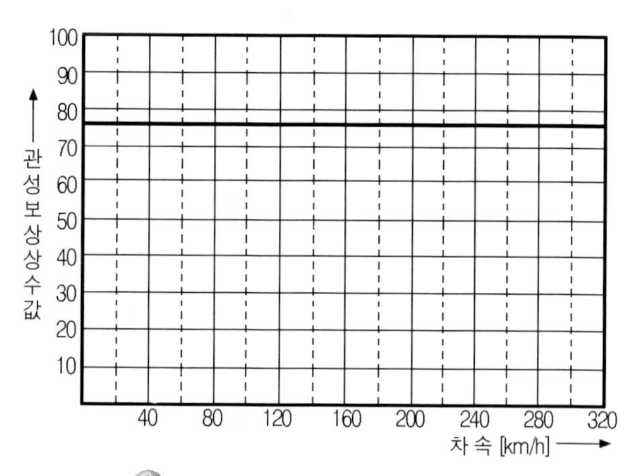

그림4-28 관성 보상 제어 특성

(4) 댐팽 보상 제어

댐핑(damping) 보상 제어는 모터가 회전할 때 모터의 회전에 의한 진동을 흡수하기 위한 제어를 말한다. 모터가 회전할 때 속도가 변화하는 것은 여러 가지 요인이 있지만 변화하는 속도는 각속도에 기인한다. 이것은 모터의 회전이 고속일 때와 저속일 때 각속도는 달라 모터가 회전할 때 진동을 흡수하기 위해 각속도 값을 제어하게 된다. 그림(4-28)은

댐핑 보상 제어의 특성을 예와 같이 나타낸 것으로 kbl은 각속도가 12.2(rad/ sec)이하가 되면 제어하는 모델을 나타낸 것이다.

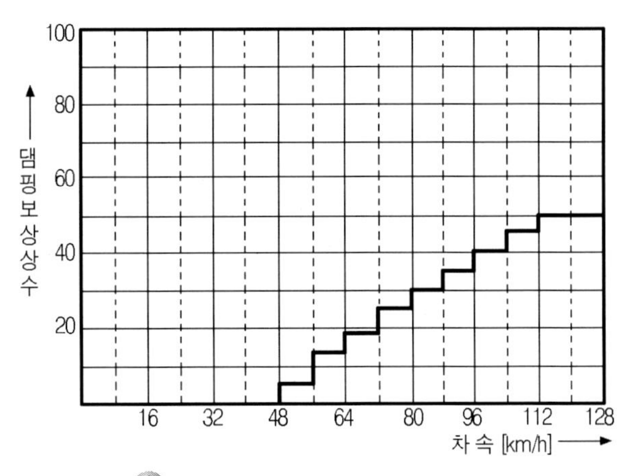

그림4-29 댐핑 보상 제어 특성

(5) 마찰 보상 제어

그림(4-30)은 마찰 보상 제어의 특성을 예와 같이 나타낸 것으로 모터가 회전 할 때 마찰력에 의한 회전을 보상하기 위한 제어이다. 모터는 회전을 시작 할 때는 여러 가지 기계적전기적 마찰을 갖게 돼 초기 전류는 급격히 증가하게 된다.

이 값을 보상하기 위한 것이 마찰 보상 제어이다. 모터의 마찰 보상값은 모터의 출력 전류값에 보상돼 초기 구동을 원활히 하도록 하고 있다.

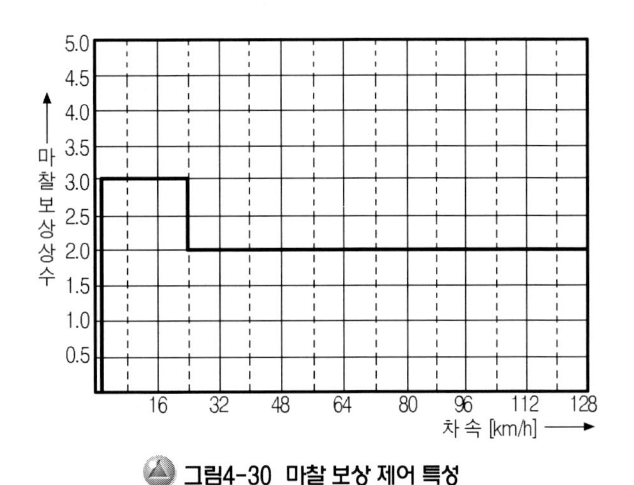

그림4-30 마찰 보상 제어 특성

(6) 그밖에 보상 제어

스티어링 휠(조향 핸들)은 회전은 좌, 우 방향으로 회전 할 수 있지만 전동 모터는 전압 극성을 절환하지 않는 한 한쪽 방향으로만 회전을 하게 된다. 그러나 회로의 이상적인 문제로 모터가 반대 방향으로 회전을 하는 것을 방지하기 위해 모터의 오동작 방지 제어를 하고 있다. 이것은 오동작을 미연에 방지하지 위한 것으로 모터의 일정 토크 하에서는 한쪽 회로를 제한하게 한다. 따라서 운전자가 모터의 이상 현상으로 스티어링 휠(조향 핸들)을 잘 못 조작하는 것을 방지하기 위한 일종의 보상 회로이다. 그밖에 전동 모터식 EPS 시스템은 모터 회전시 대전류가 흐르게 돼 배터리 방전 대책으로 아이들 업 제어를 하도록 하고 있다. 아이들 업 신호의 검출은 모터에 흐르는 전류가 약 20 ~ 25A 정도 흐르고, 차속이 약 5 ~ 10(km/h) 이하 시 아이들 업 기능이 실행되도록 하고 있다.

4. EPS 시스템 회로

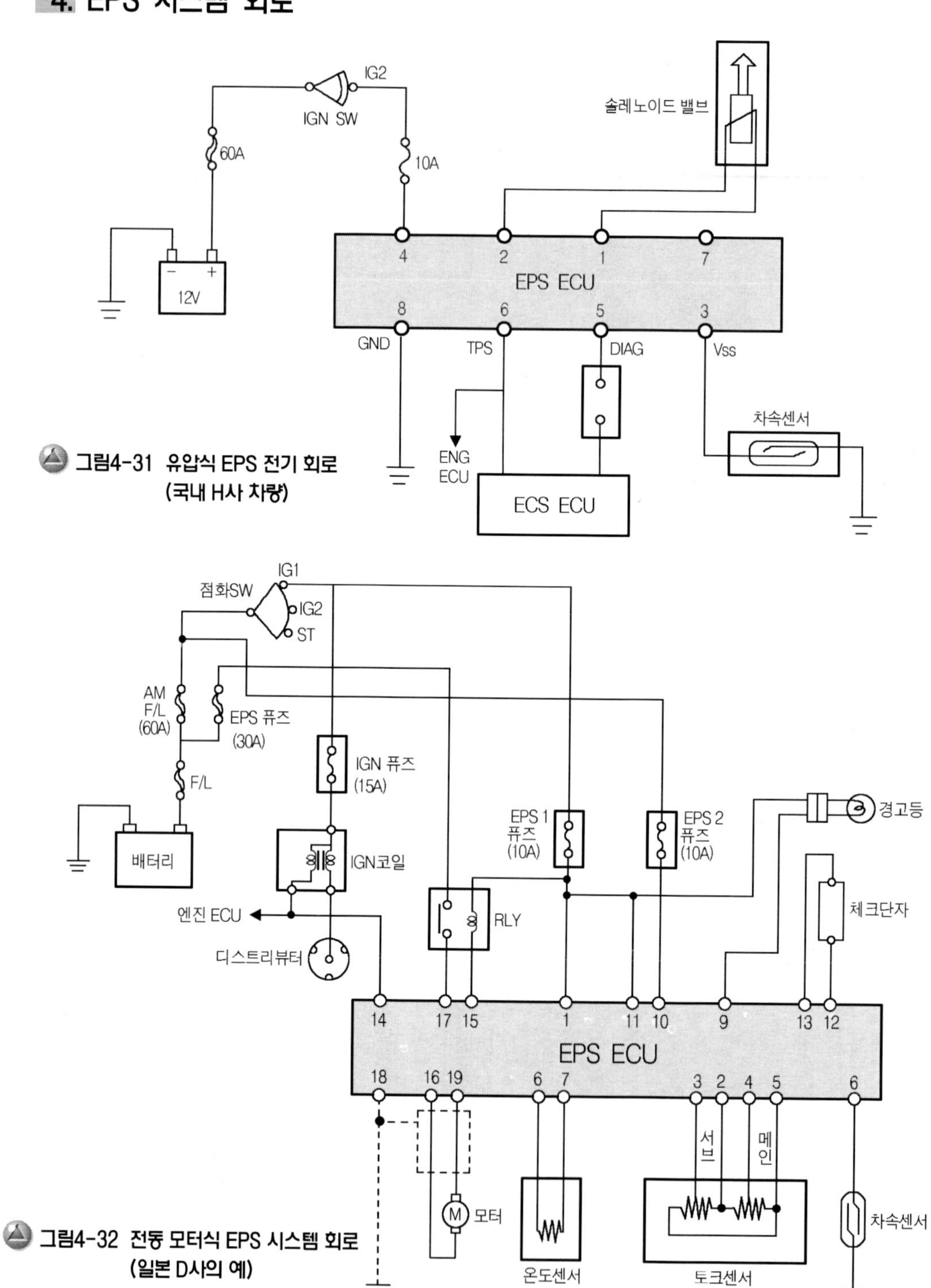

그림4-31 유압식 EPS 전기 회로
(국내 H사 차량)

그림4-32 전동 모터식 EPS 시스템 회로
(일본 D사의 예)

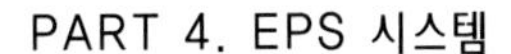

point

전자제어 조향장치

1 유압식 EPS 시스템

1. 유압식 EPS의 분류

엔진 회전에 의해 구동되는 오일펌프로부터 토출된 오일은 스티어링의 기어 박스에 부착된 로터리 밸브의 유압을 솔레노이드 밸브를 통해 제어하는 방식

① 회전수 감응형 EPS : 엔진 회전수에 따라 유압을 제어하여 조향력을 어시스트(assist)하는 조향 장치

② 차속 감응형 EPS : 차속에 따라 유압을 제어하여 조향력을 어시스트 하는 전자제어 조향 장치

※ EPS 시스템은 electronic power steering system의 약어로 ECPS 시스템이라 표현하고 있다.

2. 유압식 EPS의 주요 구성 부품

① 솔레노이드 밸브 : EPS ECU는 차속 신호를 기준으로 솔레노이드 밸브를 듀티 제어하여 오일펌프로부터 토출된 유압을 제어 하는 밸브

② 로터리 밸브 : 밸브 내부의 오리피스를 통해 파워 실린더에 작용하는 유압 변화시키는 역할을 한다.

③ 차속 센서 : EPS를 제어하기 위해 입력되는 기준 신호

④ TPS 센서 : 차속 센서 이상 시 페일 세이프 모드로 전환하기 위해 자기 보정을 하기 위한 보정용 센서

2 전동 모터식 EPS 시스템

1. 전동 모터식 EPS의 분류

전동 모터의 장착 위치에 따라 분류

① C-EPS : 전동 모터의 장착 위치가 칼럼 샤프트에 있는 경우

② P-EPS : 전동 모터의 장착 위치가 피니언 기어에 있는 경우

③ R-EPS : 전동 모터의 장착 위치가 랙 기어에 있는 경우

2. 전동 모터식 EPS의 주요 구성 부품

① 전동 모터 : 스티어링 기어를 직접 구동하여 조향력을 얻는 직류 모터

② 토크 센서 : 스티어링 휠의 회전시 토션바의 비틀림 정도를 검출하는 센서

③ 차속 센서 : 차속 감응을 제어하기 위한 기준 신호

3. 모터의 전류 제어

① 정지 시 제어 : 차량 정지 시 토크 센서의 신호를 기준으로 모터의 전류를 제어하는 모드

② 차속 감응 제어 : 차속 센서의 신호를 기준으로 모터의 전류를 제어하는 모드

③ 모터의 보호 전류 제어 : 모터의 과열 방지를 위해 일정 시간 이상 출력시 모터의 흐르는 전류를 서서히 감소시키는 제어

05
전자제어 A/T

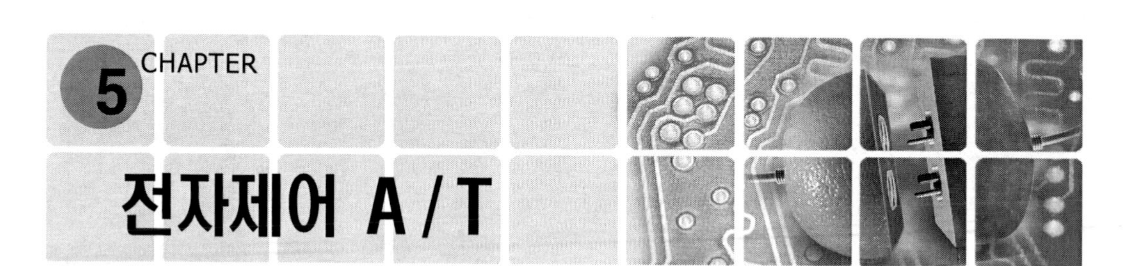

5 CHAPTER 전자제어 A/T

1 A/T의 기본 지식 제어

1. A/T의 기본 개념

전자제어 A/T(Auto Transmission)는 자동차 제조사에 따라 ECT(Electronic Control Transmission), 또는 ELC A/T(Electronic Control Auto Transmission)의 약어를 따 ECT 또는 ELC A/T라고 표현하지만 이 책에서는 일반적으로 표현하고 있는 전자제어 A/T 또는 약어로 ELC-A/T로 표현하여 설명하도록 하겠다.

ELC-A/T 시스템의 기본 구성은 그림 (5-1)과 같이 자동 변속에 필요한 여러 정보를 검출해 전달하는 입력 센서들과 이들 신호를 입력 받아 처리하는 TCU(Transmission Control Unit : 자동 미션 제어 컴퓨터를 말함), 그리고 TCU로부터 명령을 실행하여 유압을 제어하는 수개의 솔레노이드 밸브(solenoid valve)와 이들 밸브로부터 유압 회로를 절환하여 자동 변속도록 하는 자동 변속기로 구성되어 있다.

ELC A/T의 여러 입력 센서 중 변속을 결정하는 주요 센서는 엔진 부하를 검출하는 스로틀 포지션 센서(throttle position sensor)와 차량의 속도를 검출하는 차속 센서를 입력 센서를 사용하고 있다. 또한 이들 구성 요소 중 TCU(자동 미션 컴퓨터)는 자동 변속에 필요한 여러 입력 센서의 신호를 입력 받아 미리 설정된 ROM(읽기 전용 메모리) 내의 프로그램에 따라 변속 패턴(pattern)의 데이터 값을 출력하게 된다. 이렇게 TCU(자동 미션 컴퓨터)로부터 출력된 변속 패턴의 데이터 값은 자동 변속기 내의 해당 솔레노이드 밴드를 구동하여 변속을 수행도록 하고 있다. 여기서 사용하는 솔레노이드 밸브(solenoid valve)란 자동 변속기 내의 밸브 보디에 장착 돼 변속이 가능 하도록 유압을 절환하는 일

종의 전자 개폐 밸브(valve)이다. 전자제어 A/T는 종래에 사용하던 기계식 A/T에 TCU(자동 미션 컴퓨터)를 도입하여 유압을 제어하기 위한 것으로 기계식 A/T와 마찬가지로 변속기 내의 동력 전달은 모두 유압을 이용하고 있다.

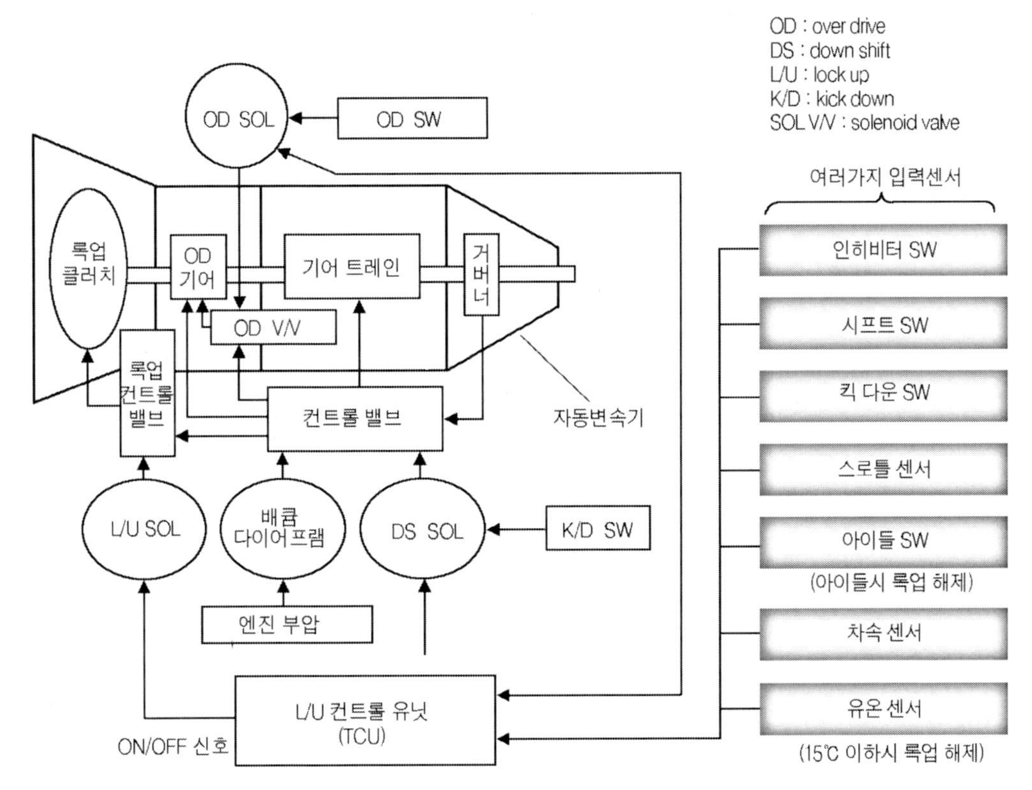

그림5-1 A/T 시스템의 제어 구성

사진5-1 토크 컨버터 절개품

사진5-2 밸브 보디

따라서 자동 변속기는 엔진 동력을 기계식 마찰 클러치를 사용하여 동력을 전달하는 대신 유체를 이용하여 동력을 전달하고 있어 자동 변속기 내의 유압을 절환하기 위해서는 전자반인 솔레노이드 밸브가 필요하게 된다. 전자제어 A/T의 동력 전달을 쉽게 표현하면 그림(5-2)와 같이 표현 할 수가 있다. 이것은 엔진으로부터의 동력은 자동 변속기 내에 있는 유성 기어로부터 전달된 동력은 디퍼렌셜 기어(differential gear)를 통해 출력되어 차륜에 회전력을 전달하고 있다.

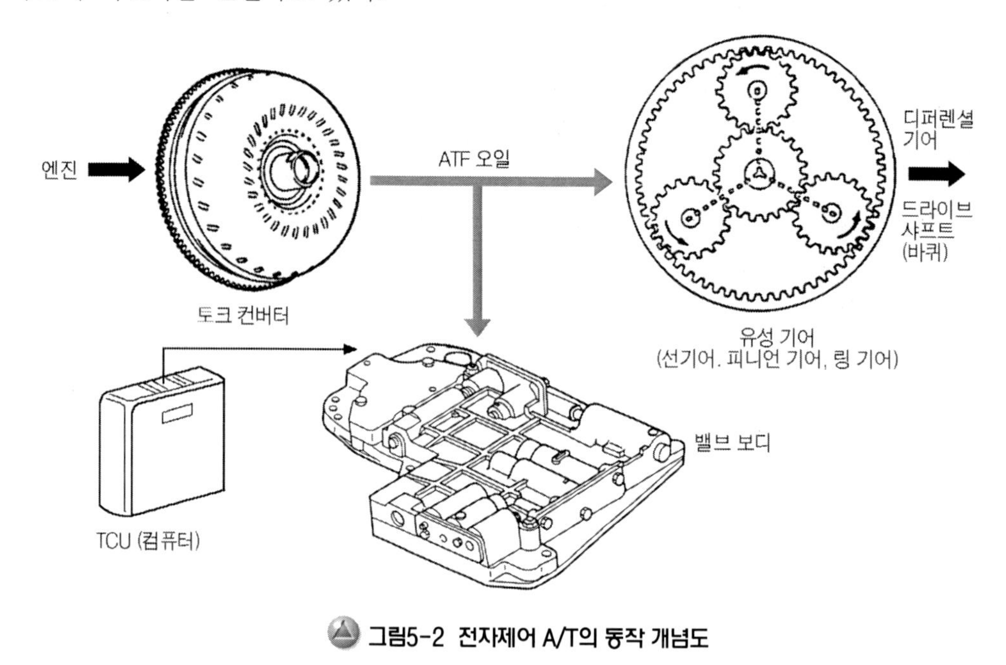

그림5-2 전자제어 A/T의 동작 개념도

토크 컨버터(torque converter)를 통해 유성 기어(gear)로 전달되고 유체를 이용해 회전력을 변환하는 토크 컨버터 내에는 펌프(펌프 임펠러라 칭함)와 터빈(turbine)을 설치하여 엔진으로부터 기계적 동력을 펌프 임펠러(pump impeller)로부터 유체 동력으로 변환하고 변환된 유체 동력은 터빈을 통해 기계적 동력으로 변환하고 있다. 즉 전자제어 A/T의 동작 개념을 간단히 설명하면 토크 컨버터 내의 펌프 임펠러의 회전축은 엔진의 크랭크샤프트(crank shaft)와 직접 연결되어 있어 기계적 동력을 유체의 동력으로 전환하고 유체로 전환된 동력은 터빈을 통해 기계적 동력으로 전환 한다.

이렇게 전달된 기계적 동력은 그림(5-3)의 동력 전달 흐름과 같이 유성 기어(플래니터리 기어 : planetary gear)로 전달되게 돼 유성 기어의 변속비에 의한 기어 변속이 이루지

게 된다. 유성 기어(planetary gear)는 선 기어(sun gear)를 중심으로 피니언 기어(pinion gear), 링 기어(ring gear), 그리고 선 기어와 피니언 기어를 연결하는 캐리어(carrier)로 구성되어 있어 기어비의 조합에 따라 기어 변속이 가능하도록 하고 있다. 여기서 말하는 기어비의 조합은 유압을 이용한 여러 가지의 클러치(clutch)와 브레이크(brake)를 사용하고, 이들 클러치와 브레이크를 유압으로 제어하기 위해서는 수개의 솔레노이드 밸브(solenoid valve)와 유압 회로가 필요하게 된다.

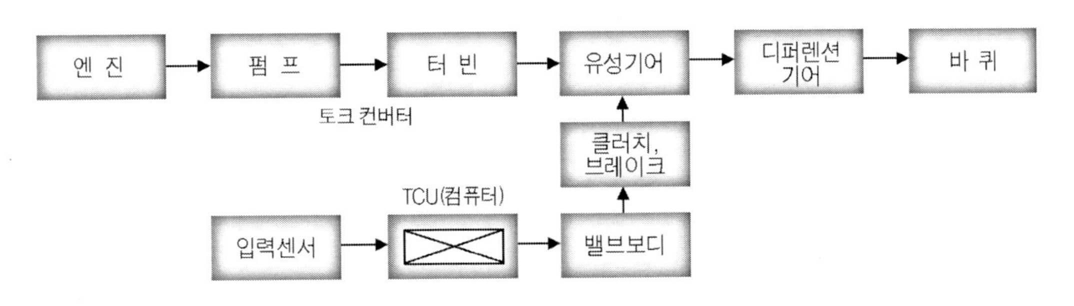

그림5-3 전자제어A/T의 동력전달흐름도

기계식 A/T의 경우라도 차량의 속도에 따라 유압을 발생하는 거버너 밸브(governor valve)와 엔진 부하에 따라 유압을 발생하기 위한 스로틀 밸브(throttle valve)가 필요한 것과 같이 전자제어 A/T의 경우에도 차속에 따라 압력을 제어하기 위한 압력 제어 솔레노이드 밸브와 변속을 하기 위한 변속용 솔레노이드 밸브가 필요하게 된다.

사진5-3 출력측 드라이브 기어

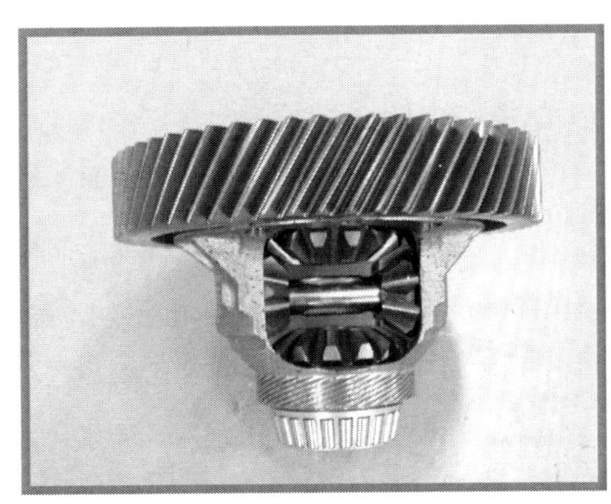

사진5-4 디퍼런셜 기어

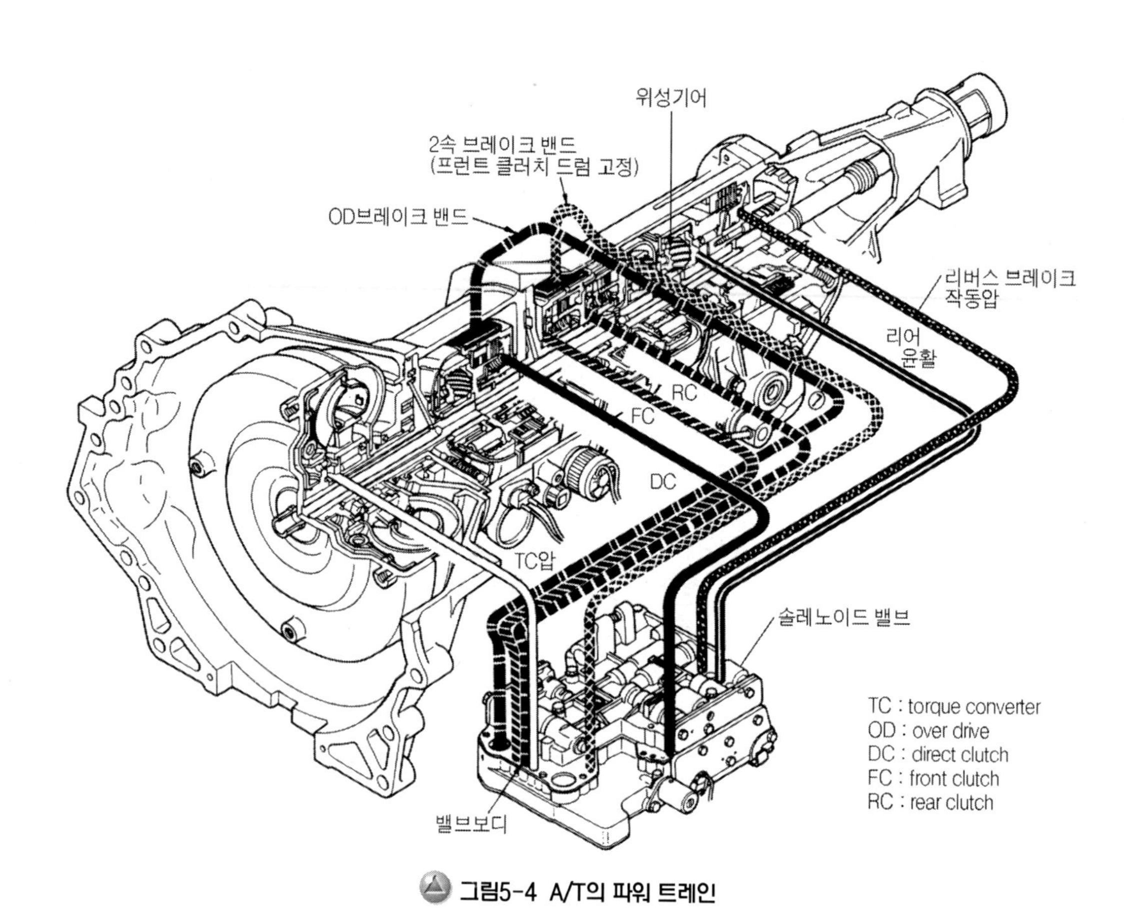

그림5-4 A/T의 파워 트레인

이와 같이 압력을 제어하기 위한 밸브와 변속을 하기 위한 밸브를 하나의 유압 회로에 설치하여 놓은 것이 밸브 보디(valve body)이다. 밸브 보디 내에는 기계식 밸브와 전자식 솔레노이드 밸브의 조합으로 이루어져 유압 회로에 압력을 조절하고 있다. 따라서 전자제어 A/T에 사용되는 솔레노이드 밸브는 유압을 절환하기 위한 일종의 전자 개폐 밸브라 생각하면 좋다. 유압을 절환 하기 위해 필요한 솔레노이드 밸브를 구동하기 위해서는 TCU(transmission control unit : 컴퓨터)는 차량의 주행 정보를 입력 센서로부터 입력 받아 필요한 변속을 하기 위해 솔레노이드 밸브를 구동하게 된다. 이때 TCU는 차량의 주행 속도를 검출하는 차속 센서, 엔진 회전수를 검출 신호, 차량의 가감속과 엔진 부하를 검출하는 TPS(throttle position sensor : 스로틀 포지션 센서) 센서 등의 전기적 신호를 입력 받아 운전자가 요구하는 주행 조건을 판단하게 된다. 따라서 TCU 내의 ROM(읽기 전용 메모리)에는 미리 설정 된 몇 가지의 변속 패턴(pattern)의 정보가 입력되어 있어

운전자가 요구하는 주행 조건으로 주행할 수 있다.

이와 같이 전자제어 A/T는 M/T(수동 미션)와 달리 주행 정보를 검출하는 입력 센서와 입력 센서로부터 검출된 정보를 처리하는 TCU(컴퓨터), 유압 회로의 밸브 개폐를 실행하는 솔레노이드 밸브, 유체의 동력을 기계적인 동력으로 변환하는 토크 컨버터(torque converter), 기어비의 조합에 따라 유성 기어의 변속을 결정하는 각종 클러치와 브레이크 기구 등으로 구성되어 있다.

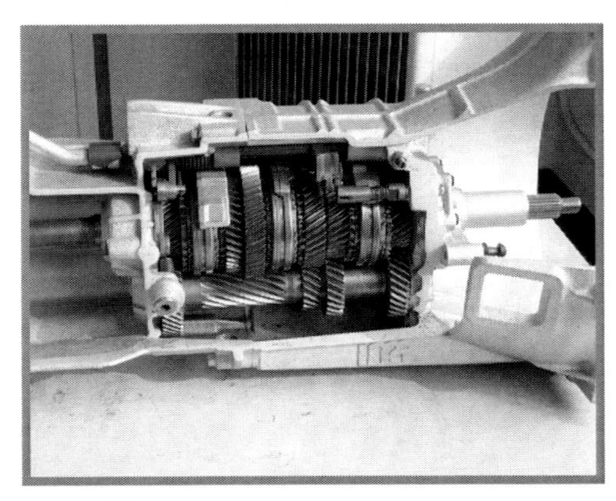

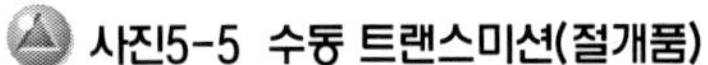

사진5-5 수동 트랜스미션(절개품)

사진5-6 자동 트랜스미션

표(5-1)은 M/T(수동 미션)와 차이점을 나타낸 것으로 A/T 는 M/T와 달리 동력 전달을 유체를 이용해 전달하기 때문에 동력 전달 효율이 떨어져 연비가 나쁜 대신 기어 변속에 의한 충격이 작고, 부드럽게 가감속이 가능한 이점을 가지고 있다.

또한 저속시 구동력이 커 등판 주행시 밀림 현상이 적고 주행 편의성 좋아 운전자의 선호가 높은 특징을 가지고 있어 현재에는 주종을 이루고 있다.

[표5-1] 수동트랜스미션과 차이점

항 목	M/T(수동미션)	A/T(자동미션)
중량	가볍다(20~30kg)	무겁다(50~90kg)
동력전달	기계식 마찰 클러치	토크 컨버터(유체)
초기구동력	작다	크다(경사면 출발 용이)
구동계의 완충작용	스프링에 의한 완충	유체에 의한 완충
가감속 충격	크다	적다
연 비	좋다	나쁘다(5~10% 많다)
급발진	용이하다(레이싱 카)	어렵다

또한 저속시 구동력이 커 등판 주행시 밀림 현상이 적고 주행 편의성 좋아 운전자의 선호가 높은 특징을 가지고 있어 현재에는 주종을 이루고 있다.

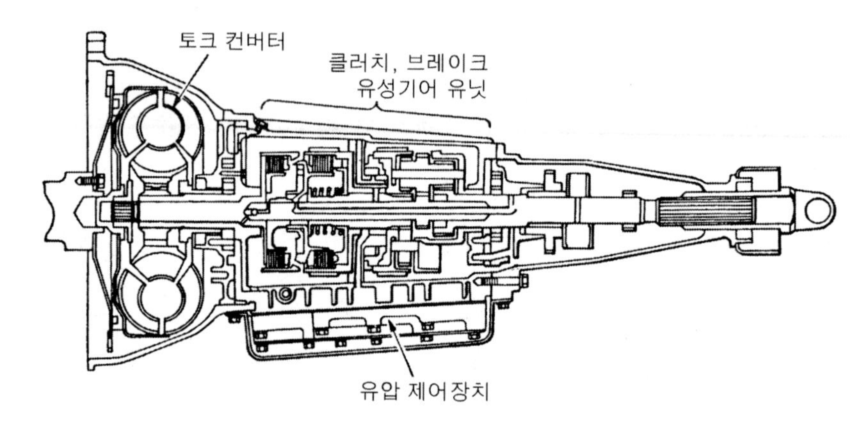

그림5-5 자동변속기의 구조

2. 유성 기어

(1) 기어의 변속비

그림 (5-6)과 같이 기어 A와 기어 B가 치합되어 있는 경우 기어비의 관계를 알아보자. 이 그림은 기어 A로부터 구동력이 입력되어 기어 B로 출력되는 경우를 나타내었다. 이때 구동력이 손실 없이 출력측에 전달되었을 때를 가정하면 구동력 = 출력의 관계가 성립된다. 따라서 이것을 식으로 표현하면 다음과 같이 표현하여 나타낼 수 있다.

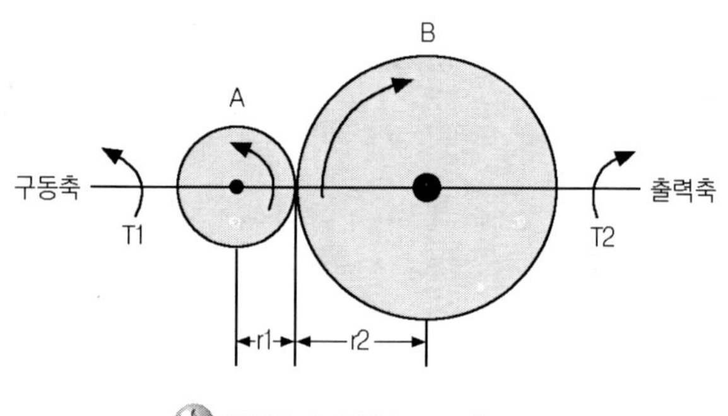

그림5-6 변속과 토크의 관계

구동력이 손실이 없이 출력이 전달되는 경우 : 구동력=출력

따라서 $T1 \times \omega 1 = T2 \times \omega 2$으로 나타낼 수 있다.

여기서 T1 : 구동측 토크, T2 : 출력측 토크 $\omega 1$: 구동측 회전 각속도 $\omega 2$: 출력측 회전 각속도

$$T1 \times \omega 1 = T2 \times \omega 2 \rightarrow T1 \times 2\pi N1 = T2 \times 2\pi N2 \quad \cdots\cdots ①$$

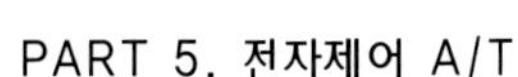

$$\frac{T2}{T1}=\frac{N1}{N2} \quad \cdots\cdots ②$$

②식으로부터 토크와 회전수는 서로 반비례하는 것을 알 수 있다.

기어의 회전 속도는 기어의 원주 × 회전수로 나타낼 수 있어

$$2\pi r1 \times N1 = 2\pi r2 \times N2 \quad \cdots\cdots ③$$

로 나타낼 수 있다.

③식으로부터 기어 A와 기어 B의 회전 속도는 동일하게 돼 결국 기어의 회전 반경은 기어의 잇수(Z)와 비례하게 된다. 따라서 변경 r1, r2와 토크의 관계는

$$\frac{r2}{r1}=\frac{T2}{T1}=\frac{N1}{N2}=\frac{Z2}{Z1} \quad \cdots\cdots ④$$

④식으로부터 기어의 잇수비(Z)는 기어의 토크비(T)와 같아 결국 기어의 잇수비에 따라 기어의 토크는 결정되어 지는 것을 알 수 있다.

그림(5-7)의 외접한 기어의 변속 원리를 예를 들어 보자. 구동측 기어-A는 10개의 잇수를 가지고 있는 기어이고, 출력측 기어-B는 30개의 잇수를 가지고 있는 기어를 생각하면 기어-A가 1회전 할 때 기어-B는 1/3 회전을 하게 된다. 기어-A가 1회전하면 10개 × 1회전 = 10개가 돼 기어-B에도 10개분만큼 만 회전하게 된다. 기어-B가 1회전 할 때 30개의 잇수가 회전하게 되므로 기어의 잇수 10개는 1/3에 해당한다.

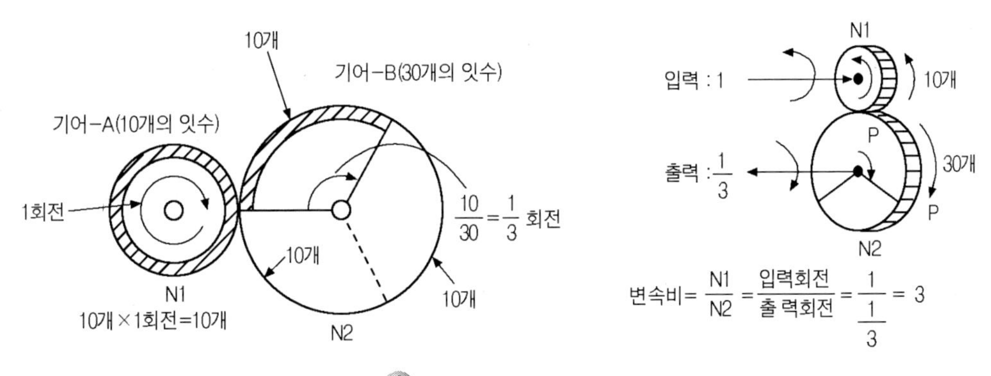

그림5-7 기어의 변속비

반대로 기어-B가 1회전하면 30개의 잇수가 회전하게 돼 기어-A는 30개/10개 = 3회전 하게 된다. 이와 같이 외접형 기어의 변속은 기어의 잇수가 다르기 때문으로 쉽게 이해할 수가 있다. 결국 외접형 기어의 변속은 기어의 잇수가 다르면 기어의 회전수도 다르다

는 것을 알 수 있다. 일반적으로 변속비라는 것은 입력측 회전수(구동측 회전수)에 대한 출력 회전수(피구동측 회전수)의 비율을 나타낸 것으로 다음과 같이 표현한다.

$$변속비 = \frac{입력측회전수}{출력측회전수} = \frac{구동측\ 회전수}{피구동측\ 회전수} = \frac{N_1}{N_2}$$

즉, 출력측(피구동측)이 1회전할 때 입력측(구동측)이 몇 회전하는가를 나타낸 것이다.

따라서 그림 (5-7)과 같은 기어의 변속비는 출력측 기어-B가 1회전할 때 입력측기어 -A는 3회전하게 되므로 결국 변속비는 3이 된다.

(2) 유성 기어의 변속 원리

자동 변속기(auto transmission)에서 변속 원리에 기본이 되는 것은 유성 기어(planetary gear) 만이 갖고 있는 독특한 구조 때문이라 할 수 있다. 이것은 동력을 연결한 채로 변속을 할 수 기능은 갖고 있기 때문인데 이 유성기어의 기본 구조를 살펴보면 그림(5-8)과 같이 중심에는 선기어(sun gear)와 선기어 주위에는 위성이 돌고 있는 것과 같이 피니언 기어(pinion gear)가 보통 3 ~ 4개가 치합되어 있는 구조를 갖고 있다.

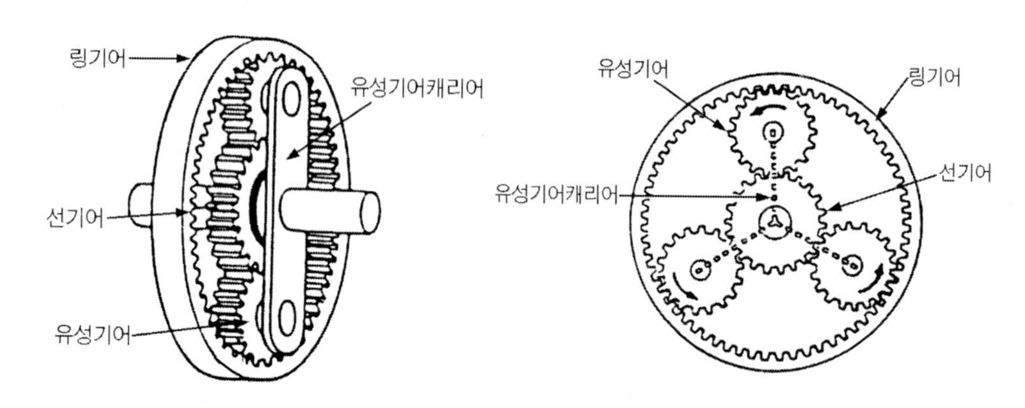

그림5-8 유성기어의 기본 구조(단순형)

또한 피니언 기어의 외주에는 링 기어(ring gear) 또는 인터널 기어(internal gear)라고 하는 기어와 피니언 기어를 고정하는 캐리어(carrier)가 설치되어 있는 구조를 갖고 있다. 이것은 마치 피니언 기어(pinion gear)가 선 기어(sun gear) 위를 굴러가며 회전하는 구조를 가지고 있어 유성 기어(planetary gear)라 부르고 있다. 이와 같이 피니언 기

어가 선 기어 위를 공전하며 자전을 하는 구조를 가지고 있는 것은 피니언 기어의 이동 거리가 그 만큼 빨리 이동되기 때문이다. 동일한 시간에 기어의 이동 거리가 많다는 것은 그 만큼 속도가 빠르다는 것을 말 하는 것인데 이것은 피니언 기어의 공전 한 거리와 자전한 거리의 합한 이동 거리가 돼 증속하기 때문으로 이것이 유성 기어의 기본 변속 원리이다. 회전하고 있는 선기어 위를 피니언 기어가 굴러가는 것은 선 기어의 회전 속도 보다 피니언 기어의 회전 속도가 빠른 것은 피니언 기어의 공전과 자전에 의해 2개의 이동량 만큼 동시에 이동하기 때문이다.

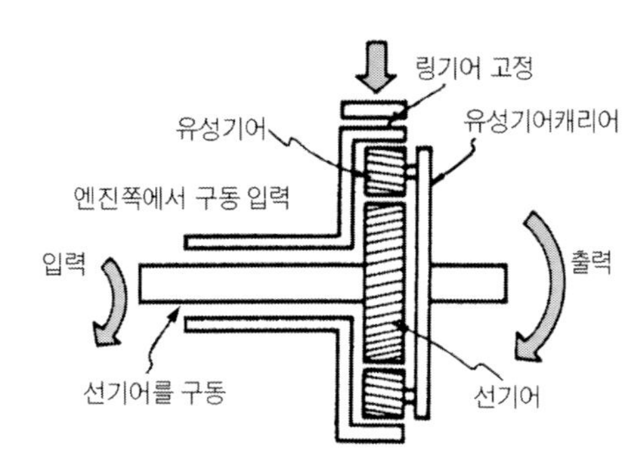

(a) 유성 기어의 측면

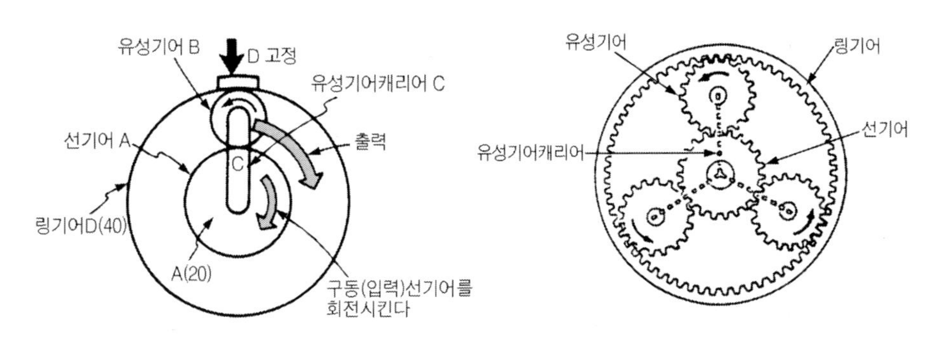

(b) 유성 기어의 정면

그림5-9 유성기어의 구조

사진5-7 변속기 내의 유성기어

사진5-8 A/T출력 구동축

이것은 일반 기어에 볼 수 없는 피니언 기어의 지지대 역할을 하는 캐리어(carrier)와 내접하고 있는 링 기어(ring gear), 그리고 선 기어(sun gear) 위를 돌고 있는 피니언 기어를 가지고 있기 때문이다. 이 유성 기어가 변속을 하기 위해서는 반드시 2가지 조건이 이루어지지 않으면 출력을 할 수가 없는 특징을 가지고 있다. 이 조건이라는 것은 어느 기어를 입력축(구동축)으로 할 것인가 하고, 어느 기어를 고정 하여 움직이지 않게 하는 가를 결정하는 것이다. 유성 기어는 3개의 기어(sun gear, pinion gear, ring gear)를 가지고 있어 입력축(구동축) 기어와 고정축 기어를 결정하면 나머지 1개의 기어는 당연히 출력축 기어가 돼 유성 기어는 증감속을 할 수 있게 된다.

유성기어의 특징을 살펴보면

① 입력축과 출력축이 1개의 동일 축상에 있다.

② 일반 기어에 볼 수 없는 피니언 기어의 지지대(캐리어)를 가지고 있다.

③ 유성기어에 2가지 조건을 주지 않으면 출력을 할 수 없다.

3가지 기어 중 입력축 기어와 고정축 기어를 결정하여야 변속이 가능하다.

(3) 유성 기어의 공전과 자전 운동

유성 기어의 구동력 전달 계통은 선 기어(sun gear), 링 기어(ring gear), 캐리어(carrier)의 3개의 기어가 역할을 하고 있다. 이러한 유성 기어의 변속 원리를 이해하는 것은 유성 기어의 회전을 직접 확인하는 것이 가장 이상적인 방법이기는 하나 이것을 쉽게 이해하는 것은 유성 기어의 공전과 자전 운동을 하나씩 생각하여 보면 쉽게 이해되리라 생각 된다. 먼저 자전 운동을 생각하면 선 기어 위를 굴러가는 피니언 기어를 1회전 자전 시키면 피니언 기어는 자전분($2\pi r$) 만큼 선 기어 위를 굴러가 이동하고 선 기어가 회전 시켜 피니언 기어가 공전 운동을 하면 피니언 기어는 공전분($2\pi r$) 만큼 선 기어 위를 굴러 이동하여 증속하게 된다.

서로 외접되어 있는 일반 기어의 경우에는 입력축(구동축)이 항상 출력축에 전달되고 있기 때문에 축을 중심으로 자전 운동을 하고 있다고 할 수 있다. 그러나 유성 기어의 경우에는 피니언 기어의 지지대(캐리어)를 가지고 있어 링 기어(ring gear)와 캐리어는 공전 운동을 한다. 피니언 기어(pinion gear)의 경우에는 동력 전달에 관계없이 자전 운동을 하지만 공전 운동은 캐리어)가 그 역할을 하게 된다.

피니언 기어)에 자전과 공전을 동시에 진행시킨 다고 하였을 때 피니언 기어는 공전 운

동을 하고 있다고 할 수 있지만 실제 그 역할은 피니언 기어를 지지하고 있는 캐리어가 하게 된다. 캐리어의 경우는 보통 기어의 자전 운동이 공전 운동이라는 독특한 기능의 기어이다.

따라서 유성 기어의 공전이라는 것은 캐리어를 중심으로 움직이기 때문에 기본적으로 캐리어의 공전 운동이 어떤 경우에 발생하는지를 알아보는 것이 중요하다. 유성 기어의 변속 작용은 캐리어의 회전으로부터 출발하기 때문에 어떤 경우에 캐리어가 공전하는지를 알아보면 좋다. 캐리어를 회전시키기 위하여 피니언 기어(pinion gear)가 선 기어(sun gear) 위를 굴러가는 것뿐만 아니라 링 기어(ring gear) 내를 굴러가고 있다고 생각하고 링 기어 또는 선 기어를 고정하면 캐리어는 공전 운동을 하게 되는 것을 알 수 있다.

캐리어(carrier)가 공전을 하는 것은 피니언 기어(pinion gear)가 굴러가는 것을 의미하는 것으로 먼저 선 기어(sun gear)를 고정해 피니언 기어(pinion gear)가 1회전 굴러간 경우를 그림(5-10)으로부터 생각하여 보자.

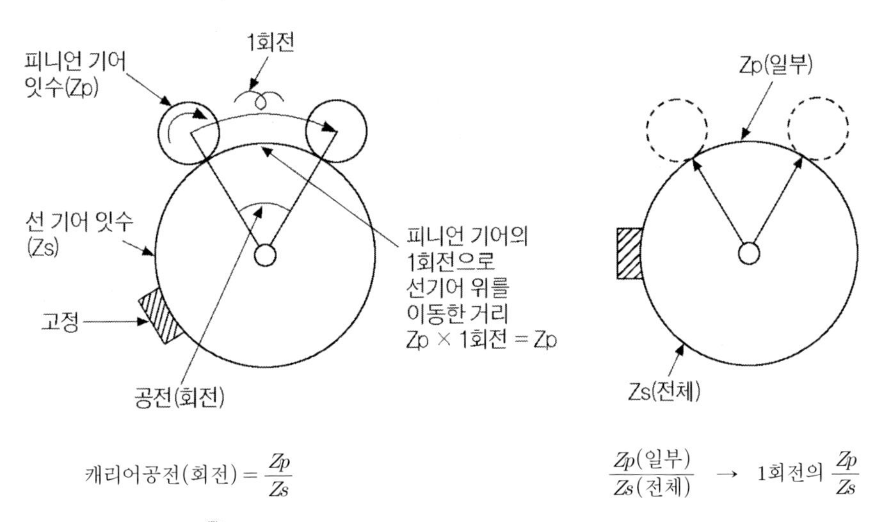

그림5-10 선 기어 위를 공전 할 때(선기어 고정시)

피니언 기어가 1회전 할 때 캐리어(carrier)는 선 기어 위를 얼마만큼 이동하는 지를 알아보면 피니언 기어의 1회전에 굴러가는 기어의 잇수는 Zp × 1회전이 되어 결국 Zp로 나타나게 된다. 이 기어의 잇수를 고정 측인 선 기어(sun gear) 입장에서 바라보면 선 기어의 전체의 잇수(Zs)는 Zp/ Zs 에 불과하다. 결국 캐리어는 Zp/ Zs 만큼 회전한 것이 된다.

이번에는 캐리어(carrier)가 선 기어 위를 1회전 할 때 피니언 기어(pinion gear)는 몇 번 회전하는 지를 알아보자. 선 기어(sun gear)의 잇수(Zs)를 피니언 기어의 잇수(Zp)로 나눈 값이 회전수이므로 캐리어의 회전은 Zp/ Zs 만큼 회전하게 된다.

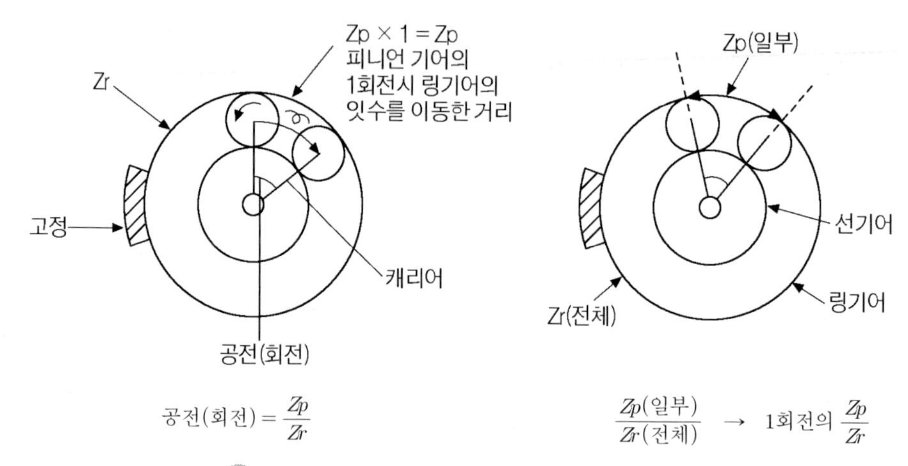

공전(회전) $= \frac{Zp}{Zr}$ $\qquad \frac{Zp(일부)}{Zr(전체)} \rightarrow$ 1회전의 $\frac{Zp}{Zr}$

그림5-11 링 기어 위를 공전할 때(링 기어 고정시)

[표5-2] 캐리어가 공전하는 경우 피니언과 캐리어의 회전수 관계

선 기어 위를 공전할 때		링 기어 위를 공전할 때	
피니언 잇수(Zp)	캐리어 회전수(Nc)	피니언 잇수(Zp)	캐리어 회전수(Nc)
1회전	Zp / Zs	1회전	Zp / Zr
Zs / Zp	1회전	Zr / Zp	1회전

다음은 링 기어(ring gear)를 고정해 피니언 기어(pinion gear)를 굴리게 되면 피니언 기어는 링 기어의 내측을 회전하게 된다. 링 기어 잇수(Zr)은 링 기어 입장에서 바라보면 Zp / Zr에 불과하다. 따라서 캐리어의 회전은 Zp / Zr가 된다.

이번에는 캐리어가 링 기어 내를 1 회전하였을 때 피니언 기어는 몇 회전하는 지를 알아보자. 링 기어의 잇수(Zr)를 피니언 기어의 잇수(Zp)로 나눈 값이 회전수가 돼 피니언 기어의 회전은 Zr / Zp 만큼 회전하게 된다.

피니언 기어가 자전 운동을 해 공전하는 기어를 생각하여 보자. 캐리어를 고정하여 피니언 기어를 1회전 자전시키면 피니언 기어의 자전에 의해 링 기어(ring gear)는 회전하게 된다. 이때 링 기어의 회전 거리는 피니언 기어의 1회전 잇수(Zp) 만큼 이동한다. 이것을

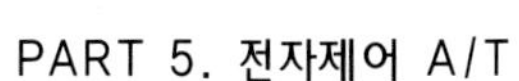

링 기어(ring gear)의 전체 잇수(Zr) 입장에서 바라보면 Zp / Zr 가 돼 링 기어의 회전은 Zp / Zr 가 된다. 또한 선 기어(sun gear)는 피니언 기어의 1회전에 의해 역방향이 돼 피니언 기어의 잇수(Zp) 만큼 회전 한다. 따라서 선 기어(sun gear) 입장에서 바라보면 Zp / Zs가 된다. 따라서 선 기어도 Zp / Zs 만큼 회전한다.

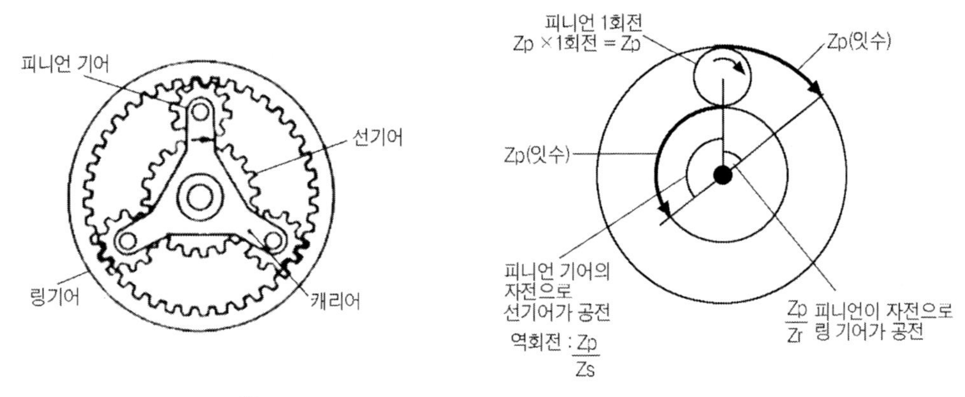

그림5-12 피니언 기어가 자전할 때 링기어와 선기어

[표5-3] 피니언 기어가 자전하는 경우 링기어와 선기어의 관계

링 기어 위를 공전할 때		선 기어 위를 공전할 때(역방향)	
피니언 잇수(Zp)	링 기어 잇수(Zr)	피니언 잇수(Zp)	선 기어 잇수(Zs)
1회전	Zp / Zr	1회전	Zp / Zs
Zr / Zp	1회전	Zs / Zp	1회전

3. A/T의 변속 패턴

(1) 변속 레버의 선택 패턴(select pattern)

실렉트 패턴(select pattern)은 운전자가 변속 레버를 조작 할 때 자동 변속기의 변속 위치를 표시한 것으로 변속기의 종류에 따라 ① P ↔ R ↔ N ↔ D ↔ 2 ↔ L 패턴형과 ② P ↔ R ↔ N ↔ D ↔ 3 ↔ 2 ↔ L패턴형, ③ P ↔ R ↔ N ↔ D ↔ S(sport mode) 패턴형 등이 있다.

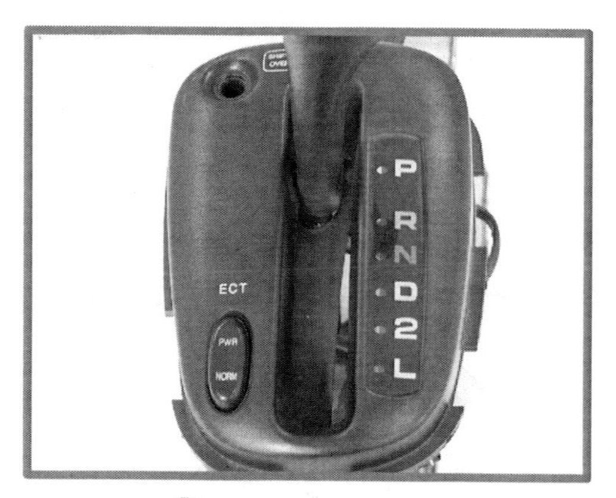

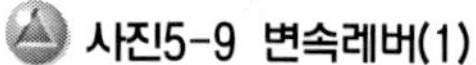
사진5-9 변속레버(1)

사진5-10 변속레버(2)

이들 패턴의 위치에 대한 내용을 살펴보면 다음과 같다.

① P(parking : 주차)

㉮ P 위치를 선택하면 엔진 시동이 가능하다.

㉯ 출력측이 기계적으로 파킹(parking) 기구에 의해 고정이 돼 차량은 전후진 되지 않는다. 따라서 안전한 주차시 사용하는 위치이다.

㉰ 동력 전달이 출력측에 전달되지 않도록 작동 요소가 작용한다.

② R(reverse : 후진)

㉮ 후진 시 사용하는 변속 레버의 위치이다.

㉯ 출력축 기어가 후진되도록 각 작동 요소가 작동한다.

㉰ 엔진 시동은 되지 않는다.

③ N(neutral : 중립)

㉮ N 위치를 선택하면 엔진 시동이 가능하다.

㉯ 출력측이 파킹(parking) 기구에 의해 고정되지 않아 차륜 회전이 자유롭다.

㉰ 동력 전달이 출력측에 전달되지 않도록 작동 요소가 작용한다.

④ D(drive : 주행)

㉮ 액셀 페달(accel pedal)의 밟는 량과 차속에 의해 4단 또는 5단까지 자동으로 변속이 된다. OD S/W(over drive switch)가 부착되어 있는 차량의 경우는

* OD S/W ON시 : 4단 또는 5단까지 자동으로 변속한다.

* OD S/W OFF시 : 3단 또는 4단까지 자동으로 변속한다.

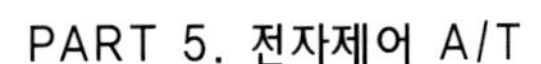

OD S/W OFF시는 시가지와 같이 60(km/h) 이하로 주행과 정차가 반복되는 도로에서 불필요한 변속이 이루지지 않도록 하기 위한 것으로 변속기의 내구성 증대와 충격 방지 효과가 있다.

㉯ 출발시에는 1속부터 하고 변속하고 아이들(idle) 상태에서는 2속 크립(creep)상태가 돼 차량의 충격을 저감하고 안전을 고려 차량의 움직이는 속도를 줄이고 있다.

㉰ 저속 구간에서는 미리 설정된 2속 또는 3속으로 다운 시프트 된다.

㉱ 추월시 킥 다운(kick down) 기능으로 구동력이 증가된다.

* 킥 다운 기능은 4속, 3속, 2속으로 주행중 액셀 페달(accel pedal)을 85% 이상 밟았을 때 저속 기어로 다운 시프트(down shift) 돼 구동력이 증가하게 되는 기능이다.

㉲ 2속부터 댐퍼 클러치(damper clutch)는 자동으로 작동한다.

* 댐퍼 클러치는 수동 변속기와 같이 엔진 동력이 기계적으로 결합하는 기구로 자동차 메이커의 차종에 따라 기능이 있는 경우와 없는 경우가 있다.

⑤ 2(second : 2속)

㉮ 2속까지만 자동으로 변속 된다.

㉯ D → 2 레인지로 절환하면 비교적 큰 엔진 브레이크가 걸려 언덕길이나 내리막 길에서 사용한다.

㉰ 아이들(idle) 상태에서는 D-레인지와 마찬가지로 2속 크립(creep) 상태가 된다.

⑥ L(lock : 엔진 브레이크)

㉮ 1속으로 유지 돼 큰 엔진 브레이크(engine brake)가 걸린다.

㉯ 2속 →1속으로 다운 시프트(down shift)는 되지만, 1속 → 2속으로 업 시프트(up shift)는 되지 않는다.

㉰ 엔진 브레이크가 크게 걸려 경사가 큰 언덕이나 내리막에 사용한다.

㉱ D-레인지에서 L-레인지로 절환하면 정해진 차속에 의해 4속 → 3속 → 2속 → 1속 순으로 다운 시프트(down shift) 된다.

⑦ S(sport : 스포츠 모드)

㉮ 수동 변속기와 같이 운전자가 원하는 변속을 할 수 있는 모드(mode)이다.

㉯ 변속 레버를 스포츠 모드(sport mode)로 절환하면 TCU(A/T ECU)는 스포츠 모드로 절환 되었음을 인식한다.

* 스포츠 모드의 절환은 변속 레버를 P ↔ R ↔ N ↔ D에서 「+」 「↔」 「−」 위치로 절환하는 것을 말한다.

③ 변속 레버가 스포츠 모드(sport mode)로 절환 된 상태에서 변속 레버를 「+」 측으로 밀면 한 단계씩 업 시프트(up shift) 되고, 「−」 측으로 당기면 한 단계씩 다운 시프트(down shift) 된다.

(2) 변속 패턴(shift pattern)

전자제어 변속기는 차량의 성능과 운전 상황에 따라 가장 이상적으로 변속이 이루어지도록 TCU(A/T ECU) 내에 변속 패턴(shift pattern)을 설정하고 있다. 이 변속 패턴은 엔진의 동력 성능이나 연비, 차량의 충격이나 소음 등을 고려해 설정하고, 차량의 주행 상황에 따라서는 차량의 속도와 액셀 페달(accel pedal)의 밟은 량에 따라 변속이 이루어지도록 설정하고 있다. 또한 동력 성능과 연비를 고려하기 위해 액셀 페달의 밟은 량(스로틀 개도량)과 변속기의 드라이브 기어(drive gear)의 회전수를 고려해 변속 패턴을 설정하고 있다.

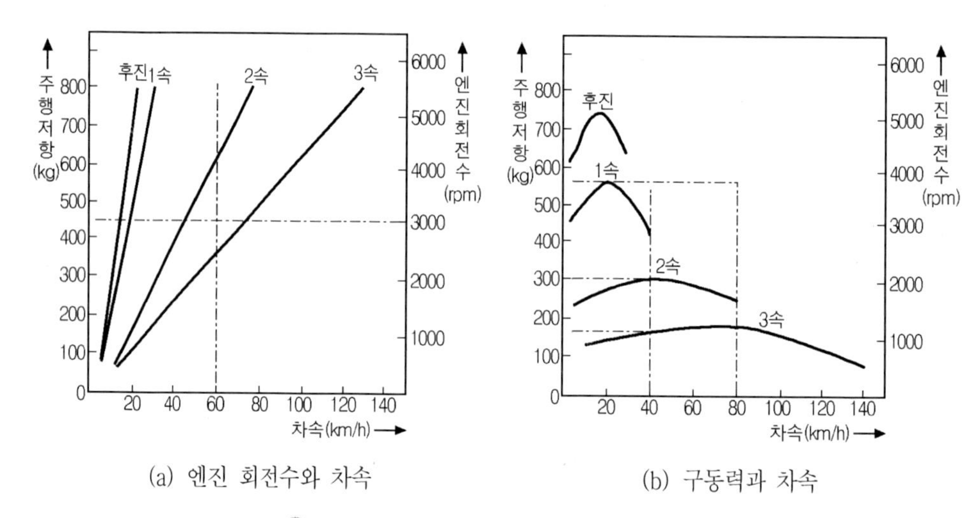

(a) 엔진 회전수와 차속 (b) 구동력과 차속

그림5-13 구동력과 차속에 대한 변속 시점

이들 변속 패턴을 결정하는 요인을 살펴보면 다음과 같은 요소가 있다.

① 변속 패턴을 결정하는 요인들

- 엔진의 회전수와 부하에 따른 적정 변속 시점
- 스로틀 밸브(throttle valve)의 완전 개도시 엔진의 최대 회전수 결정(rpm)

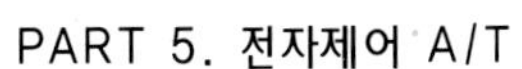

- 차량의 구동력과 배출 가스에 대한 적정 변속 시점
- 엔진의 출력과 차량 가속력에 대한 토크 컨버터(torque converter) 결정
- 업 시프트(1속 → 4속)시 변속 타이밍과 다운 시프트(4속 → 1속)시 변속 타이밍의 결정(변속에 의한 충격이 최소화한다)
- 킥 다운(kick down) 및 리프트 풋 업(lift foot up)시 엔진의 최대 회전수가 되지 않도록 한다.

변속 패턴(shift pattern)은 차량의 출력 및 연비, 가속 성능이나 배출 가스, 변속 쇼크(shork) 등에 영향을 미치게 되므로 적정 변속 패턴을 결정하는 것은 매우 중요하다.

이와 같이 여러 요소를 고려한 변속 패턴(shift pattern)에는 여러 가지 변속 패턴 모드가 있는데 일반적으로 파워 모드(power mode), 이코노미 모드(economy mode), 홀드 모드(hold mode)와 유온 가변 변속 모드 등을 들 수 있다.

그림(5-14)는 4단 변속기의 변속 패턴을 나타낸 것으로 가로측은 차속(transfer drive gear의 회전수)을 세로측은 엔진의 스로틀 밸브(throttle valve)의 개도량을 표시한다. 변속 패턴 중에 실선은 업 시프트의 변속선을 표시하고, 파선은 다운 시프트의 변속선을 나타내는 것이다.

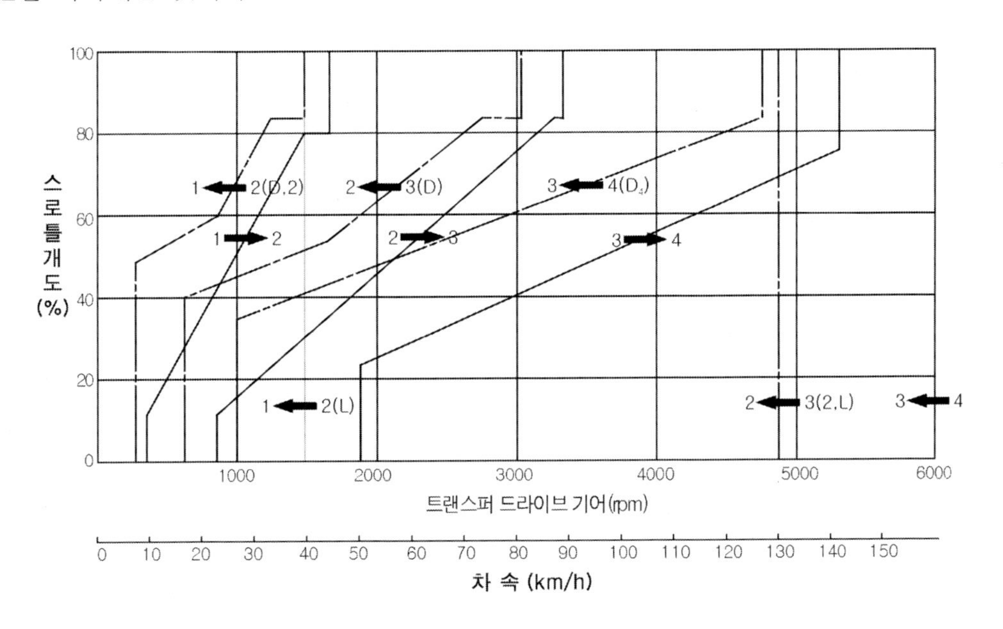

(a) 파워 모드

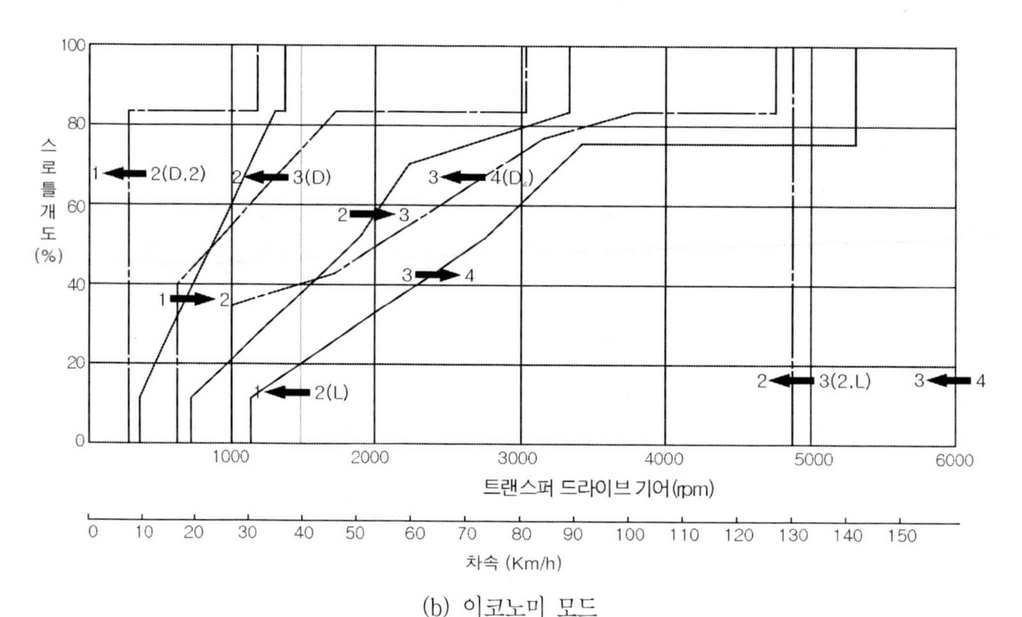

(b) 이코노미 모드

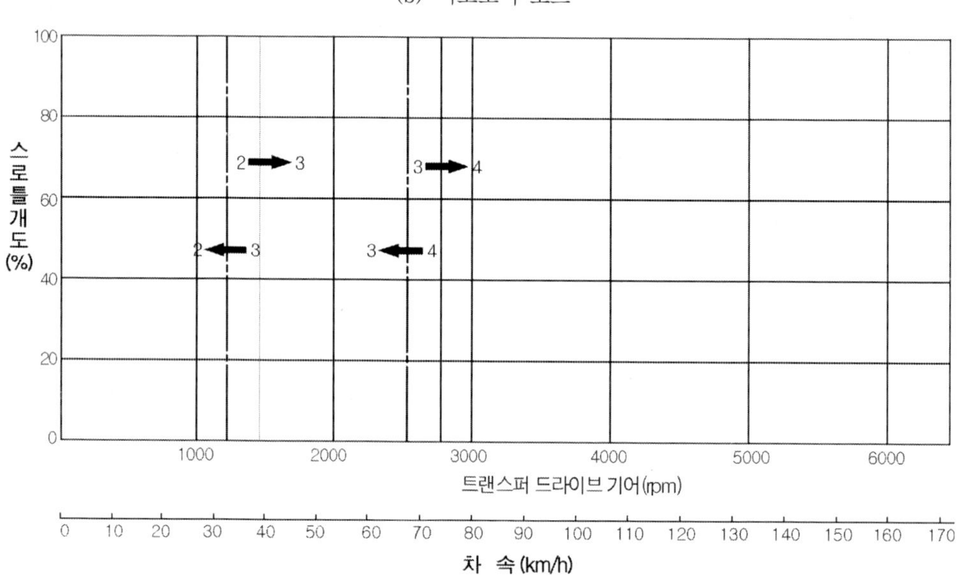

(c) 홀드 모드

그림5-14 전자제어 A/T의 변속 패턴(예)

여기서 업 시프트와 다운 시프트의 변속선이 히스테리시스(hysteresis)의 특성을 가지는 것은 동일선 상의 변속점 부근에서 주행 할 경우 업 시프트와 다운 시프트가 번번이 일어나지 않게 하기 위함이다. 즉 업 시프트와 다운 시프트의 차이를 두어 불필요한 변속

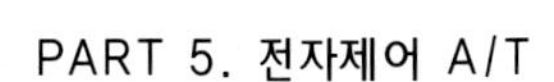

이 일어나지 않게 하기 위한 것이다.

A/T(자동 변속기)는 토크 컨버터(torque converter)로부터 유체로 동력을 전달하기 때문에 변속 레버를 R, D, 2, L 레인지에 위치하면 액셀 페달(accel pedal)을 밟지 않아도 차량은 서서히 굴러가는 크립(creep) 현상이 발생하게 된다. 이러한 이유 때문에 전자제어 자동 A/T는 액셀 페달(accel pedal)을 밟지 않은 저속 영역(약 7km/h 이하의 영역)에서는 2속 상태로 홀드(hold)시켜 아이들(idle) 상태에서의 진동을 저감하고, 크립량의 저감을 도모하고 있다. 2속 홀드 상태에서 다시 액셀 페달을 밟으면 1속부터 변속하게 된다. 또한 액셀 페달의 밟은 량에 따라 저속 기어의 영역이 길게 되어 있다. 즉 스로틀 밸브(throttle valve)의 개도량이 클 때에는 스로틀 밸브의 개도량이 적을 보다 저속 기어 영역을 길게 하고 있다. 이것은 동일 차속에서 스로틀 밸브의 개도량이 많이 열린 상태에서 주행하는 경우 차량의 주행 저항이 큰 상태를 의미하는 것으로 구동력이 큰 저속 기어에서 주행 상태를 오래 요구하기 때문이다. 다음은 변속 패턴(shift pattern)에서 자주 등장하는 용어를 정리하여 놓은 것이다.

(2) 변속 패턴(shift pattern)의 용어

① **업 시프트**(up shift) : 변속이 1속 → 2속 → 3속 → 4속으로 증속하는 경우를 말한다.

② **다운 시프트**(down shift) : 변속이 4속 → 3속 → 2속 → 1속으로 감속하는 경우를 말한다.

③ **킥 다운**(kick down) : 일정 차속으로 주행 중 스로틀 개도를 갑자기 85% 이상 개도하면 윗방향으로 다운 시프트 선을 지나 4속 → 3속 → 2속 → 1속으로 다운 시프트 되어 큰 구동력을 얻는 것을 말 한다.

④ **킥 업**(kick up) : 액셀 페달을 밟아 킥 다운 시프트(kick down shift)가 일어난 후 스로틀 개도를 그대로 유지하면 큰 구동력에 의해 차속이 증가하는 현상을 말한다.

⑤ **리프트 풋업**(lift foot up) : 스로틀 밸브가 많이 열린 상태에서 주행하다 갑자기 액셀 페달을 놓으면 차량이 고속으로 업 시프트(up shift) 되는 현상을 말한다.

⑥ **시프트 프로텍션**(shift protection) : 엔진 및 변속기를 보호하기위해 다운 시프트 시 허용 rpm이 설정 되어 규정한 rpm 이하가 되면 다운 시프트 되는 것을 말한다.

트랜스퍼 드라이브 기어의 회전수가 3,500rpm 일 때 변속 레버를 갑자기 2단이나 L로 변경하면 2속 또는 1속으로 변속 되어야 하지만 변속기를 보호하기 위해 약 3,200rpm

이하가 되지 않으면 2속으로 다운 시프트(down shift) 되지 않도록 하는 것을 **시프트 프로텍션**(shift protection)이라 한다.

그림 (5-14) 변속 패턴의 파워 모드(power mode)는 저속 구간(2속, 3속)이 이코노미 모드(economy mode)에 비해 길어 차량의 연비는 떨어지나 강력한 파워 주행이 가능하여 등판길이나 험로에 적합하다. 이에 비해 홀드 모드(hold mode)는 2속 출발이 돼 눈길과 같은 빙판 길에 출발이 용이하다. 또한 액셀 페달(accel pedal)의 밟은 량으로만 변속에 전혀 영향을 주지 않고, 단지 차속에 의해 변속이 되어 수동 변속기와 같은 변속이 가능하다.

홀드 모드(hold mode) 상태에서는 표(5-4)와 같이 변속 레버를 「L」 위치로 절환하면 1속 상태로 고정이 되며 「2」 단으로 위치하면 2속으로 고정되어 출발과 주행이 가능하다. 이 홀드 모드 (hold mode)의 기능은 운전자가 도로의 상태에 따라 선택 할 수 있도록 변속 레버의 위치에 홀드 스위치(hold switch)를 설치하여 두고 있다.

[표5-4] 홀드 모드시 변속단 변화

변속 레버		변속단				비 고
		1속	2속	3속	4속	
L		○				1속 고정
2			○			2속 고정
D	OD OFF		○	○		
	OD ON		○	○	○	

또한 3속이나 4속으로 장시간 등판시 토크 컨버터(torque converter)는 슬립이 발생하고 변속기 내부의 온도는 상승하여 ATF 오일(auto transmission fluid : 자동 변속기 오일)의 점도가 변화하는 문제가 발생 한다. 이러한 문제를 방지하기 위해 전자제어 A/T는 유온 가변 시프트 패턴(shift pattern)의 기능을 가지고 있는 경우가 있다.

이 유온 가변 시프트 패턴의 기능은 3속이나 4속 등판 시 ATF 오일의 온도가 상승하면 4속을 해지하고 4속 → 3속, 3속 → 2속으로 다운 시프트 하도록 하고 있다. 유온 가변 시프트 패턴의 제어 조건은 D-레인지에서 3속이나 4속인 상태에서 유온 온도가 약 125℃ 이상이 되는 경우와 엔진 회전수가 약 2,100 rpm(제조사의 차종에 따라 다름)이상이 되면 다운 시프트하여 변속기의 내부 온도가 상승하는 것을 막고 있다. 반대로 유온 가변 시프트 패턴

에서 제어를 해지하기 위해서는 4속 → 3속, 3속 → 2속으로 다운 시프트 된 상태에서 3초 이상 지속하면 해지 도록하고 있다. 또한 ATF 오일 온도가 약 110℃ 이하가 되고, 엔진 회전수가 약 2,100 rpm 이하인 경우와 변속 레버의 위치를 D-레인지 이외의 위치에 놓아도 가변 유온 시프트 패턴 제어는 해지된다. 표(5-5)는 지금까지 설명한 변속 패턴(shift pattern) 내용을 패턴별 사용 용도와 변속 조작 내용을 정리하여 놓은 것이다.

[표5-5] 변속 패턴별 주행 용도

NO	시프트 패턴	용 도	변속단	기어의 변속과 조작
1	업 시프트(up shift)	통상 출발시	1속→2속→3속→4속	액셀페달을 서서히 밟아 증가하면 저속에서 고속으로 자동 변속
2	다운 시프트(down shift)	정지시(brake)	4속→3속→2속→1속	주행중 차속의 감소에 다라 고속에서 저속으로 자동 변속
3	킥 다운(kick down)	추월시 (급가속시)	4속→2속 4속→1속 3속→2속 3속→1속	스로틀밸브를 85% 이상 갑자기 개도하면 고속에서 저속으로 변속
4	킥 업(kick up)	추월시 (급가속시)	1속→2속→3속→4속 2속→3속→4속	킥다운 현상이 발생한 후 차속의 증가에 의해 저속에서 고속으로 변속
5	리프트 풋업(lift foot up)		2속→4속 2속→3속 1속→3속	주행중 액셀 페달을 갑자기 놓을 때 저속에서 고속으로 변속
6	파샬 킥 다운 (partial kick down)	추월시	4속→3속 4속→2속 3속→2속	액셀 페달을 85%이하로 밟은 상태에서 킥 다운 현상이 발생되는 현상
7	매뉴얼 셀렉트 업 시프트(manual select up shift)	경사로에서 평평로 진입시	2속→D L→D L→2속	주행중 변속 레버를 절환하면 저속에서 고속으로 변속
8	매뉴얼 셀렉트 다운 시프트(manual select down shift)	등판시, 등하시	D→2속 D→L	주행중 변속 레버를 절환하면 고속에서 저속으로 변속
9	OD ON/OFF 시프트	OD OFF : 시내주행 OD ON : 고속주행	4속→3속 3속→4속	OD OFF시 고속에서 저속으로 변속 OD ON시 저속에서 고속으로 변속

4. 유압의 기초

자동 변속기에 사용되는 ATF 오일(자동 미션 오일)도 일종의 액체로 액체의 일반적인 특성을 알아본다. 액체의 특성은 기체와 달리 압력을 가해도 체적의 변화를 일으키지 않는 특성을 가지고 있다.

그림(5-15)의 예와 같이 기체가 주입된 실린더(cylinder) 내의 피스톤(piston)에 힘이 가해지면 가해진 압력에 의해 기체의 체적은 응축되지만 액체의 체적은 거의 변화하지 않는 것을 알 수가 있다. 즉 액체의 특성은 압력을 가하여도 체적의 변화는 일어나지 않는다. 이와 같은 액체의 특성을 이용하면 물체의 이동에 용이하게 이용할 수 있다.

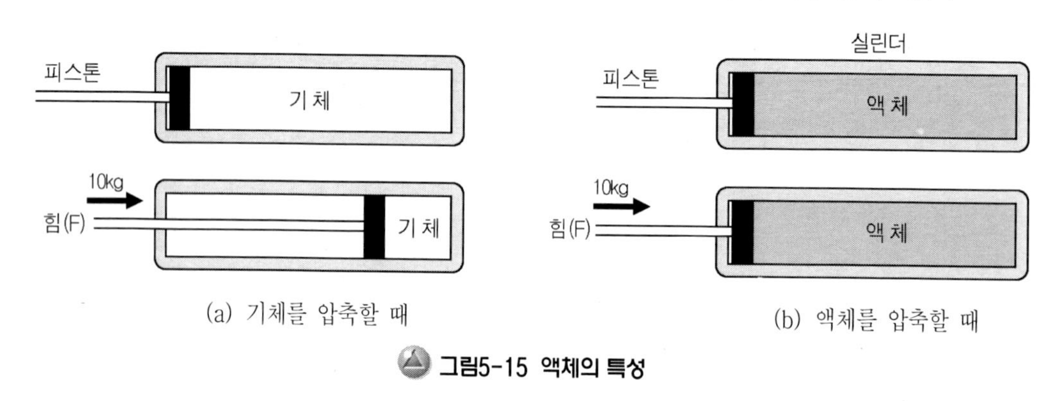

그림5-15 액체의 특성

그림(5-16)과 같은 실린더(cylinder)에 피스톤 A와 피스톤 B를 설치하고 피스톤 A와 피스톤 B에 액체를 주입하여 놓은 실린더가 있다고 가정하여 보자.

이때 피스톤 A에 10(kg)의 힘을 가해 피스톤 A가 10(㎝) 이동하면 액체의 체적은 변화하지 않아 피스톤 B도 피스톤 A와 같이 10(㎝) 이동한다. 따라서 실린더 내의 피스톤 A와 피스톤 B는 하나의 로드(rod)로 연결되어 있는 것과 같이 이동하게 된다. 실제로 자동 변속기의 유압 회로에는 이와 같은 간단한 원리를 이용한 밸브(valve)를 많이 사용하고 있다. 밀폐된 유압 회로 내에서 힘(F)의 전달은 근본적으로 힘

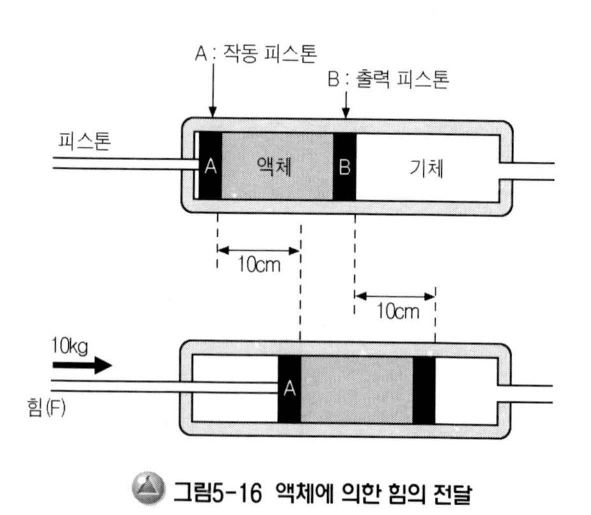

그림5-16 액체에 의한 힘의 전달

(F)과 압력(P) 관계에 의해 이루어진다. 따라서 가해지는 압력(P)과 반발력은 모두 힘(F)에 의해 기인되어 단위 면적(A)당 작용하는 힘(F)을 압력(P)으로 표현하고 있기도 하다.

그림(5-17)의 (a)와 같이 액체가 가득한 실린더(cylinder)에 무게가 W(kg) 나가는 물체를 피스톤 위에 올려놓으면 밀폐된 실린더 안에는 직각방향으로 동일한 압력이 작용하게 된다. 이와 같이 밀폐된 용기 안에 유체의 작용하는 압력은 모든 방향으로 동일하게 작용하고, 이때의 압력은 용기의 각 면에 직각방향으로 작용 한다는 것이 파스칼의 기본 원리이다. 이 같은 파스칼의 원리에는 2가지 전제 조건이 따른다. 하나는 액체 면이 높이가 동일 선상에 있을 것과 다른 하나는 유체가 흐르지 않을 것을 말한다. 즉 유체가 평면상에 있어야 한다는 말이다. 유체에도 무게를 가지고 있어 유체의 높이가 다르게 되면 높이의 차에 의해 압력으로 전환되기 때문이다.

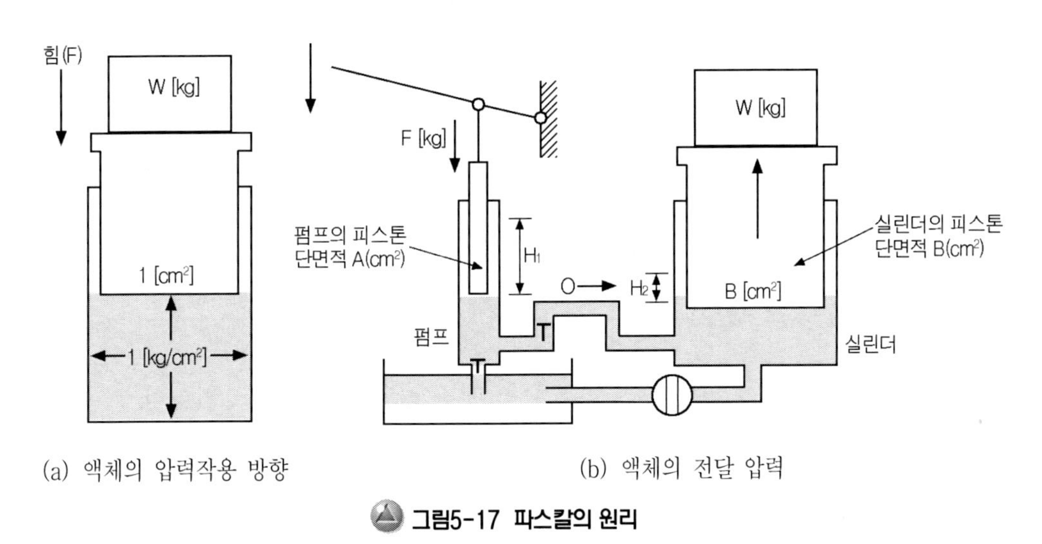

(a) 액체의 압력작용 방향　　(b) 액체의 전달 압력

그림5-17 파스칼의 원리

압력을 표시하는 단위는 일반적으로 CGS 단위계인 kg/cm² 단위를 사용하고 있다. 이것은 단위 면적당 가해지는 힘을 나타낸 것으로 그림 (5-17)의 (a)에서 무게 1(kg)이 작용 할 때 면적 1(cm²)에 작용하는 압력은 1(kg/cm²)으로 표현한다. 이것을 식으로 표현 하면 다음과 같이 나타낼 수 있다.

$$\text{압력(P)} = \frac{\text{힘}}{\text{단면적}} = \frac{F}{A}\,(\text{kg/cm}^2) \quad \cdots\cdots \text{①}$$

① 식으로부터 힘(F)를 무게(W)로 대치하면

$$압력(P) = \frac{무게}{단면적} = \frac{W}{A}\,(kg/cm^2) \quad \cdots\cdots ②$$

$$무게(W) = P \times B = P \times A \quad \cdots\cdots ③$$

식으로부터 펌프 A에 의해 피스톤 B에 작용하는 힘은

$$W \times A = F \times B \;\rightarrow\; F = W \times \frac{A}{B} \quad \cdots\cdots ④$$

따라서 작은 힘(F)로부터 무거운 하중(W)을 들어 올릴 수가 있게 된다.

여기서 P : 압력(kg/cm^2) A : 단면적(cm^2) F : 힘(kg)
A : 펌프 단면적(cm^2) W : 무게(kg) B : 피스톤 단면적(cm^2)

참고로 유압은 통상 대기압을 기준으로 결정하고 있어 보통 사용하고 있는 압력계에 나타내는 지침은 대기압 1013(mbar)를 0(kg/cm^2)로 설정하고 있다.

한편 피스톤(piston)을 F의 힘으로 H_1 만큼 이동하였을 때 펌프로부터 토출되는 오일량을 "O" 라 하면 토출되는 오일량은 다음과 같이 나타낼 수 있다.

$$O = A \times H_1 \quad \cdots\cdots ①$$

$$O = B \times H_2 \quad \cdots\cdots ②$$

로 나타낼 수 있으며

$$또한\; A \times H_1 = B \times H_2 \;\rightarrow\; \frac{A}{B} = \frac{H_2}{H_1} \quad \cdots\cdots ③$$

③ 식으로부터 펌프측의 피스톤을 눌렀을 때 거리와 하중으로 들어올리는 거리는 단면적에 반비례함을 알 수 있다.

여기서 H_1 : 펌프의 높이 H_2 : 피스톤의 이동 거리

5. ATF(자동 변속기 오일)

자동 변속기의 오일은 약어로 ATF(Auto Transmission Fluid)로 표현하고 있지만 이 책에서는 표현상 동일하게 표현하고자 ATF 오일(자동 미션 오일)로 표현하고자 한다. 자동 변속기에 사용하는 ATF 오일의 기본적인 역할은 토크 컨버터(torque converter) 내의 동력 전달과 변속기 내에 유압 기구(각종 밸브, 클러치, 브레이크 등)의 작동유 역할을 하고 있다. 이 ATF 오일이 변속기 내에서 하는 역할을 정리하여 보면 다음과 같다.

사진5-11 수동미션 오일의 색깔

사진5-12 자동미션 오일의 색깔

(1) ATF 오일의 역할

① 토크 컨버터(torque converter) 내의 ATF 오일에 의한 동력 전달
② 변속을 하기 위한 유압 기구(각종 밸브, 클러치, 브레이크 등)의 작동유
③ 변속기 내의 기어(gear)와 베어링(bearing) 등의 회전 요소의 윤활 작용
④ 기계적 마찰에 의한 온도 상승을 억제하는 냉각 작용
⑤ 장기간 사용하여도 부식성이 없는 내방청성

ATF 오일은 동력을 전달하는 기능은 물론 변속기 내의 높은 온도 하에서 기계의 윤활 작용과 유압 작용, 그리고 냉각 작용을 하여야 하는 오일로 높은 내구성 및 기능성이 요구되고 있다. 기어가 작동할 때 기어 사이에는 높은 압력에 의해 유막이 없어지면 금속의 마찰로 인해 높은 열이 발생하게 되고, 심한 경우에는 소착하는 경우가 발생하게 된다. 따라서 ATF 오일은 기어 사이에 높은 압력이 발생하여도 유막이 지속적으로 유지 할 수 있어야 한다. ATF 오일의 점도는 여러 유압 밸브의 작동에 작동유로 영향을 미치게 되는데 고온 시 점도가 너무 낮으면 밸브류나 클러치(clutch), 피스톤(piston), 실(seal) 부 등에 오일이 새는 경우가 발생 할 수 있다. 밸브류나 실(seal) 류 등에 오일이 새면 작동 유압은 저하되고 자동 변속기는 충격 현상이나 변속 불량으로 이어지게 된다.

반면에 ATF 오일의 점도가 너무 높으면 밸브(류나 피스톤이 원활히 움직이지 않아 변속 불량 등이 발생할 수 있다. 따라서 ATF 오일은 저온 시에는 낮은 점도가 요구되며 온도가 상승하여도 점도의 변화가 가능한 적어야 좋다. 즉 오일의 점도 지수가 큰 것이 좋은 오일이다. ATF 오일의 마찰 특성은 자동 변속기의 변속 느낌과 밀접한 관계를 가지고 있다. 마찰 계수에는 정마찰 계수(구동측과 피구동측의 회전수차가 1rpm 일 때 : Us)와 동

마찰 계수(구동측과 피구동측의 회전수차가 30rpm 일 때 : Ud)가 있다. 이 동마찰 계수(Ud)가 작으면 변속 시간(클러치 접속 시간 등)이 길어져 슬립에 의한 발열로 표면 온도가 상승하게 되고 심한 경우에는 클러치가 타는 현상이 발생하게 된다. 반면 정마찰 계수(Us)가 크면 변속의 마지막 단계에 이루러 급격한 토크 변동으로 충격 및 이음이 발생할 수가 있다. 또한 ATF 오일은 동력 전달의 손실에 의한 발열과 습식 클러치의 작동에 의한 온도 상승의 분산 능력을 가지고 있어야 한다. 이렇게 온도 상승에 의한 청정 분산성이 높아야 ATF 오일을 장기간 사용하여도 오일의 특성 변화와 산화되지 않는다.

자동 변속기 내에는 각종 실류와 클러치 페이싱재 등이 ATF 오일의 영향에 의해 경화, 수축, 팽창과 같은 물리적 변화가 일어나지 않아야 한다. 자동 변속기 내의 ATF 오일에는 기포가 발생하지 않는 것이 좋다. ATF 오일에 기포가 발생하면 오일펌프의 토출 능력이 떨어져 유압이 저하되고, 이것으로 인한 기계적 마모 현상으로 심한 경우는 누러 붙는 현상이 발생 할 수도 있다. 보통 오일은 점도가 낮을수록, 온도가 높을수록 기포 발생이 감소된다. 지금까지 설명한 ATF 오일의 요구 성능을 정리하여 보면 다음과 같다.

(2) ATF 오일의 요구 성능

① 자동 변속기 오일로서의 소착 방지성 및 내모성 우수하여야 한다.
② 유압 작동유로서의 점도 특성과 저온 유동성 특성이 적당하여야 한다.
③ 클러치 플레이트(clutch plate)의 재질에 대한 적합한 마찰 특성이 요구 된다.
④ 청전 분산성 및 산화 안정성이 우수하여야 한다.
⑤ 기포가 발생하기 어렵고, 실(seal) 류의 재질에 대한 안전성이 좋아야 한다.

(3) ATF 오일의 규격

세계적으로 ATF 오일(자동 변속기 오일)은 미국의 GM 사와 FORD 사가 규정한 규격으로 대표되고 있다. GM 사의 경우는 덱스론(DEXRON)으로, FORD 사는 TYPE F 등의 상품명으로 규격화 한 것을 국내에서는 다이아몬드(DIAMOND)로 호칭하여 사용하고 있지만 GM 사의 덱스론(DEXRON)의 규격과 동일하다.

GM 사의 ATF 오일은 FORD 사의 오일에 비해 동마찰 계수와 정 마찰 계수가 다소 커 출발시 슬립(slip)이 그 만큼 적은 특징이 있다. 현재 사용되고 ATF 오일은 주로 덱스론 Ⅱ(DEXRON Ⅱ)와 덱스론 Ⅲ(DEXRON Ⅲ)가 사용되고 있으며 종래의 DEXRON에 비해 클러치(clutch)의 슬립 현상이 적은 것이 특징이다. 덱스론 Ⅲ는 동마찰 계수와 정마

찰 계수가 우수해 CVT(무단 변속기)에도 적용하고 있다. 이에 비해 FORD 계의 특징은 GM 계에 비해 높은 마찰 계수를 가지고 있다. 이것은 동마찰 계수보다 정마찰 계수가 크기 때문에 클러치(clutch) 접속시 변속 충격이 증가하는 영향을 주게 하지만 운전자가 변속 느낌(feeling)이 저감할 정도는 아니라 하겠다.

한편 ATF 오일은 온도에 대한 내구성이 크게 떨어져 외국 자동차의 경우에는 운전자가 인식 할 수 있도록 자동 변속기의 온도 미터를 계기판에 설치하는 경우도 있다. 보통 덱스론 Ⅱ(DEXRON Ⅱ)은 ATF 오일의 온도가 80℃ 이하로 유지하여 사용하는 경우에는 84,000km 이상 사용이 가능 하지만 ATF 오일의 온도가 100 ~ 130℃로 상승하여 사용하는 경우에는 변속 능력이 떨어져 80,000km 이하에서 교환하지 않으면 안된다. 또한 ATF 오일의 온도가 145℃ 이상이 되면 오일의 급격히 열화 되어 오일의 교환 주기는 정상 일 때 보다 급격히 감소하게 된다. 만일 ATF 오일의 온도가 약 150℃ 정도의 높은 온도에서 사용하면 오일의 열화로 인해 클러치(clutch)의 슬립(slip : 미끌림) 현상이 발생 할 수 있으며 오일의 교환 주기는 급격히 감소해 조기에 교환하여 주지 않으면 안된다.

ATF 오일의 온도가 약 160℃ 이상이 되면 오일의 급격한 열화로 카본(탄소)화 되고 실(seal)류 등의 손상 돼 변속 타임의 지연 및 변속 쇼크 등이 발생하게 된다. 이렇게 열화된 오일을 사용하게 되면 오일의 카본화로 기어(gear)의 조기 마모와 클러치의 소착으로 자동 변속기의 기능을 상실하게 된다. ATF 오일의 온도 상승은 여러 가지 요인이 있지만 주로 토크 컨버터에서 출력측으로 동력을 전달할 때 상승하는 요인이 되고 있다. 즉 토크 컨버터의 슬립율이 크게 증가해 동력 전달 효율이 크게 떨어질 때를 말한다. 따라서 엔진 회전수는 상승하고 차속이 크게 떨어지는 언덕길이나 출발과 정차를 자주하게 되는 시가지 주행에서 온도가 상승하는 주요 요인이 된다고 할 수 있다.

(4) ATF 오일의 주입량

A/T(자동 변속기)는 ATF 오일로 동력을 전달하는 역할을 하고 있어 변속기 내의 ATF 오일량은 표(5-6)과 같이 변속기의 성능에 밀접한 관계를 가지고 있다. ATF 오일량이 너무 적을 때에는 변속기 내의 오일펌프로부터 공기를 흡입하여 변속에 여러 가지 문제를 야기하게 된다. 유압 회로 중에 공기가 유입되면 ATF 오일에는 기포가 발생하게 되고 공기 기포의 수축으로 유압이 저하하는 결과를 가져온다. 이렇게 유압 회로에 유압이 저하하면 클러치나 브레이크의 슬립 현상이 발생하여 변속 지연 현상으로 이어지게 된다.

[표5-6] ATF 오일량이 자동 변속기에 미치는 영향

ATF 오일량	A/T(자동변속기)에 미치는 영향
적을 때	1. 기계적 마찰증가로 ATF오일의 온도가 상승하여 오버히트 원인이 된다.
	2. 오일펌프로 공기가 유입 돼 유압회로 중에 기포가 발생하게 된다. • 기어(gear)나 샤프트(shaft) 등의 회전 부분에 윤활 불량을 일으켜 마찰을 촉진하게 된다. • 유압 회로의 유압이 저하하여 변속 포인트가 지연 될 수 있다. • 클러치(clutch)와 브레이크(brake)의 슬립 현상이 발생할 수 있다. • 상기와 같은 이유로 변속시 충격이 커지는 원인이 된다.
많을 때	1. 에어 블리더(air breather : 공기 배출구)로부터 ATF 오일이 유출된다.
	2. 밸브 보디 내의 드레인 콕(drain cock : 배출구)이 막혀 클러치나 브레이크 등이 개방되지 않을 수 있다. 클러치나 브레이크 등이 개방이 되지 않으면 변속이 원활하지 못하게 된다.
	3. 기어(gear)의 회전으로 ATF오일에 기포가 발생할 수 있어 ATF오일의 적을 때와 같은 현상이 발생할 수도 있다.

이에 비해 ATF 오일량이 너무 많으면 변속기의 에어 브리더(air breather)로부터 오일이 흘러나와 변속기를 오염시키고, 변속기 내의 기어(gear) 들이 ATF 오일을 끌어 올려 기포가 발생한다. 이렇게 유압 회로에 기포가 발생하면 ATF 오일량이 너무 적은 경우와 같은 현상이 발생하기도 한다.

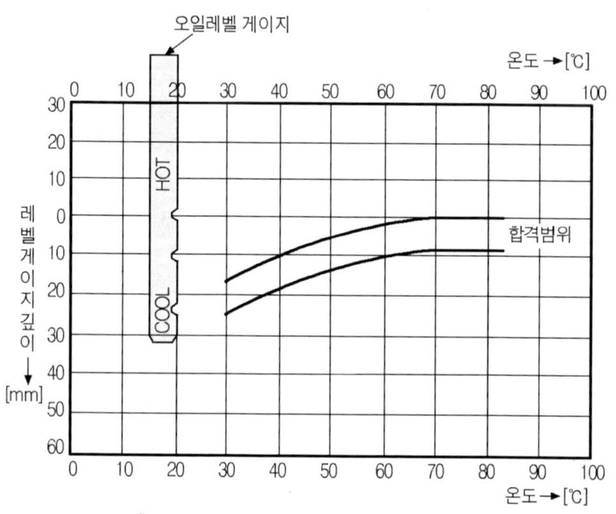

그림5-18 ATF오일의 주입량 판정표

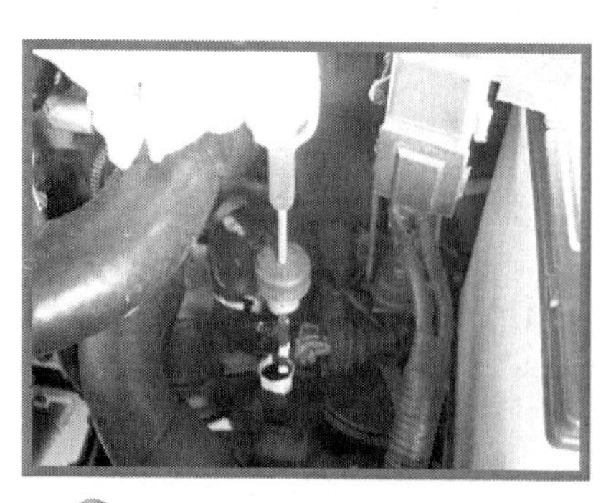

사진5-13 오일레벨 게이지 점검

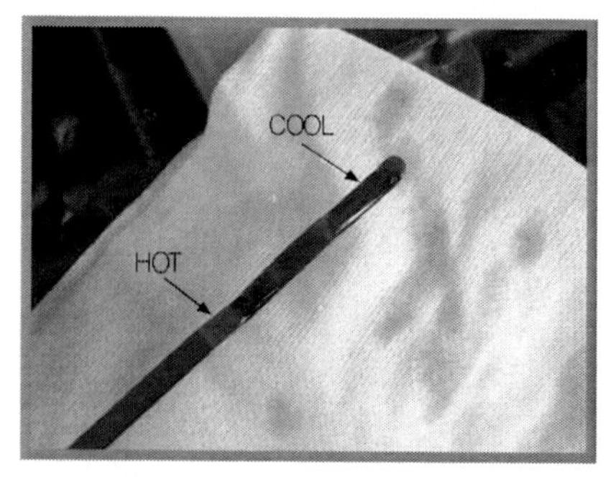

사진5-14 ATF오일의 적정 주입량

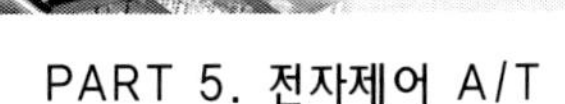

A/T 의 기본 지식

1 ELC A/T(전자제어 A/T)의 기본 개념

① 기본 구성 : 입력 센서부 → TCU → 솔레노이드 밸브 → A/T(자동 변속기)

② 동작 개념

- 자동변속기 내에는 엔진의 기계적 동력을 유체의 동력으로 전환하기 위한 토크컨버터와 기어의 입력측과 출력측의 조합에 의해 변속이 이루어지는 유성기어가 있다.
- 유성 기어의 입력측과 출력측 기어의 조합을 이루어 변속하기 위해서는 유압을 통해 클러치와 브레이크들이 작동하게 되고, 이들 클러치와 브레이크를 작동하기 위해서는 유압을 제어하는 솔레노이드 밸브가 필요하게 된다.
- 따라서 TCU는 차량의 주행 상황을 센서로부터 검출하여 자동 변속할 수 있도록 유압제어 솔레노이드를 구동하고 있다.

③ 동력 전달의 흐름 : 엔진 → 토크 컨버터 → 유성 기어 → 디퍼렌셜 기어→ 바퀴

【참고】 - A/T : auto transmission(자동 변속기)
- ELC : electronic control transmission의 약어로 전자제어 A/T를 말한다.
- TCU : transmission control unit의 약어로 전자제어 A/T의 컨트롤 유닛 또는 전자제어 A/T ECU를 말한다.

2 유성 기어

① 기어의 변속비 : N_1 / N_2 = Z_2 / Z_1 = 입력측 회전수/출력측 회전수 N_1 / N_2 = 구동축 회전수/피구동축 회전수 여기서 N : 기어의 회전수, Z : 기어의 잇수

② 유성 기어의 구성 : 선 기어, 피니언 기어, 링 기어, 캐리어

③ 유성 기어의 특징 : ※ 동력을 연결채로 변속이 가능하다

④ 유성 기어의 변속 원리

- 유성 기어의 구조는 피니언 기어가 선 기어 위를 굴러가며 회전하는 구조를 가지고 있어 피니언 기어의 자전 운동과 공전 운동에 의해 증감속이 가능하다.
- 피니언 기어는 선 기어와 링 기어 사이에 있어 동력전달과 관계없이 항상 자전 운동을 하고 있다고 볼 수 있지만 유성 기어는 피니언 기어의 지지대 역할을 하고 있는 캐리어가 있어 캐리어가 피니언 기어 대신 공전 운동을 하게 된다.

⑤ 유성 기어의 변속 조건 : 유성 기어가 변속을 하기 위해서는 3개의 기어 중(선 기어, 피니언 기어, 링 기어) 어느 것을 입력으로 하고 어느 기어를 출력으로 할 것인가를 결정하여야 한다.

3 변속 패턴(shift pattern)

1. 변속 레버의 선택 패턴

① P(parking) : 출력측이 기계적인 파킹 기구에 의해 고정돼 차량 전후진이 되지 않는다.

② R(reverse) : 출력측 기어가 후진 되도록 작동 요소가 작용한다.

③ N(neutral) : 출력측이 파킹 기구에 의해 고정되지 않아 차량 전후진이 자유롭다.

④ D(drive) : 운전자의 주행 의지에 따라 1속 ↔ 5속으로 자동 절환된다.

⑤ 2(second) : 2속까지만 자동 변속된다
⑥ L(lock) : 1속으로 유지 돼 큰 엔진 브레이크 걸린다.
⑦ S(sport) : 수동 변속기와 같이 운전자가 원하는 변속을 수동으로 조작할 수 있다.

2. 변속 패턴(shift pattern)

① 변속 패턴을 결정하는 요인
- 주행을 위해 결정하는 요인 : 차량의 주행 상황에 따라 액셀 페달의 밟은 량과 차속 등에 의해 결정하는 것
- 성능을 위해 결정하는 요인 : 엔진의 동력 성능이나 연비, 배출 가스 및 변속기의 충격이나 소음 등에 의해 결정하는 것

② 변속 패턴의 주요 용어
- 업 시프트(up shift) : 1속 → 2속→ 3속→ 4속으로 증속하는 경우
- 다운 시프트(down shift) : 4속 → 3속→ 2속→ 1속으로 감속하는 경우
- 킥 다운(kick down) : 차량을 가속하기 위해 액셀 페달을 약 85% 정도 밟으면 구동력을 얻기 위해 변속이 일시적으로 다운 시프트 되어 감속하는 경우
- 킥 업(kick up) : 킥 다운 현상이 발생된 후 액셀 페달을 그대로 유지하면 차량이 업 시프트 되어 증속하는 경우
- 리프트 풋업(lift foot up) : 스로틀 밸브가 많이 열린 상태에서 갑자기 액셀 페달을 놓으면 차량이 급격히 감속하여 충격이 일어나는 것을 방지하기 위해 변속이 일시적으로 업 시프트 되는 경우

③ 대표적인 변속 패턴
- 파워 모드(power mode) : 등판길이나 험로를 주행하기 위해 저속 구간을 길게 하여 강력한 구동력을 얻도록 한 변속 패턴
- 이코노미 모드(economy mode) : 일반 도로를 주행하기 위해 연비와 차속을 고려한 변속 패턴
- 홀드 모드(hold mode) : 눈길과 같은 빙판길에 출발이 용이하도록 2속 출발이 가능하도록 한 변속 패턴

3. 액체의 성질과 ATF 오일

① 액체의 성질
- 압력을 가해도 체적이 변화하지 않는다.
- 밀폐된 용기에 압력을 가하면 작용하는 압력은 모든 방향에 직각으로 동일하게 작용한다.

② ATF 오일의 역할
- 토크 컨버터 내의 동력 전달 작용 - 회전 기구, 밸브 등의 윤활 작용
- 온도 상승을 억제하는 냉각 작용 - 부식성이 없는 내방청성

4. ATF 오일량이 변속기에 미치는 영향

① 적을 때 : 오일펌프로 공기가 유입 돼 유압 회로 내에 기포가 발생한다. 유압 회로에 기포가 유입되면 유압이 낮아져 클러치나 브레이크의 슬립 현상으로 변속 지연이나 쇼크(충격)가 발생할 수 있다.
② 많을 때 : 기어의 회전으로 기포가 발생해 ATF 오일이 적을 때와 같은 현상이 발생 할 수 있다.

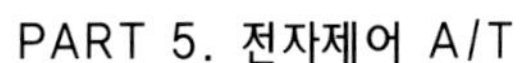

A/T의 구성 부품

1. 토크 컨버터

A/T(자동 변속기)의 기본 구조는 그림 (5-19)와 같이 엔진 동력을 유체의 동력으로 변환하는 토크 컨버터(torque converter)부, 변속기와 같은 역할을 하는 기어 트레인(gear train)부, 그리고 기어의 변속을 제어하도록 유압을 조절하는 밸브 보디(valve body)로 구성되어 있다.

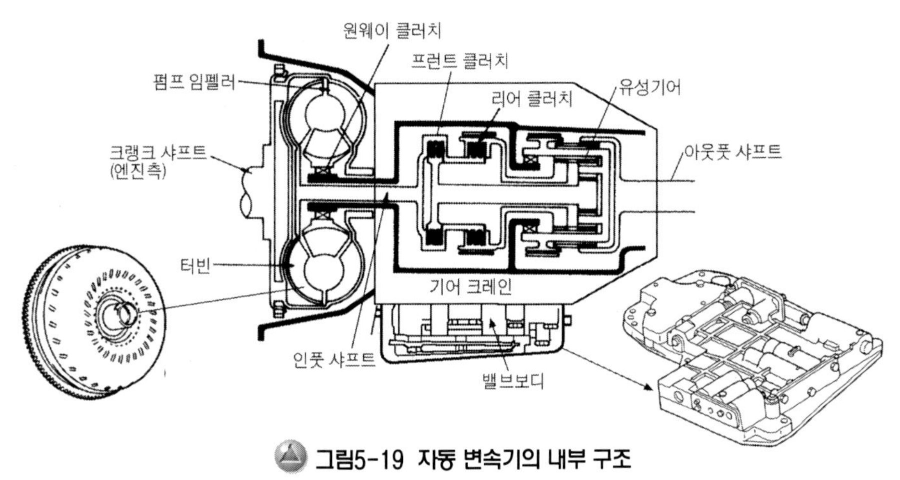

그림5-19 자동 변속기의 내부 구조

A/T(자동 변속기)의 동력 전달에 대한 원리를 알기 위해서는 먼저 시동이 걸린 상태에서 변속 레버를 D-레인지에 놓으면 액셀 페달을 밟지 않았는데도 차가 왜 서서히 굴러가는지? 또 P나 N-레인지에 위치하면 차량은 굴러가지 않는지를 생각해 보면 이해하기가 훨씬 쉬워진다. A/T(자동 변속기) 차는 변속 레버를 D, R-레인지에 놓으면 액셀 페달을 밟지 않고도 서서히 굴러가는 현상을 **크립 현상**이라 하는데 이 현상을 이해하기 위해서는 A/T 차량의 기본 동력 전달에 대해 이해 할 필요가 있다. A/T(자동 변속기)에는 M/T(수동 변속기)의 클러치에 해당하는 토크 컨버터와 다수의 다판 클러치를 가지고 있다. 이 다판 클러치는 유압에 의해 작동 되는데 변속 레버를 D-레인지로 절환하면 작동 유압에 의해 다판 클러치 내에 있던 클러치 피스톤이 작동하게 되고, 클러치 피스톤이 작동하면 클러치 플레이트와 클러치 디스크가 압착하기 시작하는 상태가 된다.

이렇게 클러치 디스크가 압착을 시작하는 초기 접촉 상태가 되기 위한 것은 토크 컨버터

의 동력이 출력측에 전달해 차량이 원활히 출발할 수 있도록 하기 위함이다. 따라서 차량이 서서히 굴러가는 크립 상태일 때 동력 전달은 그림(5-20)과 같이 엔진 측과 직결된 펌프 임펠러가 회전하면 펌프 임펠러에 의한 회전 유체는 스테이터를 거쳐 입력축과 직결된 터빈을 회전 시키게 된다. 이때 브레이크 페달을 밟으면 엔진으로부터 동력은 토크 컨버터 내의 펌프 임펠러만을 구동하도록 한다. 브레이크 페달 밟아 차가 정지하면 펌프 임펠러는 회전을 하고 있지만 터빈(turbine runner : 줄여서 터빈이라 함)은 정지하게 된다.

이렇게 터빈이 정지하면 토크 컨버터 내의 ATF 오일(자동 변속기 오일)은 슬립이 되어 엔진측의 동력은 변속기 측으로 전달되지 않게 된다. 그러나 N, P-레인지에서는 엔진으로부터 동력이 펌프 임펠러를 통해 터빈으로 유체 접촉은 이루어지지만 인풋 샤프트와 직결되어 있는 터빈은 변속기 내부의 드라이브 플레이트에 전달하게 되는데 이때에는 클러치는 해제되어 있는 상태가 돼 동력은 출력 측에 전달되지 않게 된다.

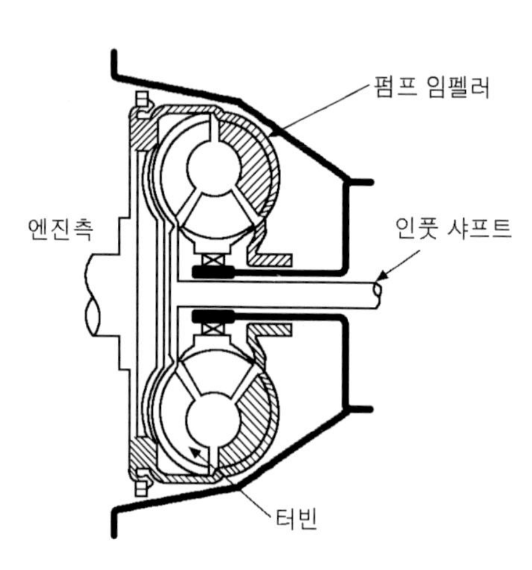

(a) 토크 컨버터의 단면 구조

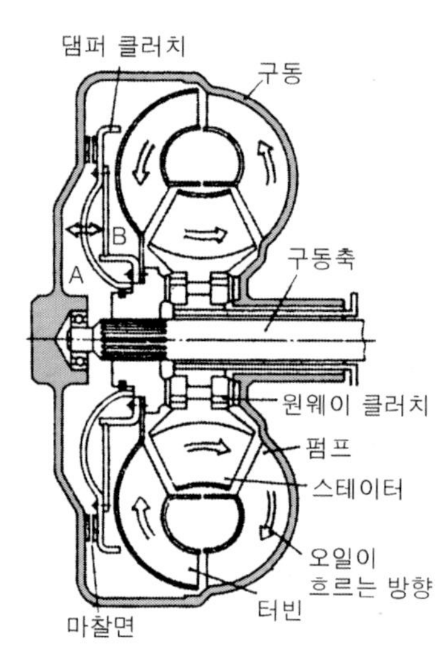

(b) 토크 컨버터의 동력 전달

그림5-20 토크컨버터의 동력전달 경로

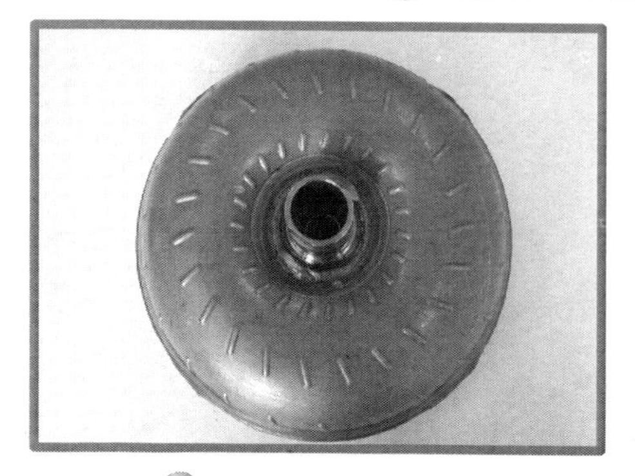

사진5-15 토크 컨버터

사진5-16 토크 컨버터의 절개품

(1) 토크 컨버터의 구조와 기능

토크 컨버터(torque converter)는 우리말로 표현하면 토크(회전력)를 변환하는 변환기라 표현 할 수 있다. 이 토크 컨버터의 구조를 살펴보면 그림(5-21)과 같다. 토크 컨버터의 내부에는 엔진의 크랭크축과 직결되어 회전하는 펌프 임펠러(pump impeller)와 변속기의 입력축과 직결되어 있는 터빈 러너(turbine runner), 그리고 오일의 유로 방향을 바꾸어 토크(torque)를 증대하는 스테이터(stator)로 구성되어 있다. 이 3개의 주요 구성품의 배열은 터빈 러너(turbine runner), 스테이터(stator), 펌프 임펠러(pump impeller) 순으로 배열되어 있지만 유체의 흐름은 펌프 임펠러, 터빈 러너, 스테이터, 펌프 임펠러 순으로 이동하여 엔진의 동력을 전달하게 된다. 즉 토크 컨버터는 펌프 임펠러로부터 유체의 운동 에너지를 터빈 러너에 주어 동력을 전달하고 있다.

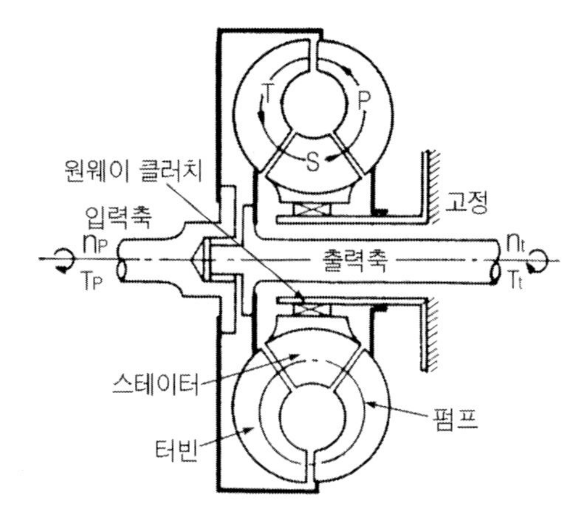

그림5-21 토크 컨버터의 구조

토크 컨버터(torque converter)는 ATF 오일을 이용해 동력을 전달하는 일종의 유체 클러치(clutch)로 현재 자동 변속기의 주류를 이루고 있다. 과거에 사용하던 유체 클러치의 터빈과 펌프의 날개는 각도가 없는 평면 방사선 상 날개로 토크의 변환력이 크게 떨어져 현재에는 곡면 날개를 사용한 토크 컨버터가 주류를 이루고 있다.

유체 클러치의 토크 변환율은 1 : 1을 넘지 못하는데 비해 토크 컨버터는 2 ~ 3 : 1의 토크 변환율을 얻을 수 가 있다. 유체 클러치는 터빈과 펌프의 날개가 평면으로 되어 있어 펌프로부터 터빈으로 유체는 직각 방향으로 운동하여 터빈의 회전 속도는 유체의 속도보다 빠르게 될 수가 없다. 또한 유체의 전달압도 유체가 가지는 운동량 보다 크지 않다. 따라서 유체 클러치는 전달 토크가 펌프와 터빈이 대체로 동일하게 돼 토크(torque)를 크게 하지 못한다. 그러나 토크 컨버터는 터빈과 펌프의 회전 날개를 곡면을 주어 유체를 이동하게 하면 펌프로 유입된 오일은 그림 (5-22)의 (a)와 같이 유입될 때 전달력 P와 유출할 때 90° 방향을 변환한 반동력 R이 되어 토크 변환을 줄 수가 있다. 하지만 토크 컨버터는 오일의 흐름이 간섭과 마찰 손실의 영향으로 날개 곡면의 각도만으로 토크를 증대할 수 가 없다.

실제로 이와 같은 영향을 개선하기 위해 토크 컨버터의 터빈과 펌프 임펠러 사이에는 스테이터(stator)를 설치하고 있다.

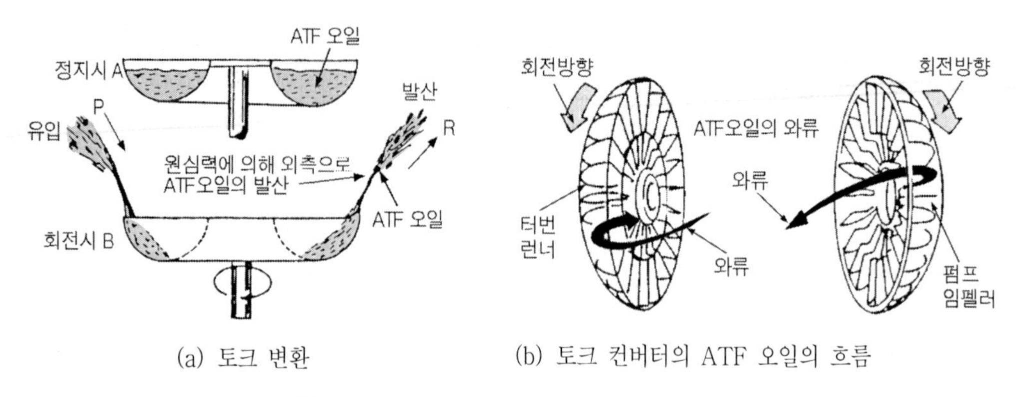

(a) 토크 변환 (b) 토크 컨버터의 ATF 오일의 흐름

그림5-22 토크 컨버터의 토크 변환 원리

토크 컨버터(torque converter) 내의 유체 흐름은 그림 (5-23)의 (a)와 같이 펌프 임펠러 P로부터 흘러 나와 터빈으로 유입 돼 회전력을 전달한다. 다시 터빈으로 유입된 오일은 스테이터(stator)의 회전 날개의 각도에 의해 방향을 바꾸어 펌프 임펠러로 되돌아오게 된다.

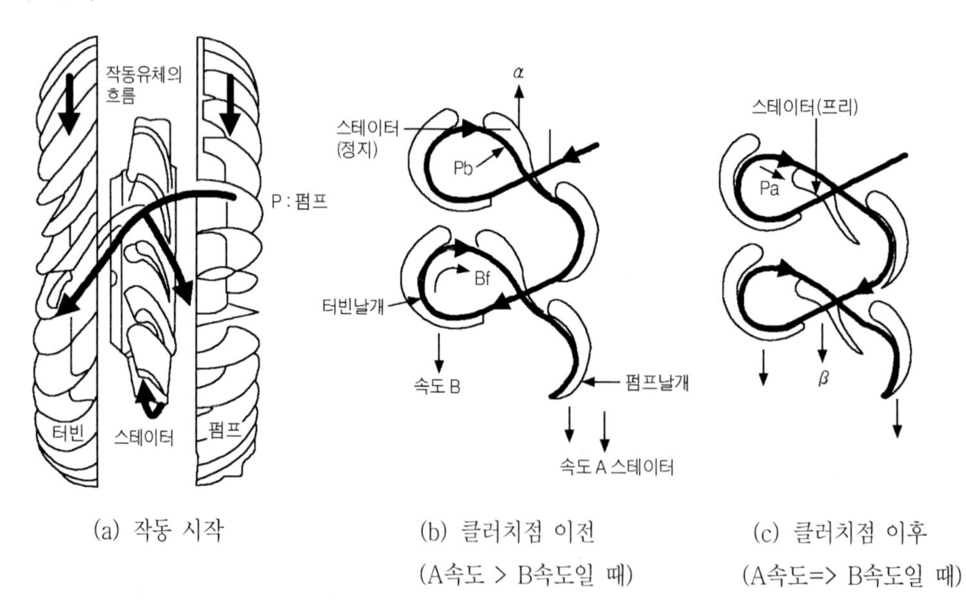

(a) 작동 시작 (b) 클러치점 이전 (A속도 > B속도일 때) (c) 클러치점 이후 (A속도=> B속도일 때)

그림5-23 토크 컨버터 내의 오일의 흐름

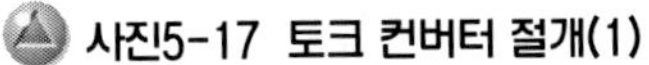
사진5-17 토크 컨버터 절개(1)

사진5-18 토크 컨버터 절개(2)

이때 회전력은 터빈과 스테이터가 분담하여 출력측(터빈)과 입력측(펌프 임펠러) 사이에 토크차가 생겨 토크 변환이 이루어진다. 스테이터에는 그림 (5-24)와 같이 원 웨이 클러치(one way clutch)를 사이에 두고 고정된 축에 설치되어 있다. 따라서 펌프 임펠러가 터빈 속도보다 속도가 빠른 동안에는 스테이터는 고정축에 고정 돼 ATF오일의 방향을 바꾸어 주는 역할을 하게 된다. 그러나 터빈의 속도가 펌프 임펠러의 속도의 비가 약 8/10 (즉, 속도비 : 0.8) 정도되면 ATF 오일의 흐름이 스테이터 후면을 작용하게 돼 스테이터와 펌프 임펠러는 터빈의 회전 방향과 동일하게 회전하게 된다.

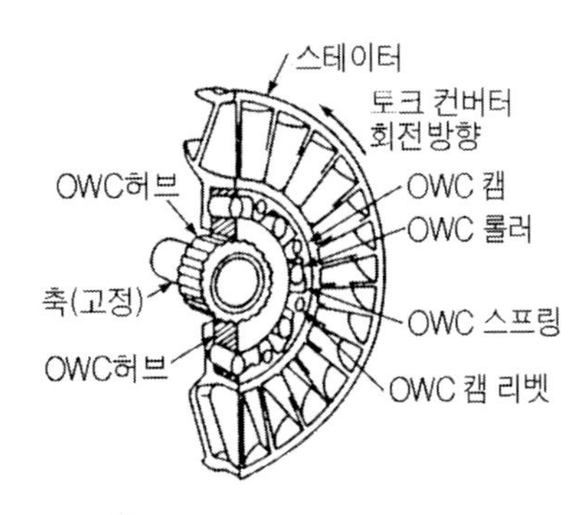

그림5-24 스테이터의 구조

(2) 스테이터의 구조와 기능

스테이터와 터빈 축 사이에는 OWC(One Way Clutch)를 설치하여 한쪽 방향으로만 회전하도록 되어 있어 펌프 임펠러에서 터빈측으로 넘어 들어오는 오일을 다시 펌프 임펠러로 잘 유입 되도록 하고 있다. 이곳에 사용되는 OWC(원 웨이 클러치)의 종류는 그림(5-25)와 같이 A/T(자동 변속기)에 따라 롤러(roller)식 OWC와 스프래그식 OWC가 사용되고 있지만 쐐기 작용을 이용해 스테이터가 공전하도록 작용하는 것은 동일하다. 이와 같이 스테이터의 중심에 OWC를 두고 있는 것은 저속 구간에서는 로크(lock) 되고, 고속 구간에서는 프리(free) 상태로 되도록 해 토크를 증대하기 위함이다. 그림(5-26)은 토크 컨버터에 스테이터가 없는 경우와 있는 경우를 비교한 그림이다.

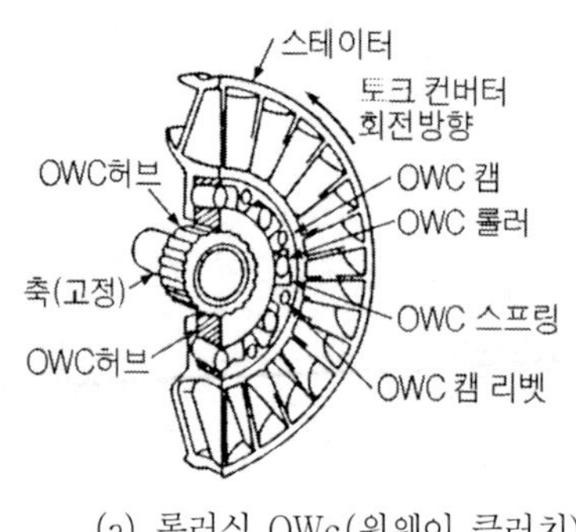

(a) 롤러식 OWc(원웨이 클러치)

(b) 스프래그식 OWC(원웨이 클러치)

그림5-25 스테이터의 원웨이 클러치(스테이터의 구조)

먼저 토크 컨버터가 없는 경우를 생각해 보자.

그림(5-26)의 (b)와 같이 원심력에 의해 펌프 임펠러로부터 터빈측으로 넘어 들어오는 오일은 다시 펌프 임펠러로 유입될 때 오일 방향은 펌프 임펠러의 회전 방향과 반대 방향으로 펌프 날개에 작용해 토크는 감소하는 방향으로 작용하게 된다. 이에 비해 스테이터를 내장하고 있는 경우는 그림 (5-26)의 (c)와 같이 펌프 임펠러로부터 터빈측으로 넘어 들어오는 오일은 스테이터에 의해 방향을 바꾸어 다시 펌프 임펠러로 유입 될 때 오일 방향은 펌프 임펠러의 회전 방향과 동일 방향으로 펌프 날개에 작용해 토크는 증가하는 방향으로 작용하게 된다. 따라서 스테이터는 터빈에서 펌프 임펠러로 넘어 들어오는 오일의 방향을 바꾸어 토크를 증대하게 된다.

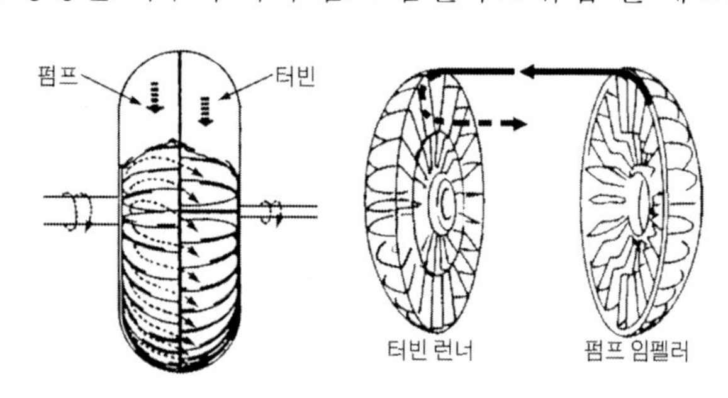

(a) 토크 컨버터의 유체 흐름

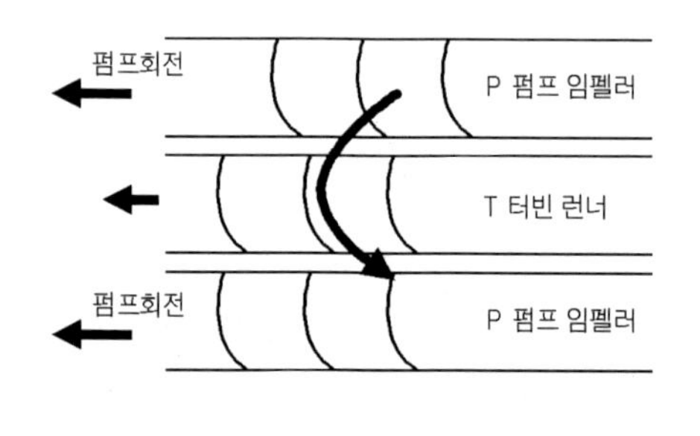

(b) 스테이터가 없는 경우

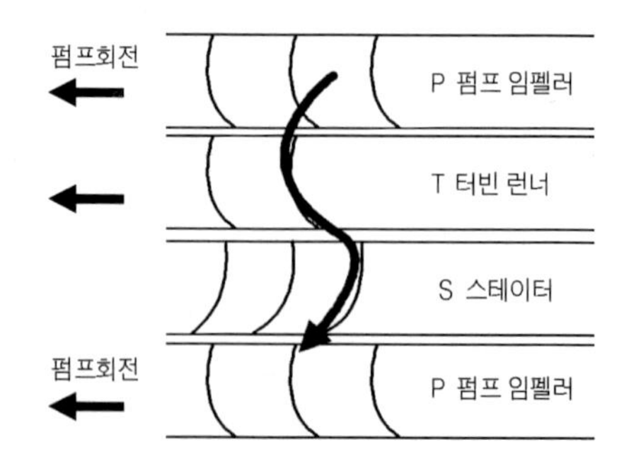

(c) 스테이터가 있는 경우

그림5-26 스테이터의 역할

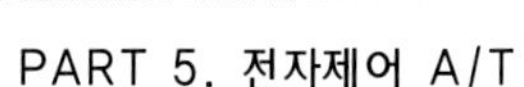

그림 (5-27)의 (a)와 같이 터빈이 정지하고 있을 때 펌프 임펠러(pump impeller)가 회전하게 되면 변속기 오일은 P_1 방향으로부터 P_2 방향으로 흘러들어가 터빈측에 운동 에너지를 전달하게 된다. 이때 스테이터에는 터빈측에서 흘러나오는 오일 방향을 처음 흘러 들어간 방향으로 바꾸게 한다. 즉 P_1 방향과 같은 P_2 방향으로 바꾸게 한다.

따라서 스테이터(stator)에 의해 방향을 바꾼 변속기 오일은 펌프 임펠러(pump impeller)로부터 새로 나온 오일과 더해져 터빈의 날개에 작용하게 된다. 이때 작용하는 오일의 운동 에너지는 증가해 펌프 임펠러의 날개 뒷면에 작용하게 돼 터빈이 정지하고 있을 때 토크 변환율은 최대가 된다. 이와 같이 토크 변환율이 증가로 D-레인지에서는 브레이크 페달 놓은 아이들 상태라도 차량은 굴러가게 된다.

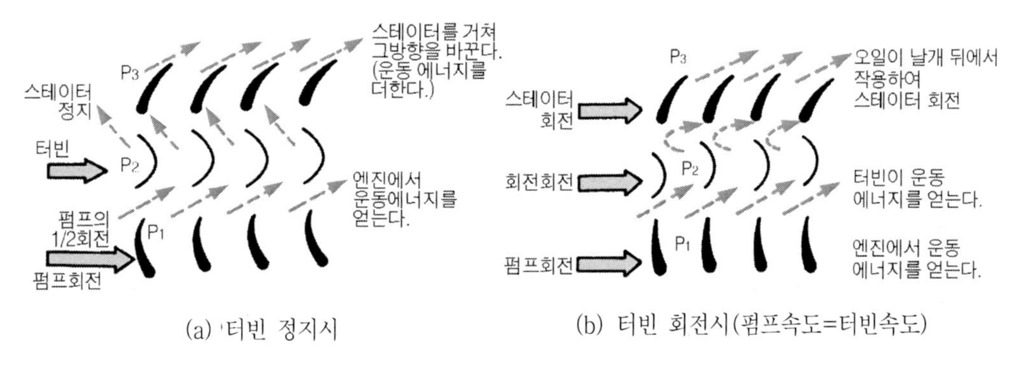

그림5-27 스테이터에 의한 오일의 운동 방향

이번에는 그림(5-27)의 (b)와 같이 터빈이 회전하여 펌프 임펠러와 터빈의 회전 속도가 같아지는 경우를 생각하여 보자. 실제로는 펌프 임펠러와 터빈의 속도비(η_t/η_p) 가 약 9/10 정도가 되는 정속 상태 범위이다. 이때에는 펌프 임펠러의 회전 속도와 터빈의 회전 속도가 거의 같아 터빈으로부터 흘러나오는 오일 방향은 펌프 임펠러의 회전 방향과 일치하게 된다. 따라서 스테이터는 오일이 날개 뒤에서 작용하게 돼 펌프 임펠러와 터빈은 함께 회전하게 된다. 이때에는 토크의 변환 기능은 정지된 것과 같아 토크 컨버터는 유체 클러치와 같은 작용을 해 토크 변환율은 1 : 1 정도로 작용하게 된다.

(3) 토크 컨버터의 특성

앞서 설명한 바와 같이 토크 컨버터(torque converter)에서 최대 토크가 발생하는 시점은 터빈(turbine)이 정지할 때이다.

이 지점을 **스톨 포인트**(stall point)라 하며, 이때의 토크를 스톨 토크(stall torque), 이때의 펌프 임펠러의 회전수(즉 엔진 회전수)를 **스톨 회전수**라 한다. 그림 (5-28)은 토크 컨버터의 성능 곡선을 나타낸 것으로 가로측은 속도비를, 세로측은 토크비를 가리킨다. 이 성능 곡선은 토크 컨버터가 엔진으로부터 동력을 전달받아 변속기로 동력을 전달 할 때 어느 정도 동력이 전달하는 가를 효율(전달효율)로서 나타낸 것으로 엔진의 배기량에 따라 크게 달라진다.

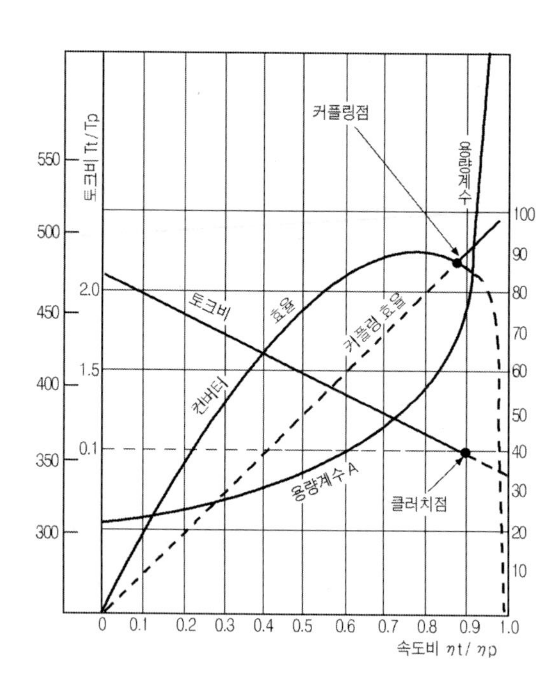

그림5-28 토크 컨버터의 성능 곡선

여기서 말하는 속도비(η_t / η_p)라는 것은 펌프 임펠러와 터빈의 회전차를 나타낸 것으로 수치가 1.0 이면 펌프 임펠러와 터빈의 회전수가 같음을 의미한다. 또한 토크비라는 것은 토크 컨버터(torque converter)로 입력된 토크가 토크 컨버터로부터 출력될 때 어느 정도 증가하여(변환하여) 출력되는 지를 나타내는 수치이다. 예를 들어 토크비가 2.0이라는 것은 엔진에 의해 발생된 토크가 토크 컨버터를 거쳐 출력 할 때, 즉 변속기 입력할 때 토크가 2배가 되어 입력되는 것을 의미 한다. 용량 계수라는 것은 토크 컨버터의 토크 전달 능력을 수치로서 나타낸 것으로 엔진 토크가 클수록 수치가 크다.

2. 오일 펌프

A/T(자동 변속기)의 오일펌프(oil pump)는 토크 컨버터의 후단에 조립되어 변속기의 각부에 ATF 오일을 공급하는 구성 부품이다. 이 오일 펌프는 펌프 임펠러의 샤프트와 오일펌프의 이너 기어(inner gear)와 직결되어 있어 엔진이 회전 할 때 항시 같이 회전하여 변속기의 각부에 ATF 오일을 공급하는 역할을 한다.

오일펌프는 그림(5-29)과 같이 기어식 오일펌프 중 내접형(트로코이드 식 : trochoid 식)오일 펌프를 사용하고 있다. 내접형 오일펌프의 특징은 양방향 회전 방향이 동일하여 양 기어(gear)간에 접촉과 기어의 윤활 속도가 외접형 보다 작아 소음 및 마모에 유리하

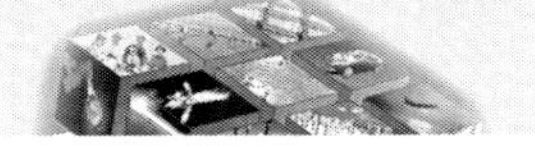

다. 또한 구조가 간단하고 토출 압이 변화에도 불구하고 오일의 토출 유량에는 변화가 적어 토출 맥동이 우수한 장점을 가지고 있어 자동 변속기의 오일펌프로 사용되고 있다. 오일펌프(oil pump)의 작동은 엔진의 회전으로 오일펌프의 이너 기어(inner gear)가 동회전을 하게 되면 내무의 아웃 기어(out gear)도 함께 회전을 하게 된다.

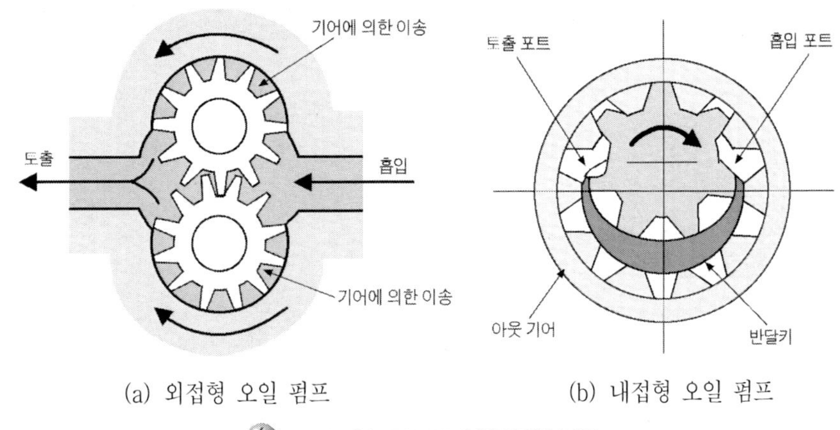

(a) 외접형 오일 펌프 (b) 내접형 오일 펌프

그림5-29 기어식 오일펌프의 종류

사진5-19 FR식 오일펌프 분해

사진5-20 분해 후 조립 점검

사진5-21 FF식 오일 펌프

사진5-22 분해된 오일 펌프 내부

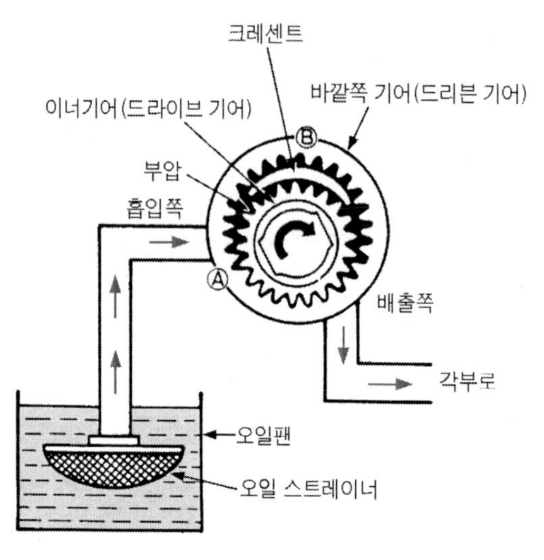

(a) 펌핑할 때 오일의 흐름

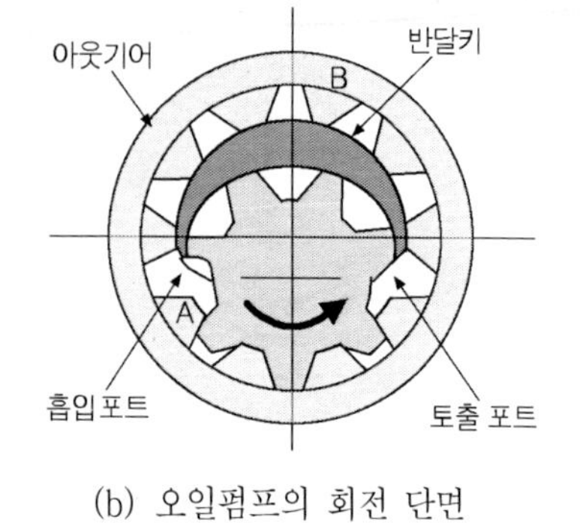

(b) 오일펌프의 회전 단면

그림5-30 오일 펌프의 작동

이때 그림(5-30)의 (b)와 같이 A 부분에서는 이너 기어와 아웃 기어 사이 간격이 좁아져 흡입측으로부터 흡입된 오일을 밀어 올려 B 부분으로 이동한다. 양쪽의 기어가 B 부분까지 이동하면 이너 기어(inner gear)와 아웃 기어(out gear) 사이의 간격은 넓어지고 부압이 발생하게 된다. 기어의 회전이 B점 부분을 지나가면 다시 서서히 양측 기어 간격이 좁아져 ATF 오일에는 압력이 가해지게 되고 ATF 오일은 변속기의 각 부분으로 토출하게 된다.

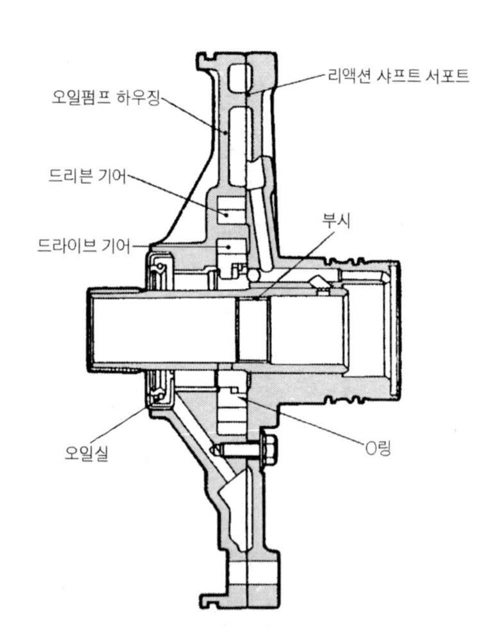

그림5-31 오일펌프의 구조(측면)

따라서 오일펌프의 작동은 A 부분으로부터 오일은 흡입되어 양측 기어의 회전으로 가압하기 시작하고 토출구로 토출 된 오일의 압력이 변속기의 라인 압(line pressure)이 된다. 이렇게 발생된 라인압은 변속기의 복잡한 유로의 압력을 제어하기 위해 여러 가지의 유압 밸브를 사용하여 제어하고 있다.

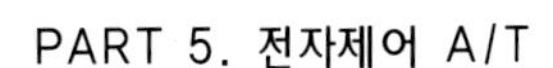

3. 댐퍼 클러치

A/T(자동 변속기) 차량이 M/T(수동 변속기)차량에 비해 연비가 나쁜 것은 유체적 동력을 기계적 동력으로 변환하는 토크 컨버터의 슬립(slip) 현상 때문이다. 이것은 토크 컨버터(torque converter)의 구동측 펌프 임펠러 회전수와 동력을 전달하는 출력측 터빈의 회전수가 차이가 나기 때문이다. 즉 펌프 임펠러의 회전수 보다 터빈의 회전수가 슬립 현상으로 항상 적게 회전하기 때문이다.

A/T(자동 변속기) 차량은 슬립 현상을 피할 수 없는 이러한 문제로 M/T(수동 변속기) 차량에 비해 연비가 5 ~ 10% 정도 떨어진다. 이러한 문제점을 개선한 것이 일본 미쓰비시(사)의 댐퍼 클러치(damper clutch) 기능이다. 댐퍼 클러치는 터빈(turbine)과 고리가 끼워져 연결되어 있어 댐퍼 클러치가 작동되면 터빈이 프런트 커버(front cover)에 밀착되게 된다. 터빈이 프런트 커버에 밀착되면 엔진(engine)과 터빈이 직결 상태가 돼 슬립 현상을 방지할 수가 있다.

사진5-23 댐퍼클러치 절개품

사진5-24 댐퍼 클러치 압력 포트

따라서 댐퍼 클러치가 작동하게 되면 엔진의 회전수가 터빈의 회전수와 같아져 터빈과 연결되어 있는 인풋 샤프트(input shaft)로 전달되어 토크 컨버터(torque converter)는 슬립 현상이 발생되지 않아 연비를 개선 할 수가 있다. 이러한 댐퍼 클러치는 그림(5-32)과 같이 외관상으로는 크게 차이가 없어 식별이 어렵지만 토크 컨버터 내부에 댐퍼 스프링(damper spring)의 유, 무에 따라 쉽게 식별 할 수 있다. 초기에 사용하던 댐퍼 클러치는 완전 직결형에 비해 작동 영역 초기가 길고 슬립율이 3% 정도 되는 등의 문제점을 가지고 있어 현재에는 개량형인 완전 직결형이 적용되고 있다.

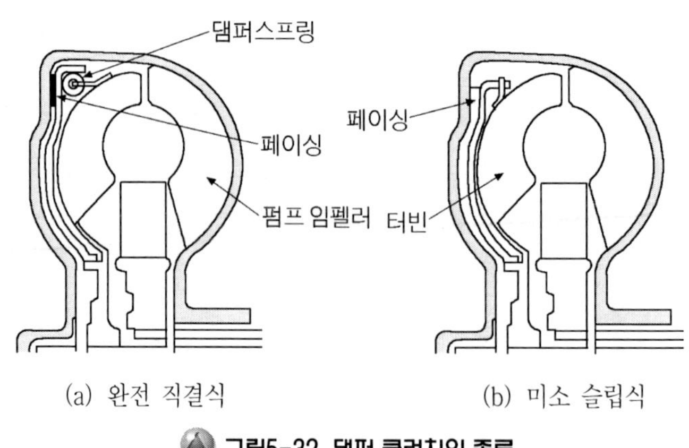

그림5-32 댐퍼 클러치의 종류

표(5-7)은 완전 직결식 댐퍼 클러치(damper clutch)와 미소 슬립식 댐퍼 클러치를 비교하여 놓은 것이다. 이러한 댐퍼 클러치를 적용한 A/T(자동 변속기) 라도 M/T(수동 변속기)와 같이 변속 즉시 터빈의 회전수가 엔진의 회전수와 같아지는 것은 아니다. 댐퍼 클러치(damper clutch)의 작동은 그림(5-33)과 같이 스로틀 밸브(throttle valve)의 개도와 엔진의 회전수에 의해 어느 특정 영역에서만 작동하도록 되어 있다.

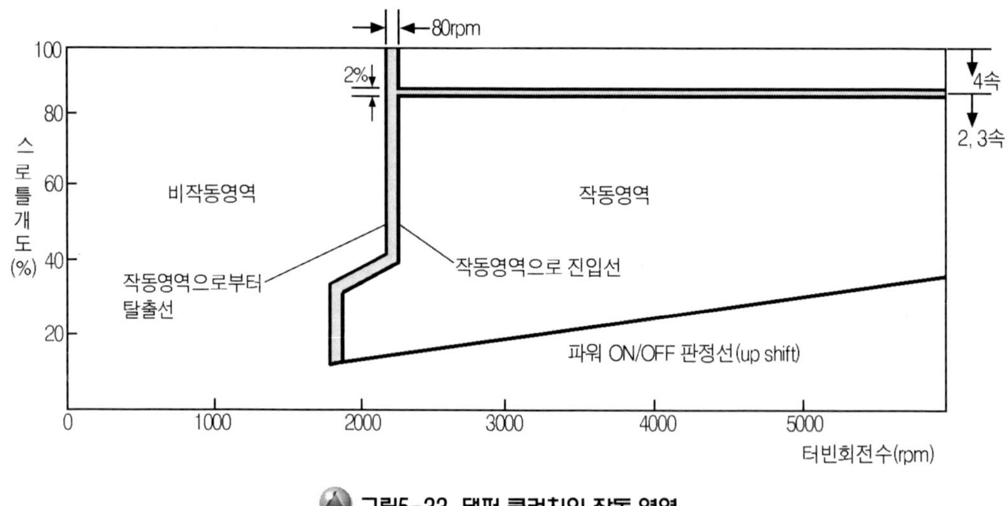

그림5-33 댐퍼 클러치의 작동 영역

댐퍼 클러치의 작동 영역은 컴퓨터의 ROM(읽기 전용 메모리) 내에 미리 설정된 스로틀 밸브의 개도와 엔진 회전수, 변속 레버의 선택 위치와 차량의 주행 속도 등의 데이터(data) 값에 의해 ON/OFF 제어 하도록 하고 있다. 댐퍼 클러치의 비작동 영역 판정은

보통 변속 레버를 L, 또는 R-레인지에 위치 할 때와 ATF 오일의 온도가 50~70℃ 이하일 때, 그리고 스로틀 밸브(throttle valve)의 개도가 급격히 닫힐 때 TCU(A/T 컴퓨터)는 비작동 영역으로 판정하게 된다.

● 댐퍼 클러치의 작동 조건

* D-레인지 또는 2-레인지에서 2속 상태일 것
* 유온 온도가 70℃(차종에 다름) 이상일 것
* 엔진 회전수가 약 1,050 rpm 이상일 것

[표5-7] 댐퍼 클러치의 완전 직결식과 미소 슬립식의 차이점

구 분	완전 직결식(개량형)	미소 슬립식
댐퍼 스프링	있다	없다
작동시 차이점	댐퍼 스프링에 의해 토크 변동의 흡수 역할을 하며 엔진과 완전 직결된다.	엔진과의 슬립에 의해 토크 변동을 흡수한다.
진동	댐퍼 스프링에 의한 토크 변동을 흡수한다.	고속 주행시 엔진의 토크 변동에 의해 미세 진동 발생

4. 기어 트레인(gear train)

A/T(자동 변속기)의 내부 구성은 크게 나누어 보면 토크 컨버터(torque converter)와 기어 트레인(gear train)으로 구분 할 수 있다. 토크 컨버터는 앞서 설명한 바와 같이 펌프 임펠러(pump impeller)와 터빈(turbine), 그리고 록 업 클러치(lock up clutch 또는 damper clutch)로 구성되어 기어 트레인(gear train)으로 동력을 전달하고 있다.

사진5-25 A/T(자동변속기)

사진5-26 A/T의 내부 절개품

이 기어 트레인의 구성은 보통 2조의 유성 기어(planetary gear)와 3조의 습식 다판 클러치 및 2조의 습식 다판 브레이크로 구성되어 차륜에 동력을 전달하고 있다. 엔진으로부터 동력은 토크 컨버터의 터빈으로 전달되면 터빈과 직결된 인풋 샤프트(input shaft)는 회전하기 시작하여 변속기 내의 구동 요소에 동력을 전달하기 시작한다. 이때 회전을 차단하지 않고 변속을 할 수 있는 유성 기어는 3조의 클러치(clutch)와 연결되어 있어 클러치가 작동되면 인풋 샤프트와 연결 돼 자동 변속이 이루어진다.

이들 3조의 클러치는 그림 (5-34)와 같이 F/C(front clutch : 프런트 클러치), R/C(rear clutch : 리어 클러치), E/C(end clutch : 앤드 클러치)로 이루어져 있다. 또한 유성기어의 작동 요소를 정지하여 변속되도록 하는 2조의 브레이크는 K/D(kick down brake : 킥 다운 브레이크)와 L/R(low reverse brake : 로우 리버스 브레이크)로 구성 돼 변속되도록 하고 있다. 이곳에 사용되는 클러치의 종류나 명칭은 차량 제조사에 따라 다소 차이는 있지만 기본적인 구조나 원리는 유사하다. 따라서 자동 변속기를 처음 접근하는 경우에는 혼돈을 피하기 위해 한 개의 모델을 선정하여 습득 해 나가는 것이 바람직하므로 동작 원리에 주안점을 두는 것이 좋다.

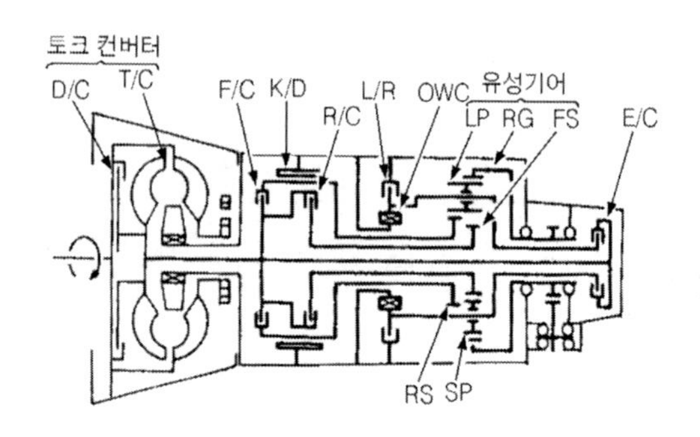

그림5-34 자동변속기의 기어 트레인 구성

(1) 인풋 샤프트

인풋 쉐프트(input shaft)는 터빈(turbine)과 직결되어 있는 변속기의 중심축(샤프트)으로 그림(5-35)과 같이 중앙 부분에는 리어 클러치(rear clutch)가 고정되어 있는 구조를 가지고 있다. 이 리어 클러치에는 습식 다판 클러치를 집어넣은 리테이너(retainer)가 일체가 된 상태로 인풋 샤프트에 고정되어 있어 습식 다판 클러치가 작동을 하면 인풋 샤프트의 구동력은 유성 기어(planetary gear)에 전달하게 된다.

즉 인풋 샤프트의 회전력은 습식 다판 클러치에 의해 유성 기어로 전달하게 된다. 또한 이 인풋 샤프트의 끝 부분에는 엔드 클러치(end clutch)와 직결되어 있어 4속시 유성 어의 캐리어와 연결되도록 되어 있다.

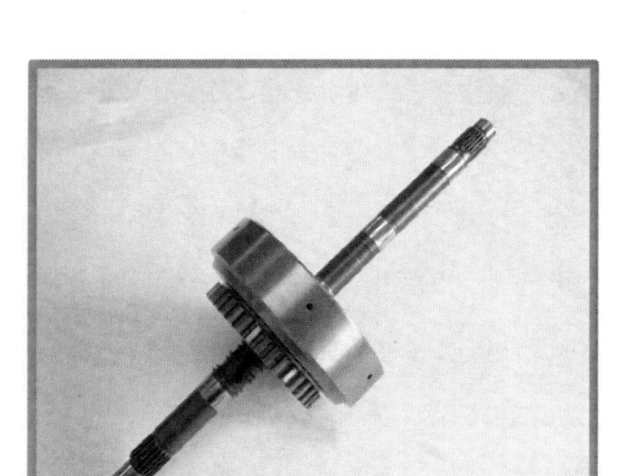

사진5-27 리어클러치 유닛

사진5-28 리어 클러치

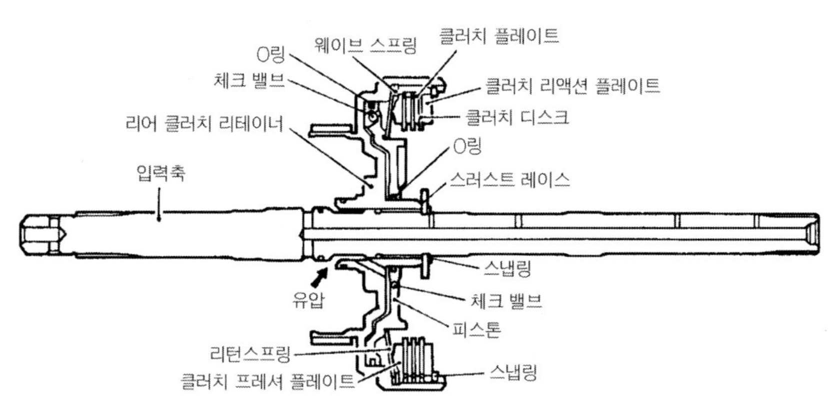

그림5-35 인풋 샤프트와 리어클러치의 구조

(2) 변속 클러치

습식 다판 클러치를 사용하는 프런트 클러치(front clutch), 리어 클러치(rear clutch), 엔드 클러치(end clutch)의 3조는 그림 (3-36)과 같이 리테이터(retainer), 클러치 디스크(clutch disk), 클러치 플레이트(clutch plate), 피스톤(piston) 및 리턴 스프링(return spring) 등으로 구성 되어 있다. 리테이터 내부에는 클러치 디스크 및 플레이트가 13 ~ 16매 정도 들어가 있어 피스톤의 작동에 의한 압착으로 유성 기어와 연결되도록 하고 있다.

프런트 클러치의 작동은 3속이나 후진시 작동을 하며 프런트 클러치가 작동을 하면 인풋 샤프트(input shaft)로부터의 구동력을 유성 기어 유닛의 리버스 선 기어에 전달하게 된다. 이에 반해 리어 클러치의 작동은 1 ~ 3속시 작동을 하며 리어 클러치가 작동을 하면

인풋 샤프트의 구동력 유성 기어 유닛의 포워드 선 기어(forward sun gear)에 전달되게 된다. 또한 엔드 클러치(end clutch)는 4속시 작동을 하며 엔드 클러치가 작동을 하게 되면 인풋 샤프트로부터 구동력을 유성 기어 유닛의 캐리어에 전달하도록 되어 있다.

실제로는 3속시에도 엔드 클러치는 작동을 하게 되지만 이 경우는 4속으로 변속을 변환하기 위해 동력을 스무스(smooth)하게 전달하기 위한 과정으로 실제 동력으로 전달되지는 않는다.

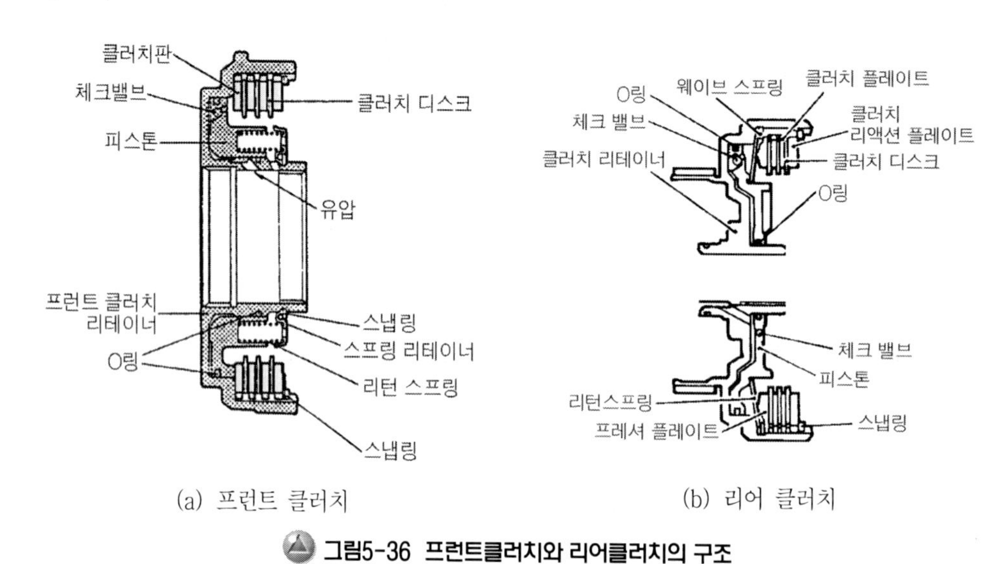

(a) 프런트 클러치 (b) 리어 클러치

그림5-36 프런트클러치와 리어클러치의 구조

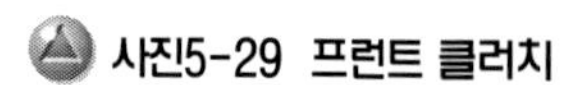
사진5-29 프런트 클러치

사진5-30 클러치 디스크와 플레이트

(3) 변속 브레이크

기어 트레인의 변속 브레이크는 차량의 변속 조건에 따라 유성 기어 유닛의 작동 요소를 고정하는 역할을 하여 변속하도록 하고 있다. 이들 변속 브레이크는 A/T(자동 변속기)의 종류에 따라 다르지만 보통 2조의 브레이크로 구성되어 있다. 4단 변속기의 KM 계열을 대표하는 2조의 브레이크는 L/R(lowreverse brake : 로우 리버스 브레이크)와 K/D(kick down brake : 킥 다운 브레이크)로 구성되어 있다.

로우 리버스 브레이크의 구조는 그림 (5-37)과 같이 습식 다판식으로 센터 써퍼트(center support)에 피스톤을 설치하고 피스톤 위에 브레이크 디스크(brake disk)와 브레이크 플레이트(brake plate)를 끼워 넣은 구조를 가지고 있어 변속 클러치의 구조와 유사하다. 이 브레이크(brake)는 변속 레버의 1속시(L, R－레인지 절환시) 유성기어의 캐리어를 고정하여 1속으로 변속하도록 하는 기능을 가지고 있다.

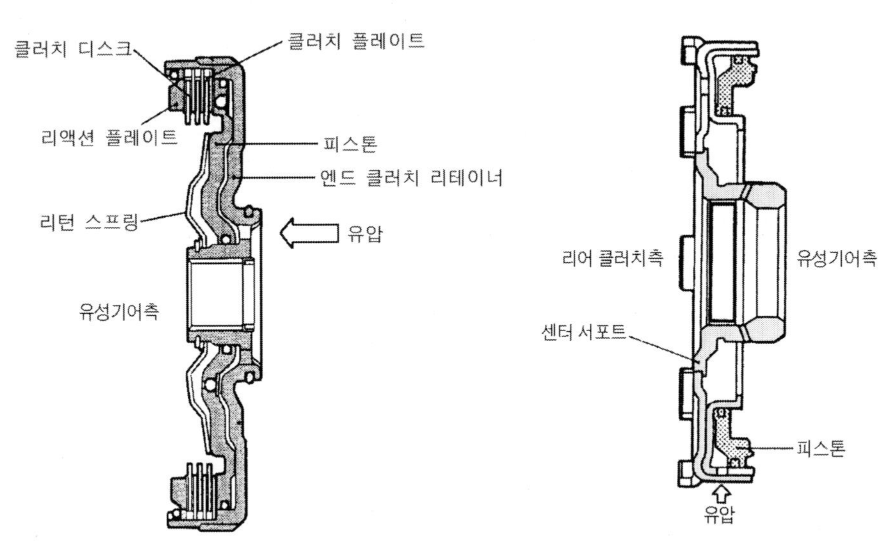

(a) 엔드 클러치의 구조 (b) 로우 & 리버스 브레이크의 구조

그림5-37 엔드 클러치와 로우 리버스 브레이크의 구조

즉 유성 기어의 롱 피니언(long pinion)과 쇼트 피니언(short pinion) 기어의 샤프트를 고정하여 피니언 기어가 선 기어(sun gear) 위를 회전하지 못하도록 해 1속 주행 할 수 있도록 하는 역할을 하고 있다. 이에 비해 K/D 브레이크(kick down brake : 킥 다운 브레이크)는 그림 (5-38)과 같은 밴드(band)식 브레이크이다.

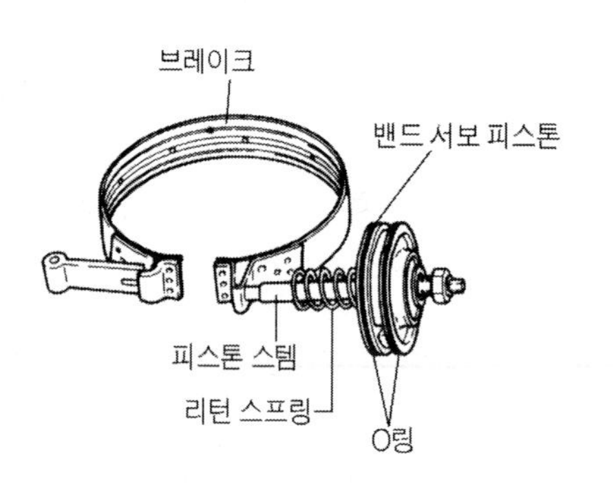

(a) K/D브레이크 밴드 어셈블리

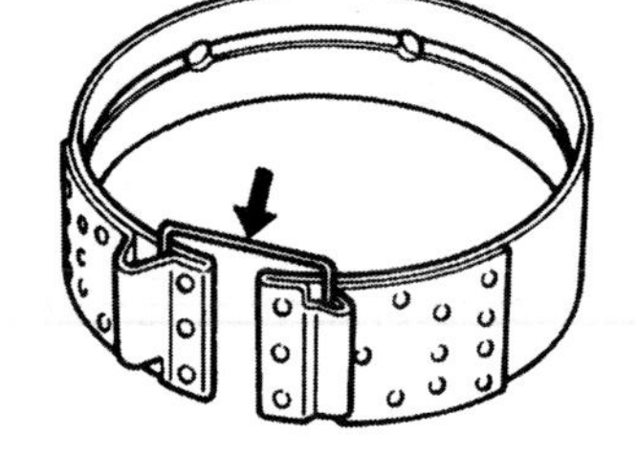

(b) K/D 브레이크 밴드

그림5-38 K/D 브레이크의 구조

사진5-31 변속기 내부 기어 트레인

사진5-32 K/D 서보 스위치

K/D 브레이크의 구조는 K/D 브레이크 밴드를 피스톤 스템(또는 피스톤 로드)을 이용하여 조이도록 하는 구조를 가지고 있다. 이 브레이크는 변속 레버를 2, D-레인지로 절환하여 주행시 2속, 4속으로 변속하도록 하는 기능을 가지고 있다. 차량의 주행 조건에 의해 자동 변속기의 2속압이 작동하면 K/D 브레이크의 피스톤 스템(피스톤 로드)은 K/D 브레이크 밴드를 밀어 킥 다운 드럼(kick down drum)을 고정한다. 킥 다운 드럼이 고정되면 킥 다운 드럼과 직결되어 있는 유성 기어의 리버스 선 기어(reverse sun gear)를 고정하여 2속, 및 4속을 변속 할 수 있도록 하고 있다.

그 밖에 A/T(자동 변속기)는 기계적인 브레이크(brake)를 가지고 있다. 이것은 변속 레버를 P-레인지로 절환하면 변속기의 구동측과 연결된 스프래그 기어(sprag gear)를 고정하여 출력측 구동 기어를 고정하는 파킹 기구이다. 파킹 기구의 구조는 그림(5-39)와 같이 파킹 스프래그 기어(parking sprag gear)를 고정하는 파킹 스프래그(parking

sprag)와 파킹 스프래그를 움직이는 스프래그 로드(sprag rod)와 디텐트 플레이트(detent plate)로 구성되어 있다. 따라서 변속 레버를 P-레인지로 절환하면 스프래그 로드와 디텐트 플레이트가 그림 (b)의 → 표 방향으로 움직여 파킹 스프래그를 밀어 올린다. 이때 파킹 스프래그가 위로 밀어 올려 파킹 스프래그 기어를 고정하면 출력 구동측과 연결된 파킹 스프래그 기어는 고정되어 차량이 이동하지 못 하도록 하고 있다.

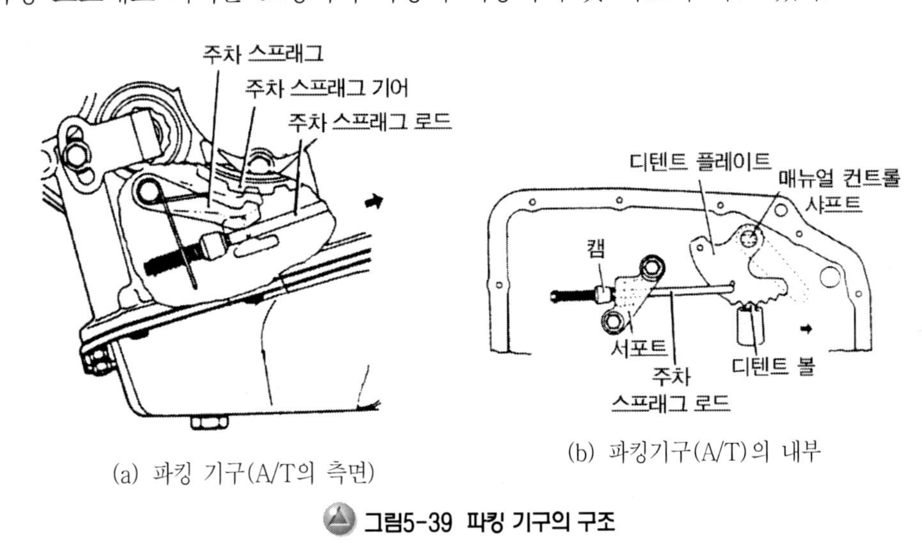

(a) 파킹 기구(A/T의 측면)

(b) 파킹기구(A/T)의 내부

그림5-39 파킹 기구의 구조

(4) 유성 기어

자동 변속기에 사용되는 유성 기어 유닛은 더블형으로 그 구조는 그림(5-40)과 같다. 포워드 선 기어 위를 회전하는 쇼트 피니언과, 리버스 선 기어(reverse sun gear) 위를 회전하는 롱 피니언) 그리고 링 기어(ring gear 또는 annulus gear) 및 피니언 기어를 고정하는 캐리어(carrier)로 구성되어 있다.

사진5-33 유성기어 유닛

사진5-34 로우 리버스 브레이크 탈거

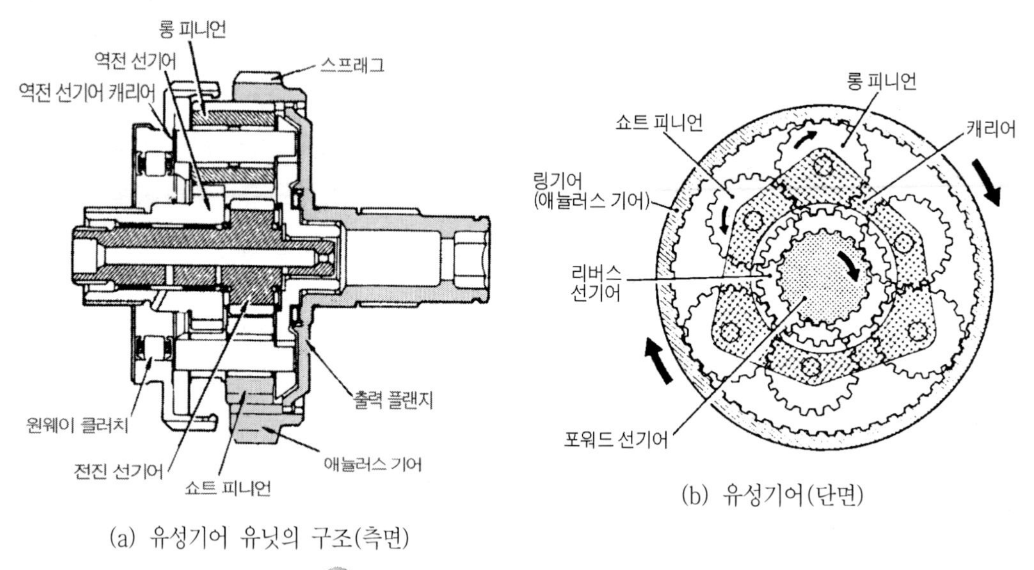

(a) 유성기어 유닛의 구조(측면)

(b) 유성기어(단면)

그림5-40 유성기어 유닛의 구조(더블형)

유성 기어(planetary gear)의 변속 원리는 앞서 기술한 바와 같이 선 기어 위를 굴러가는 피니언 기어의 속도 보다 피니언 기어(pinion gear) 위를 굴러가는 속도가 빨라 증속 된다는 기본 원리를 토대로 하고 있다. 더블형 유성 기어를 사용하는 라비뇨(ravigneax) 형식의 유성 기어는 입력측 선 기어(sun gear)와 출력측 링 기어(ring gear)의 회전 방향이 같다. 이에 반에 심프슨(simpson) 형 기어를 사용하고 있는 유성 기어는 기어를 직결하여 증감속 하는 것이 다소 차이는 있지만 기본 원리는 같다.

보통 4단 A/T를 사용하고 있는 변속기는 입력은 포워드 선 기어(forward sun gear)에 출력은 링 기어(ring gear)라고 하는 기본적인 동작 개념은 같다. 이곳에 사용하는 KM 계열의 기어 직결은 리버스 선 기어는 K/D 드럼과 함께 프런트 클러치 리테이너(front clutch retainer)에 결합 되어 있다. 포워드 선 기어(forward sun gear)는 리어 클러치 허브(rear clutch hub)에 연결 되어 있고, 캐리어(carrier)는 L/R 브레이크 허브 및 OWC 아웃 레이스(one way clutch out race)와 일체로 되어 있다. 또한 유성 기어의 캐리어는 엔드 클러치(end clutch)와 결합되어 있고, 링-기어는 출력 플랜지(flange)와 결합되어 있어 구동력을 바퀴에 전달하고 있다.

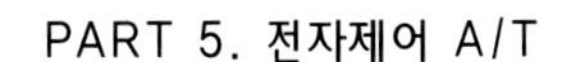

5. 밸브 보디

A/T(자동 변속기)의 하부에 장착된 밸브 보디(valve body)는 변속기의 각 작동 요소의 유압을 제어하기 위한 밸브류의 유압 회로판이라 생각하면 좋다. 이 밸브 보디에는 전기적으로 유압을 제어하기 위한 솔레노이드 밸브(solenoid d valve)류와 기구적으로 유압을 제어하기 위한 스풀 밸브(spool valve)류가 여러 개 구성되어 변속기의 작동 요소의 라인압을 제어하고 있다.

전기적 신호를 받아 작동하는 솔레노이드 밸브류는 변속 조절 밸브의 유압을 제어하기 위한 시프트 컨트롤 솔레노이드 밸브(shift control solenoid valve)가 2조, 록 업 제어를 하기 위한 록업 컨트롤 솔레노이드 밸브(lock up control : 또는 댐퍼 클러치 컨트롤 솔레노이드 밸브), 라인압을 제어하기 위한 프레셔 컨트롤 솔레노이드 밸브 각 1조가 사용되고 있다. 또한 기구적으로 작동 하는 스풀 밸브(spool valve)류는 각 작동 요소의 압력을 제어하기 위한 매뉴얼 밸브(manual valve), 레귤레이터 밸브(regulator valve), 시프트 컨트롤 밸브(shift control valve), 토크 컨버터 컨트롤 밸브(torque converter control valve), 리듀싱 밸브(reducing valve), N-D 컨트롤 밸브(N-D control 밸브), N-R 컨트롤 밸브(N-R control 밸브), 댐퍼 클러치 컨트롤 밸브등이 사용되고 있다.

이들 밸브류의 작동을 생각해 보면 그림 (5-41)과 같이 오일펌프로부터 토출된 라인압은 PRV(압력 레귤레이터 밸브)와 매뉴얼 밸브를 통해 각 작동 요소의 밸브로 보내져 변속을 하기 위한 라인압으로 조절된다.

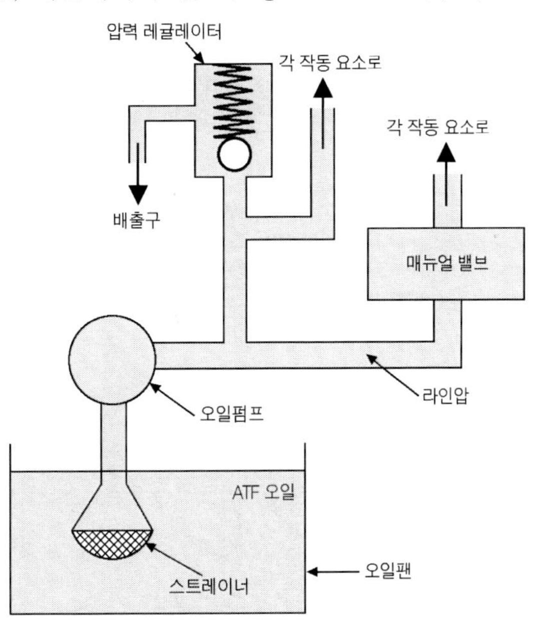

그림5-41 오일펌프로부터 토출된 유압회로

PRV(압력 레귤레이터 밸브)는 오일펌프로부터 토출된 라인 압을 일정하게 만들기 위한 밸브로 오일펌프의 회전수는 엔진 회전수와 같아 엔진의 회전수에 따라 라인압 상승하는 것을 조절하여 주는 밸브가 PRV(압력 레귤레이터 밸브)이다.

사진5-35 밸브보디의 하부

사진5-36 밸브보디의 유압 회로

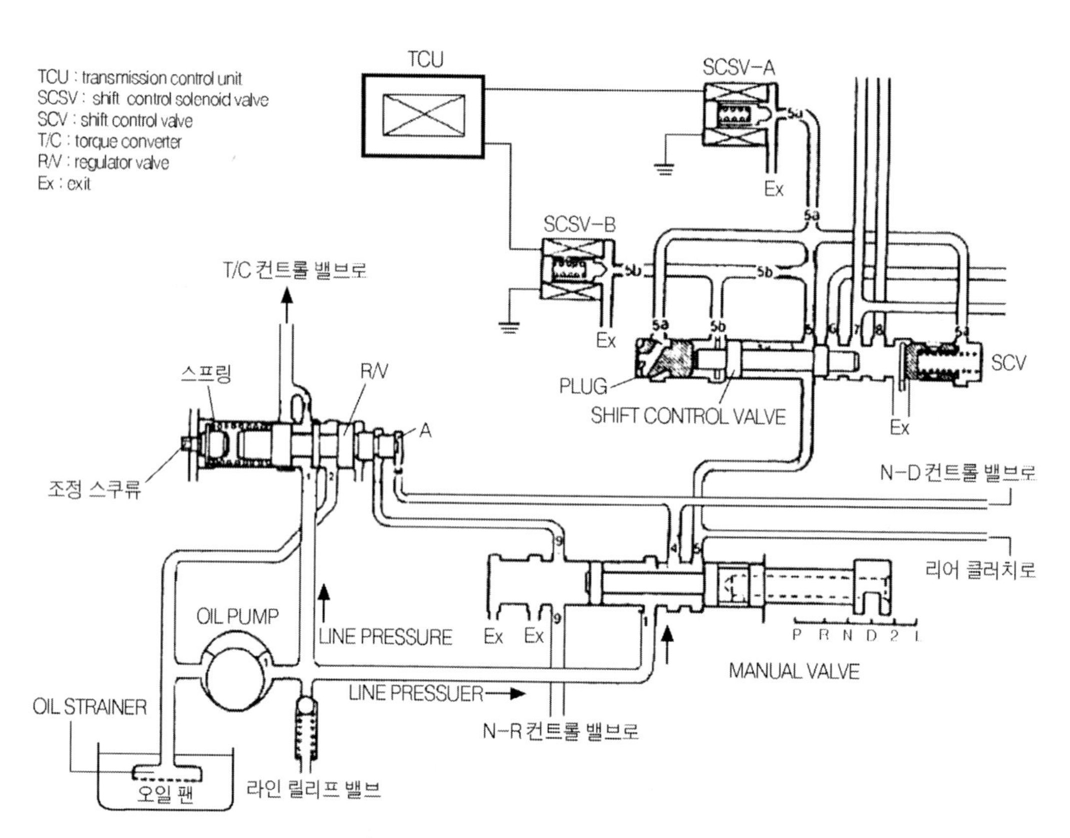

그림5-42 변속시 SCV밸브의 작동

여기서 말하는 라인압(line pressure)이란 오일펌프에서 토출된 압력을 말 한다. 매뉴얼 밸브(manual valve)는 변속 레버와 연동하여 움직이는 밸브로 각 변속단에 필요한 라인압의 유로를 절환하여 유압을 공급하는 역할을 한다. SCV 밸브(shift control valve)는

변속을 하기 위해 라인압을 조절하는 밸브이다. 이 밸브(valve)는 그림 (5-43)과 같이 2조의 SCSV(shift control solenoid valve)A, B를 통해 SCV 밸브의 작용압을 제어하고 있다.

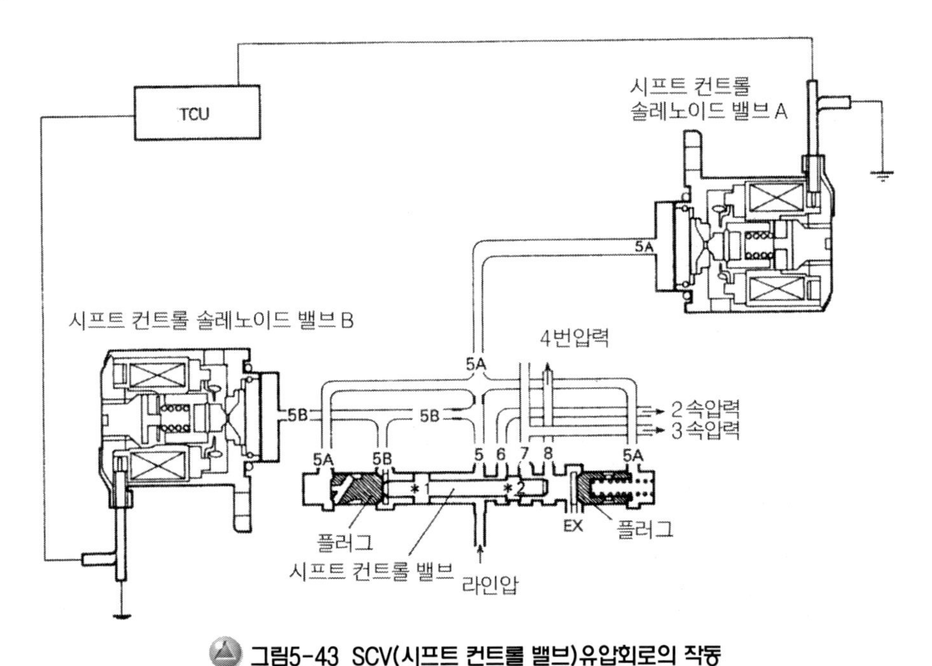

그림5-43 SCV(시프트 컨트롤 밸브)유압회로의 작동

사진5-37 댐퍼 클러치 시프트 밸브

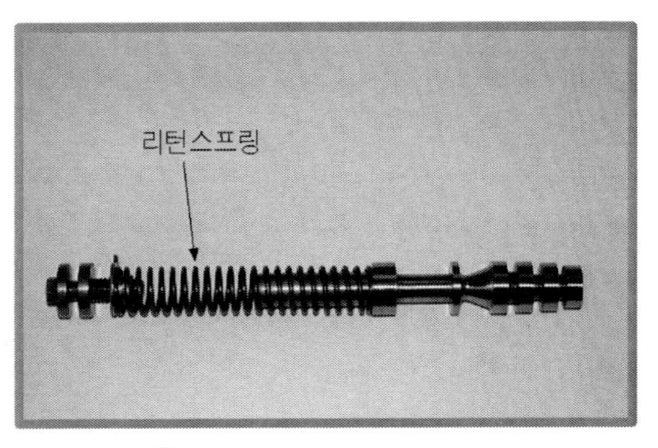

사진5-38 레귤레이터 밸브

SCSV(shift control solenoid valve)는 TCU로부터 ON/OFF 제어하는 솔레노이드 밸브로 ON 상태일 때는 유로를 개방하고, OFF 상태일 때는 유로를 차단하도록 해 SCV 밸브에 작용하는 라인압을 제어 한다. SCSV-A 밸브는 SCV 밸브의 작용하는 라인압을 제어하기 위해 SCV 밸브의 양측에 있는 플러그(plug)에 작용하는 유압을 제어하는데 반해

SCSV-B 밸브는 SCV 밸브의 #1 랜드(land)의 좌측에 작용하는 유압을 제어 한다. 이들 밸브(valve)의 작동을 살펴보면 랜드(land)의 직경이 #1 > #2 되어 있어 SCV 밸브에 라인압이 작용하면 #1 측으로 이동하게 된다. 또한 랜드 #1의 좌측 b-포트로 유압이 작용하면, 랜드 #1의 라인압과 b-포트의 유압이 같아져 유압은 서로 상쇄되고 지금까지 작용하고 있던 라인압에 의해 랜드(land)의 #2 에 작용하게 돼 #2는 우측으로 이동하게 된다. 따라서 SCV 밸브의 작동은 SCSV 밸브의 작동에 의해 랜드 #1과 #2의 이동이 결정 된다. 즉 SCSV 밸브는 TCU에 의해 ON/OFF 제어 하므로 (유로를 개방과 차단하므로) SCV 밸브의 작용하는 유압을 제어하게 되어 변속 할 수 있도록 하고 있다.

실제로 SCSV 밸브는 TCU의 전기 신호로부터 표(5-8)의 SCSV 밸브 A, B의 작동 조건과 같이 작동되어 기어 변속이 이루어지도록 하고 있다.

[표5-8] 변속 제어 솔레노이드 밸브(SCSV)의 작동

변속	솔레노이드 밸브		유성 기어			비고
	A	B	F/S	R/S	캐리어	
1속	ON	ON	○		●	OWC 작동
2속	OFF	ON	○	●		
3속	OFF	OFF	○	○		
4속	ON	OFF		●	○	

※범례 ○ : 연결 ● : 고정

[표5-9] 변속 제어 솔레노이드 밸브의 작동(F5A5 계열)

변속 레버			클러치 1		브레이크			솔레노이드 밸브			
			UD	OD	2ND	L/R	REV	UD	OD	2ND	L/R
P						○					%
R						○	○				%
N						○					%
D	S	1	○			○		%			%
		2	○		○			%		%	
		3	○	○				%	%		
		4	○	○				%	%		
		5		○	○				%	%	

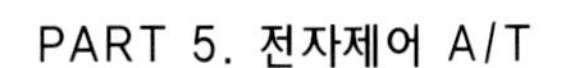

예를 들면 SCSV 밸브 A, B가 ON 되어 1속 상태인 경우 SCSV 밸브 A, B는 유로가 개방되어 라인압은 SCSV 밸브를 통해 배출하게 된다. 이때 라인압은 매뉴얼 밸브(manual valve)로부터 SCV 밸브의 랜드(land) 사이를 작용하게 돼 랜드 #1은 좌측으로 이동하게 된다. 따라서 SCV 밸브의 2속압(2nd pressure), 3속압(3th pressure)의 유로는 차단되고 리어 클러치(rear clutch)의 작동압은 매뉴얼 밸브의 5번 포트를 통해 유압이 작동하게 된다. 이 리어 클러치는 유성 기어의 포워드 선 기어(forward sun gear)와 직결되어 1속 감속비를 얻게 된다.

사진5-39 밸브보디 유닛

사진5-40 V/B의 솔레노이드 밸브

2속 상태가 되면 TCU는 표 (5-8)과 같이 SCSV-A를 OFF 시키고, SCSV-B를 ON 시키게 된다. SCSV-A가 OFF 되면 솔레노이드 밸브의 유로는 차단되어 그림(5-44)의 SCV 밸브 작동과 같이 a 포트를 통해 SCV 밸브의 양측 플러그에 작용하게 된다. 이때 SCV 밸브의 좌측 플러그는 우측으로, 우측 플러그는 좌측으로 스토퍼(stopper)까지 이동하게 돼 6번 포트는 열리게 된다. 6번 포트가 열리게 되면 라인압은 매뉴얼 밸브를 통해 6번 포트로 작용하게 돼 2속 압력으로 작용하게 된다.

6번 포트의 2속 라인압은 1-2 시프트 밸브(shift valve)를 통해 K/D 브레이크에 작용하게 되어 유성 기어의 리버스 선 기어(reverse sun gear)는 고정하게 된다. 한편 매뉴얼 밸브(manual valve)의 5번 포트를 통한 라인압은 리어 클러치(rear clutch)에 작용하게 돼 결국 유성 기어는 2속 변속비를 얻게 된다.

3속 상태가 되면 SCSV-A밸브 및 SCSV-B 밸브는 OFF 상태가 돼 SCSV-A, SCSV-B 밸브의 유로는 차단되고 SCV 밸브의 a 포트로 유압이 작용하게 돼 2속의 라인

압을 얻게 된다. 이때 SCSV-B의 OFF 상태는 SCV 밸브를 2속 상태일 때 보다 더 우측으로 이동하게 돼 SCV 밸브의 7번 포트는 열리게 된다. SCV 밸브의 7번 포트가 열리면 이 라인압은 2-3 시프트 밸브를 통해 리어 클러치와 킥 다운 브레이크를 작동하게 돼 3속 변속비를 얻고 있다.

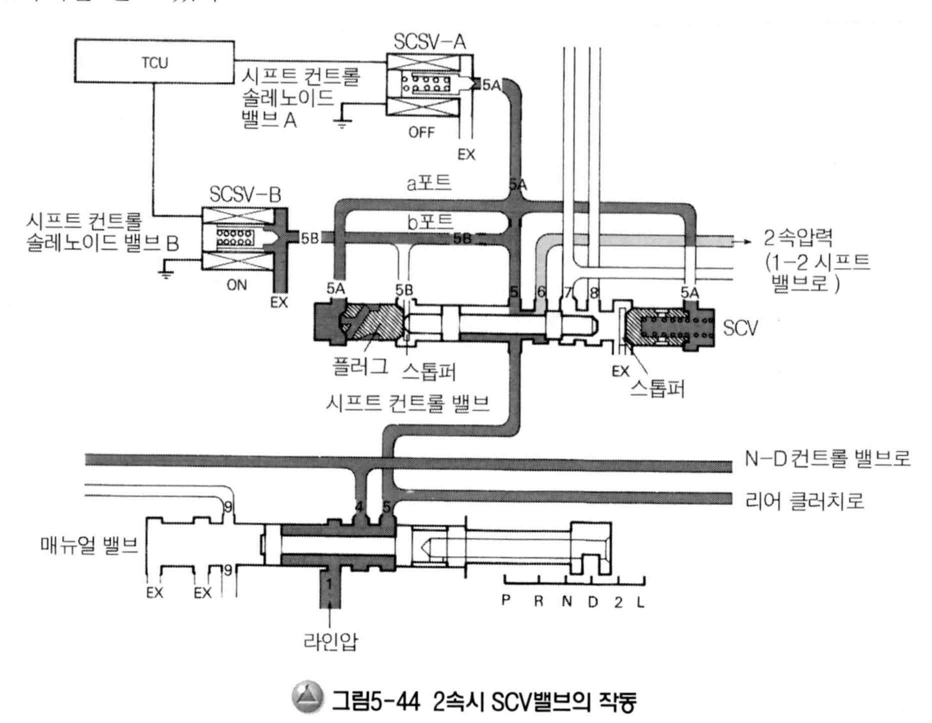

그림5-44 2속시 SCV밸브의 작동

4속 상태가 되면 TCU로부터 SCSV-A밸브를 ON시켜 유로를 개방하고 SCSV-B 밸브는 OFF 시켜 유로를 차단하게 한다. SCSV-A 밸브가 ON 상태가 되면 유로를 개방하여 a 포트의 라인압을 솔레노이드 밸브의 배출 포트를 통해 배출하게 된다. SCSV-A 밸브가 개방되어 라인압이 배출되면 지금까지 SCV 밸브의 a 포트를 통해 작용하고 있던 라인압도 배출이 되어 플러그는 원 위치 된다. 그러나 SCSV-B가 OFF가 된 유로를 차단하고 있는 상태로 라인압은 SCV 밸브의 b 포트를 통해 작용하게 된다. b포트로 라인압이 작용하게 되면 SCV 밸브의 우측 플러그는 동시에 우측 스탑퍼(stopper)까지 이동하게 되고 8번 포트를 통해 라인압이 작용하게 된다.

이 8번 포트의 라인압은 리어 클러치 배기 밸브(rear clutch exhaust valve)를 통해 4속압을 얻고 있다.

차량의 정지 시에는 2속압을 유지하여 리어 클러치(rear clutch)와 K/D 브레이크를 작동 하지만 차량의 크립력을 얻기 위해 K/D 브레이크에 작용하는 유압을 보통 2속 주행시 보다 낮은 유압으로 제어 하고 있다. K/D 브레이크에 작용하는 유압을 낮게 제어하기 위해 KM 계열의 자동 변속기는 PCSV(pressure control solenoid valve) 밸브를 듀티 제어하고 있다. TCU로부터 PCSV 밸브를 듀티 제어하기 위해 듀티 신호 전압을 출력하면 그림 (5-45)과 같이 PCSV 밸브는 듀티 신호분 만큼 유로를 개방하여 PCV 밸브의 23b의 포트는 유압이 낮아진다. 이때에는 포트압의 크기는 23번 >23b번이 되어 PCV 밸브의 랜드 #2와 #3는 면적차에 의해 PCV 밸브는 좌측으로 이동하게 된다.

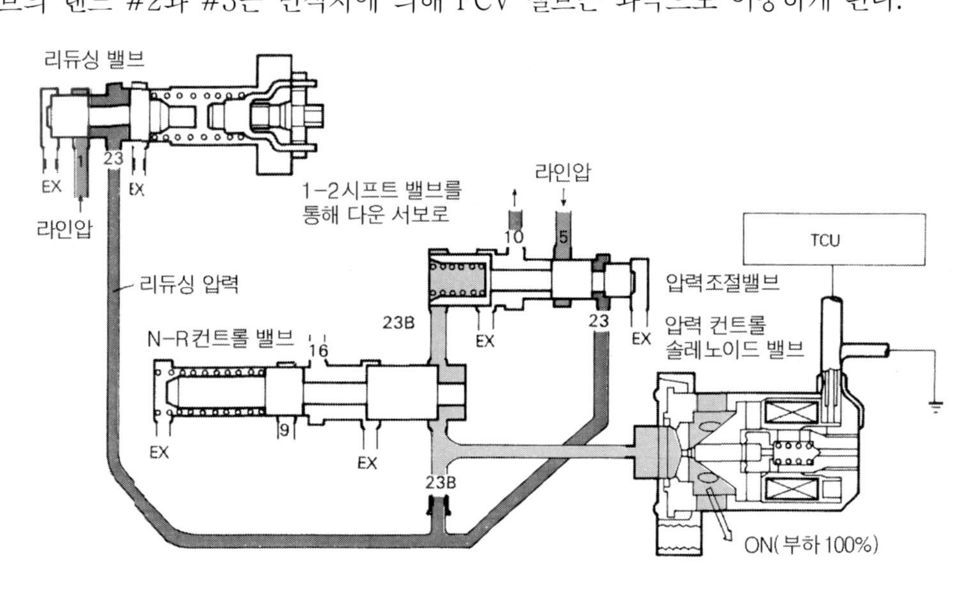

그림5-45 1속시 PCV 밸브의 작동

리듀싱(reducing)압에 의해 좌측으로 이동한 PCV 밸브는 랜드(land) #2에 의해 5번 포트는 차단된다. 이에 따라 10번 포트의 유압은 PCV 밸브의 배출 포트에 의해 낮아지게 된다. 10번 포트의 유압이 낮아지면 PCV 밸브는 스프링 힘에 의해 우측으로 이동하게 되어 5번 포트를 개방 한다. 다시 5번 포트가 개방되면 10번 포트로 유압이 작용하게 돼 K/D 브레이크에 작용하는 유압을 조절하여 크립력을 얻도록 하고 있다.

A/T(자동 변속기)는 토크 컨버터의 펌프 임펠러와 터빈의 회전수 차로 연비가 증가하는 것을 개선하기 위해 록 업 클러치(lock up clutch)를 설치 해두고 있는데 KM 계열의 변속기에서는 록 업 클러치 대신 댐퍼 클러치(damper clutch)를 설치하고 있다.

댐퍼 클러치의 작동은 그림 (5-46)과 같이 DCCSV(댐퍼 클러치 컨트롤 솔레노이드 밸브) 밸브를 통해 DCCV 밸브를 작동 유압을 제어하고 있다. DCCSV 밸브는 듀티 제어를 하지만 OFF 상태가 되면 유로를 차단하여 DCCV 밸브의 23번 포트와 23a번 포트 라인으로 리듀싱(reducing) 압이 작용하도록 한다.

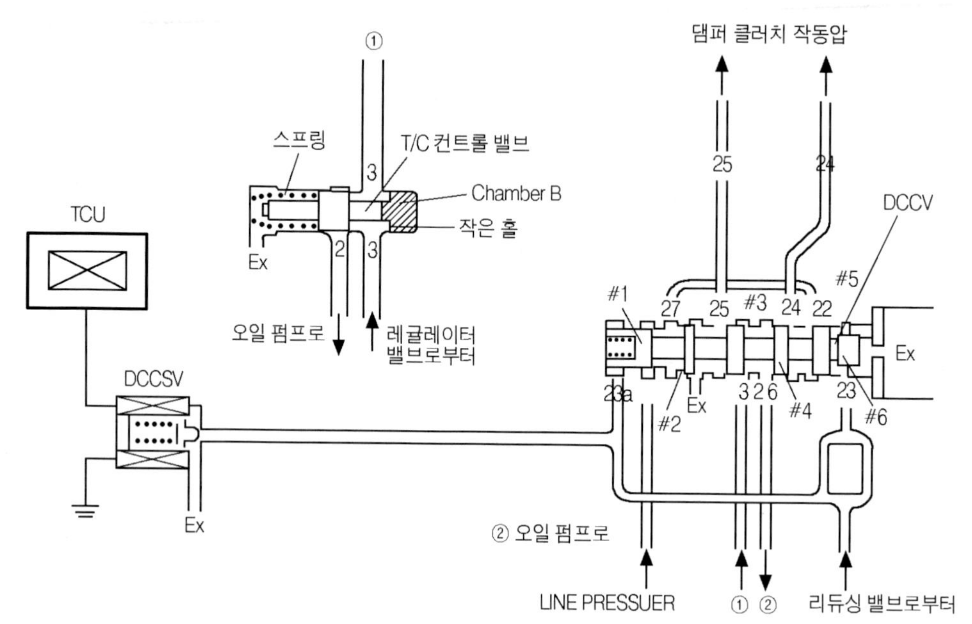

그림5-46 댐퍼클러치 작동시 DCCV밸브의 작동

리듀싱 압이 작용하면 DCCV 밸브의 랜드 #5와 #6의 면적차로 밸브는 우측으로 이동하게 된다. DCCV 밸브가 우측으로 이동하게 되면 3번 포트로부터 라인압은 25번 포트로 공급되어 토크 컨버터(torque converter)의 프런트 커버(front cover)와 댐퍼 클러치 플레이트(damper clutch plate) 사이로 작동 유압이 공급하게 된다. 이 상태에서 2속 이상인 댐퍼 클러치 작동 조건이 되면 TCU는 듀티 신호를 출력하여 DCCSV 밸브를 듀티 신호분 만큼 작동 시켜 유로를 듀티분 만큼 열게 한다.

DCCSV 밸브는 듀티 신호에 의해 DCCV 밸브의 랜드 #1에 작용하는 유압을 23a번 포트를 통해 저하 시킨다. 이 유압이 저하 되면 랜드 #1에 작용하는 유압 보다 랜드 #5, #6에 작용하는 유압이 크게 되어 DCCV 밸브는 좌측으로 이동하게 된다. DCCV 밸브가 좌측으로 이동하게 되면 3번 포트의 유로는 26번 포트와 연결되어 3번 포트로 유입된 오일은 26번 포트를 통해 오일펌프(oil pump)로 돌아가게 된다. 또한 1번 포트의 라인압은

27번 포트를 통해 24번 포트로 이동하여 토크 컨버터(torque converter)로 공급하게 된다. 이렇게 24번 포트를 통해 토크 컨버터로 공급된 유압은 댐퍼 클러치 플레이트(damper clutch plate)의 터빈 사이를 작용하게 돼 댐퍼 클러치 플레이트와 토크 컨버터의 프런트 커버(front cover)를 밀착시킨다.

프런트 커버(front cover)에 밀착된 댐퍼 클러치 플레이트는 엔진의 회전수와 동속이 되어 엔진 동력을 터빈(turbine)에 직접 전달하게 된다. 이와 같이 DCCSV 밸브의 듀티 신호를 통해 댐퍼 클러치를 제어하는 것을 **댐퍼 클러치 제어**라 한다.

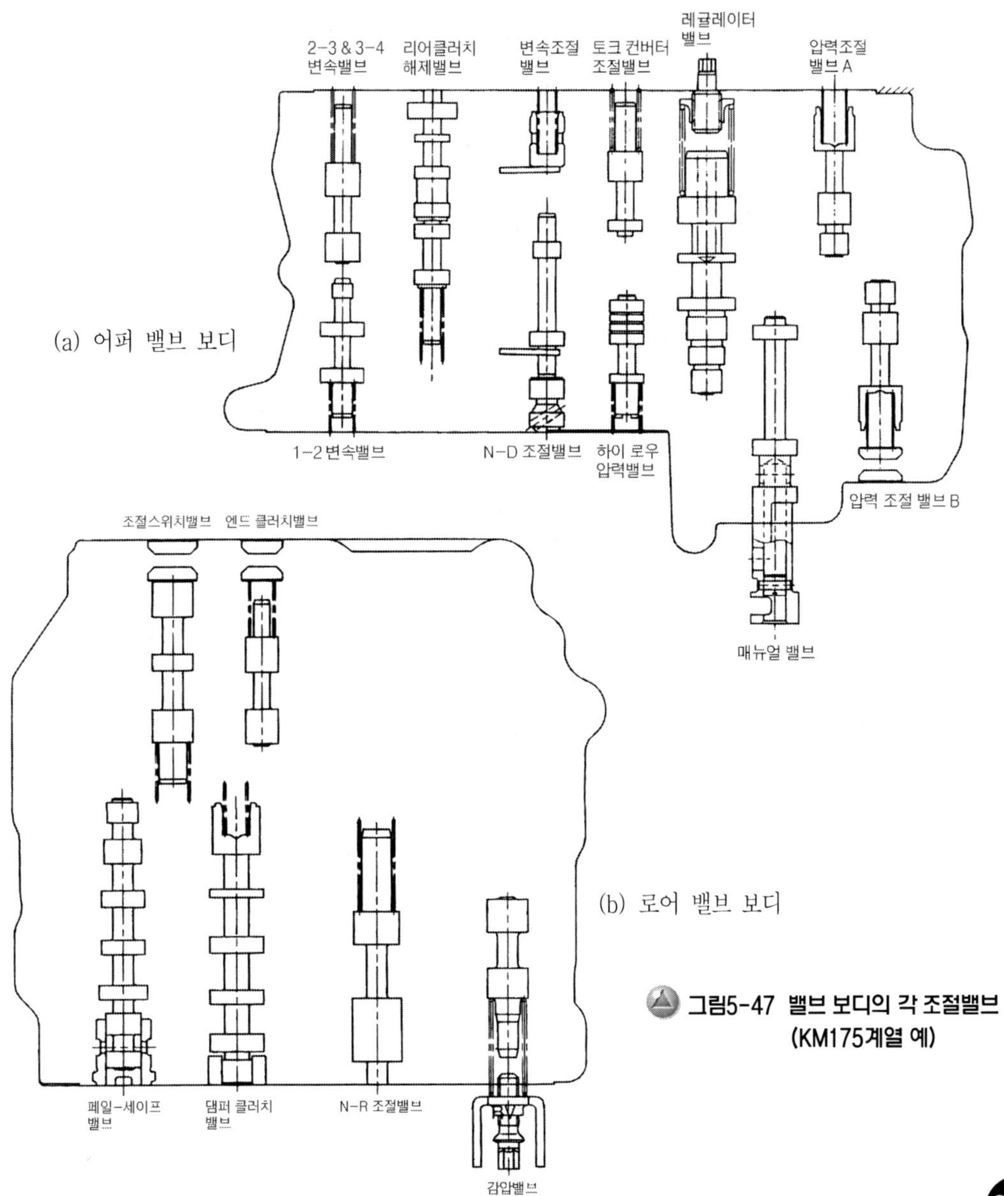

그림5-47 밸브 보디의 각 조절밸브 (KM175계열 예)

point

A/T의 구성 부품

1 토크 컨버터

1. 자동 변속기의 구성 부품
   ① 토크 컨버터 : 엔진 동력을 유체 동력으로 변환하는 기구
   ② 기어 트레인 : 기어의 단속 없이 변속하는 동력 전달 장치
   ③ 밸브 보디 : A/T의 작동 요소를 제어하기 위한 유압 제어 기구
2. 토크 컨버터의 구성 부품
   ① 펌프 임펠러 : 엔진 동력을 유체 동력으로 변환하기 위해 엔진과 동속으로 회전하는 회전 날개 모양의 유체 펌프
   ② 터빈 : 유체 동력을 기계적인 동력으로 변환하기 위한 회전 날개 모양의 터빈
   ③ 스테이터 : 펌프 임펠러로부터 터빈으로 넘어 들어오는 오일의 방향을 바꾸어 다시 펌프 임펠러로 되돌려 토크를 증대하기 위한 팬(날개)
   ※ 유체의 이동 수순 : 펌프 임펠러 → 터빈 → 스테이터 → 펌프 임펠러
3. 토크 컨버터의 전달 특성
   ① 토크 컨버터의 전달 특성 : 엔진 동력이 자동 변속기로 전달되는 효율을 나타내는 특성
   ② 스톨 포인트 : 토크 컨버터에 최대 토크가 발생하는 시점
   ③ 펌프 임펠러 회전수 = 터빈 회전수 일 때 토크비는 최대가 된다.
4. 록 업 클러치
   ① 토크 컨버터의 슬립 현상 : 펌프 임펠러의 회전수 > 터빈 회전수 차로 연비 악화 따라서 연비를 개선하기 위해 차량이 일정 속 이상이 되면 엔진 동력이 터빈과 직결되어 펌프 회전수= 터빈 회전수가 되도록 하기 위한 클러치이다.
   ② 록 업 클러치 : 터빈측에 있는 습식 클러치판에 의해 토크 컨버터의 프런트 커버와 직결하도록 하는 클러치. KM 계열에서는 이 클러치를 댐퍼 클러치라 한다.
5. 오일펌프
   ① 트로코이드식 오일펌프 : A/T에 사용되는 내접형 오일펌프
   ② 트로코이드식의 특징
   - 양기어의 회전 방향이 동일하여 기어 간에 접촉이 작아 마모 및 소음에 유리하다.
   - 토출압의 변화에도 불구하고 오일의 토출량의 변화가 적다

2 기어 트레인

1. KM 계열의 기어 트레인 구성 부품
   ① 2조의 유성 기어, 3조의 습식 다판 클러치, 2조의 습식 다판 브레이크
   ② 클러치류 : 프런트 클러치, 리어 클러치, 엔드 클러치
   ③ 브레이크류 : K/D 브레이크 로우 리버스 브레이크

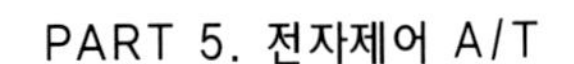
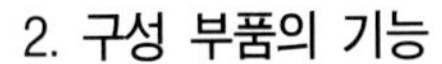

2. 구성 부품의 기능

① 더블형 유성기어 : 포워드 선기어 위를 회전하는 쇼트 피니언기어와 리버스 선기어 위를 회전하는 롱 피니언 기어, 그리고 피니언 기어를 고정하는 캐리어로 구성

② 습식 다판 클러치 : 유성 기어의 3개의 기어 중 입력 및 출력이 결정된 기어와 연결하기 위한 클러치(즉 변속을 하기 위한 클러치)

③ 습식 다판 브레이크 : 유성 기어의 3개의 기어 중 입력 및 출력이 결정된 기어와 연결하기 위한 브레이크(즉 변속을 하기 위한 브레이크)

3 밸브 보디

1. 밸브 보디의 기능과 종류

① 밸브 보디 : 자동 변속기 내에 있는 각 작동 요소의 유압을 제어하는 유압 회로판

② 솔레노이드 밸브 : 전기적인 신호에 의해 유로를 개방 또는 차단하는 밸브

* ON 시 : 유로 개방, OFF 시 : 유로 차단

③ 기구적인 밸브 : 유압에 의해 유로를 개방 또는 차단하는 밸브

2. 밸브의 종류와 기능

① 솔레노이드 밸브의 종류(제조사에 따라 호칭이 다소 차이가 있음)

* SCSV 밸브 : 유성 기어의 입 · 출력을 결정하기 위한 변속 밸브
* PCSV 밸브 : 라인압 보다 낮은 일정한 유압을 만들어 PCV 밸브, DCCV 밸브를 제어하기 위한 밸브
* DCCSV 밸브 : 댐퍼 클러치를 작동하기 위한 솔레노이드 밸브

② 기구적인 밸브의 종류

* 매뉴얼 밸브 : 변속 레버와 연동되어 움직이며 오일펌프로부터 토출된 라인압을 작동 요소에 공급하는 밸브
* 레귤레이터 밸브 : 오일펌프로부터 토출된 라인압을 일정한 유압으로 변환하는 밸브
* 리듀싱 밸브 : PCV 밸브나 DCCV 밸브를 제어하기 위해 항상 라인압 보다 낮은 유압을 제어하기 위한 밸브
* SCV 밸브 : 각 변속단에 맞는 위치로 변속 유로를 절환하여 주는 밸브
* PCV 밸브 : 크립력을 얻기 위해 리듀싱 압을 제어하여 주는 밸브
* DCSV 밸브 : 댐퍼 클러치를 작동하기 위해 유로를 절환하여 주는 밸브
* 토크 컨버터 조절 밸브 : 댐퍼 클러치 해방시 유압을 일정하게 조절하여 주는 밸브

○ 라인압 : 오일펌프로 토출된 유압을 말함

3. A/T의 동력 전달

1. 오일 순환 경로

변속기 내의 ATF 오일은 인간에 비교하면 피와 같아 피가 없이는 생명을 유지 할 수 없듯이 자동 변속기는 ATF 오일 없이는 작동이 불가하다. ATF 오일은 인간의 피와 같이 A/T(자동 변속기) 내를 순환하며 라인압을 조절하여 각 작동 요소를 제어하고 있기 때문이다.

따라서 ATF 오일의 순환 경로를 아는 것은 자동 변속기의 동력 전달의 흐름을 이해하고 있는 것과 같다고 할 수 있다. 최초 ATF 오일의 순환은 오일펌프로부터 시작하여 각 작동 요소로 공급하게 된다. 오일펌프로부터 토출된 라인압은 밸브 보디를 통해 각 작동 요소로 압송되어 동력을 전달 또는 차단하는 역할을 하고 있다. 이들 오일 순환 경로를 살펴보면 그림 (5-48)과 같이 오일펌프는 토크 컨버터 샤프트와 직결되어 있어 엔진이 회전하고 있는 동안 오일펌프는 항상 동속으로 회전하여 ATF 오일을 각 작동 요소로 공급하게 된다. 오일펌프가 회전을 시작하면 오일 팬으로부터 흡입된 ATF 오일은 각 작동 요소로 공급되어지는 라인압으로 변화한다. 이 라인압은 엔진의 회전수에 따라 변화하게 되므로 엔진 회전수와 함께 R, D, 2, L-레인지에 맞는 변속압이 필요하게 된다.

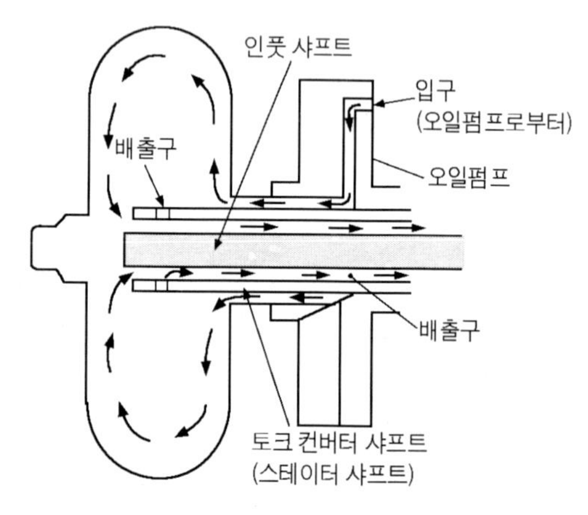

(a) 토크 컨버터 내의 오일 순환 경로
(록업 클러치 비내장형)

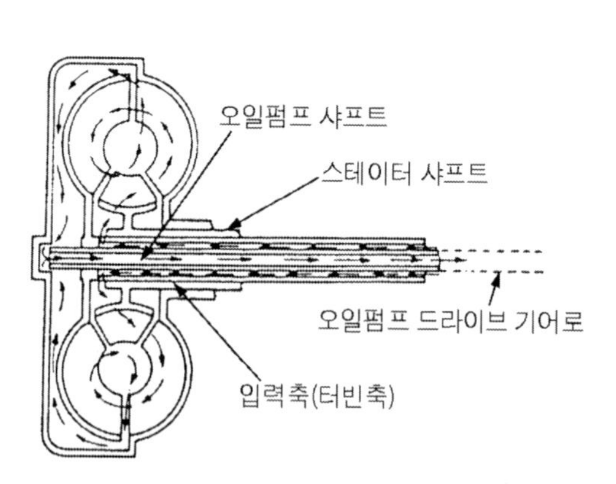

(b) 토크 컨버터 내의 오일 순환 경로
(록업 클러치 내장형)

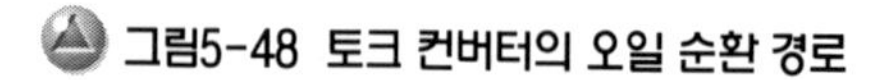

그림5-48 토크 컨버터의 오일 순환 경로

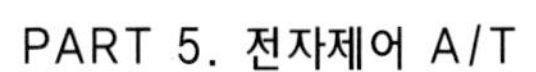

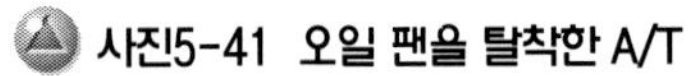
사진5-41 오일 팬을 탈착한 A/T

사진5-42 토크 컨버터와 오일 펌프

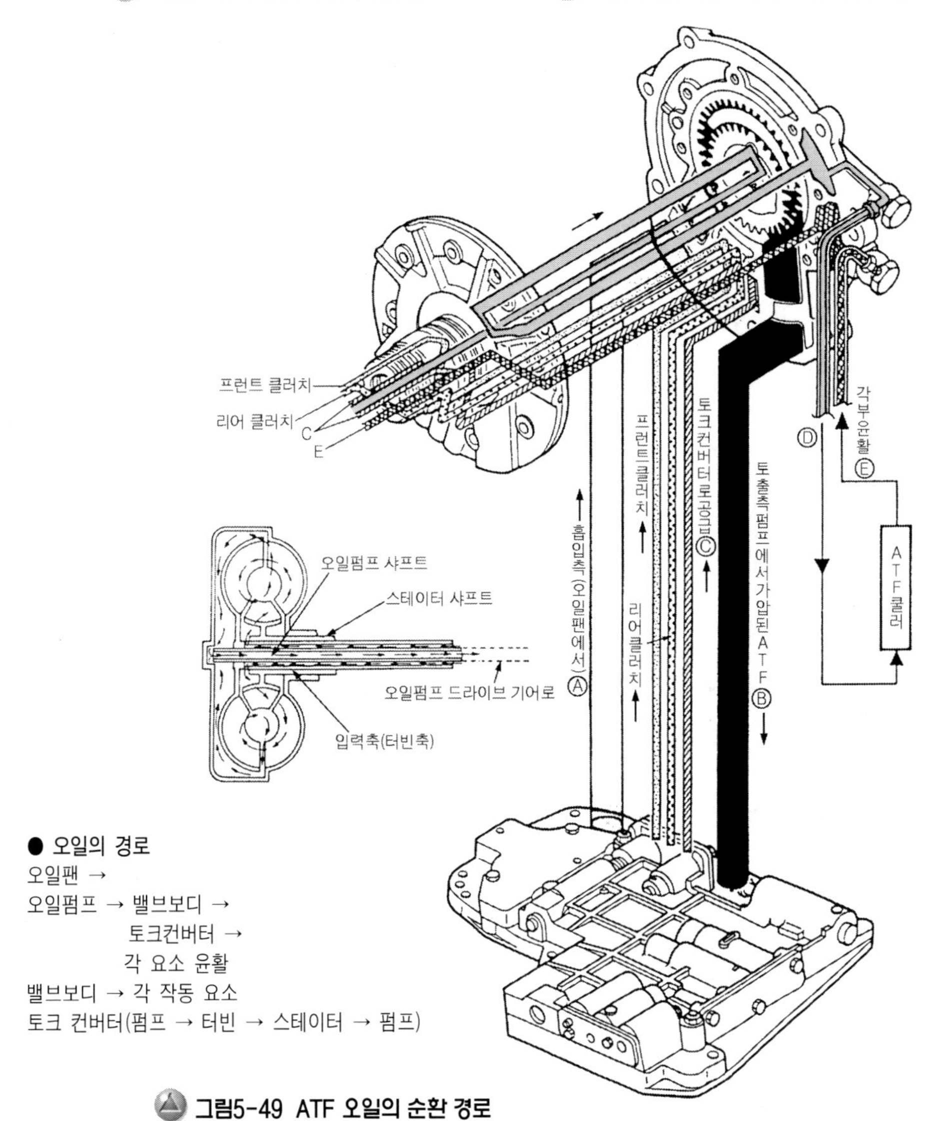

그림5-49 ATF 오일의 순환 경로

이와 같은 이유로 변속압에 맞는 라인압을 제어해 주기 위한 것이 필요하게 되는 데 이것이 바로 밸브 보디이다. 따라서 오일펌프로부터 토출된 라인압은 그림(5-49)와 같이 밸브 보디를 통해 토크 컨버터와 각 작동 요소로 공급하게 된다. 토크 컨버터로 공급된 라인압의 오일은 펌프 임펠러를 통해 터빈과 스테이터를 거쳐 다시 펌프 임펠러로 순환되고 일부는 오일펌프 샤프트 관을 통해 오일펌프로 재순환하게 된다.

사진5-43 밸브보디의 로우 커버

사진5-44 분해한 밸브 보디

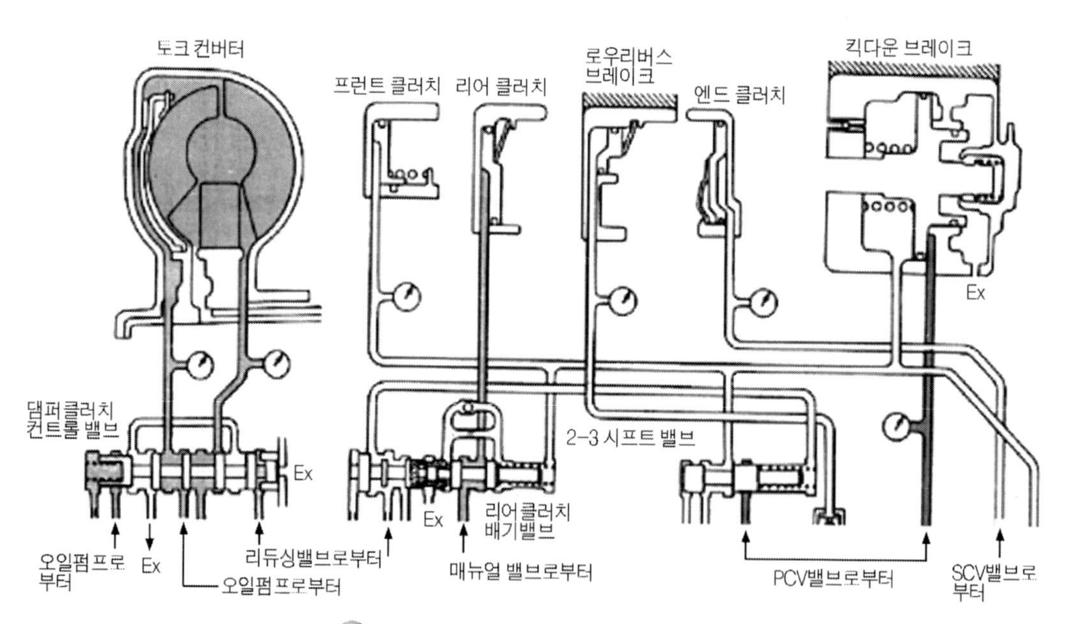

그림5-50 작동 요소의 오일 순환 경로

토크 컨버터 내에는 ATF 오일의 와류에 의해 과열이 발생하게 돼 차종에 따라서는 오일을 순환할 때 냉각시키는 오일 쿨러(oil cooler)를 설치하고 있는 차종도 있다.

한편 밸브 보디(로 토출된 라인압은 변속압에 맞게 조절되어 주요 작동 요소인 프런트 클러치(front clutch)나 리어 클러치(rear clutch) 등으로 압송되어 차속에 대한 변속이 이루어진다. 밸브 보디 내에는 압력 조절 밸브 또는 PCV(pressure control valve)가 내장되어 라인압을 조절하고 이 조절된 라인압은 토크 컨버터와 각 작동 요소로 분류돼 작동압으로 작용하게 된다. 여기서 조절되는 라인압은 차량의 주행 조건에 따라 TCU(A/T ECU)의 ROM(읽기 전용 메모리) 내에 미리 설정되어 있는 데이터 값에 의해 솔레노이드 밸브의 듀티량을 제어함으로서 이루어진다.

2. 동력 전달 경로

엔진이 회전을 시작하면 펌프 임펠러로부터 ATF 오일의 운동 에너지는 터빈으로 전달되고, 터빈과 직결된 인풋 샤프트는 회전하게 된다. 이렇게 인풋 샤프트가 회전을 하게 되면 인풋 샤프트의 구동력은 변속기 내의 각 작동 요소에 의해 유성기어로 전달 돼 변속된다. 이때 요구되는 변속은 차량의 주행상태에 따라 변화하는 입력정보를 TCU(A/T 컴퓨터)는 입력 받아 운전자가 요구하는 변속이 이루어지도록 밸브 보디 내의 솔레노이드 밸브 구동한다. 이 솔레노이드 밸브의 구동은 유압을 제어하여 필요한 작동 요소의 라인압을 제어한다.

여기서 말하는 작동 요소라는 것은 그림 (5-51)과 같이 인풋 샤프트로부터의 구동력을 유성 기어로 전달하기 위한 F/C(front clutch : 프런트 클러치), R/C(rear clutch : 리어 클러치), K/D(kick down brake : 킥 다운 브레이크), L/R(low reverse brake : 로우 리버스 브레이크), E/C(end clutch : 엔드 클러치) 등을 말 한다. F/C(프런트 클러치)의 경우는 인풋 샤프트의 구동력을 유성 기어의 리버스 선 기어(reverse sun gear)와 단속(斷續) 하도록 되어 있고, R/C(리어 클러치)의 경우는 인풋 샤프트의 구동력을 유성 기어의 포워드 선 기어(forward sun gear)와 단속하도록 되어 있다.

사진5-45 자동변속기 절개품

사진5-46 A/T 내부의 기어들

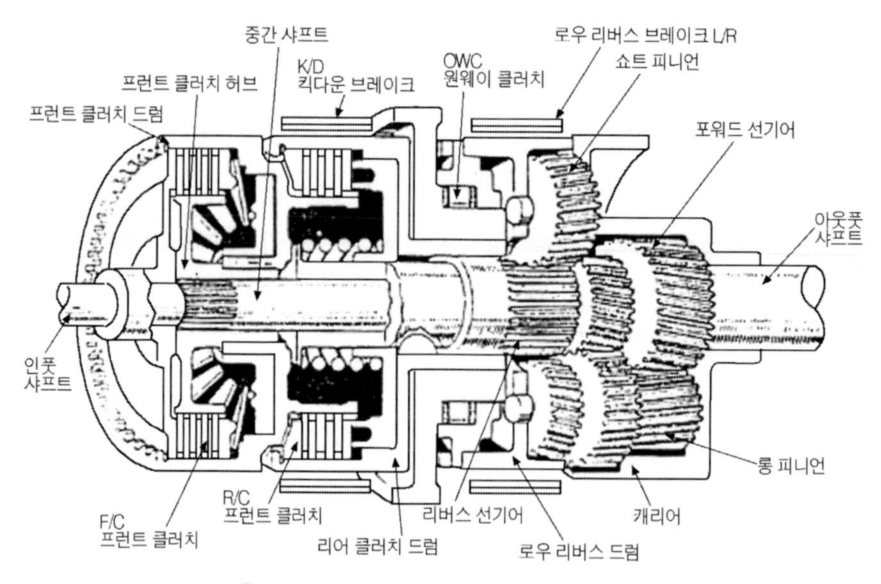

그림5-51 자동변속기의 내부 기어 트레인

또한 K/D(킥 다운 브레이크)는 유성 기어의 리버스 선 기어를 고정하도록 되어 있고, L/R(로우 리버스 브레이크)은 유성 기어의 캐리어를 고정하도록 되어 있다. E/C(엔드 클러치)의 경우는 인풋 샤프트의 구동력을 유성 기어의 캐리어와 단속하도록 되어 있다. 따라서 밸브 보디는 각 작동 요소의 라인압을 제어하기 위한 유압 회로 판이며 각 작동 요소는 유성 기어의 입력과 출력을 결정하기 위한 다판 클러치와 브레이크인 셈이다.

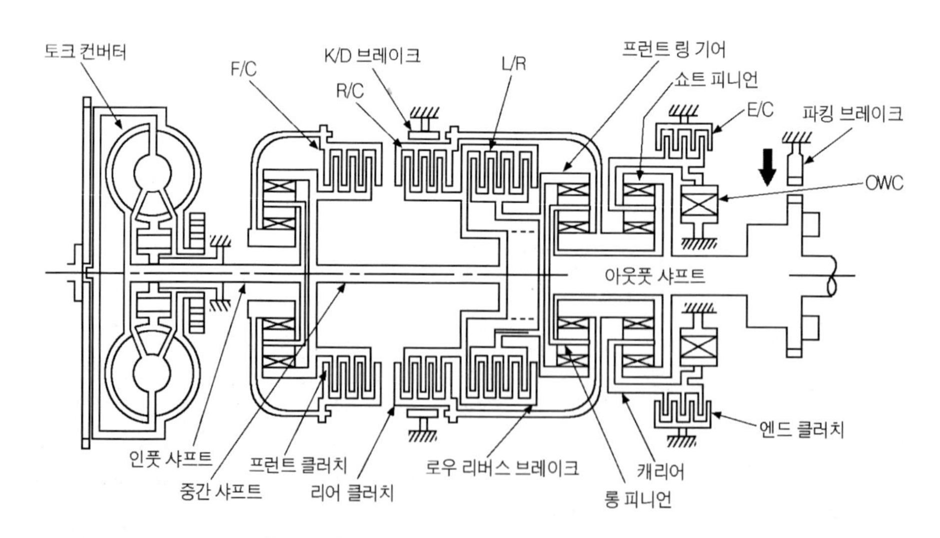

그림5-52 자동변속기의 기어 트레인 구성도

유성 기어(planetary gear)가 동력이 연결 상태에서 변속을 하기 위해서는 표 (5-12)와 같이 3가지 기어 중 어느 기어를 입력으로 하고, 어느 기어를 출력으로 할 것인지를 결정 하여야 한다. 선 기어(sun gear)를 고정하고 링 기어(ring gear)를 입력으로 하면 피니언 기어는 선 기어 위를 공전하게 되어 출력인 캐리어(carrier)는 감속하게 된다. 이에 반해 선 기어를 고정하고 캐리어를 입력으로 하면 선 기어 위를 굴러가는 피니언 기어(pinion gear) 보다 피니언 기어 위를 굴러가는 링 기어의 속도가 빨라 증속하게 된다. 역회전하는 경우는 캐리어를 고정하고 선 기어를 입력으로 하면 링 기어는 선 기어의 회전 방향과 반대로 돼 역회전하게 된다.

[표5-12] 유성기어의 기어 변속(기본형)

변속 상태	링 기어	선 기어	캐리어
감 속	입 력	고 정	출 력
증 속	출 력	고 정	입 력
역회전	출 력	입 력	고 정

실제 자동 변속기에 사용되고 있는 더블형 유성 기어의 경우에도 증속을 하기 위해서는 포워드 선 기어(foreword sun gear)를 고정하고 링 기어(ring gear)를 출력으로 하여 증속하고 있다. 기본형 유성 기어와 달리 더블형 유성 기어는 포워드 선 기어와 리버스 선 기어(reverse sun gear), 쇼트 피니언(short pinion)과 롱 피니언(long pinion)을 두는 것은 4속까지 증속하기 위함이다.

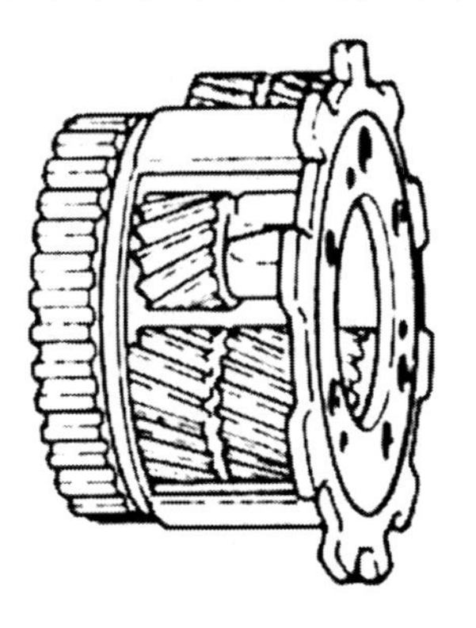
(a) 유성 기어 유닛

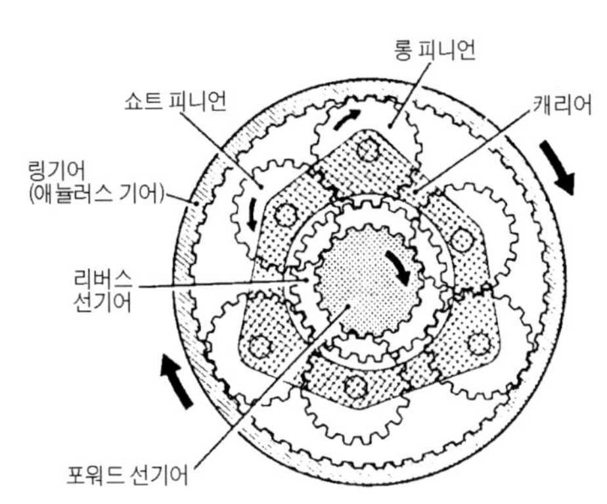

(b) 유성기어(단면)

그림5-53 더블형 유성기어의 구조

이것은 그림 (5-53)의 (b)와 같이 포워드 선 기어의 지름 보다 리버스 선 기어의 지름이 커 쇼트 피니언 기어(short pinion gear)가 포워드 선 기어 위를 회전 할 때 보다 롱 피니언 기어(long pinion gear)가 리버스 선 기어 위를 회전 할 때 피니언 기어의 자전과 공전 속도가 빠르기 때문이다. 따라서 변속을 하기 위해서는 유성 기어의 3가지 기어 중 어느 것을 입력으로 하고, 어느 것을 출력으로 할 것인가를 표(5-12)와 같이 결정해 주어야 한다.

(1) 1속시 동력 전달 경로

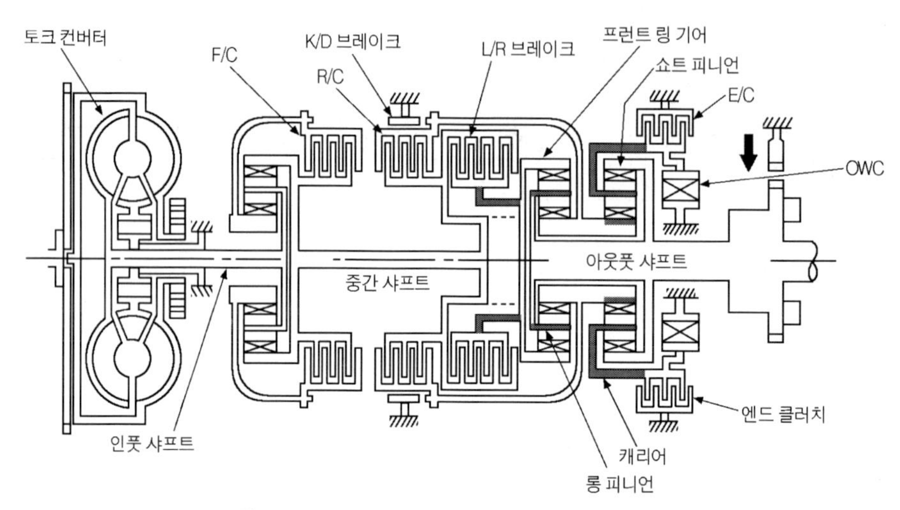

그림5-54 1속시 기어 트레인의 동력전달경로

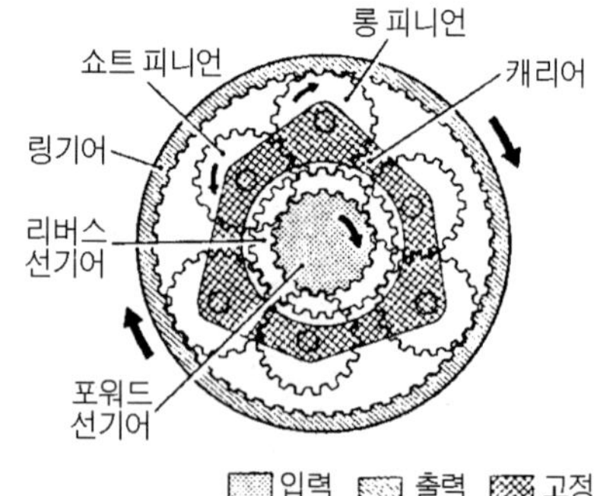

그림5-55 1속시 유성기어의 작동

변속 레버를 D-레인지로 절환하면 표(5-13)과 같이 SCSV-A와 SCSV-B 밸브는 ON 상태가 되어 SCSV밸브(시프트 컨트롤 솔레노이드 밸브)는 유로를 개방하고 밸브 보디의 매뉴얼 밸브(manual valve)로부터 라인압은 R/C(리어 클러치)를 작동한다. R/C(리어 클러치)는 F/S(포워드 선 기어)와 직결되어 있어 R/C 클러치로부터 F/S 기어로 동력을 전달하게 된다. F/S 기어로 전달된 동력은 인풋 샤프트와 같이 시계 방향으로 회전 하게 되고 쇼트 피니언 기어(short pinion gear)는 반시계 방향으로 회전하게 된다. 쇼트 피니언 기어가 반시계 방향으로 회전을 하면 롱 피니

언 기어(long pinion gear)는 다시 시계 방향으로 회전하여 링 기어로 동력을 전달하게 된다. 이때 구동력 일부는 롱 피니언의 캐리어에 전달 돼 반시계 방향으로 회전하도록 힘이 작용하지만 OWC(원 웨이 클러치)가 반시계 방향으로 회전하려는 힘을 저지하게 해 구동력은 캐리어에 전달되지 않고 전부 링 기어로 전달되어 1속의 감속비를 얻게 된다.

[표5-13] 변속단 작동 요소(KM175 계열)

변속레버		기어비	SOL V/V		클러치			브레이크		
			A	B	F/C	R/C	E/C	K/D	OWC	L/R
P		2.176								
R			ON	ON	○					○
N										
D	1	2.846	ON	ON		○			○	
	2	1.581	OFF	ON		○		○		
	3	1	OFF	OFF	○	○	○			
	4	0.685	ON	OFF			○	○		
L		2.846	ON	ON		○				○

[표5-14] 작동요소의 기능(KM175 계열)

약 어	작동 요소	기 능
F/C	프런트 클러치	인풋 샤프트와 리버스 선기어를 연결하는 클러치
R/C	리어 클러치	인풋 샤프트와 포워드 선 기어를 연결하는 클러치
E/C	엔드 클러치	인풋 샤프트와 플래니터리 기어 유닛의 캐리어를 연결하는 클러치
K/D	킥 다운 브레이크	리버스 선기어를 고정하는 브레이크
L/R	로우 리버스 브레이크	플래니터리 기어의 캐리어를 고정하는 브레이크
OWC	원 웨이 클러치	캐리어의 회전 방향을 규제
D/C	댐퍼 클러치	토크 컨버터와 인풋 샤프트를 직결하는 클러치

이와는 반대로 링 기어(ring gear)로부터 동력을 전달 할 때에는 OWC(원 웨이 클러치)는 캐리어가 시계 방향으로 움직이려는 것을 저지하지 않는다. 따라서 링 기어로부터 구동력은 롱 피니언 기어를 경유하여 캐리어에 전달되며, 이때에는 캐리어가 공전하기 때문에 D, 2-레인지(range)인 경우 엔진 브레이크는 걸리지 않게 된다.

이와 같이 변속 레버를 D, 2-레인지로 절환하여 1속이 되는 경우는 OWC(원 웨이 클러치)를 이용하여 캐리어(carrier)를 저지 않고 포워드 선 기어(forward sun gear)를 입

력으로 하여 1속 변속비를 얻도록 하고 있다. 반면에 변속 레버를 L-레인지로 절환 하여 1속이 되는 경우는 L/R 브레이크를 이용하여 캐리어(carrier)를 고정하고 포워드 선 기어를 입력으로 하여 엔진 브레이크가 걸린 1속 변속비를 얻도록 하고 있다.

(2) 2속시 동력 전달 경로

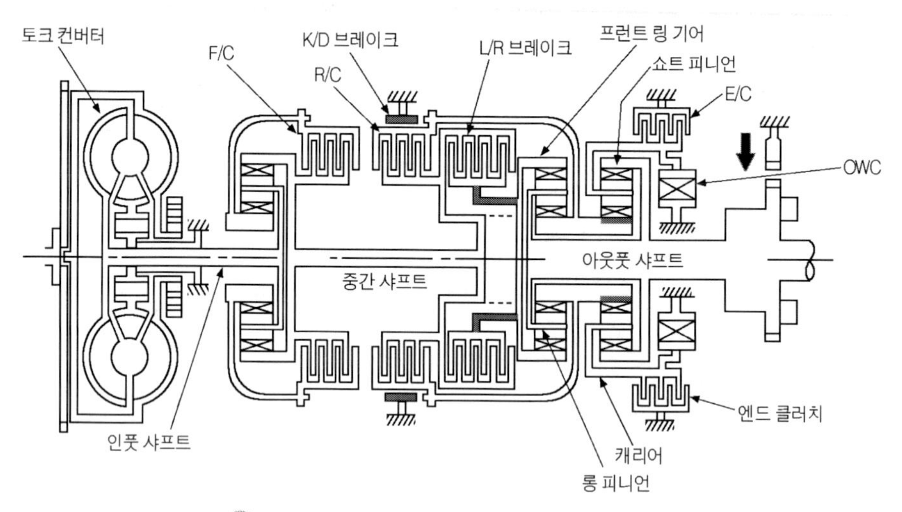

그림5-56 2속시 기어 트레인의 동력전달 경로

변속 레버를 D-레인지로 절환 하여 차량이 2속 상태가 되면 SCSV-A 밸브는 OFF 상태로, SCSV-B 밸브는 ON상태가 되어 SCSV-A 밸브는 유로를 차단하고, SCSV-B 밸브는 유로를 개방한다. 이때 밸브 보디의 매뉴얼 밸브로부터 라인압은 R/C 클러치를 작동하고, PCV 밸브로부터 라인압은 K/D 브레이크(킥 다운 브레이크)를 작동 한다. R/C 클러치가 작동을 하면 F/S (포워드 선 기어)와 연결되어 동력을 전달하게 되고, K/D 브레이크가 작동을 하면 유성 기어의 R/S 기어(리버스 선 기어)가 고정이 된다. 따라서 F/S 기어로 전달된 동력은 인풋 샤프트와 같이 시계 방향으로 회전하게 되고, 쇼트 피니언 기어(short pinion gear)는 반시계 방향으로 회전하게 된다.

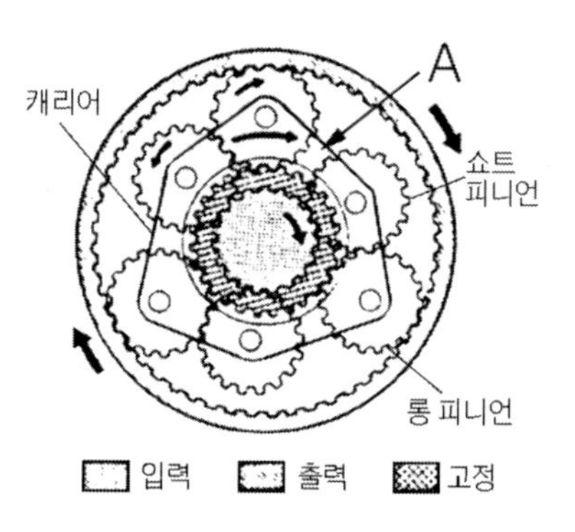

그림5-57 2속시 유성기어의 작동

쇼트 피니언 기어가 반시계 방향으로 회전을 하면 롱 피니언 기어는 다시 시계 방향으로 회전하여 링 기어로 동력을 전달하게 된다. 이때 K/D 브레이크에 의해 R/S 기어가 고정 되어

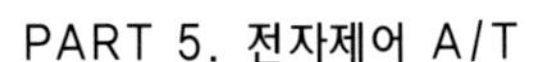

있어 그림 (5-57)과 같이 R/S 기어 위를 구르는 롱 피니언 기어는 F/S 기어(포워드 선 기어)와 같은 시계 방향으로 회전하여 마치 R/S 기어 위를 공전하는 A와 같은 형태를 띠게 된다. 롱 피니언 기어가 R/S 기어 위를 공전하면 F/S 기어의 회전분과 함께 출력측 링 기어는 증속하게 된다. 따라서 출력측 링기어는 1속 보다 빠른 2속의 변속비를 얻게 된다.

이와 같이 변속 레버를 D-레인지로 절환하여 2속이 되는 경우는 K/D 브레이크를 작동하여 R/S 기어를 고정하고, R/C (리어 클러치)를 작동하여 인풋 샤프트의 동력을 F/S 기어(포워선 기어)에 전달한다. 즉 R/S 기어를 고정하고, F/S 기어를 입력으로 하여 출력측 링 기어로부터 2속 변속비를 얻도록 하고 있다

(3) 3속시 동력 전달 경로

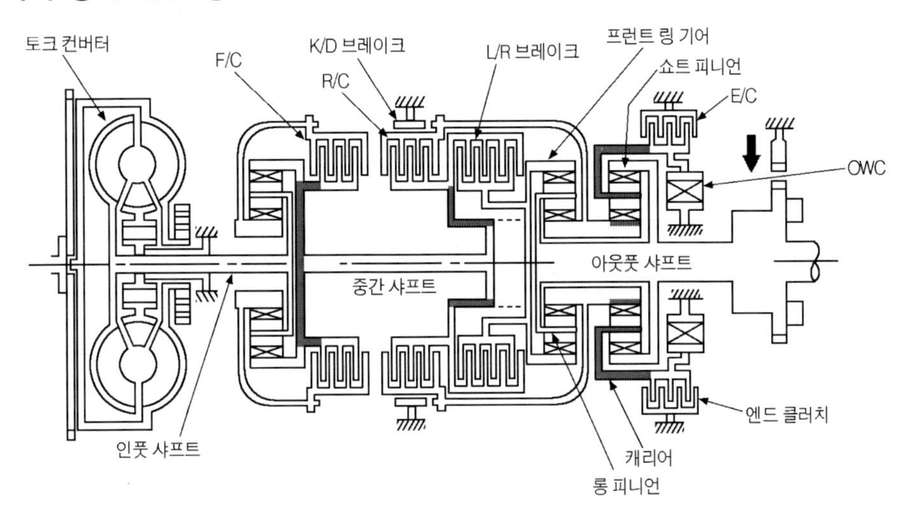

그림5-58 3속시 기어 트레인의 동력전달경로

3속 상태가 되면 SCSV-A 밸브와 SCSV-B 밸브는 OFF 상태가 되어 SCSV-A 밸브와 SCSV-B 밸브는 유로를 차단 한다. 이때 매뉴얼 밸브로부터 라인압은 SCV(shift control valve)를 통해 F/C(프런트 클러치)와 R/C(리어 클러치)를 작동하게 된다. F/C(프런트 클러치)가 작동하게 되면 유성 기어의 R/S 기어에 인풋 샤프트의 동력이 전달과 함께 R/C(리어 클러치)에 의한 작동에 의해 F/S 기어에도 인풋 샤프

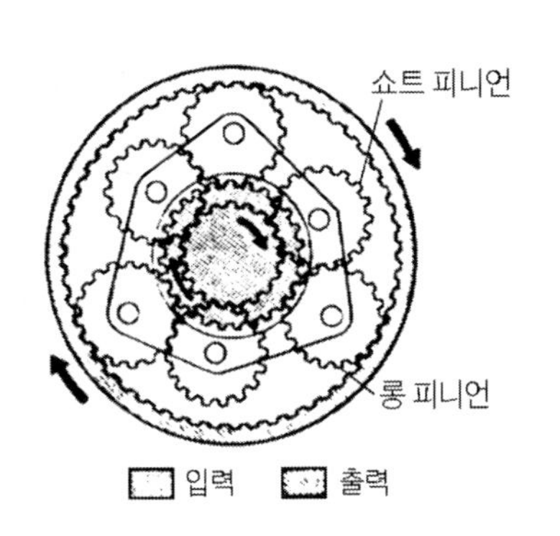

그림5-59 3속시 유성기어의 작동

트의 동력이 전달된다. R/S 기어와 F/S 기어에 동력이 전달되면 같은 방향으로 회전하게 돼 유성 기어의 쇼트 피니언 기어(short pinion gear)와 롱 피니언 기어(long pinion gear)가 잠김 상태가 되고 만다. 이렇게 쇼트 피니언 기어와 롱 피니언 기어가 잠김 상태가 되면 그림(5-59)와 같이 유성 기어는 잠김 상태로 일체가 되어 회전하게 된다.

따라서 유성 기어는 입력과 출력이 회전수가 같게 돼 3속 변속비를 얻는다. 이와 같이 변속 레버를 D-레인지로 절환 하여 3속이 되는 경우는 R/C(리어 클러치)와 F/S(프런트 클러치)를 함께 작동하여 입력 측 동력을 F/S 기어와 R/S 기어 함께 전달한다. 더블 유성 기어의 선기(sun gear)에 동력이 함께 전달되면 2조의 피니언 기어(pinion gear)는 잠기게 돼 결국 유성 기어가 일체가 되어 회전 한다. 즉 인풋 샤프트의 동력은 그대로 2조의 선 기어에 전달 돼 출력 측 링 기어(ring gear)는 3속의 변속비를 얻게 된다.

(4) 4속시 동력 전달 경로

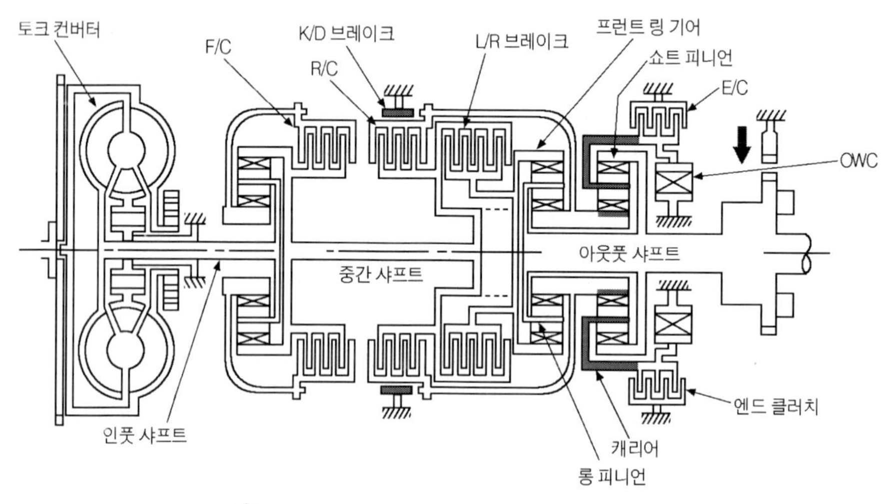

그림5-60 4속 기어 트레인의 동력전달경로

4속 상태가 되면 SCSV-A 밸브는 ON 상태가 되고, SCSV-B 밸브는 OFF 상태가 되어 SCSV-A 밸브는 유로를 개방하고, SCSV-B 밸브는 유로를 차단 한다. 이때에는 매뉴얼 밸브(manual valve)로부터 라인압은 SCV 밸브를 통해 E/C(엔드 클러치)를 작동하고, PCV(압력 조절

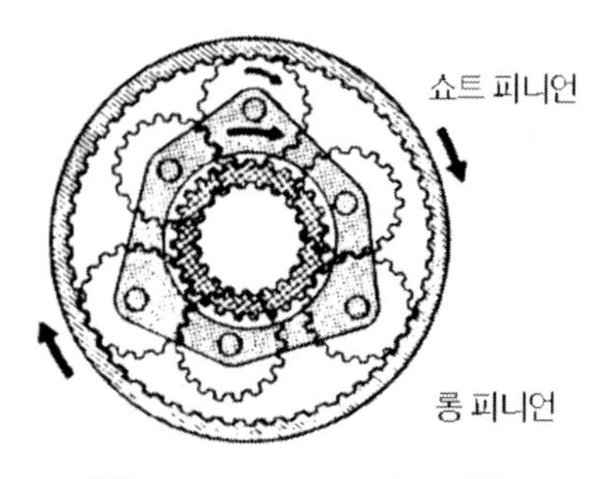

그림5-61 4속시 유성기어의 작동

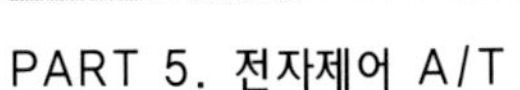

밸브)를 통해 K/D 브레이크(킥 다운 브레이크)를 작동하게 된다.

E/C(엔드 클러치)가 작동하게 되면 인풋 샤프트(input shaft)로부터의 구동력은 그림 (5-60)과 같이 그대로 유성 기어의 캐리어(carrier)에 전달하게 된다. 이때 캐리어는 롱 피니언 기어(long pinion gear)를 사이에 두고 링 기어(ring gear)를 구동하지만 K/D 브레이크(킥 다운 브레이크)가 작동하고 있어 R/S 기어는 고정된다. R/S 기어가 고정되면 롱 피니언 기어(long pinion gear)는 R/S 기어 위를 캐리어와 같은 속도로 공전하게 된다. 따라서 출력 측 링 기어(ring gear)에는 롱 피니언 기어의 자전 속도와 공전 속도가 합쳐져 4속의 감속비를 얻고 있다.

사진5-47 A/T 내부의 밴드식 브레이크

사진5-48 드라이브 기어와 엔드 클러치

이와 같이 변속 레버를 D-레인지로 절환 하여 4속이 되는 경우는 E/C(엔드 클러치)를 작동하여 캐리어를 고정하고, K/D 브레이크(킥 다운 브레이크)를 작동하여 R/S 기어를 고정 한다. E/C(엔드 클러치)에 의해 캐리어(carrier)가 고정되면 인풋 샤프트(input shaft)의 동력은 캐리어에 전달되고, K/D 브레이크가 작동하여 R/S 기어가 고정되면 인풋 샤프트(input shaft)의 동력은 R/S 기어에 전달 돼 롱 피니언 기어(long pinion gear)는 R/S 기어 위를 캐리어와 같은 속도로 자전과 공전을 하며 4속의 감속비를 얻고 있다.

(5) 후진시 동력 전달 경로

변속 레버를 R-레인지로 절환하여 차량이 후진 상태가 되면 SCSV-A 밸브와 SCSV-B 밸브는 1속시 동력 전달과 같이 ON상태가 되어 SCSV-A 밸브와 SCSV-B 밸브는 유로를 개방한다. 이때 밸브 보디의 매뉴얼 밸브(manual valve)로부터 라인압은 F/C 클러치와 L/R 브레이크를 작동한다.

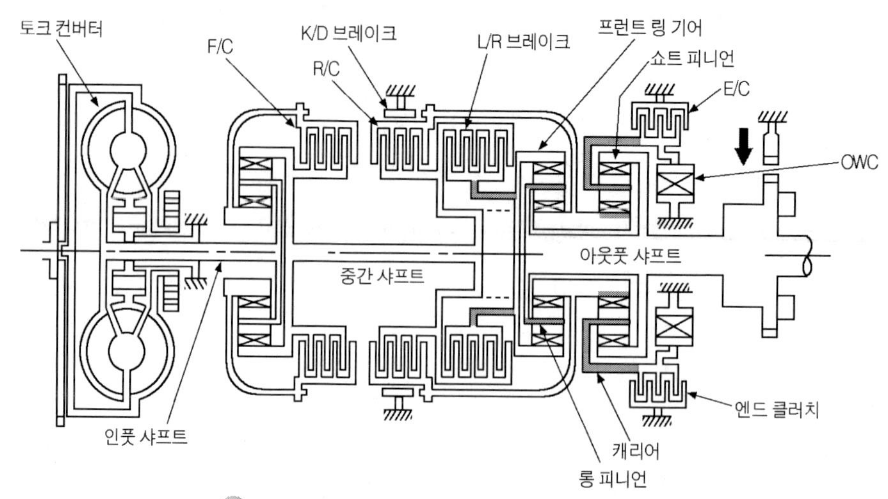

그림5-62 후진시 기어 트레인의 동력전달경로

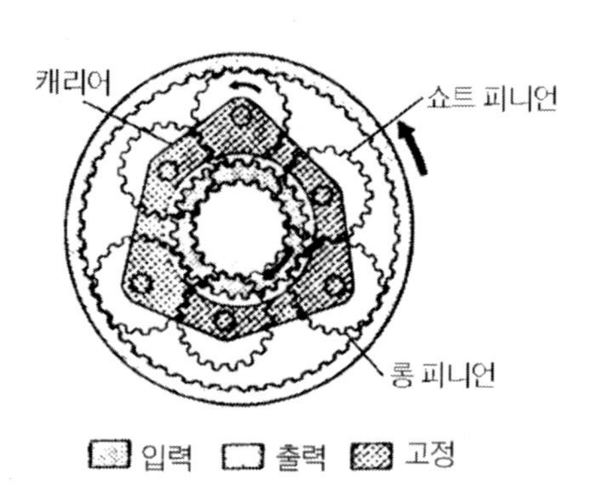

그림5-63 후진시 유성기어의 작동

F/C 클러치가 작동하면 인풋 샤프트는 유성 기어의 R/S 기어와 연결되어 시계 방향으로 동력을 전달하고 L/R 브레이크가 작동하면 캐리어는 고정된다. 캐리어가 고정 되면 R/S 기어 위를 구르는 롱 피니언 기어는 반시계 방향으로 회전하게 된다. 반시계 방향으로 회전하는 롱 피니언 기어는 출력 측 링기어(ring gear)를 반시계 방향으로 회전하도록 전달해 후진 감속비를 얻고 있다. 이와 같이 변속 레버를 R-레인지로 절환 하여 후진이 되는 경우는 F/C(포워드 클러치)를 작동하여 입력 측 동력을 전달하고, L/R 브레이크를 작동하여 캐리어를 고정한다.

L/R 브레이크가 작동하면 롱 피니언 기어는 반시계 방향으로 출력 측 링 기어에 동력을 전달해 후진 감속비를 얻도록 하고 있다. 결과적으로 토크 컨버터를 사용한 모든 A/T(자동 변속기)의 동력 전달은 더블형 유성 기어의 입 · 출력을 결정하여 동력을 전달하고 있는 것은 동일하다. 따라서 지금까지 A/T(자동 변속기)의 KM 175 계열을 기준으로 자동 변속기의 동력전달을 기술하였지만 타 기종과 근본 원리는 동일하다.

표 (5-15)와 표 (5-16)은 F5A5 계열의 5단 변속 A/T(자동 변속기)의 변속단의 작동 요소와 작동 요소를 나타낸 것으로 작동 요소의 명칭이 다른 것을 알 수 있지만 더블형 유성 기어의 입출력을 결정하여 동력을 전달하는 근본 원리는 다르지 않다.

[표5-15] 변속단 작동 요소(F5A5 계열)

변속레버			클러치1		브레이크			클러치2	
			UD	OD	2ND	L/R	REV	RED	DIR	OWC
P						○		○		
R						○	○	○		
N						○		○		
D	S	1	○			○		○		○
		2	○		○			○		○
		3	○	○				○		○
		4	○	○					○	
		5		○	○				○	

[표5-16] 작동 요소의 기능(F5A5 계열)

약 어	작동 요소	기 능
UD	언더 드라이브 클러치	인풋 샤프트와 언더 드라이브 선기어를 연결
OD	오버 드라이브 클러치	인풋 샤프트와 오버 드라이브 플래니터리 캐리어(OD유성기어캐리어)를 연결
2ND	세컨드 브레이크	리버스 선 기어를 고정
L/R	로우 리버스 브레이크	L/R 링 기어와 오버 드라이브 플래니터리 캐리어(OD유성기어캐리어)를 고정
REV	리버스 클러치	인풋 샤프트와 리버스 선기어를 연결
RED	리덕션 브레이크	DIR 선 기어를 고정
DIR	다이렉트 클러치	DIR 선기어와 DIR 유성기어 캐리어를 연결
OWC	원웨이 클러치	DIR 선기어의 회전방향을 규제

point

A/T의 동력 전달

1 오일 순환 경로

1. 라인압의 구분

① 라인압 : 오일펌프의 토출압을 말한다.

② 레귤레이터 압 : 오일펌프로부터 토출된 라인압을 항상 엔진의 회전수와 관계없이 항상 일정하게 만든 유압. 이 유압은 작동 요소에 일정한 유압을 조절하기 위해 공급되는 유압이다.

③ 리듀싱 압 : 듀티 제어와 같이 정밀한 유압을 제어하기 위해 항상 라인압보다 낮게 만든 일정한 유압이다.

④ 토크 컨버터 압 : 록업 클러치나 댐퍼 클러치의 기능을 작동하기 위해 제어에 필

요한 유압(펌프 임펠러로부터의 유압과 다름)

(2) 오일의 순환 경로

① 작동 요소의 순환 경로 : 오일펌프 → 밸브 보디 → 작동 요소 → 오일펌프

② 토크 컨버터의 순환 경로 : 오일펌프 → 밸브 보디 → 펌프 임펠러 → 터빈 → 스테이터 → 펌프 임펠러 → 오일펌프

(3) ATF 오일이 과열되는 주요 원인

① 펌프 임펠러의 회전수 > 터빈 회전수 차가 클 때

② 터빈 회전이 정지 할 때 이때에는 엔진 회전수와 같은 펌프 임펠러의 유체 에너지가 터빈으로 전달되지 않고 펌프 임펠러와 터빈 사이에 마찰로 인해 모두 열에너지로 변환 돼 ATF 오일은 온도가 상승하게 된다. 따라서 스톨 상태에서 엔진 회전수가 상승하면 유체의 마찰열이 증가하게 된다.

③ 이와 같은 ATF 오일의 상승을 방지하기 위해 차종에 따라서는 오일 쿨러를 설치하는 차량도 있다.

2 동력 전달

(1) 동력 전달 경로

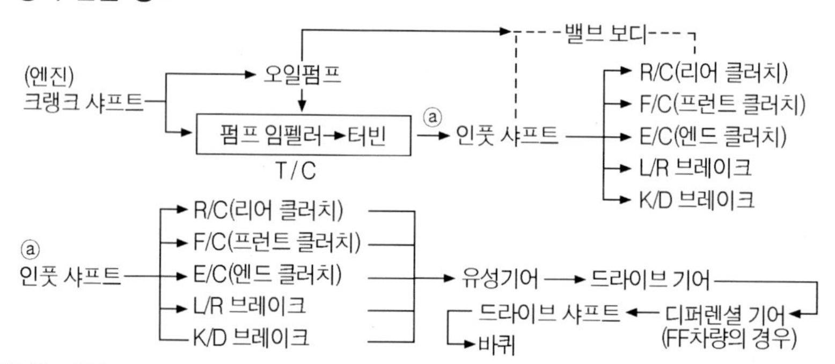

(2) 유성 기어

① 유성 기어의 변속 조건 : 선-기어, 링-기어, 캐리어의 3개 요소 중 고정할 것, 입력할 것, 출력할 것을 결정

② 더블형 유성 기어를 사용하는 이유 : 3속 이상 변속비을 얻기 위해 사용

③ 더블형 유성 기어 : - 감속 : 입력→ F/S 기어, 정지→ 캐리어, 출력 → 링 기어
- 증속 : 입력→ 캐리어, 정지→ F/S기어 정지→ R/S 기어, 출력 → 링 기어
- 후진 : 입력→ R/S 기어, 정지→ 캐리어, 출력 → 링 기어

(3) 변속시 동력 전달 경로

① 1속시 : - SCSV-A : ON, SCSV-B : ON - R/C작동 → F/S 기어, L/R 브레이크 작동 → 캐리어, 링기어 → 드라이브 기어

② 2속시 : - SCSV-A : OFF, SCSV-B : ON - R/C작동 → F/S 기어, K/D 브레이크 작동 → R/S 기어 고정, 링기어 → 드라이브 기어

③ 3속시 : - SCSV-A : OFF, SCSV-B : OFF - F/C와 R/C작동 → F/S 기어와 R/S 기어 고정과 함께 입력측 동력전달, 링기어 → 드라이브 기어

④ 4속시 : - SCSV-A : ON, SCSV-B : OFF - E/C작동 → 캐리어, K/D 브레이크 작동 → F/S 기어, 링기어 → 드라이브 기어

⑤ 후진 시 : - SCSV-A : ON, SCSV-B : ON - F/C작동 → R/S 기어, L/R 브레이크 작동 → 캐리어, 링기어 → 드라이브 기어

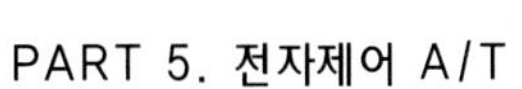

A/T의 전자제어 시스템

1. 시스템의 구성

전자제어 A/T는 기계식 A/T와 비교하여 변속해야 할 속도를 모두 유압에 의해 결정한다는 것과 기본 구조에 있어 크게 다르지 않다. 기계식 A/T는 차속에 따라 유압을 발생하기 위한 거버너(governor)압과 엔진의 부하에 따라 발생하기 위한 스로틀 압을 이용 각 클러치나 브레이크를 작동하여 자동 변속하고 있다. 반면 전자제어식 A/T는 변속 시점을 결정하기 위해 여러 가지 주행 정보를 센서로부터 검출 할 입력 정보와 검출된 정보를 종합 처리할 TCU(transmission control unit : A/T의 컨트롤 유닛), 유압 회로의 밸브를 개폐 할 솔레노이드 밸브를 가지고 있다.

따라서 전자제어 A/T는 기계식 A/T와 달리 차량의 주행 정보를 TCU(A/T 컴퓨터)가 입력 받아 변속 포인트(point)를 정확히 결정하고, 결정된 신호는 변속기의 밸브 보디(valve body) 내에 있는 유압 솔레노이드 밸브(solenoid valve)를 제어하게 된다. 이렇게 제어된 유압 솔레노이드 밸브는 유압 회로에 있는 밸브를 개폐하여 유압 클러치와 브레이크를 작동하여 자동 변속하고 있다. 이와 같이 전자제어 A/T는 주행 조건에 따라 전기적인 신호를 입력 받아 TCU(A/T 컴퓨터)가 처리 하도록 한 것은 주행 조건을 보다 정확히 대응해 효율 좋은 변속비와 경제적인 연비 등을 실현하기 위함이다.

사진5-49 A/T 내부 기어 트레인

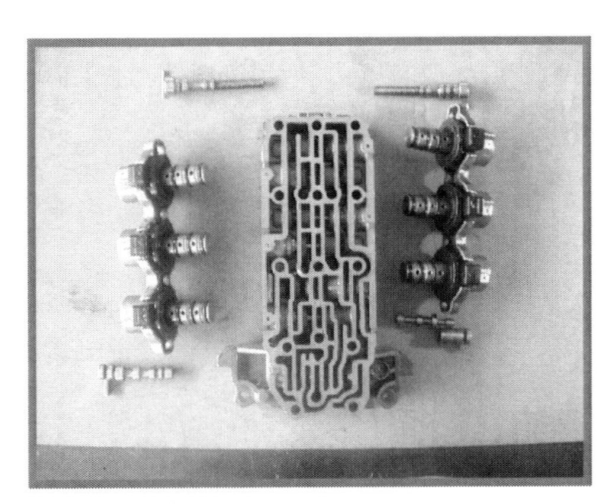

사진5-50 상측 밸브 보디

전자제어 A/T의 구성은 크게 구분하여 보면 그림(5-64)와 같이 엔진 동력을 전달하는 (1) 자동 변속기와, 유압 회로의 유압을 제어하는 (2) 밸브 보디, 밸브 보디 내의 밸브 개폐를 제어하는 TCU(A/T 컴퓨터)로 구성되어 있다. 여기서 (1) 자동 변속기는 기계식 A/T와 같은 기능을 갖고 있는 유체 동력 전달 장치(토크 컨버터)와 동력을 전달하는 기어 트레인(유성 기어, 변속 클러치, 변속 브레이크)으로 구성 되어 있다. 또한 (2)의 밸브 보디 내에는 전기 신호에 의해 작동하는 유압 솔레노이드 밸브를 내장하고 있어 유압 회로의 밸브를 개폐할 수 있도록 하고 있다. 솔레노이드 밸브의 작동은 그림(5-65)와 같이 (3) TCU(A/T 컴퓨터)에 의해 변속에 필요한 입력 정보를 처리하여 제어하도록 하고 있다.

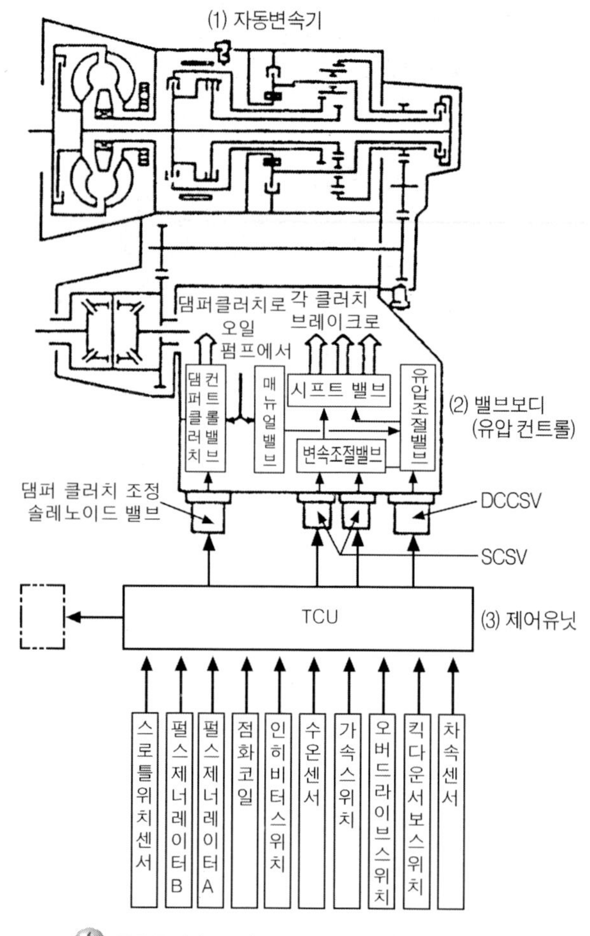

그림5-64 4A/T시스템 구성도(KM170 계열)

사진5-51 A/T 시프트 레버

사진5-52 인히비터 스위치

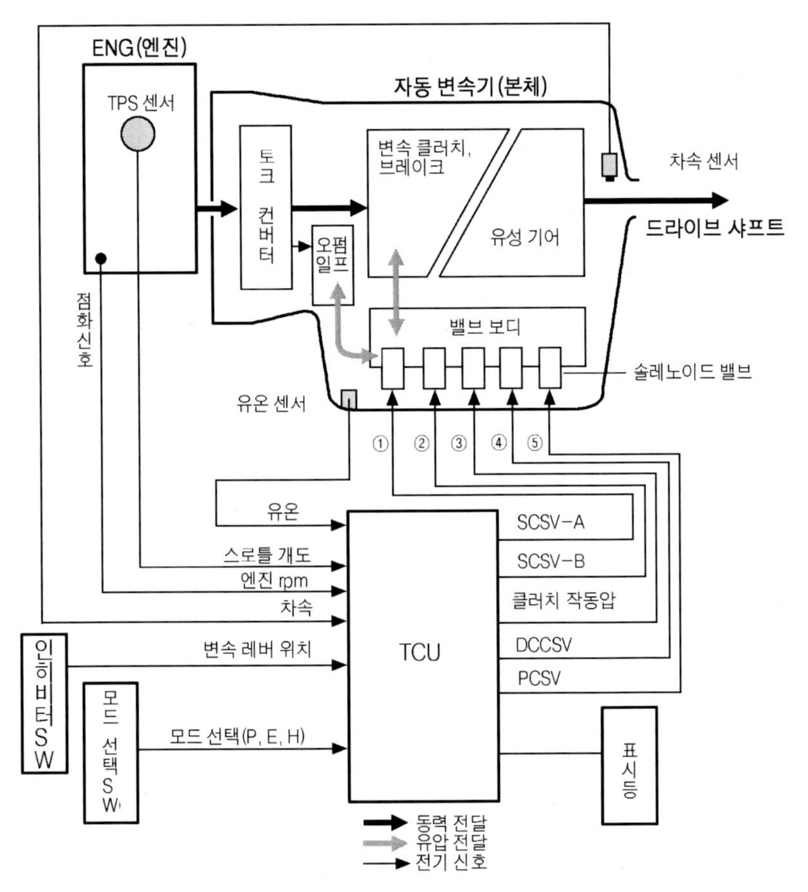

그림5-65 전자제어 A/T시스템

결국 전자제어 A/T라는 것은 TCU를 이용 변속에 필요한 입력 정보를 입력 받아 유압 솔레노이드 밸브(solenoid valve)를 작동하고, 이 밸브는 유압회로의 밸브를 개폐하여 변속 클러치와 브레이크를 작동하는 자동 변속 시스템(system)이다. 보통 자동 변속에 필요한 입력 정보로는 그림 (5-66)과 그림 (5-67)과 같이 차량의 주행 상태를 검출하기 위한 엔진 측 신호와 자동 변속기의 상태를 검출하는 A/T측 신호를 입력으로 사용하고 있다. 엔진 측 신호로는 차속과 엔진 회전수 신호, 운전자의 가감속 의지를 검출하는 TPS 센서(스로틀 개도 검출 센서) 신호, 브레이크 SW 등이 사용되고 있다. 또한 A/T측 신호로는 터빈 회전수를 검출하는 PG-A(pulse generator-A), 드리븐 기어의 회전수를 검출하는 PG-B(pulse generator-B)와 변속 레버의 위치를 검출하는 인히비터 스위치(inhibitor switch), 도로의 상황에 따라 주행 모드를 선택하기 위한 주행 모드 스위치,

그리고 ATF 오일의 온도를 검출하는 유온 센서 신호 등이 사용되고 있다. TCU는 이러한 입력 신호를 토대로 미리 설정된 변속 패턴(shift pattern)을 결정하여 주행할 수 있도록 출력 신호를 보낸다. 이 출력 신호는 적절한 변속을 하기 위해 유압 솔레노이드 밸브를 구동하여 변속을 실행하게 된다.

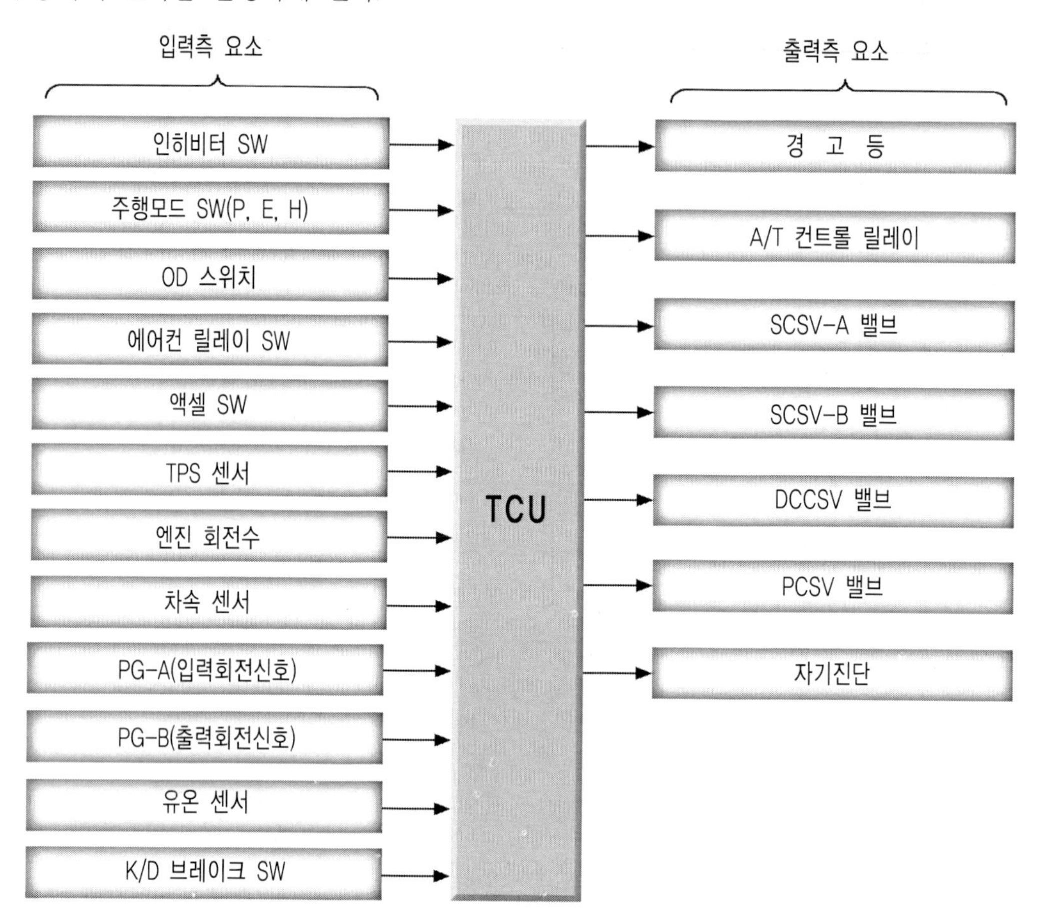

그림5-66 전자제어 A/T의 입출력 구성(KM 170계열)

사진5-53 차속센서

사진5-54 솔레노이드 밸브

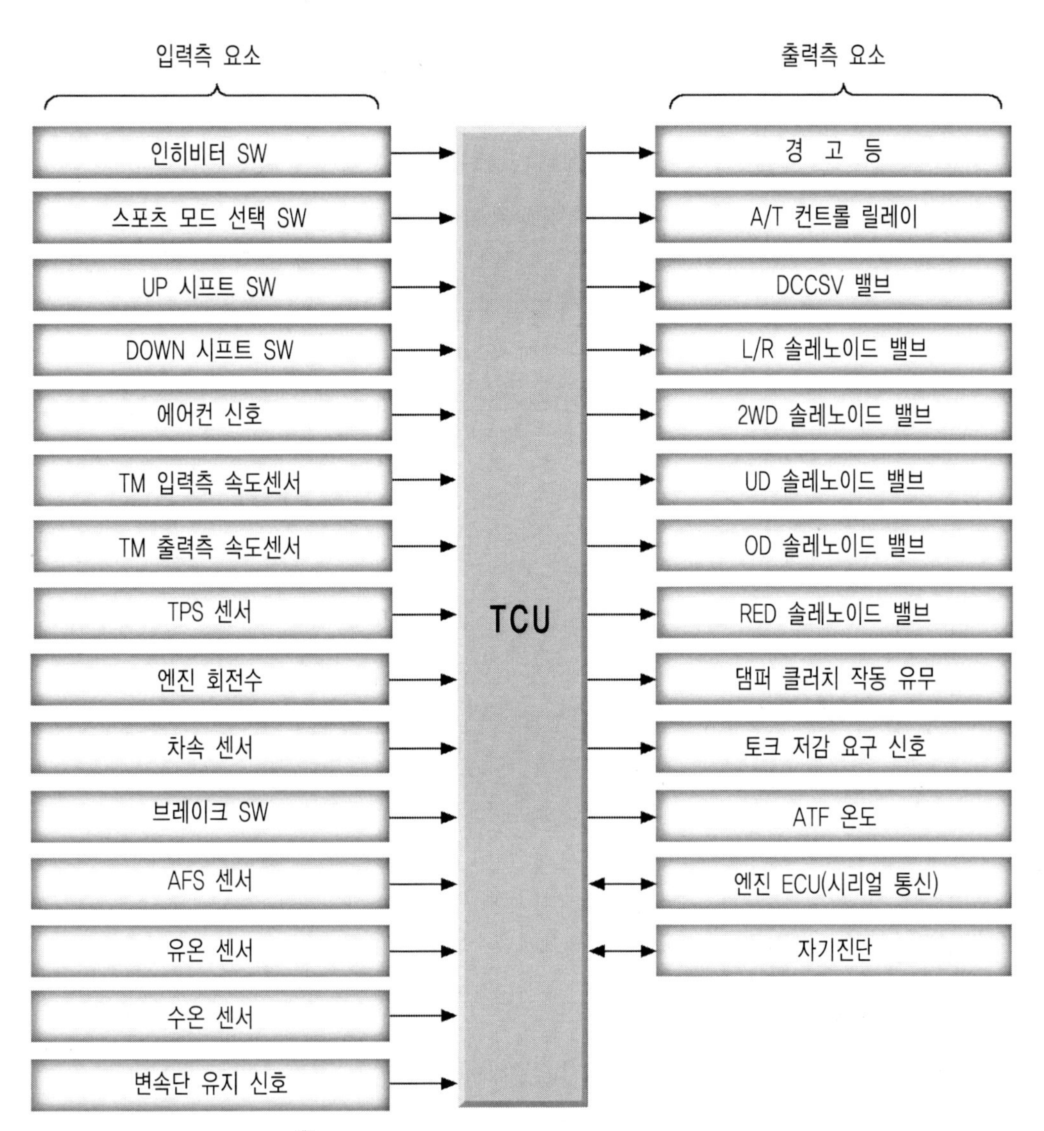

그림5-67 전자제어 A/T의 입출력 구성(F5A5)

따라서 전자제어 A/T의 출력 측에는 그림(5-66)과 그림(5-67)과 같이 유압을 제어하는 여러 개의 유압 솔레노이드 밸브(solenoid valve)를 가지고 있다. 보통 변속에 필요한 SCSV(shift control solenoid valve)와 라인압을 제어하기 위한 PCSV(pressure control solenoid valve), 록 업 제어를 하기 위한 LCSV(lock up solenid valve) 또는 DCCSV(damper clutch control solenoid valve) 등을 두고 있다. 또한 최근에는 운전자의 습성과 주행 조건에 따라 최적의 변속을 실행하기 위해 그림 (5-67)과 같이 자동 변

속기 내의 유압 클러치와 브레이크(clutch & brake)에 각기 해당하는 솔레노이드 밸브를 두고 있다. 이렇게 각기의 유압 클러치와 브레이크에 해당하는 전용 솔레노이드 밸브를 두는 것은 변속 시 느끼는 변속성과 변속기 내의 내구성을 크게 향상시키기 위해서이다.

[표5-16] 전자제어 A/T의 입력 신호 기능

NO	입력 센서	기 능	비 고
1	인히비터 SW	변속 레버의 위치 검출	
2	주행 모드 SW	파워, 이코노미, 홀드 모드의 검출	
3	TPS 센서	스로틀 개도의 위치 검출	
4	브레이크 SW	액셀 페달의 위치 검출	APS 신호
5	에어컨 릴레이	에어컨 작동의 신호 검출	
6	O/D SW	오버 드라이버 선택 SW의 위치 검출	
7	킥 다운 서보 SW	킥 다운 피스톤의 위치 검출	
8	차속 센서	차속 검출	
9	엔진 회전 신호	엔진 회전수 검출	
10	PG-A 신호	K/D 드럼의 회전수 검출	KM 170 계열 A/T
	(터빈 회전 신호)	E/C 리테이너의 회전수 검출	대형 A/T
11	PG-B 신호	트랜스퍼 드리븐 기어의 회전수 검출	KM 170 계열 A/T
	(출력 회전 신호)	트랜스퍼 드리븐 기어의 회전수 검출	대형 A/T
12	유온 센서	AFT 오일의 온도 검출	저, 고온 제어
13	아이들 SW	아이들 상태 검출	

2. 전자제어 기능

전자제어 A/T의 기본 목적은 종래의 기계식 A/T에서 느낄 수 없는 운전자의 의지에 의한 주행성 향상, 연비 향상과 배출 가스에 대응한 변속 패턴, 그리고 변속 시 발생하는 충격을 최소화하기 위해 TCU(A/T 컴퓨터)를 접목하고 있는 시스템(system)이라 할 수 있다. 이러한 목적을 실행하기 위해 TCU의 ROM(read only memory) 내에는 여러 가지의 변속 패턴(shift pattern)과 제어 기능을 실행하기 위한 프로그램이 내장되어 있다.

보통 전자제어 A/T의 제어 기능은 차속에 대응한 변속 패턴 제어 기능과 록업제어 기능(댐퍼 클러치 제어 기능), 변속 시 발생하는 라인압을 제어하기 위한 압력 제어 기능, 엔진이나 주변 장치의 상태를 판단 할 수 있는 통신 제어 기능 및 자기 진단 기능 등이 있다. 또한 최근에는 인간의 감각이나 습관을 과학화한 퍼지(fuzzy) 이론을 도입하여 자동 변속성을 한층 높인 퍼지 제어 기능을 도입한 전자제어 A/T 시스템도 도입되고 있다.

(1) 변속 패턴 제어

변속 패턴(shift pattern) 제어는 그림(5-68)과 그림(5-69)와 같이 A/T의 출력 측 기어인 트랜스퍼 드리븐 기어(transfer driven gear)의 회전수와 차속, 그리고 스로틀 개도에 따라 변속이 이루어지도록 한 제어 기능이다. 이들 변속 패턴을 살펴보면 실선은 업 시프트(1속 → 4속) 변속선을 나타낸 것이며, 점선은 다운 시스트(1속 ← 4속) 변속선을 나타낸 것이다.

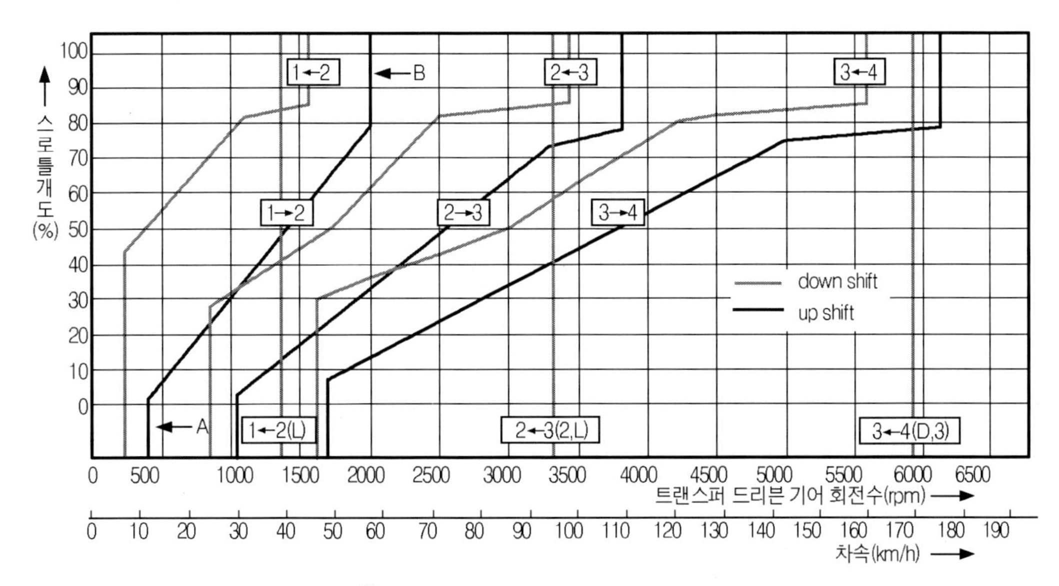

그림5-68 변속패턴(1.8 DOHC 예)

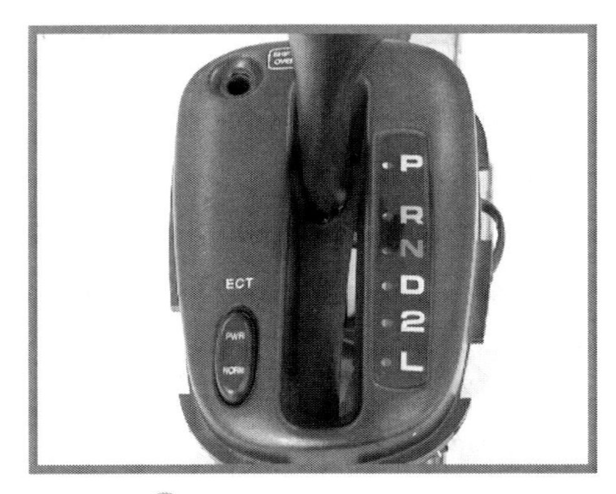

사진5-55 변속레버(a형)

사진5-56 변속레버(b형)

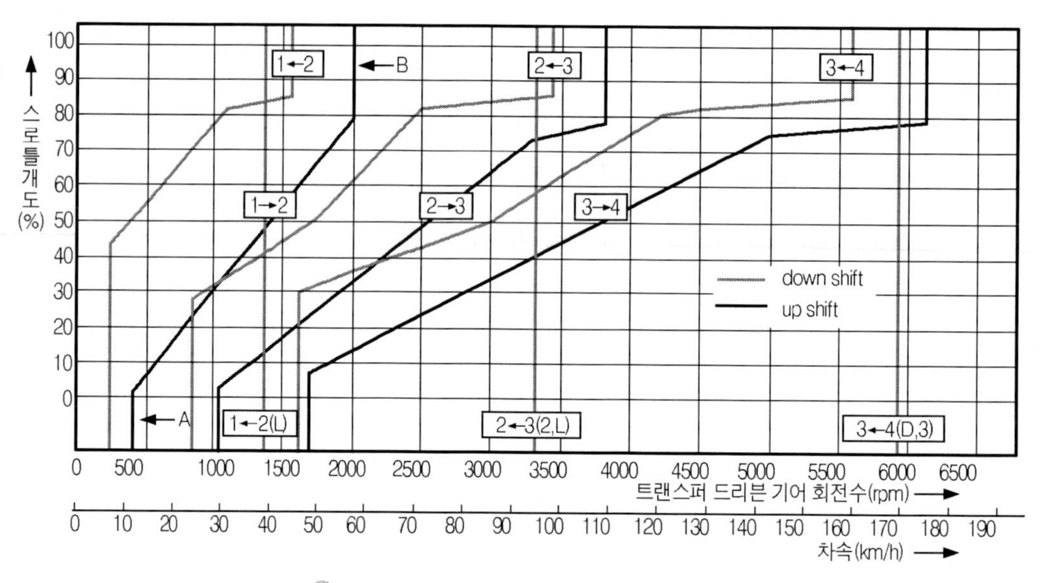

그림5-69 변속패턴(일본 M사 1.8DOHC)

사진5-57 변속레버 ASS'Y

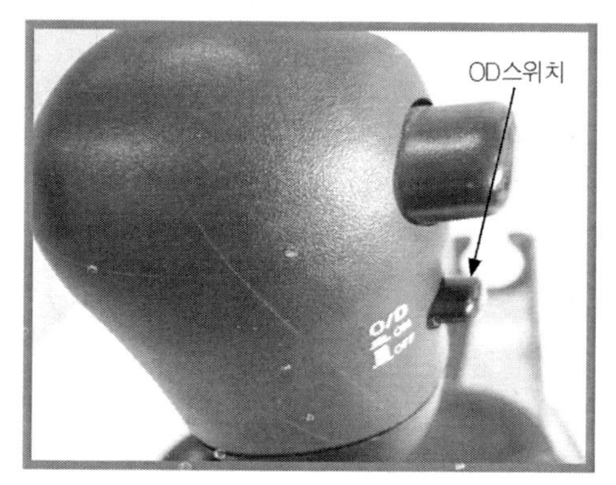

사진5-58 오버 드라이브 스위치

또한 그림(5-69)에서 A는 업 시프트(up shift) 하기 위한 최소 지점을 나타내며, B는 업 시프트(up shift) 하기 위한 최대점을 나타낸다. 여기서 말하는 업 시프트하기 위한 최소 지점이란 엔진 동력으로 변속하기 위한 최소한의 필요한 엔진 회전수를 가리키는 점을 말한다. 이들 변속점을 결정하기 위한 요인 들은 차량에 미치는 충격이나 진동을 고려하여 엔진의 최소 회전수와 최대 회전수시의 변속점을 결정한다. 또한 차량의 주행 상황에 따라 연비를 고려 할 것인지, 출력을 고려 할 것인지를 결정하여 변속 패턴을 결정한다. 이러한 변속 패턴 제어에는 변속 모드 절환 기능에 따라 파워 모드(power mode), 이코노미 모드

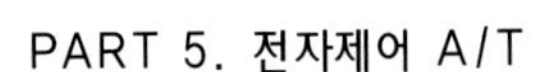

(economy mode), 홀드 모드(hold mode), 스포츠 모드(sport mode) 등으로 구분된다.

차종에 따라 스포츠 모드 절환 기능이 있는 경우에는 그림 (5-68)과 같이 매뉴얼 레버 다운 시프트 보호(manual lever down shift protection) 제어 기능을 가지고 있다. 이것은 엔진 및 변속기를 보호하기 위해 허용 rpm 이하가 되면 다운 시프트(down shift)가 되지만 설정된 rpm 이상이 되면 다운 시스트(down shift)가 되지 못하도록 하고 있다.

예를 들어 현재 출력 측 회전수가 6000rpm 이라면 매뉴얼 레버로 4속 → 3속으로 다운 시프트 하여도 5800rpm 이하가 되지 않으면 다운 시프트 되지 않는 제어 기능이다.

또한 변속 시 불필요한 진동으로 느끼지 못하도록 하기 위해 가능한 변속시 걸리는 시간을 일정하게 조절될 수 있도록 변속 패턴을 설정하고 있다.

이와 같은 시프트 패턴(shift pattern)을 제어하기 위해서는 그림(5-70)과 같은 논리적인 변속 패턴 제어의 컨트롤 로직(control logic)을 통해 이루어진다. 인히비터 스위치(inhibitor switch)나 OD SW(over driver switch)의 위치가 선택되면 TCU는 내부 CPU의 변속 레버 위치 판정 로직(logic)에 의해 운전자가 선택한 변속 레버의 위치를 판정하게 된다. 이때 운전자가 주행 중이라면 엔진으로부터 출력되는 엔진 회전수 신호와 엑셀 개도 신호(TPS 센서 신호)를 통해 변속 시기를 결정할 스로틀 개도 보정을 한다. 여기서 말하는 스로틀 개도 보정이란 스로틀 개도에 대해 실제 차량의 주행 차속과 엔진 출력의 차이를 연산하여 수정하여 주는 데이터 값을 말한다.

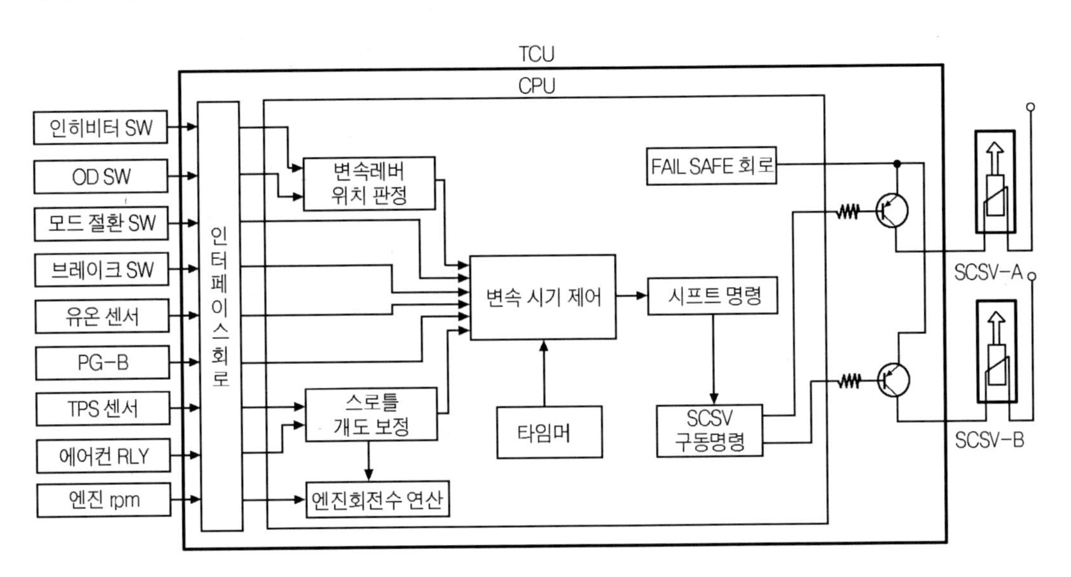

그림5-70 변속패턴 제어의 블록 다이어그램

에어컨 릴레이(aircon relay)의 작동 상태를 검출하기 위한 입력 신호는 차량의 아이들 시 에어컨 부하에 의한 엔진 rpm과 실제 스로틀 개도에 의한 변속 시기를 보정하기 위한 신호로 사용 되고 있다. 이와 같이 변속을 하기위한 입력 신호와 보정된 입력 신호는 변속 시기 제어 로직(logic)을 통해 연산되어 미리 설정된 시프트 패턴 값으로 시프트 명령을 지시하게 된다. 여기서 나타낸 페일 세이프(fail safe) 회로는 전자제어 A/T 시스템의 고장을 검출하면 SCSV 밸브로 공급되는 전원을 차단도록 하여 3속 홀드(hold)상태를 하기 위한 제어 기능이다.

(2) 유온 가변 변속 패턴 제어

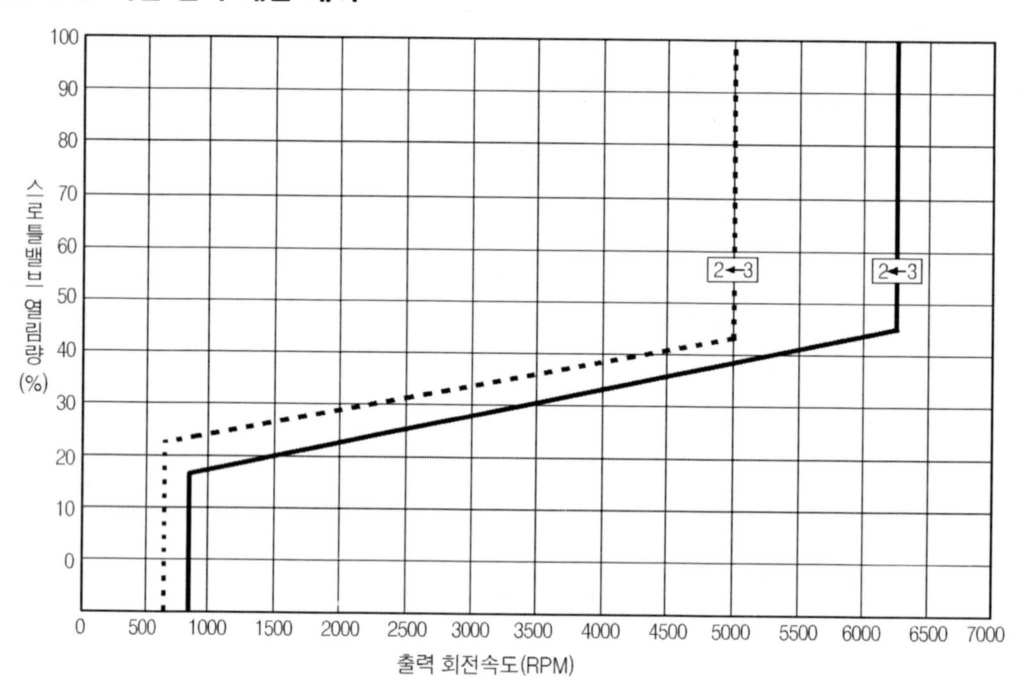

그림5-71 유온 가변 변속 패턴

등판길과 같은 험로에서 장시간 주행하면 토크 컨버터(torque converter)의 슬립율이 증가하여 ATF 오일의 온도가 상승하는 원인이 된다. 앞서 설명한 바와 같이 ATF 오일은 온도가 상승하면 급격히 노화되는 특성을 가지고 있어 ATF 오일의 온도가 125℃ 이상이 되면 강제로 4속에서 3속으로 다운 시프트(down shift)시켜 슬립율을 감소하는 기능이 유온 가변 변속 패턴 제어(고온 제어 패턴) 기능이다. 유온 가변 변속 패턴의 특성은 그림

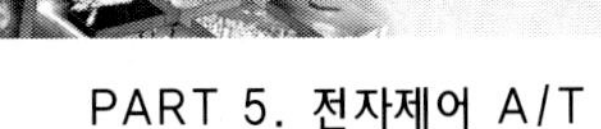
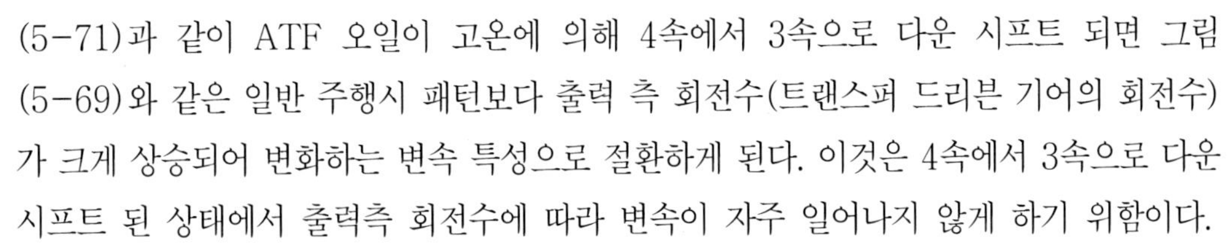

(5-71)과 같이 ATF 오일이 고온에 의해 4속에서 3속으로 다운 시프트 되면 그림(5-69)와 같은 일반 주행시 패턴보다 출력 측 회전수(트랜스퍼 드리븐 기어의 회전수)가 크게 상승되어 변화하는 변속 특성으로 절환하게 된다. 이것은 4속에서 3속으로 다운 시프트 된 상태에서 출력측 회전수에 따라 변속이 자주 일어나지 않게 하기 위함이다.

보통 유온 가변 제어 조건은 변속 레버의 위치가 D 또는 3단에서 ATF 오일의 온도가 125℃ 이상이고, 출력 측 회전수(600rpm < 출력 측 회전수 < 2010rpm)가 조건을 갖추면 TCU는 유온 가변 제어 패턴으로 제어하게 된다. 여기서 출력 측 회전수의 조건은 자동차 제조사의 차종에 따라 다름으로 정확한 사양은 제조사가 제공하는 정비 매뉴얼을 참고하면 좋다. 반대로 유온 가변 제어의 해제 조건은 변속 레버의 위치를 P, R, N, 2, L의 위치로 절환하거나 ATF 오일이 110℃ 이하 또는 3속 상태에서 약 3초 이상 유지한 상태로 주행하면 유온 가변 제어의 기능은 해제 된다.

(3) 록업 제어

록 업(lock up) 기능은 토크 컨버터(torque converter) 내에 록업 장치나 댐퍼 클러치(damper clutch)를 설치하여 토크 컨버터에 의한 슬립율을 방지하고 유체에 의한 마찰열의 감소와 연비 향상을 하기 위한 기능이다. 그러나 록 업(lock up) 기능은 엔진동력을 변속기에 전달 할 때 충격이 발생하는 결점이 있어 TCU를적용하여 록 업 제어 또는 제조사에 따라 댐퍼 클러치 제어를 하고 있다. 또한 A/T 차량은 감속 시에 연료를 커트(cut)해 HC(탄화수소)를 방지하면 시동이 꺼지는 경우가 발생할 수 있어 록 업 제어를 하게되면 M/T 차량과 같이 저속 영역에서도 연료 커트가 가능하다. 댐퍼 클러치(damper clutch) 제어는 일본 미쓰비시 차량에 적용한 방식으로 록 업(lock up) 제어와 달리 작동시 ATF 오일이 충격을 흡수하여 변속감을 확보하도록 하고 있다. 댐퍼 클러치의 작동 영역을 살펴보면 그림(5-72)와 같이 저속 영역에서 작동하는 파셜 록 업(partial lock up) 구간과 고속 영역에서 작동하는 완전 록 업(full lock up) 구간, 배출 가스를 고려하여 제어하는 감

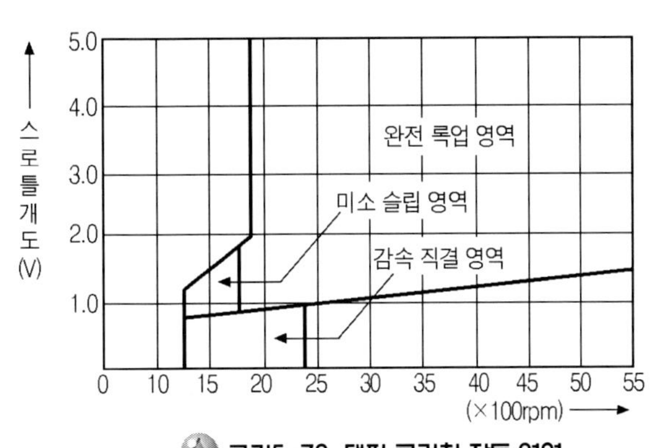

그림5-72 댐퍼 클러치 작동 영역

속 직결 구간으로 구분되어 제어하고 있다. 여기서 말하는 미소 슬립 구간이란 저속 영역에서 작동하는 파셜 록 업 구간을 가리키며, 댐퍼 클러치의 작동 영역은 스로틀 개도와 엔진 회전수에 의해 결정되는 것을 알 수가 있다.

[표5-17] 댐퍼 클러치의 작동 조건

제어항목	완전 직결 조건	감속 직결 조건
변속 레버	D, 2속	D, 2속
ATF 오일 온도	70℃ 이상	70℃ 이상
엔진 회전수	1800rpm 이상	1050rpm 이상
TPS 센서	1980mV 이상	980mV 이상

※ 차종에 따라 다소 차이가 있음

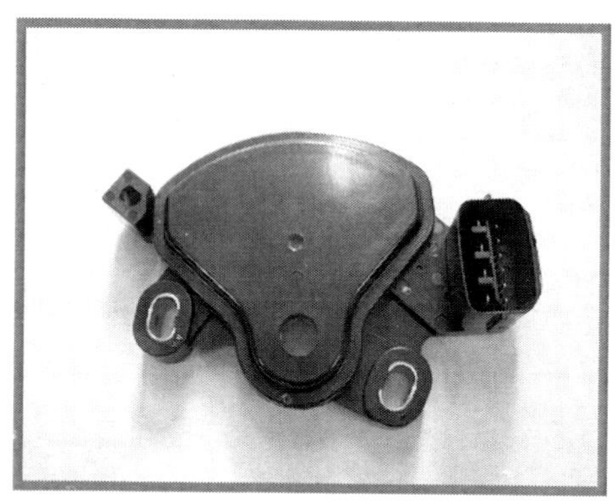
사진5-59 인히비터 스위치 단품

사진5-60 인히비터 스위치

실제 댐퍼 클러치 제어는 그림(5-73)의 블록 다이어그램과 같이 엔진 회전수와 터빈 회전수(입력 측 회전수), 엑셀 페달의 개도량을 검출하는 TPS 센서의 개도 보정에 의해 작동 영역 및 목표 슬립율을 결정하고 있다. TPS 센서로부터 입력된 신호는 엔진 회전수와 연산하여 댐퍼 클러치를 작동 할 것인지 판단 ROM 내에 미리 설정된 데이터 값에 의해 DCCSV를 구동 할 듀티 신호를 출력하게 된다. 여기서 말하는 스로틀 개도 보정이란 TPS 센서 신호를 토대로 아이들시 보정 및 에어컨 작동시 부하 보정을 말 한다. 이렇게 보정된 신호는 펄스 제너레이터의 신호를 통해 현재 자동 변속기가 어느 변속 상태인가를 판정하여 댐퍼 클러치가 비작동 영역인지를 판정하게 된다.

댐퍼 클러치의 비작동 영역 판정은 스로틀 개도가 급격히 감소(TPS 개도가 8ms 내에서 개도 변화가 4.5% 이상 일 때) 할 때, 또는 파워 오프(power off)영역 일 때, ATF

오일의 온도가 70℃ 이하 일 때 비작동 영역으로 판정하여 출력하게 된다. 여기서 말하는 파워 오프(power off)란 엔진 회전수와 스로틀 개도 상태를 TCU 내의 맵(map) 화된 데이터와 비교하여 엔진이 정지 상태인지, 구동 상태인지를 확인하는 단계를 말한다.

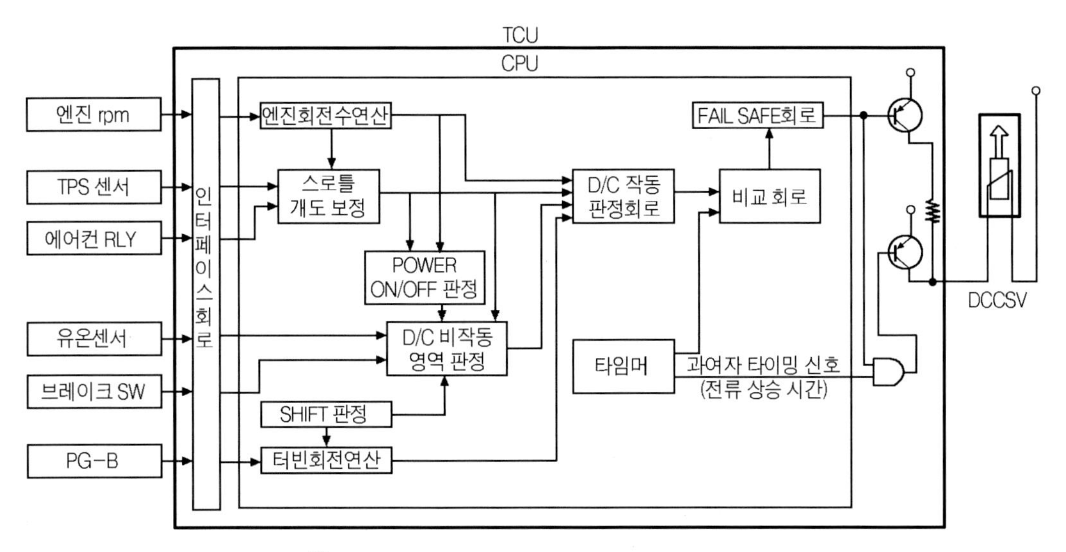

그림5-73 댐퍼 클러치 제어의 블록 다이어그램

사진5-61 펄스 제너레이터

사진5-62 K/D 서보 스위치

댐퍼 클러치의 목표 스립율 제어는 TCU 내의 목표 슬립량이 맵(map)화 되어 있어 엔진 회전수와 스로틀 개도량에 의해 목표 슬립량에 근접하도록 제어하게 된다. 이때 댐퍼 클러치 작동 회로로부터 출력된 구동 신호와 타이머(timer) 회로로부터 계수된 출력 신호는 비교 회로를 거쳐 듀티 신호를 출력하게 된다. DCCSV 밸브를 구동하기 위한 듀티 값

이 클 때에는 DCCV 밸브의 좌측에 작용하는 유압이 저하하며, 이 유압이 저하하면 댐퍼 클러치를 작동하는 유로를 크게 열어 댐퍼 클러치의 밀착도는 높아지고 토크 컨버터의 슬립율은 낮아지게 된다. 이에 반해 듀티 값이 작을 때에는 DCCV 밸브 좌측에 작용하는 유압이 상승하여 댐퍼 클러치를 작동하는 유로는 좁아지고 댐퍼 클러치의 밀착도는 떨어져 슬립율은 증가하게 된다.

그림(5-74)는 TCU로부터 출력된 DCCSV 밸브의 출력 듀티 제어 파형을 나타낸 것이다. 여기서 CH1(채널1)의 듀티 파형은 이상적인 듀티 파형 나타낸 것이며, CH2(채널2)는 전류 파형을, CH3(채널3)의 실제 TCU의 출력 측에서 측정한 DCCSV 밸브의 전압 파형이다.

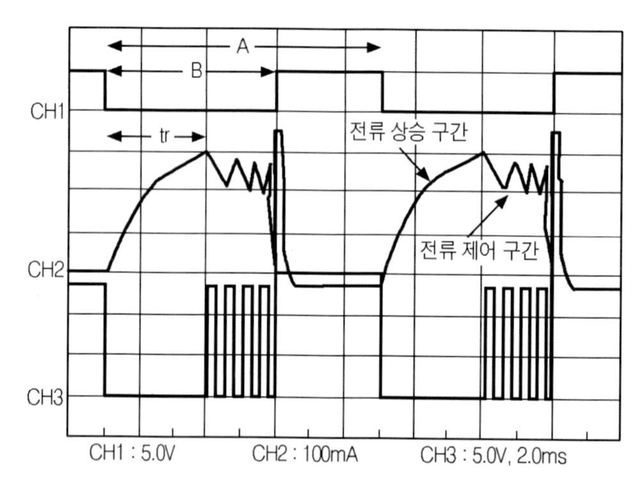

CH1 : port 출력 파형
CH2 : 출력 전류 파형
CH3 : 출력 전압 파형
tr : 솔레노이드 밸브의 전류 상승시간 (여자전류시간)
D : 듀티비(%)

$$D = \frac{B}{A} \times 100\%$$

※ 전류 제어구간 : 솔레노이드 코일의 과열 방지 및 상세제어구간

그림5-74 DCCSV의 듀티 제어 파형

사진5-63 스로틀 밸브의 개도

사진5-64 설치된 차속센서

CH3(채널3)의 출력 전압 파형에서 반주기 구간 연속해서 펄스 신호를 출력하는 것은 DCCSV 솔레노이드 밸브가 여자 된 후 솔레노이드 밸브에 흐르는 전류를 제어하기 위한 것으로 이러한 모양의 형태를 띤 파형을 전류 제어 파형이라 부르기도 한다.

(4) 변속시 유압 제어

변속시 유압 제어는 TCU(A/T 컴퓨터)의 입력 정보에 따라 변속 시 여러 가지 시프트 패턴(shift pattern)의 유압 특성을 판단 그림(5-75)의 블록 다이어그램과 같이 PCSV 밸브를 듀티 제어하여 유압을 제어하는 기능이다. 이것은 변속 시 작동하는 작동 요소(유압 클러치, 브레이크)를 변속 충격 없이 제어하여 차체의 충격이 전달되는 것을 억제하기 위함이다.

그림(5-75)의 입력 정보를 살펴보면 변속기의 입력측 회전수(K/D의 회전수)를 검출하는 PG-A(펄스 제너레이터-A)와 변속 패턴의 모드 절환 SW(파워, 이코노미, 홀드), K/D 드럼 브레이크가 작동하기 시작하는 시점을 검출하는 K/D 서보 SW, 스로틀 개도 보정을 하기 위한 에어컨 릴레이 신호등을 입력 받아 변속 시 각 작동 요소를 유압 제어하도록 PCSV 밸브를 듀티 제어하고 있다. 입력 정보 중 TPS 센서와 에어컨 릴레이의 입력 정보는 아이들시나 주행시 엔진의 부하 상태를 검출하여 보정하는 보정용 신호이다. 이 신호는 변속 시기 제어와 함께 스로틀 개도 보정을 거쳐 변속 유압 제어로 보내지게 된다.

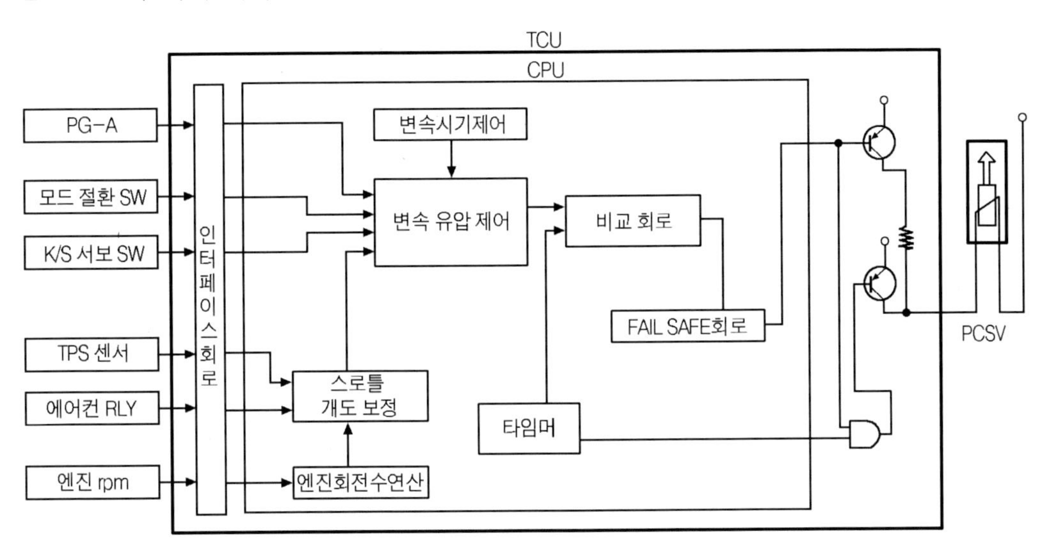

그림5-75 변속시 유압제어의 블록 다이어프램

변속시기 제어는 차량의 현재 어떤 변속 패턴 상태 인가를 검출해 정보를 보내 준다.

예를 들면 '현재 ATF 오일의 온도가 90℃ 이고, 일반 시프트 모드 패턴에 D-레인지 4속에서 3속으로 다운 시프트(down shift)되고 있는 정보이다.' 라는 것을 알려주는 정보이다. 이 정보는 입력 측의 TPS 센서 신호등과 함께 변속 시 유압 제어 블록으로 보내진다. 변속 시 유압 제어의 논리 블록은 최적의 시프트 필링(shift feeling)을 얻기 위해 PCSV 밸브를 구동 할 듀티율을 결정하게 된다. 이렇게 결정된 신호는 타이머의 카운트 신호와 함께 비교 회로를 거쳐 듀티 신호를 출력하게 된다.

이 신호는 그림(5-76)과 같이 PCSV 밸브의 제어에 의해 PCV 밸브를 제어해 변속기의 각 작동 요소의 유압을 공급 및 조절하게 된다. 한편 입력 정보로 TCU는 페일 세이프 상태로 판단하면 페일 세이프 논리 블록은 PCSV 밸브의 듀티율을 50%로 고정하게 된다.

그림(5-77)은 터빈 회전수에 따라 변속시 개방 클러치와 결합 클러치가 동시에 제어되는 변속시 유압 특성을 나타낸 것이다.

이 특성은 F4 계열과 F5 계열의 변속 시 유압 특성으로 개방 측 클러치와 결합 측 클러치를 동시에 제어하는 것은 변속 시 밸런스(balance)를 맞추어 변속감을 향상하기 위해 터빈의 회전수에 대해 클러치 절환 제어와 시프트 제어를 하도록 하고 있다.

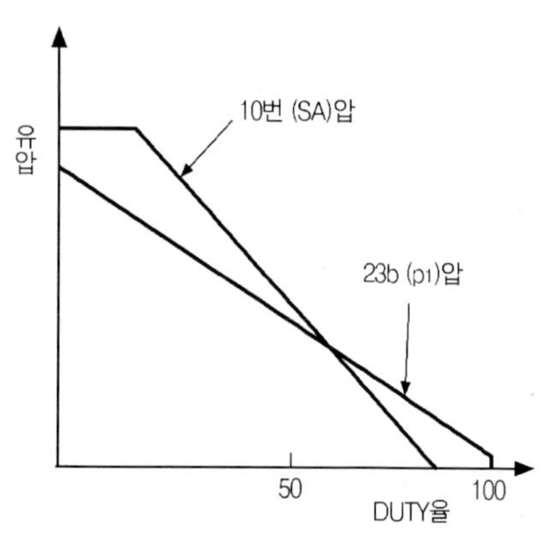

(a) 듀티율에 대한 23b번 제어압

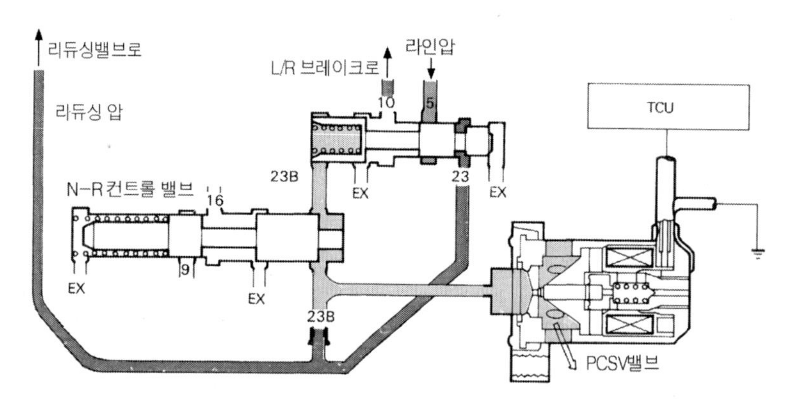

(b) 1속시 PCSV밸브의 작동(F4계열 A/T)

그림5-76 PCSV 밸브의 작동과 제어압

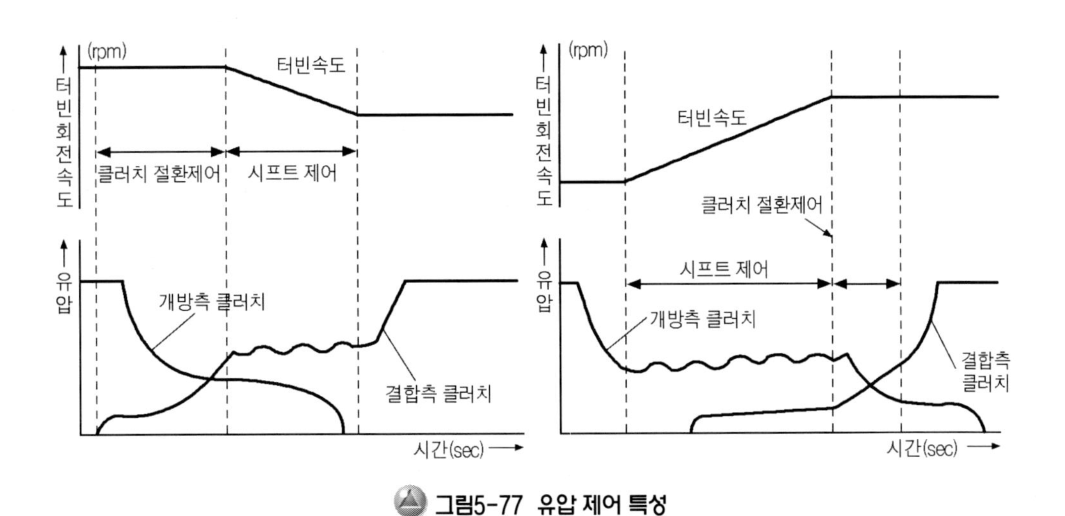

그림5-77 유압 제어 특성

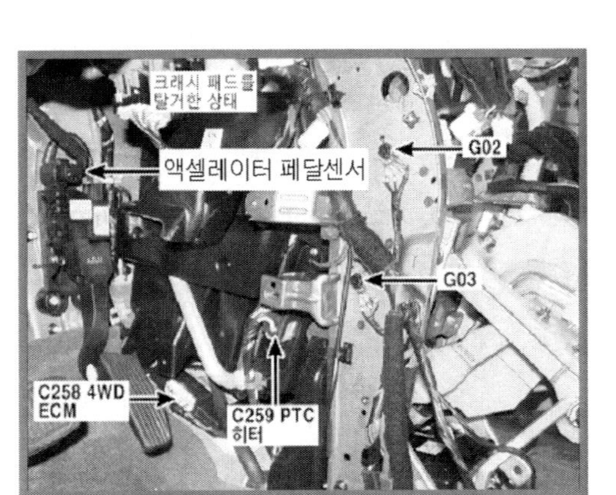

사진5-65 설치된 액셀 페달 센서

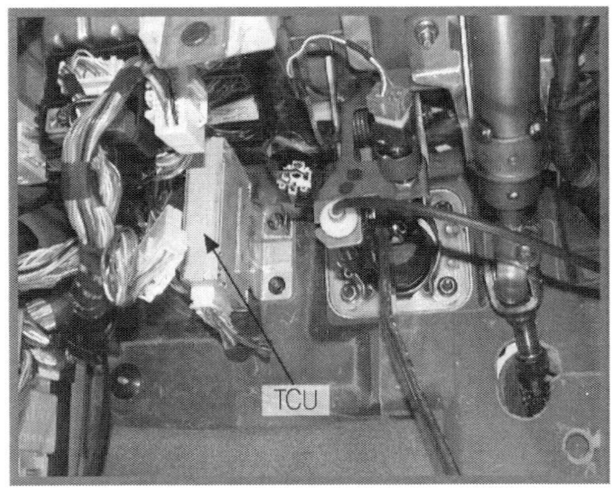

사진5-66 설치된 TCU

(5) 그밖에 제어

그 밖에 자동 변속기의 제어 기능에는 차종에 따라 변속 중에 발생하는 토크(torque) 변화나 엔진의 주행 중에 나타나는 토크 변화에 대응하여 자동으로 보정하는 학습 제어 기능이나, 토크 리타드(torque retard : 토크 저감) 제어 기능, 인간의 사고와 유사한 퍼지(fuzzy) 제어 기능 등을 가지고 있다. 이러한 제어 기능의 목적은 변속감을 향상하기 위해 미세 부분까지 제어하기 위한 한 방법이라 할 수 있다. 여기서 말하는 학습 제어 기능은 변속감을 향상하기 위해 주행 중에 나타나는 엔진의 성능 변화나 변속기의 성능 변화에 대해 일정 부분 자동으로 보정하여 주는 제어 기능을 말한다. 또한 토크 리타드 제어 기능

은 엔진 회전수, 엔진 토크, 기타 엔진 정보를 TCU(자동 변속기 ECU)가 입력 받아 엔진 토크(engine torque)의 변화를 줄 필요가 있다고 판단될 때 TCU는 엔진 ECU에 토크 리타드(torque retard) 명령을 요구 할 수 있는 기능으로 F5 계열의 변속기에 적용되고 있는 제어 기능 중에 하나이다. 퍼지(fuzzy) 제어 기능은 일반 도로 주행시 자동 변속은 차속과 스로틀 개도 신호에 의해 주로 결정되는 것은 일반 A/T와 동일하지만 굴곡로나 등판로, 내리막길에서는 인간의 사고를 감이해 주행 안정성을 향상한 제어 기능이다. 따라서 이 퍼지 기능에는 굴곡 등판로 모드 기능과 고속 등판로 모드 기능, 중저속 등판로 모드 기능, 내리막길 모드 기능을 두고 있다.

굴곡 등판로 제어 모드 기능은 오르막 굴곡이 있는 도로를 주행 할 때 차속이 높은 쪽으로 업 시프트 선(up shift line)을 이동하여 2속과 3속의 사용 빈도를 높인 제어 기능이다. 이것은 쓸데없는 변속이 빈번히 일어나는 것을 방지해 변속 시 발생하는 헌팅(hunting) 현상을 방지하기 위한 것이다.

등판로 제어 모드 기능은 스로틀 개도에 따라 가속을 할 수 없을 때 스로틀 개도에 따라 변속 패턴을 다운 시프트(down shift)하는 기능이다. 이것은 등판에 의한 구동력이 떨어질 때 변속 패턴을 시프트 다운하여 가속 페달들 조작의 빈도를 감소하기 위한 제어 기능이다. 내리막길 제어 모드 기능은 스로틀 개도와 브레이크(brake), 차속, 가속도 등을 종합적으로 판단 3속, 2속으로 시프트다운(shift down) 하는 제어 기능이다. 이 제어 기능은 엔진 브레이크를 효과적으로 작용하기 위한 제어 기능으로 가속 페달을 전개한 상태에서도 3속, 2속으로 시프트다운 시켜 엔진 브레이크를 작동하게 하는 기능이다.

point

전자제어 시스템

1 전자제어 A/T의 시스템 구성

1. 자동 변속기의 동작
   ① 기계식 A/T : 차속에 의한 거버너 압과 스로틀 압 → 변속기의 클러치, 브레이크 작동
   ② 전자제어 A/T : 전기적인 입력 신호 → TCU → 솔레노이드 밸브에 의한 변속압 → 변속기의 클러치, 브레이크 작동
2. 전자제어 A/T의 시스템 구성
   ① 자동변속기 : 엔진의 동력을 유체에 의해 자동 변속하여 구동륜에 전달하는 변속

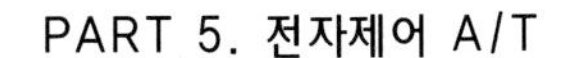

② 밸브 보디 : 변속에 필요한 유압을 절환 하는 여러 가지의 밸브 모듈
③ TCU : 전기적 입력 신호에 따라 변속에 필요한 솔레노이드 밸브를 제어하는 컴퓨터

3. 전자제어 A/T의 입 · 출력

① 차속 센서 : 차속 검출
② 엔진 회전수 : 스로틀 개도 보정을 위한 엔진 회전수 입력 신호
③ TPS 센서 : 운전자의 가감속 의지 검출 신호(스로틀 개도 검출)
④ 펄스 제너레이터 : PG-A → 변속기의 입력 측 회전수 검출 PG-B → 변속 기의 출력 측 회전수 검출
 * 펄스 제너레이터의 장착 위치와 검출은 자동차 제조사의 차종에 따라 다름
⑤ 인히비터 SW : 변속 레버의 위치 검출
⑥ 킥 다운 서버 SW : 킥 다운 피스톤의 위치 검출(킥 다운 작동 상태 검출)
⑦ 주행 모드 SW : power, economy, hold 모드의 위치 검출
⑧ SCSV 밸브 : F4 계열의 변속 제어(ON/OFF 제어)
⑨ PCSV 밸브 : 변속 시 유압 라인의 유압 제어(듀티 제어)
⑩ DCCSV 밸브 : 스로틀 개도와 터빈 회전수에 의한 댐퍼 클러치 제어

2 전자제어 기능

1. 변속 패턴 제어

① 변속 패턴 제어 : 변속기의 출력 측 회전수와 차속, 스로틀 개도에 따라 ROM 내에 미리 기억된 변속 패턴을 제어하는 기능
 ※ 변속점을 결정하기 위한 요인 : 엔진 출력 및 연비, 차량의 충격 및 진동, 배출 가스 등
② 변속 모드 절환 : 파워 모드, 이코노미 모드, 홀드 모드, 스포츠 모드
 * 파워모드 : 연비는 떨어지나 강력한 힘이 필요한 등판로나 험로에 적합한 모드
 * 이코노미모드 : 일반 도로 주행시 적합한 모드
 * 홀드모드 : 차속에 의해서만 변속되며, 2속 출발이 가능하여 빙판길에 유용한 모
 * 스포츠모드 : 매뉴얼 변속기와 같이 운전자의 의지에 따라 변속할 수 있는 모드
 ※ 매뉴얼 레버다운 시프트 보호 기능 : 엔진 및 변속기를 보호하기 위해 일정 RPM 이상이 되면 다운 시프트를 금지하는 제어 기능

2. 유온 가변 변속 패턴 제어

① 유온 가변 변속 패턴 제어 : ATF 오일의 온도가 125℃ 이상이 되면 강제로 4속 → 3속으로 다운 시프트 시켜 슬립율을 감소하는 기능
 * ATF 오일의 온도 상승으로 급격한 오일 특성 변화를 방지하기 위한 기능
② 유온 가변 변속 패턴 조건
 * 변속 레버의 위치가 D-레인지에서 ATF 오일의 온도가 125℃ 이상일 때
 * 변속기의 출력 측 회전수 : 600rpm < 출력 측 회전수 < 2010rpm일 때

3. 록 업 제어

① 록 업 제어 : 터빈 측에 설치되어 있는 마찰 클러치를 차속과 스로틀 개도에 의해 라인압을 제어하여 터빈 측과 임펠러 펌프 측을 직결하도록 제어하는 기능

* 록업 클러치 : 터빈과 펌프의 슬립율을 방지하기 위해 펌프 측과 직결하도록 한 클러치

② 댐퍼 클러치 제어 : 터빈 측에 댐퍼 클러치를 설치하여 터빈의 회전수와 쓰로틀 개도에 의해 목표 슬립율을 제어하도록 DCCSV 밸브를 듀티 제어하는 기능

* 파샬 록업 제어 : 저속 영역에서 제어
* 풀 록업 제어 : 고속 영역에서 제어

③ 댐퍼 클러치 제어의 조건(D, 2속 레인지) :

* ATF 오일의 온도 : 70℃ 이상 * 엔진 회전수 : 1800 rpm 이상
* 스로틀 개도 : 1980mv 이상 위 3가지 조건이 모두 만족 시 댐퍼 클러치 제어 (차종에 따라 다소 차이가 있음)

4. 유압 제어

① 변속 시 유압 제어 : 변속 시 작동하는 유압 클러치나 브레이크를 충격 없이 작동하기 위해 ROM 내에 미리 설정된 유압 특성에 따라 PCSV 밸브를 듀티 제어하는 기능

* 변속 시 유압을 제어하기 위한 입력 정보로는 엔진 회전수, 변속기의 입력 회전수, 모드 절환 SW, TPS 센서 신호를 주요 입력 신호로 하고 있다.
* 변속 시기 제어 : 차량이 현재 어떤 변속 상태인가를 검출하여 제어하는 기능

② 페일 세이프지 듀티율 : 50%로 고정하여 제어

5. 그 밖에 제어

① 피드백 제어 : 변속 시 토크 변화를 이상적으로 제어하기 위해 변속기의 입력축 토크 변화를 미리 목표값을 설정하여 현재의 변속 상태를 제어

② 학습 제어 : 엔진 및 변속기의 성능 변화를 학습하여 변속 시점을 보정하는 제어 기능

③ 퍼지 컨트롤 제어 : 인간의 사고를 감안해 주행 안정성을 향상한 제어 기능

* 굴곡 등판로 제어 모드 : 오르막 굴곡이 있는 도로를 주행 할 때 차속이 높은 쪽으로 업 시프트 선을 이동하여 2속, 3속의 사용 빈도를 높인 제어 기능
* 등판로 제어 모드 : 스로틀 개도에 따라 가속 할 수 없을 때 변속 패턴을 다운 시프트 하여 제어하는 기능
* 내리막 길 제어 모드 : 차속, 스로틀 개도, 브레이크 신호를 종합 판단해 엔진 브레이크가 작동하도록 다운 시프트 제어하는 기능

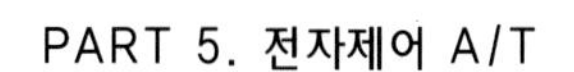

A/T의 회로와 유압 회로

1. 전자제어 A/T 회로

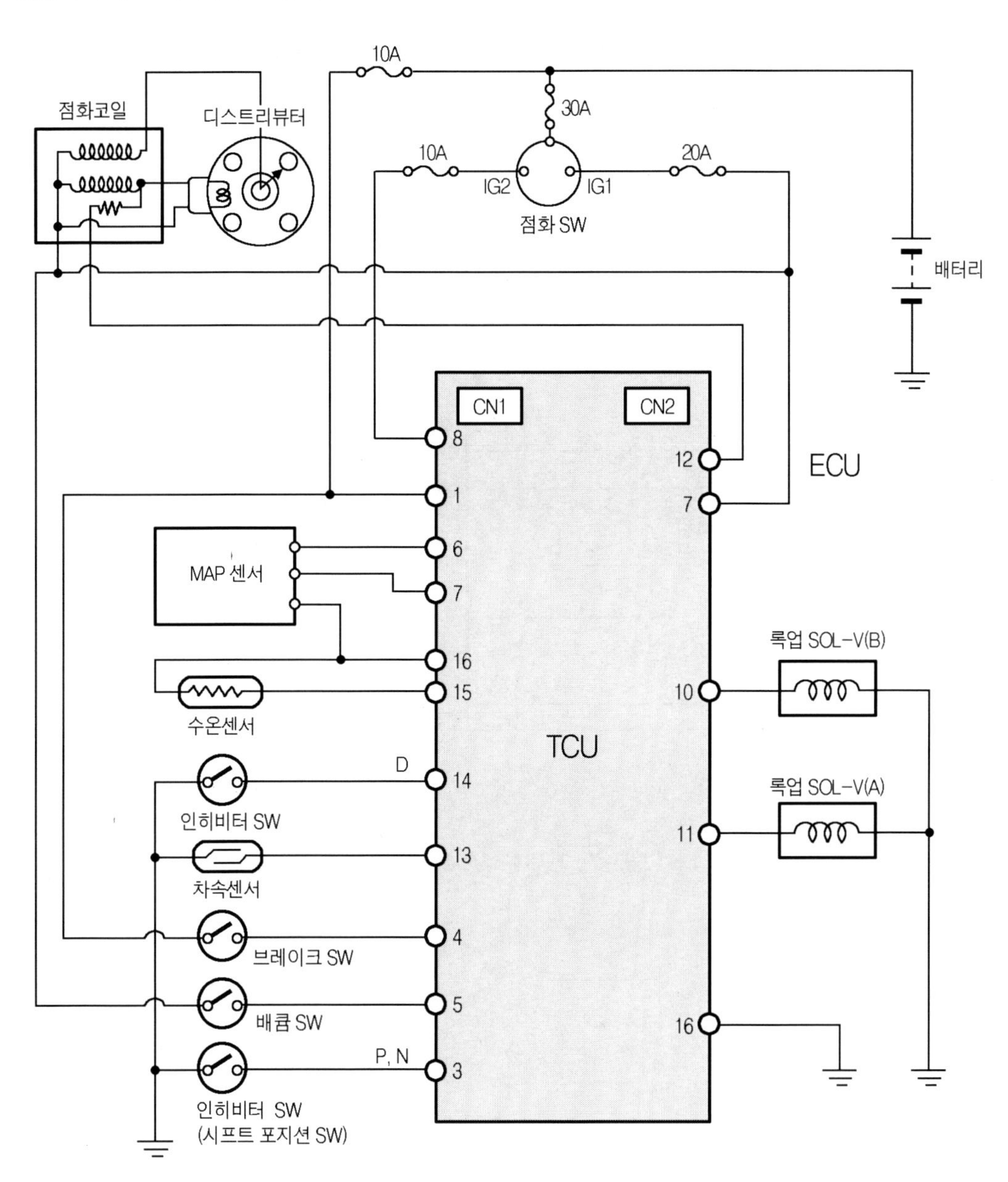

그림5-78 록업 전자제어 ECU회로

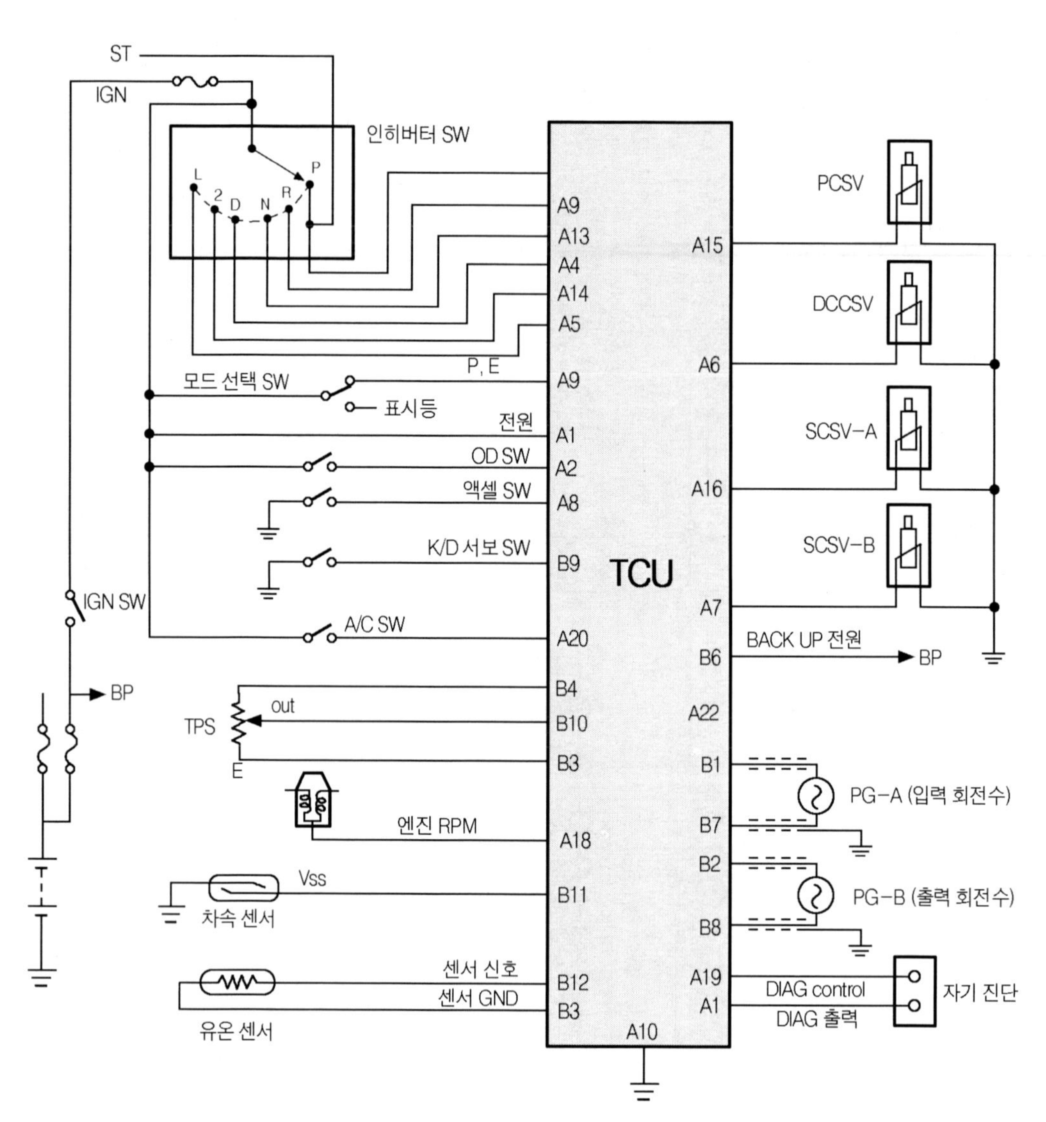

그림5-79 전자제어A/T 회로도(KM170계열)

2. 전자제어 A/T 유압 회로

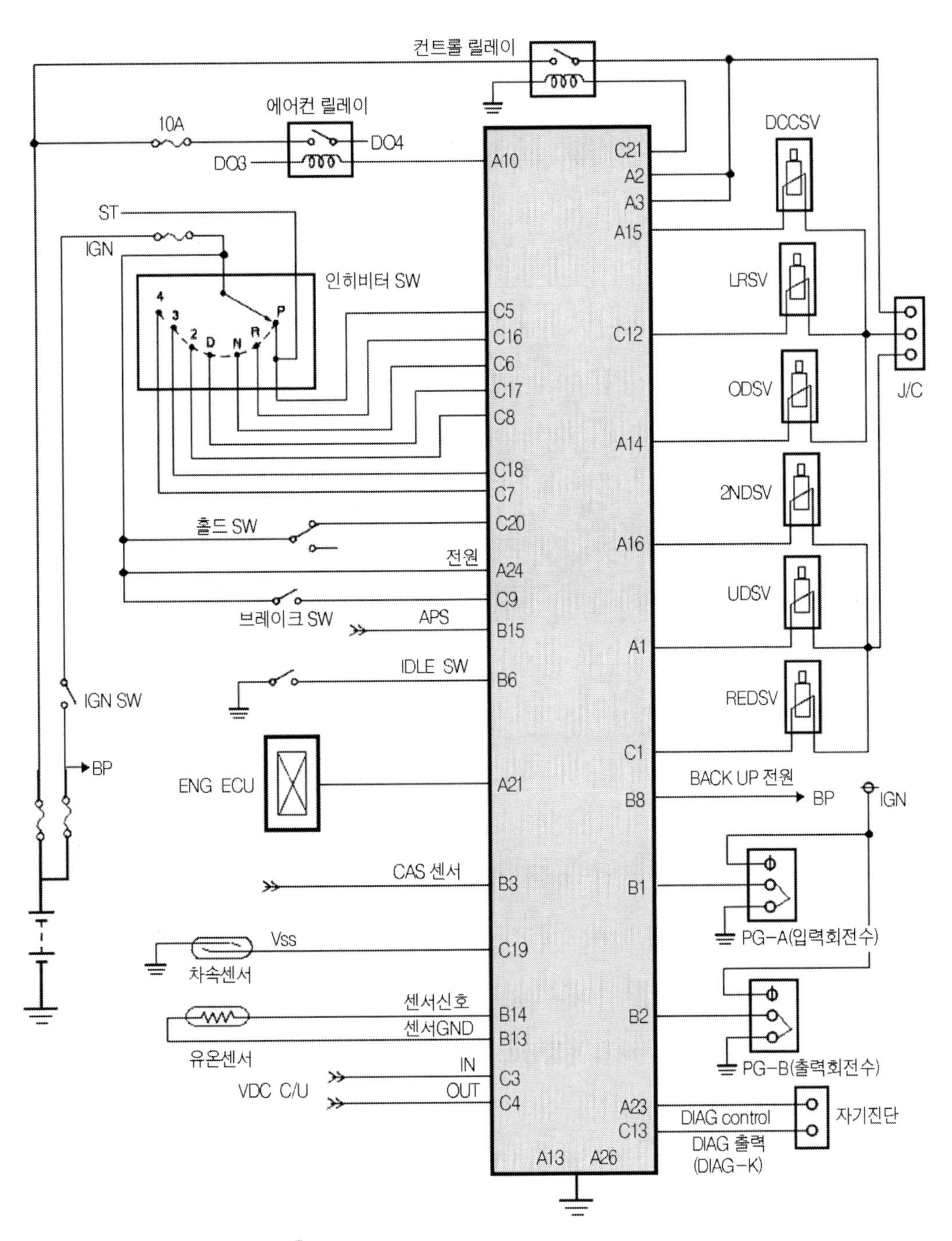

그림5-80 전자제어A/T 회로도(F5A5 계열)

(1) N(중립)시 오일 순환

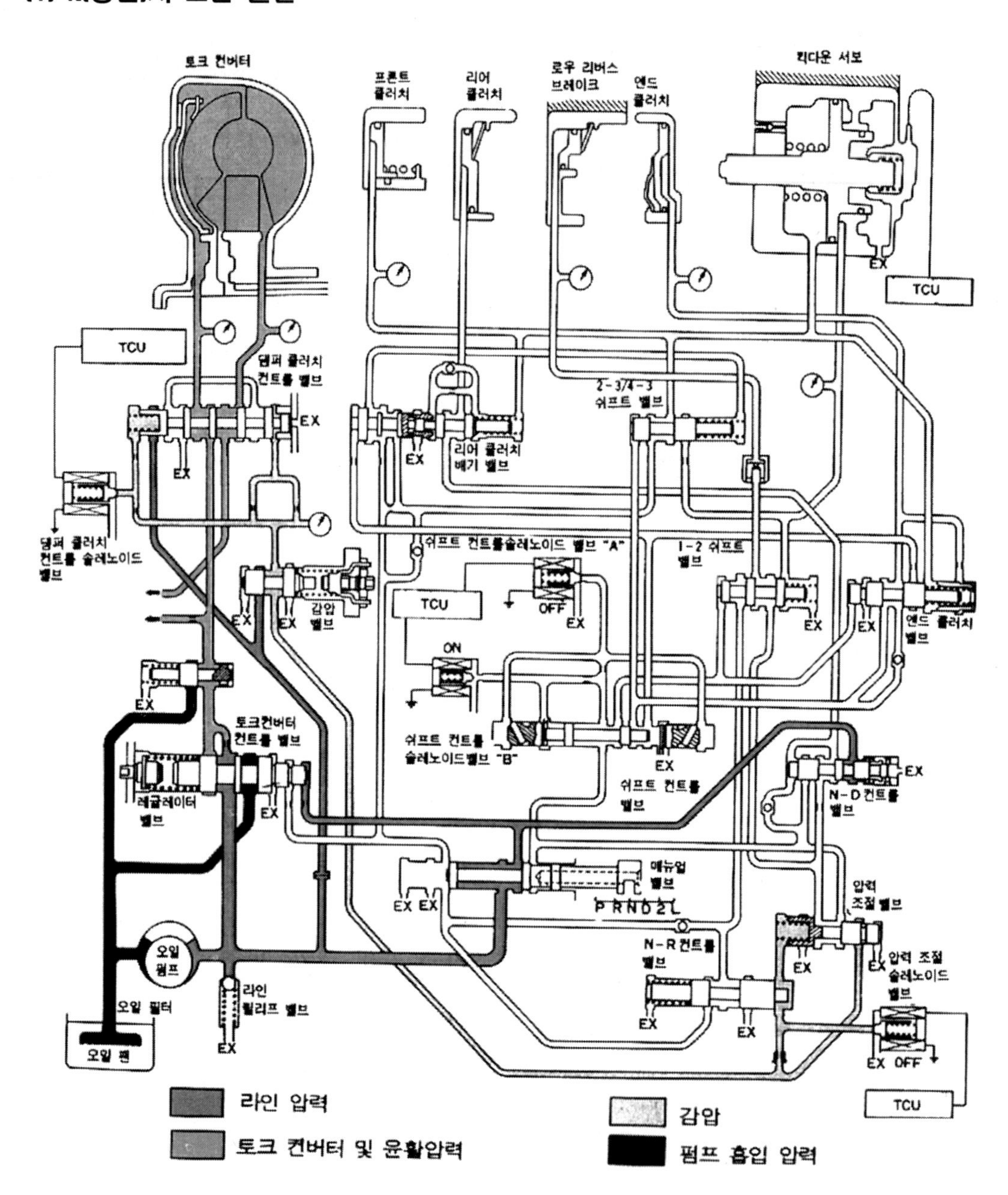

그림5-81 N(중립)시 유압 회로의 오일 순환(KM 175)

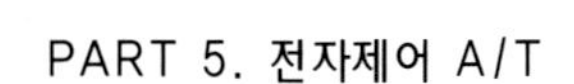

(2) P(파킹)시 오일 순환

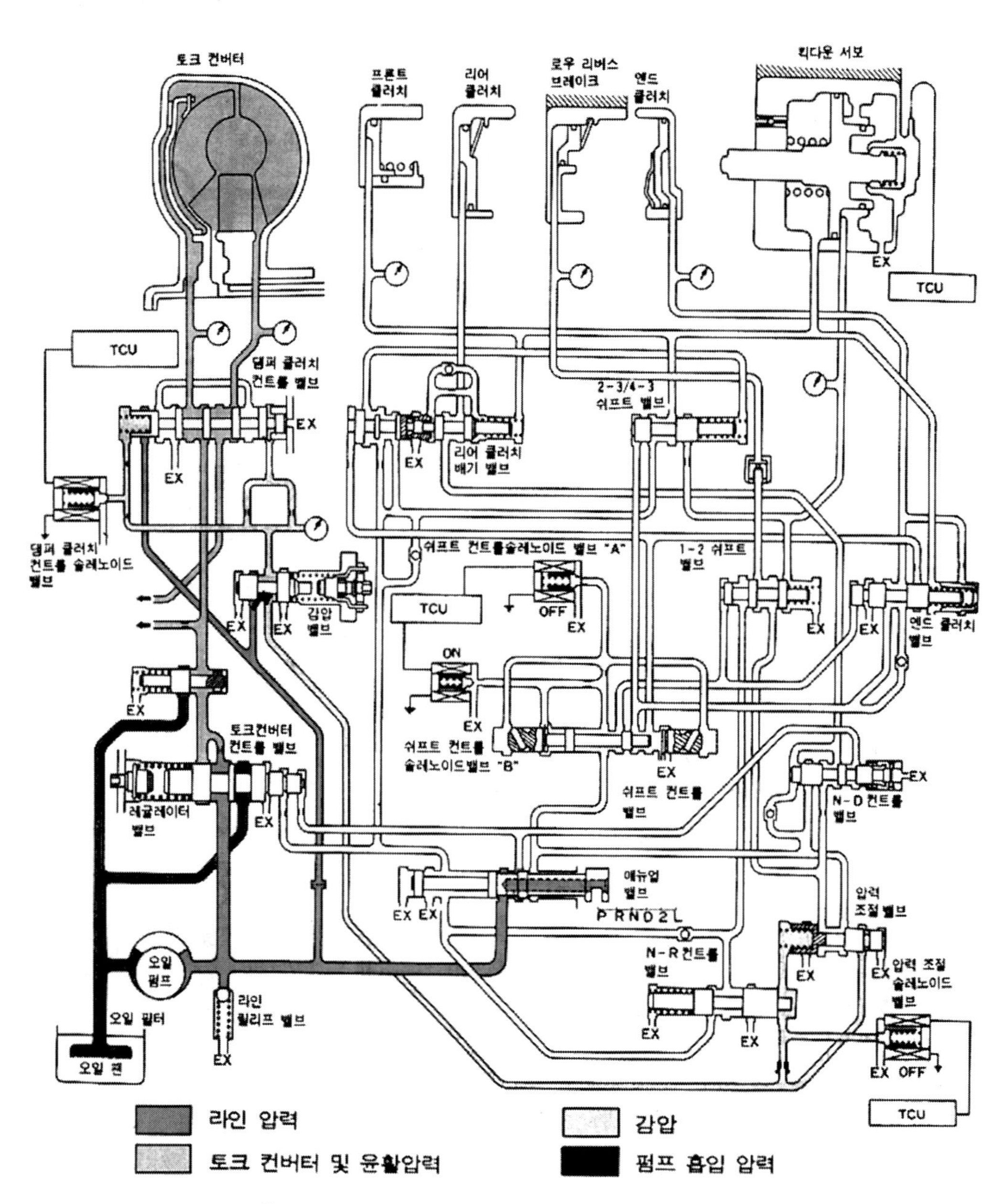

그림5-82 P(파킹)시 유압 회로의 오일 순환(KM 175)

(3) D(정지) 시 오일 순환

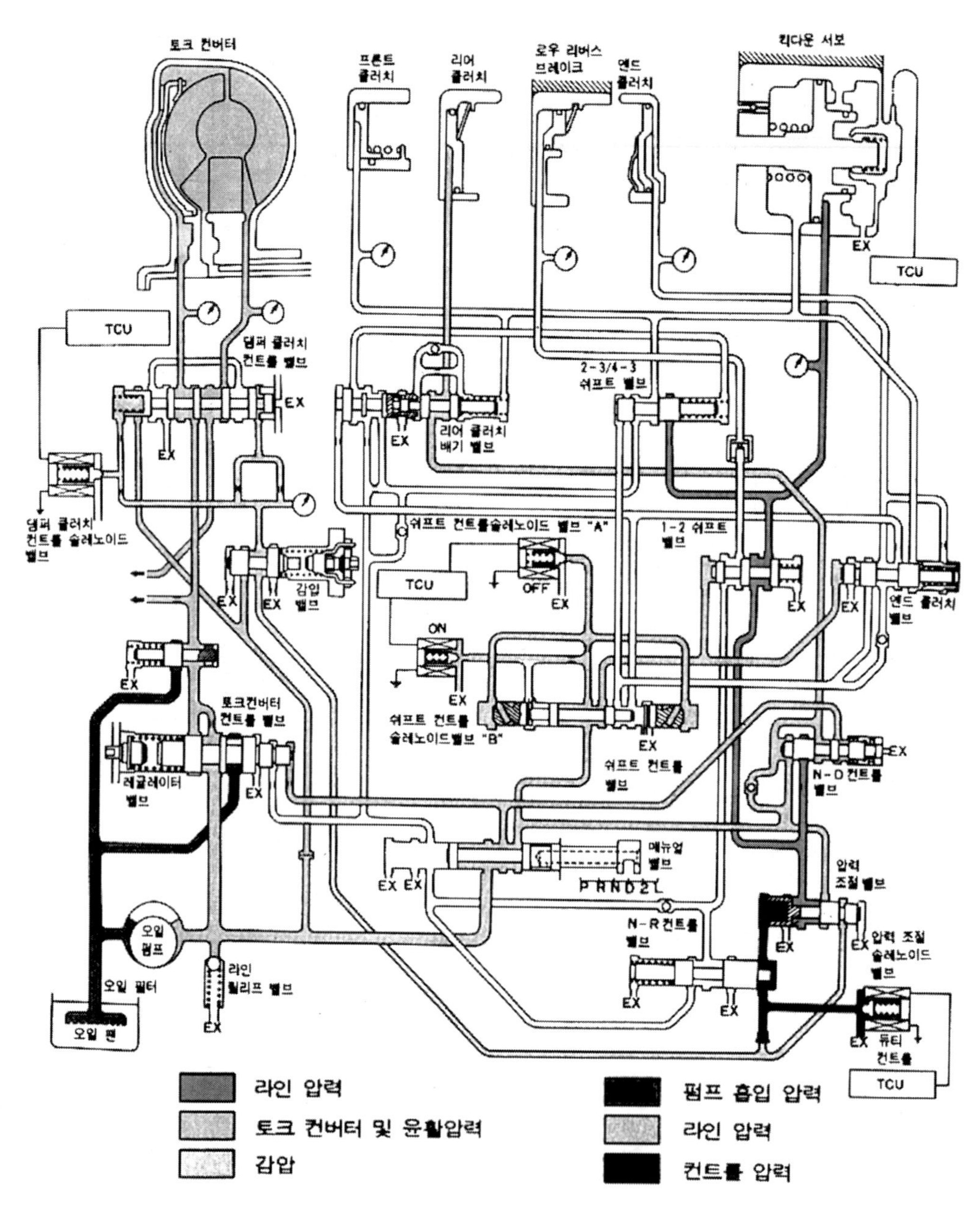

그림5-83 D(정지)시 유압 회로의 오일 순환(KM 175)

(4) D(1속) 시 오일 순환

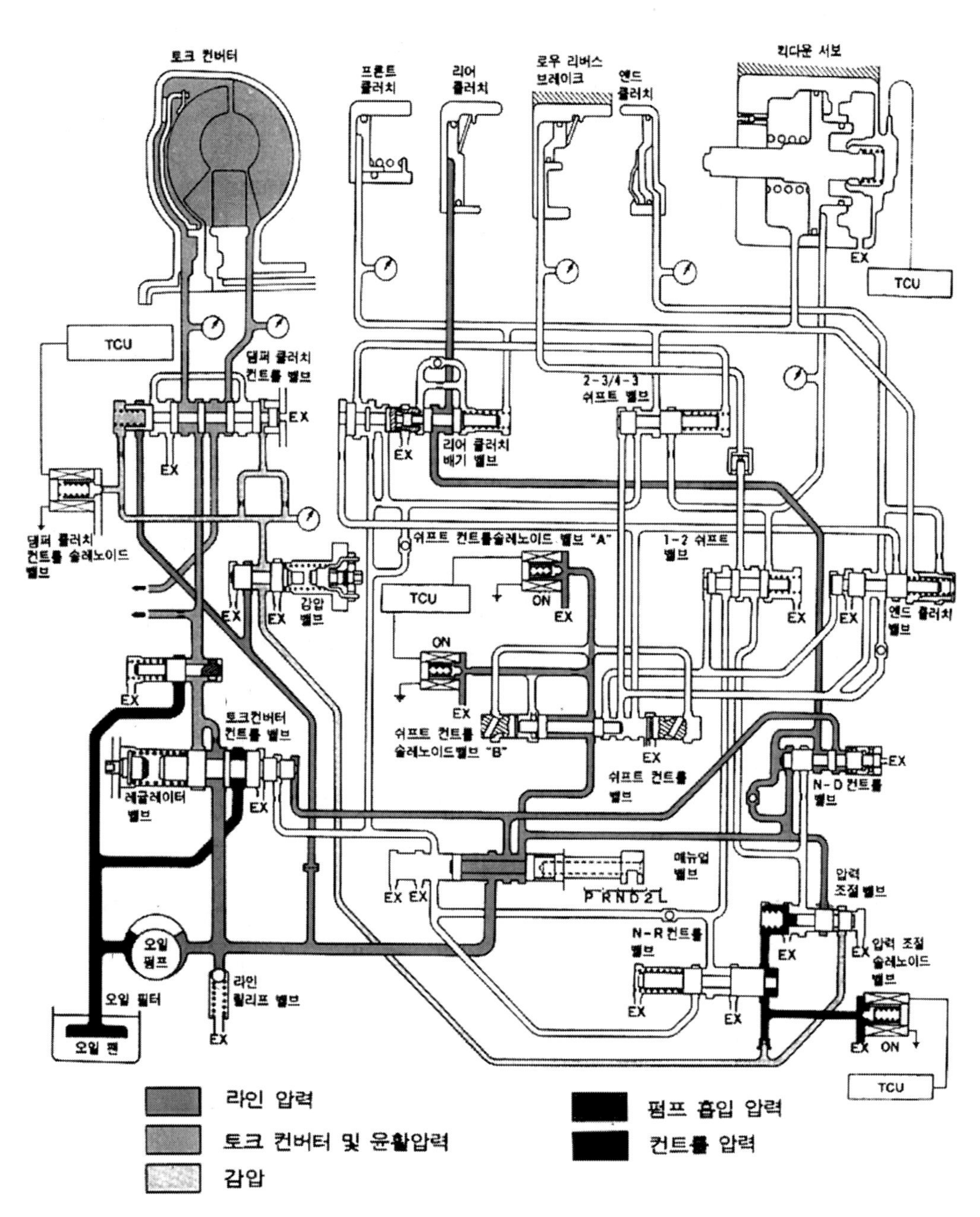

그림5-84 D(1속)시 유압 회로의 오일 순환(KM 175)

(5) D(2속) 시 오일 순환

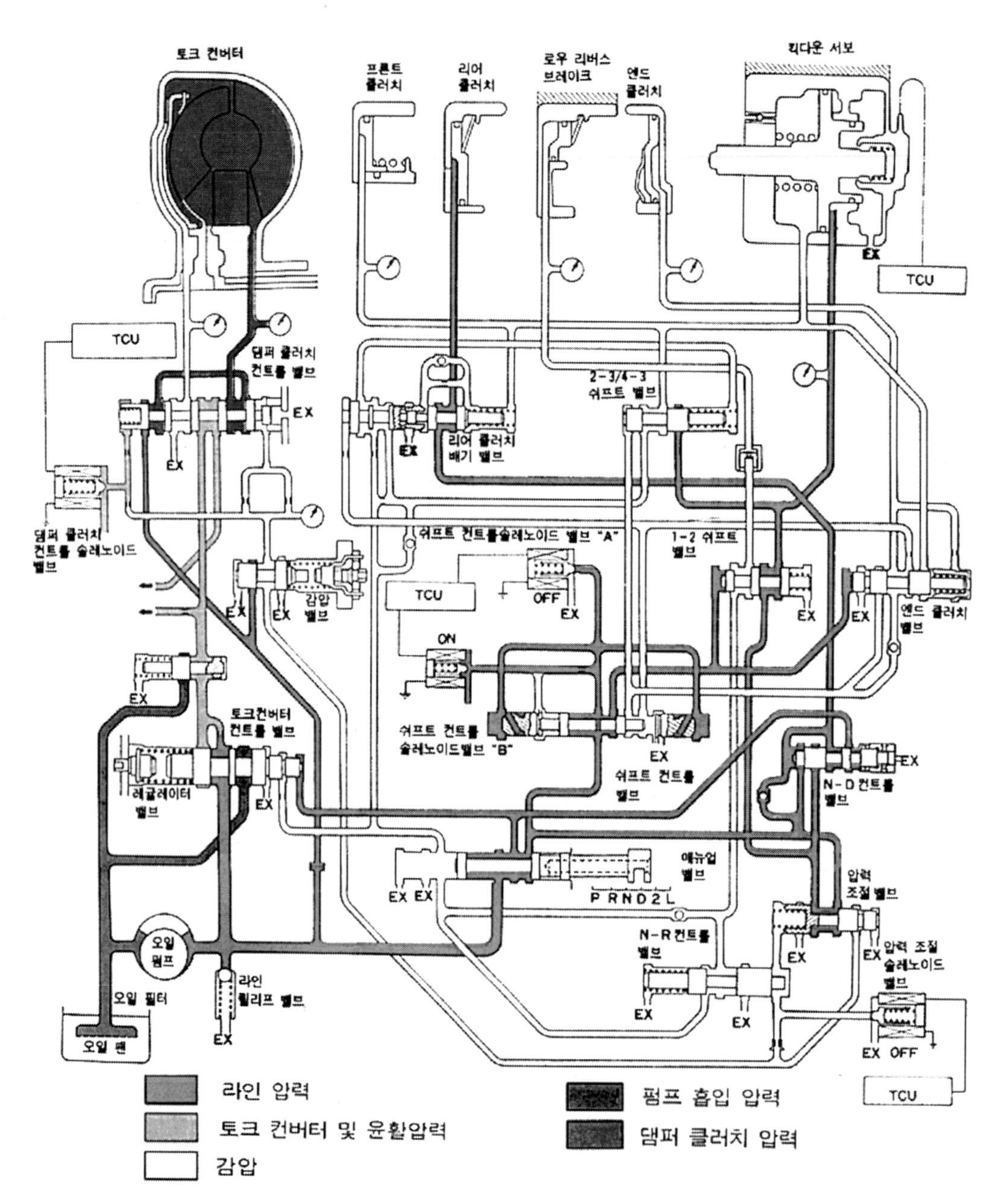

그림5-85 D(2속시 유압 회로의 오일 순환(KM 175)

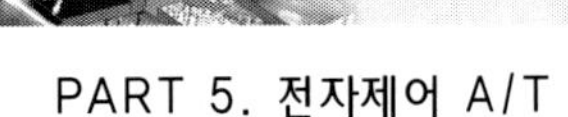

(6) D(3속) 시 오일 순환

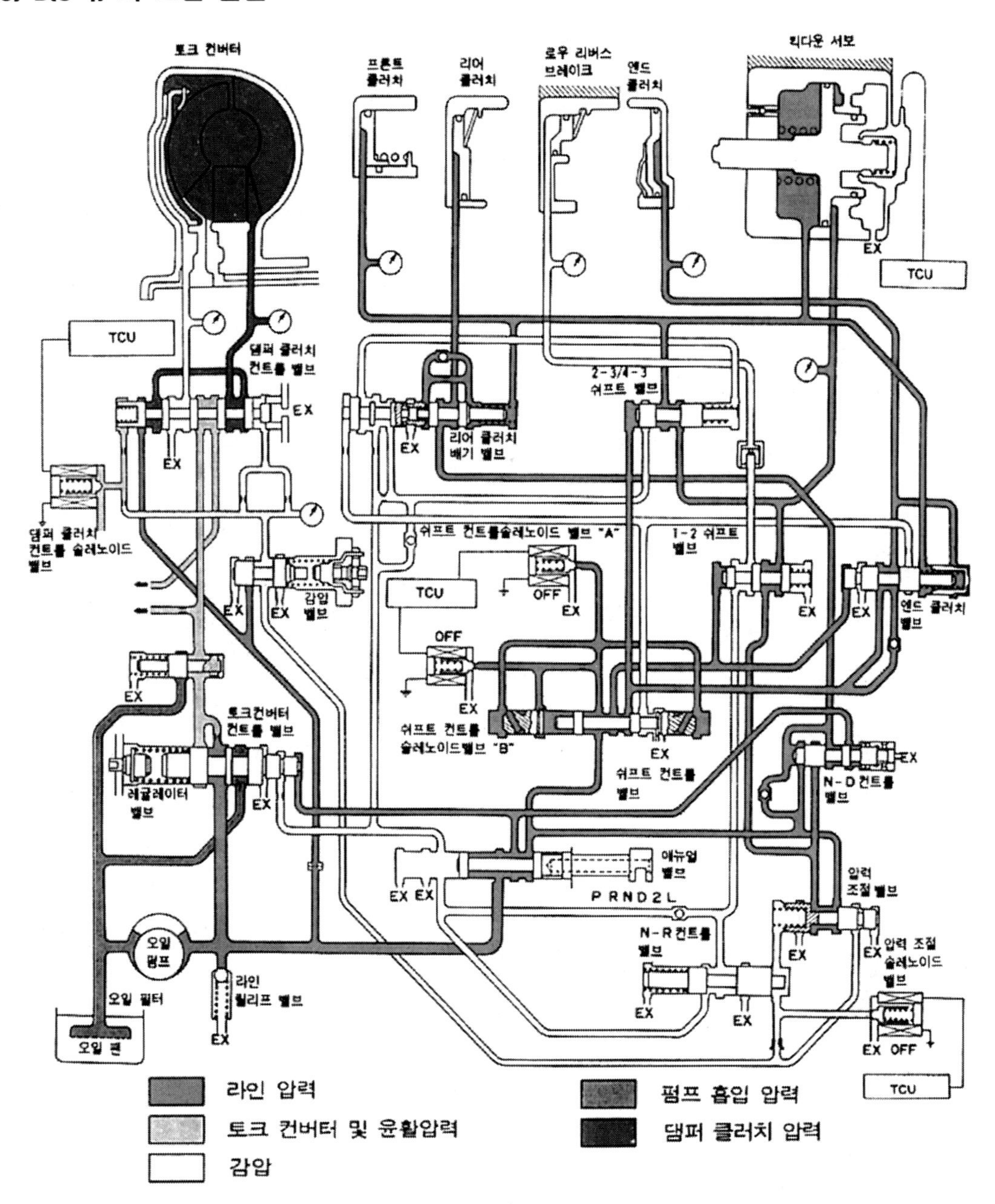

그림5-86 D(3속)시 유압 회로의 오일 순환(KM 175)

(7) D(4속) 시 오일 순환

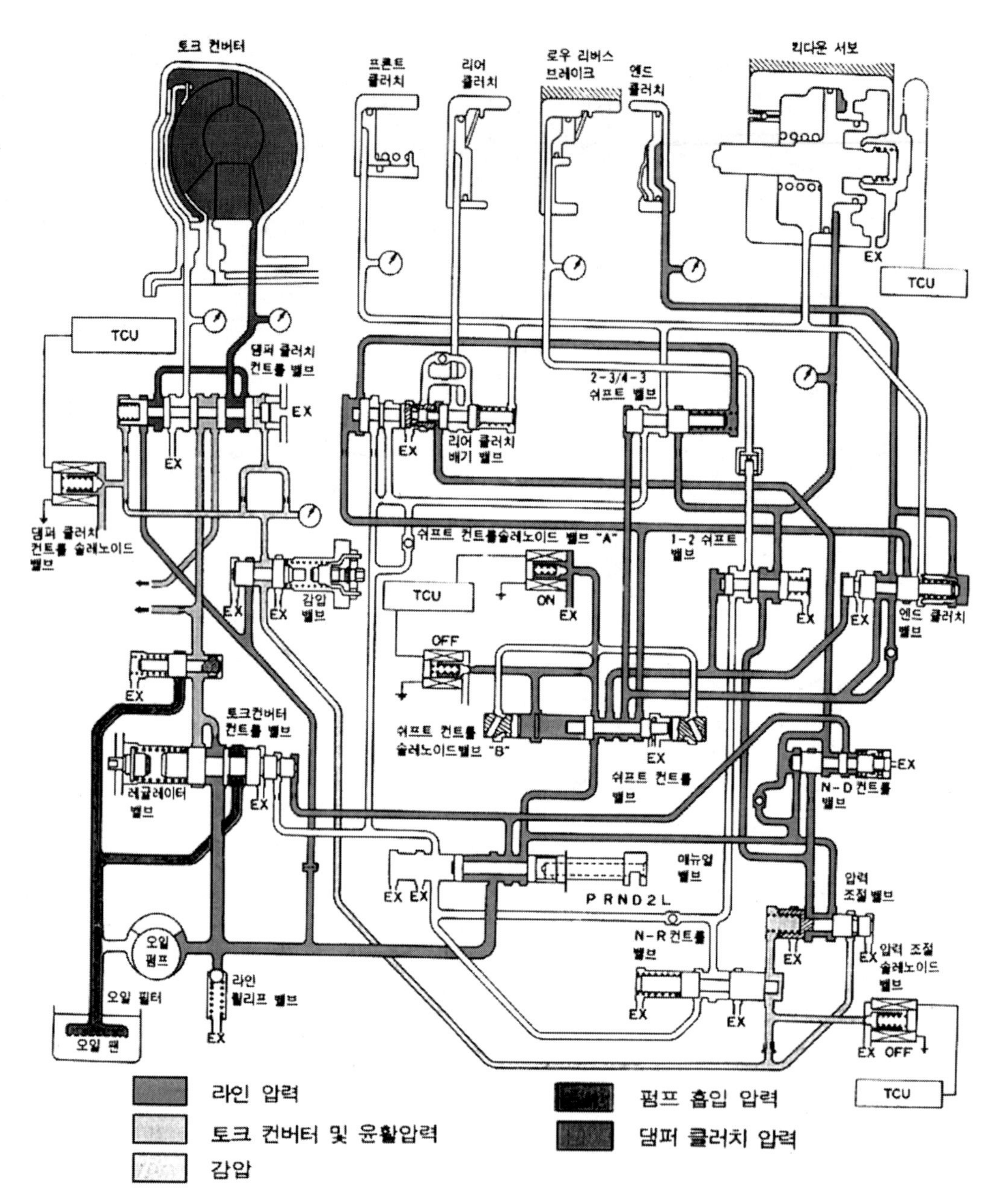

그림5-87 D(4속)시 유압 회로의 오일 순환(KM 175)

(8) L(록업)시 오일 순환

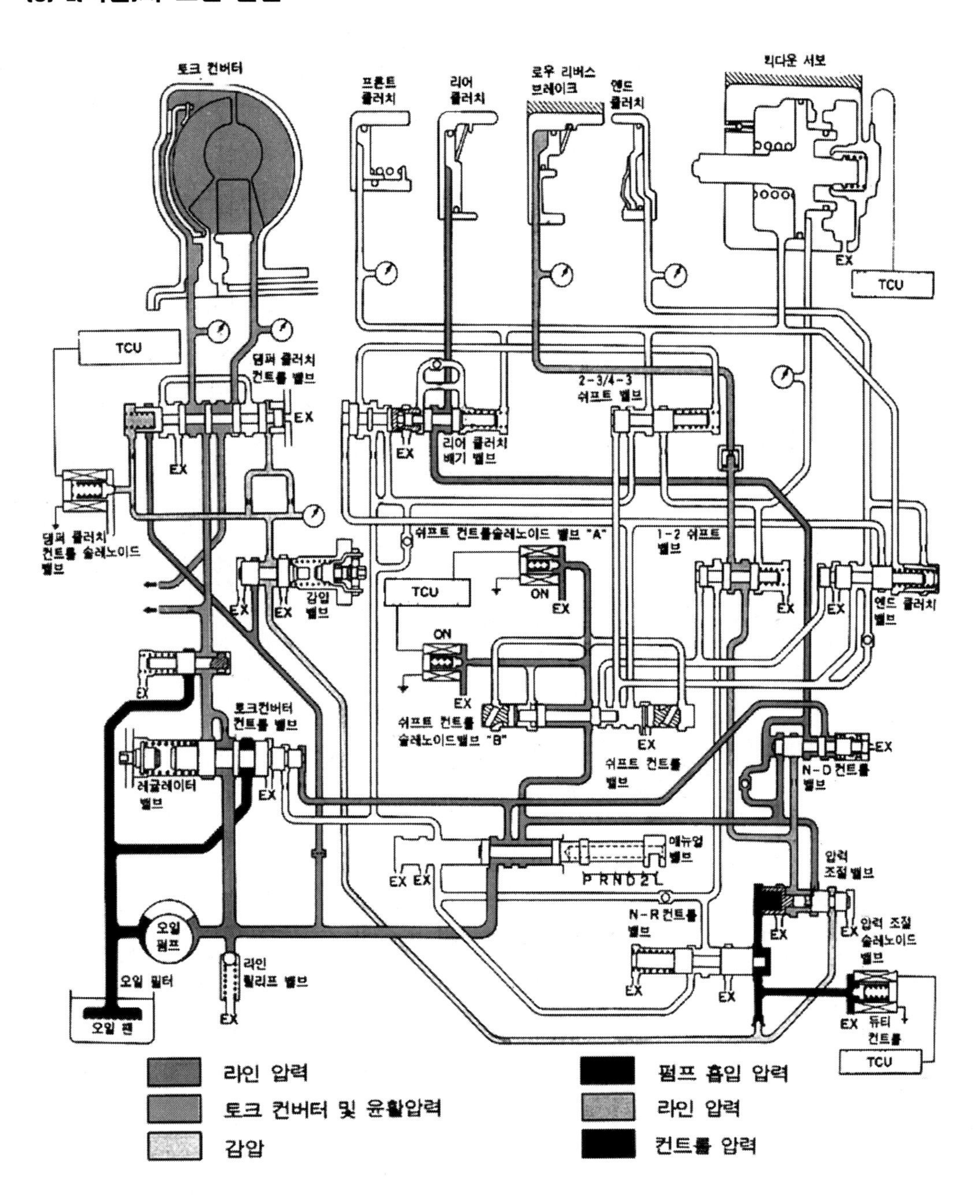

그림5-88 L(록업)시 유압 회로의 오일 순환(KM 175)

(9) R(후진)시 오일 순환

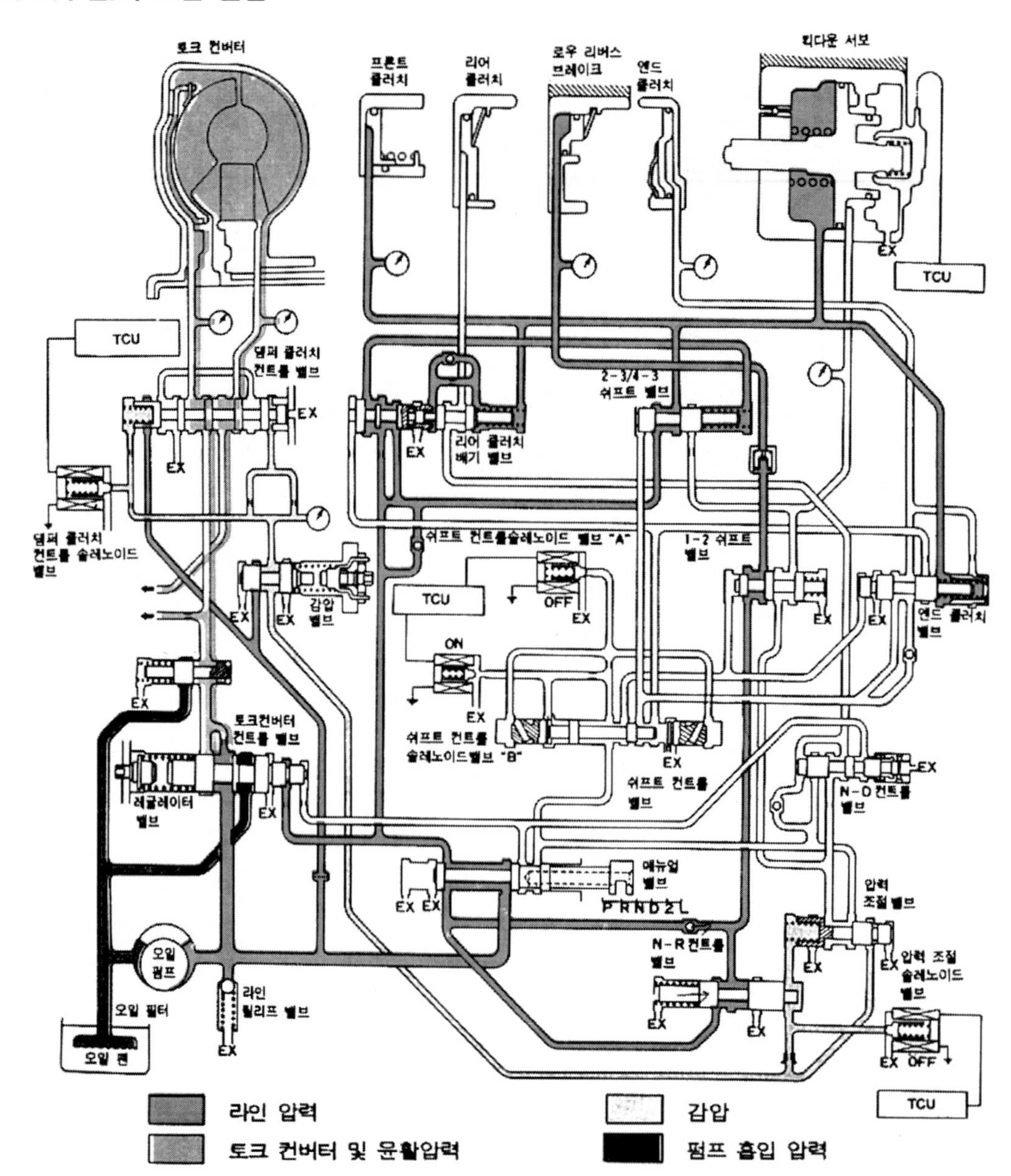

그림5-89 R(후진)시 유압 회로의 오일 순환(KM 175)

06
4WD 시스템

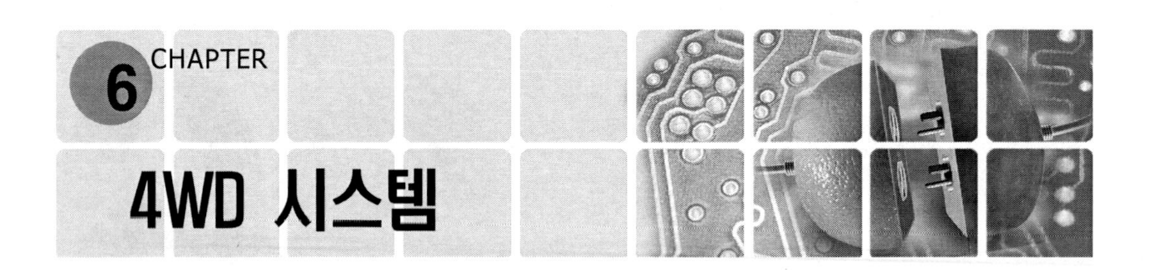

6 CHAPTER

4WD 시스템

1. 4WD의 기본 지식과 구분

1. 4WD의 기본 지식

4WD란 4륜구동(4 wheel drive)의 약어로 전륜 구동이나, 후륜 구동 방식과 달리 4바퀴 동시 굴림 방식을 의미한다. 이 구동 방식은 초기 군사용 목적으로 사용하여 오다가 등판능력이나 험로 주행 능력에 탁월한 장점을 가지고 있어 민생용으로도 적용하게 되었다. 최근에는 오프로드(off road : 비포장도로)의 전용차라는 개념으로부터 탈피하여 RV(Rrecreational Vehicle) 차량이나 SUV(Sports Utility Vehicle)차량의 보급 확대로 4WD 차량은 일반화되기 시작되었다.

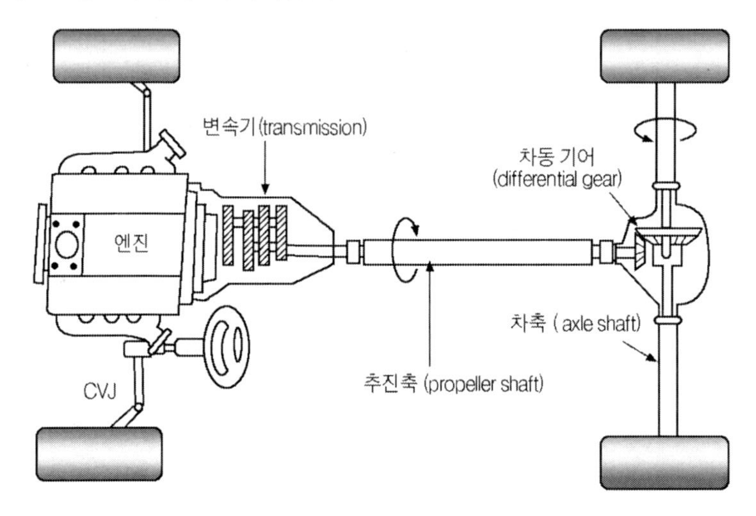

그림6-1 수동식 4WD차량의 구조

이 4WD(4륜구동) 방식에는 4륜을 상시 구동하는 풀타임(full time) 방식과 통상 2륜 구동으로 주행하다 필요에 따라 4륜으로 절환하는 파트타임(part time) 방식이 있다.

FF(전륜 구동)방식의 차량이 경우는 후륜을 항시 끌고 가는 형태를 갖고 있어 장해물 등을 넘어가는 대한 저항이 크다. 이에 반해 4WD(4륜구동) 방식의 경우는 4륜의 각각에 대해 장해물을 통과할 수 있어 장해물에 대한 저항이 적다. 또한 견인력이 우수하고, 등판 능력이 뛰어나다. 등판능력이란 경사면을 주행하는 능력으로 노면의 마찰계수와 타이어의 그립(grip)력 뿐만 아니라 차량의 무게에 의해 접지면에 눌러지는 힘에도 영향을 받는 주행 능력이다. 등판시에는 차량의 무게 중심은 뒤 측으로 이동하게 돼 타이어의 접지면에 눌러지는 힘도 뒤로 이동해 분산하게 된다. 따라서 노면의 경사가 크면 클수록 그립력도 약해져 구동력이 약해지게 된다.

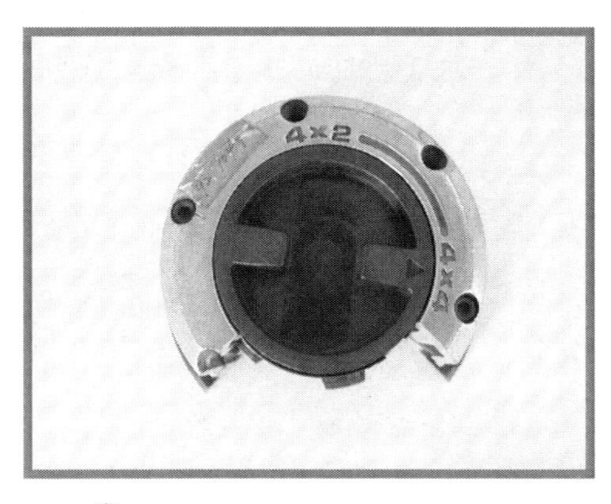

사진6-1 수동 LOCK/FREE 다이얼

사진6-2 전동식 트랜스 기어

그러나 4WD 방식의 경우는 전륜과 후륜이 구동해 전륜은 후륜을 끌어 올리고, 후륜은 전륜을 밀어 올리는 작용을 해 등판능력이 우수 하다. 또한 4WD 방식은 2륜구동 방식에 비해 동력 전달 능력이 우수하다. 보통 자동차는 타이어 1개에 접지면과 접촉하는 면적이 엽서 한 장 정도의 크기로, 이 면적을 통해 차량의 하중을 지탱하고 구동력을 전달한다. 구동력(traction)이란 타이어가 차량을 미는 힘, 즉 차량을 전진시키는 힘으로 구동력을 최대한 발휘하기 위해서는 타이어 그립(grip : 노면과 타이어의 마찰력)력을 한계 내에서 구동력을 얻도록 하는 것이 중요하다. 만일 구동력이 너무 커서 구동력 > 그립력의 관계를 가지게 되면 타이어는 자전 운동을 해 구동력을 타이어에 충분히 전달 할 수 없게 된다. 4WD 방식의 차량이라 하여도 좋은 점만 있는 것은 아니다.

2WD 방식의 차량에 비해 구조가 복잡하고, 기계적인 잡음에 많이 노출되어 있다. 또한 구성 부품의 증가로 차량의 중량이 2WD 방식에 비해 크며, 구동 계통 증가로 연비가 나쁘다. 선회 반경이 작은(tight corner) 코너를 선회 할 때는 4WD 방식 특유의 브레이킹 현상이 발생하게 된다. 이 현상을 **타이트 코너 브레이킹**(tight corner braking) **현상**이라 하는데 이것은 그림(6-2)와 같이 전륜과 후륜의 회전 반경이 달라져 회전차로 발생하는 현상이다.

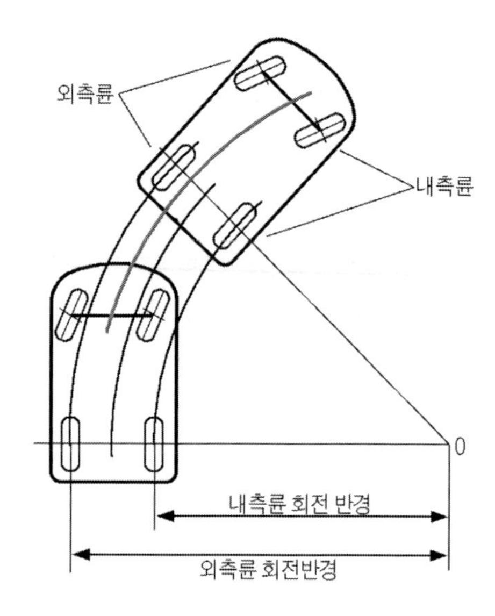

그림6-2 선회할 때 외측륜과 내측륜의 주행거리 차이

4WD 방식의 차량은 전륜과 후륜 구동 계통이 서로 연결되어 있어 전후륜 궤적이 차만큼 슬립(slip)을 주지 않으면 브레이킹 현상이 발생 할 수밖에 없다. 이러한 브레이킹 현상을 억제하기 위해서는 그림(6-4)과 같이 센터 디퍼렌셜 기어(center differential gear : 중앙 차동 기어) 장치가 필요하게 된다. 이 센터 디퍼렌셜 기어가 있는 4WD 차량은 슬립이 발생하는 경우 전륜과 후륜에 구동력을 전달할 수 있도록 LSD(Limited Slip Differential : 차동제한장치) 기능을 갖고 있다. 그러나 센터 디퍼렌셜 장치가 LSD(차동 제한 장치)장치의 기능을 갖고 있더라도 센터 디퍼렌셜 기능을 정지할 수 있도록 디퍼렌셜 록(differential lock) 장치가 필요하게 된다.

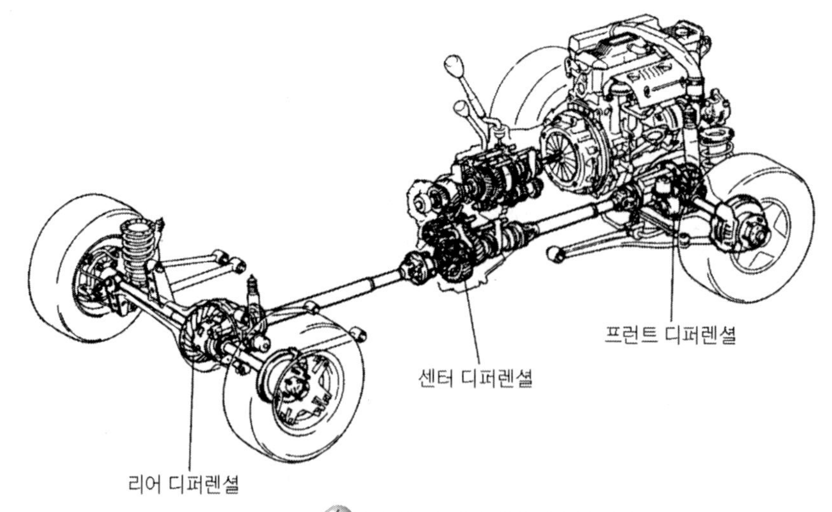

그림6-3 4WD의 ATM 시스템

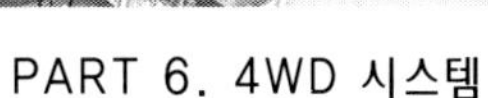

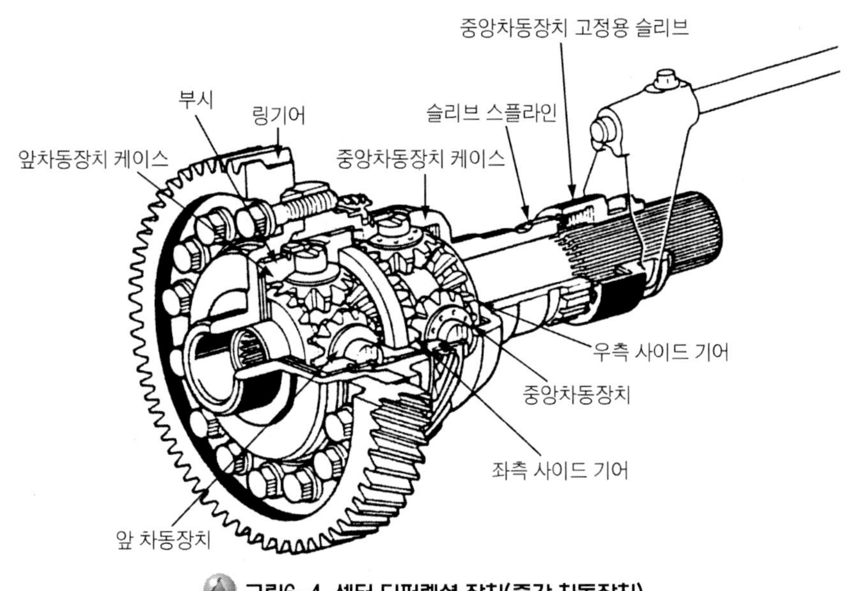

그림6-4 센터 디퍼렌셜 장치(중간 차동장치)

사진6-3 트랜스퍼 케이스

사진6-4 디퍼렌셜 기어 세트

4WD 방식에서 전륜가 후륜에 설치된 디퍼렌셜 기어 외에 센터 디퍼렌셜 기어 장치를 두는 이유는 주행시나 선회시 전후륜 회전 속도의 차이를 흡수 할 수 있도록 하기 위함이다. 디퍼렌셜 기어(차동장치)에는 오일의 점성을 이용한 비스커스 커플링(viscous coupling : 점성 결합)이 사용되기도 한다. 센터 디퍼렌셜 기어를 사용하는 4WD 차량의 경우는 바퀴 하나가 완전히 공전을 하게 되면 엔진 동력이 모두 공전하고 있는 바퀴로 이동하게 된다. 이러한 문제로 센터 디퍼레셜 기어를 사용하는 4WD 차량의 경우는 LSD(차동 제한 장치)와 디퍼렌셜 록 기구를 설치하고 있다.

비스커스 커플링(viscous coupling) 기구는 트랜스퍼 케이스와 프로펠러 샤프트 사이에 설치하고, 내부에는 그림 (6-5)와 같이 케이스 상에 고정된 아우터 플레이트(outer plate)와 허브 측에 고정한 이너 플레이트(inner plate)을 수매 ~ 수십매 배치하여 놓고, 내부에 실리콘 오일을 봉입하여 놓은 조인트 장치이다. 이것은 아우터 플레이트와 이너플레이트 사이에 회전 속도가 차이가 발생하면 아우터 플레이트와 이너 플레이트 사이의 실리콘 오일에 점성 전단력이 발생하게 돼 케이스와 허브 사이에 토크(torque)를 전달하는 특성을 이용한 것이다. 회전 속도 차이가 작을 때에는 케이스와 허브 사이에 차동 토크 전달을 거의 하지 않게 되며, 회전 속도 차이가 클 때에는 차동 토크를 크게 전달 해 센터 디퍼렌셜 기어의 차동을 제한하게 된다. 따라서 전륜과 후륜의 회전 속도 차이를 제한하게 함으로 험로 주행에 용이하다. 이와 같이 4WD 차량에서는 센터 4WD 차량에서는 센터 디퍼렌셜 기어의 차동 제한으로서 사용되고 있다.

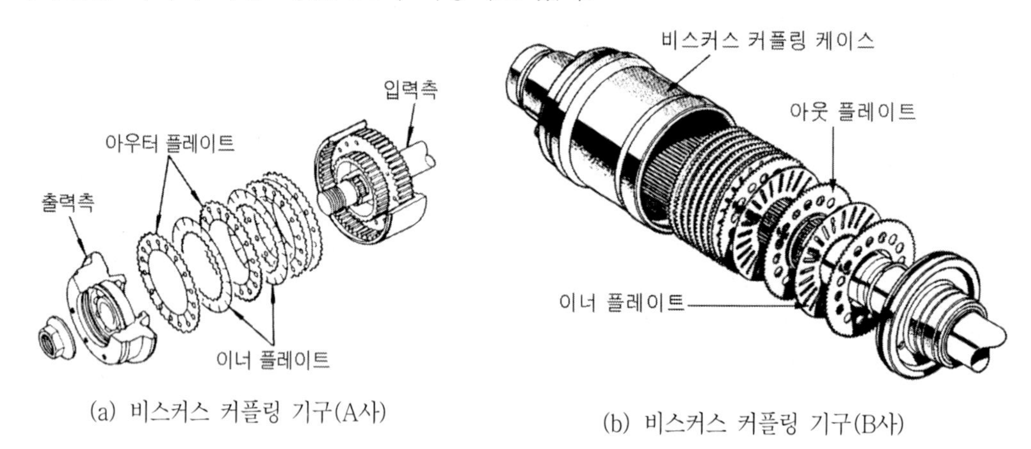

(a) 비스커스 커플링 기구(A사)

(b) 비스커스 커플링 기구(B사)

그림6-5 비스커스 커플링 기구

2. 전자제어 4WD의 구분

4WD(4륜구동) 방식은 크게 나누어 표(6-1)과 같이 상시 4륜 구동하는 풀타임 방식과 2WD → 4WD로 절환 할 수 있는 파트타임 방식으로 구분 한다. 파트타임 방식 중에는 주행 전 전륜 측 허브(hub)에 부착되어 있는 LOCK/FREE 다이얼을 미리 선택해 2WD → 4WD로 절환 하여 4WD(4륜구동)으로 구동하는 수동식 4WD와 주행 중 선택 스위치의 조작에 의해 2WD → 4WD로 자동으로 절환이 가능한 자동식 4WD 방식이 있다.

[표6-1] 4WD의 자동 트랜스퍼 종류

구분	파트 타임 방식	풀 타임 방식	비고
구동 방식	2WD ↔ 4WD	상시 4WD	수동식 : 휠허브식, 센터딥식
종류	수동식, 자동식	센터 디퍼렌셜, 전자제어식	
전자제어식 명칭	EST(자동식)	센터 디퍼렌셜, ATT	

【참고】 EST : Electronic Shift Transfer ATT : Active Torque Transfer

파트타임 방식 중 자동식 4WD 방식은 전동 모터를 이용하여 2WD → 4WD로 절환한다 하여 EST(Electric Shift Transfer) 방식이라고도 한다. 상시 4륜구동을 하는 풀타임 방식에는 센터 디퍼렌셜 기어를 이용한 토크 분배 고정식과 노면 상태와 주행 조건에 따라 구동 토크를 가변 할 수 있는 전자제어식 4WD가 있다.

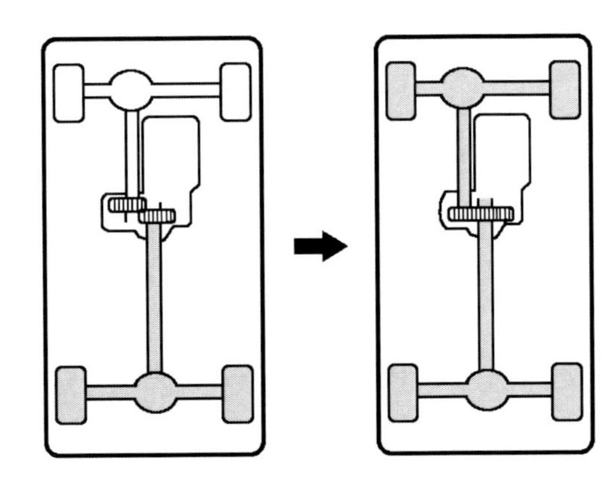

그림6-6 파트 타임식 4WD의 드라이브 절환

전자제어식 자동 트랜스퍼 장치는 전후륜이 각기 노면 조건에 따라 구동력 대응이 가능하고, 주행 조건에 따라 토크 변환이 가능하다 하여 ATTS(Active Torque Transfer System) 시스템이라 표현하기도 한다.

한편 4WD 차량에 적용되는 트랜스퍼 기어의 방식에는 엔진의 탑재 방향이 종 측 방향이나 횡 측 방향이냐에 따라 고려되어야 하며 또한 전륜 구동형이냐, 후륜구동형이냐에 따라 기어의 설치 방식을 고려하여야 한다. 한편 센터 디퍼렌셜 기어(center differential gear)를 사용하고 있는 풀 타임 4WD 경우 차동 기능이 오히려 역효과를 가져오는 경우가 발생하게 되는데 그 차동 기능을 해제하거나 제한하는 장치가 필요하게 된다. 이 차동 기능을 제한하는 장치로는 다판 클러치를 사용하는 다판 클러치식, 오일의 점성을 이용한 점성 커플링식, 기어의 치합을 위한 클러치식이 사용되고 있다.

[표6-2] 자동식과 전자제어식의 트랜스퍼 비교

구분	선택모드SW	구동상태	사용조건	비고
자동식	2H	2WD	일반도로 주행시	자동식(EST)
	4H	4WD 고속	비포장로, 빗길, 눈길 등 슬립이 일어나기 쉬운 도로에 사용	2H : 후륜구동 80km/h 이하시
			조향각을 크게 조향하여 선회시 타이트 코너 브레이킹 현상에 소음	2WD ↔ 4WD 절환 가능
	4L	4WD 저속	견인시와 같이 최대 구동력이 필요한 조건에서 사용	정차후 절환 (N-레인지시 절환)
전자제어식	AUTO	2WD ↔ 4WD	비포장로, 빗길, 눈길 등 슬립이 일어나기 쉬운 도로에 사용	전자제어식(ATT)
			전후륜간 회전력 차이를 다판 클러치 커플링을 이용하여 노면에 따라 전자제어 주행	
	LOW	4WD 저속	견인시와 같이 최대 구동력이 필요한 조건에서 사용	정차 후 절환 (N-레인지시 절환)

【참고】 국내 H사 및 K사 사양

2. 자동식 4WD의 구성

1. EST 시스템

(1) 시스템 구성

EST 시스템은 파타 타임 4WD 방식으로 자동식 트랜스퍼 기어 방식이다. 이 시스템의 구성은 그림(6-7)과 같이 자동식 트랜스퍼 기어세트와 제어장치로 구성되어 있다.

제어 장치의 구성을 살펴보면 운전자가 주행 모드를 선택 할 수 있는 모드 스위치(mode switch)와 EMC(Electric Magnet Clutch), 그리고 트랜스퍼 기어 유닛에 장착되어 있는 시프트 모터와 리어 스피드 센서, 프런트 디퍼렌셜 기어 유닛에 압축 공기를 공급해 주기 위한 FRRD PUMP(Free Running Differential 에어 펌프)로 구성되어 있다. 모드 선택 스위치는 노면이나 주행 조건에 따라 운전자가 2WD(2L)와 4WD(4H, 4L)로 절

환 할 수 있는 모드 선택 스위치이다. EMC(전자 클러치)는 트랜스퍼 기어의 리어 프로펠러 샤프트(뒤 추진축)에 설치되어 주행 중 운전자가 모드 스위치의 위치를 2H → 4H로 선택하면 전륜측으로 동력을 전달하기 위해 EMC(전자 클러치)는 작동을 하게 된다.

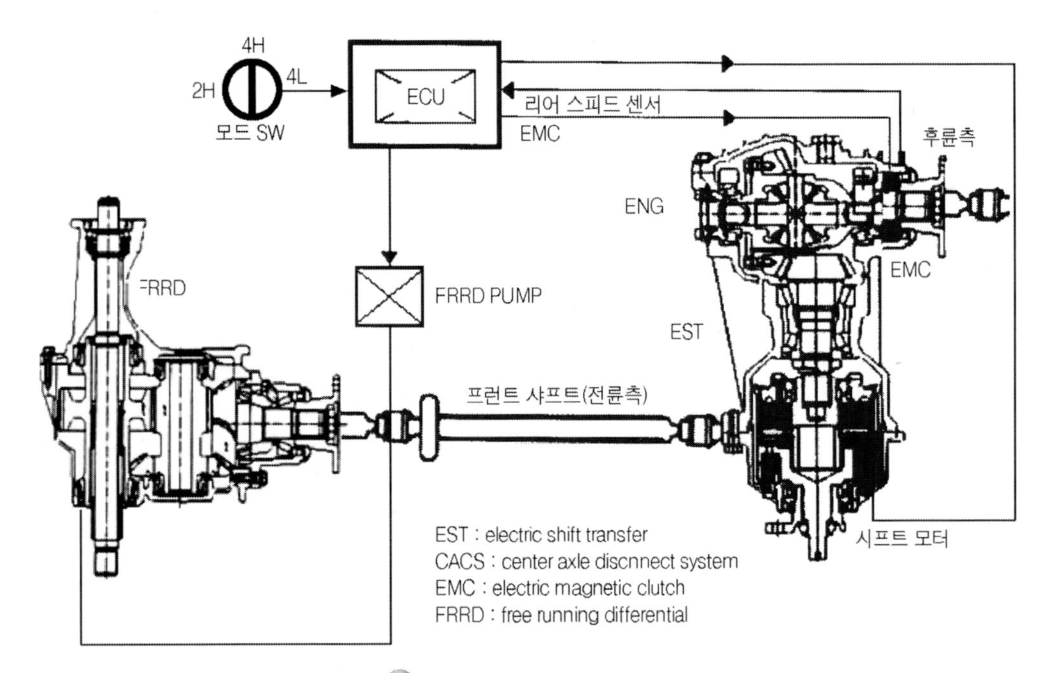

그림6-7 EST 시스템의 구성

사진6-5 트랜스퍼 기어 세트

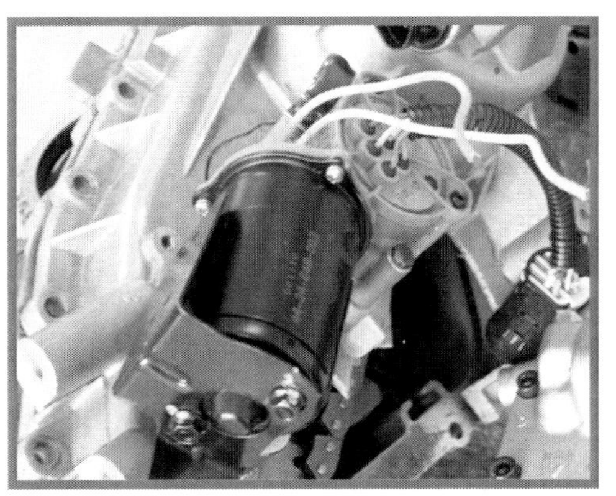

사진6-6 장착된 시프트 모터

모드 스위치의 입력 신호를 통해 TCU(transfer unit)로부터 제어되는 시프트 모터는 트랜스퍼 기어 유닛 내부에 있는 시프트 포크(shift fork)를 절환해 선택한 구동 모드로

절환 한다. 고속모드 4H와 저속 모드 4L은 전후륜 구동력이 모두 50 : 50의 고정된 구동력을 전달되지만 모드 스위치를 4L로 위치 시에는 트랜스퍼 기어 유닛 내부의 유성 기어에 의해 감속 기어비를 얻는다.

트랜스퍼 기어 유닛 내부의 구조는 그림(6-8)과 같이 메인 샤프트 축을 기준으로 마그넷 클러치와 록업 허브, 그리고 구동 체인 기어와 유성 기어 세트와 프런트 샤프트를 기준으로 시프트 모터와 시프트 캠 등으로 구성 되어 있다. 주행 중 노면 상태에 따라 모드 스위치를 4H → 4L으로 절환 하면 시프트 모터는 모드 스위치 조작에 따라 트랜스퍼 기어 유닛 내부에 있는 시프트 포크 절환하게 된다. 이때 나선형 홈 형상으로 생긴 시프트 캠은 시프트 모터와 연결되어 시프트 포크를 구동 모드로 절환하게 된다. 모드 스위치를 고속 모드인 4H로 선택하면 트랜스퍼의 메인 샤프트는 유성 기어 직결되지만, 저속 모드인 4L로 선택하면 유성 기어 세트는 감속 기어비를 얻어 구동 체인을 통해 전륜 측에 전달하게 된다.

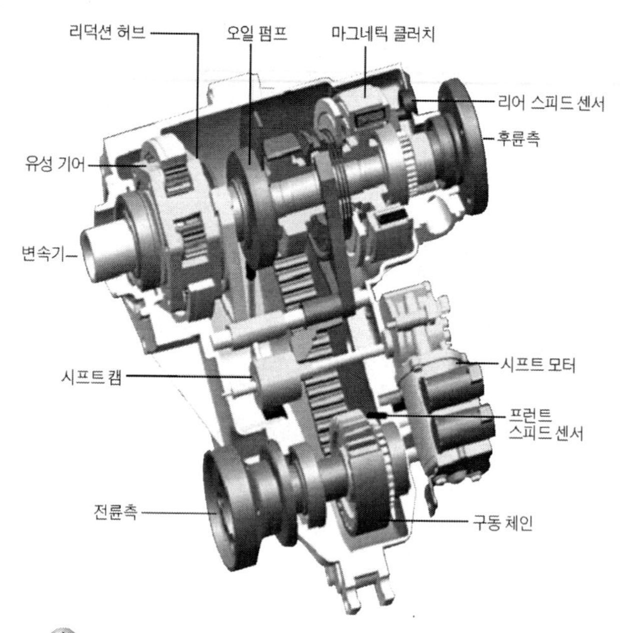

그림6-8 자동식 트랜스퍼 장치(EST)의 내부 구조

(2) 동력 전달 경로

4WD 차량이 동력 전달 경로는 그림(6-9)와 같이 변속기로부터 트랜스퍼 기어 유닛을 거쳐 후륜과 전륜을 구동 한다. 2WD(2륜구동) 구동 시는 트랜스퍼 기어 유닛을 통해 리어 프로펠러 샤프트(뒤 측 추진축) 거쳐 리어 디퍼렌셜 기어 유닛으로 동력을 전달하지만 4WD(4륜구동) 구동 시는 트랜스퍼 기어 유닛을 통해 리어 디퍼렌셜 기어 유닛과 FRRD(프리 러닝 디퍼렌셜) 기어 유닛을 동기 해 전후륜 동력을 전달하게 된다. 모드 SW를 2H로 선택하면 구동력은 트랜스퍼 유닛의 메인 샤프트와 직결되어 후륜측에 전달하게 된다.

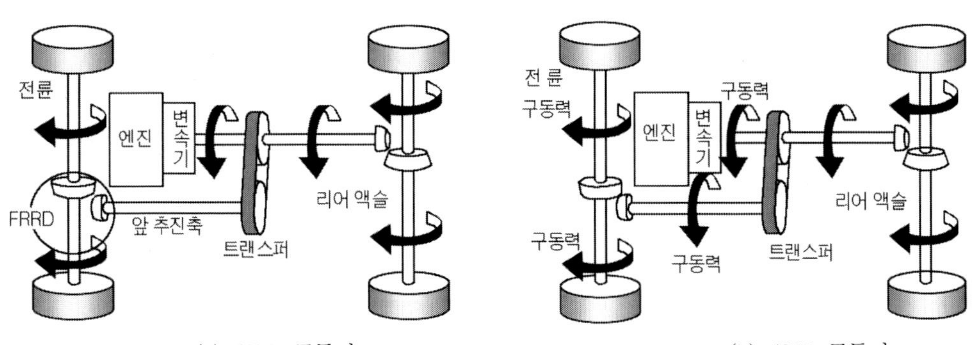

(a) 2WD 구동시 (b) 4WD 구동시

※동력전달경로
2WD : 변속기 → 트랜스퍼 기어세트 → 리어 프로펠라 샤프트 → 리어액슬
4WD : 변속기 → 트랜스퍼 기어세트 → 리어 프로펠라 샤프트 → 리어액슬
→ 프런트 프로펠라 샤프트 → 프런트 액슬

그림6-9 4WD 절환시 동력전달경로

동력 전달 경로는 그림(6-10)과 같이 변속기로부터 트랜스퍼 기어 유닛의 메인 샤프트 직결되어 리어 프로펠러 샤프트로 전달하여 2륜구동을 하게 된다. 이때 트랜스퍼 기어 유닛 내에 있는 유성 기어 세트의 리덕션 허브(reduction hub)가 유성 기어의 안쪽으로 이동하여 유성 기어의 캐리어를 거치지 않고 메인 샤프트와 1 : 1 결합하게 된다. 모드 SW를 고속 상태인 4H로 선택하면, 구동력은 직결되어 트랜스퍼 기어 유닛을 통해 후륜측과 전륜측에 전달하게 된다.

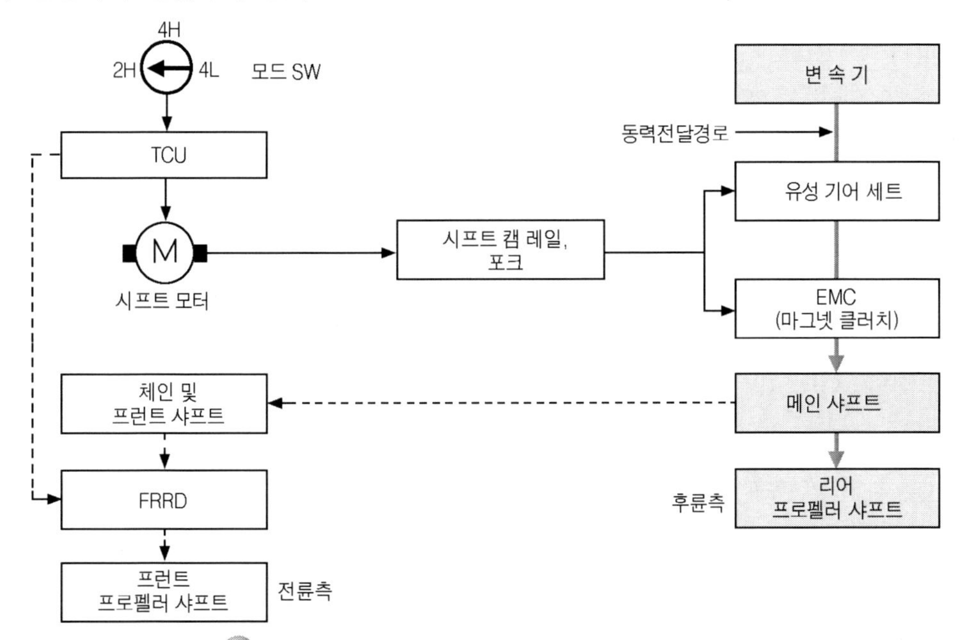

그림6-10 모드 스위치를 2H로 위치할 때 동력전달경로

동력 전달 경로는 그림(6-11)과 같이 TCU(transfer control unit)으로부터 4H 모드로 절환 하도록 시프트 모터와 EMC(전자식 클러치)에 명령을 하면 시프트 모터와 EMC는 4H 모드로 절환 하여 FRRD(프리 러닝 디퍼렌셜)기어 유닛으로 전원을 공급 한다. 이때 변속기의 동력은 트랜스퍼 기어 유닛의 체인을 통해 프런트 샤프트로 동력을 전달하게 된다. TCU(트랜스퍼 컨트롤 유닛)의 명령을 받은 시프트 모터는 시프트 모터와 연결되어 있는 시프트 캠(shift cam)을 통해 록업 포크를 밀고, 록업 허브로 전달하여 구동 체인을 통해 동력을 전달하게 된다.

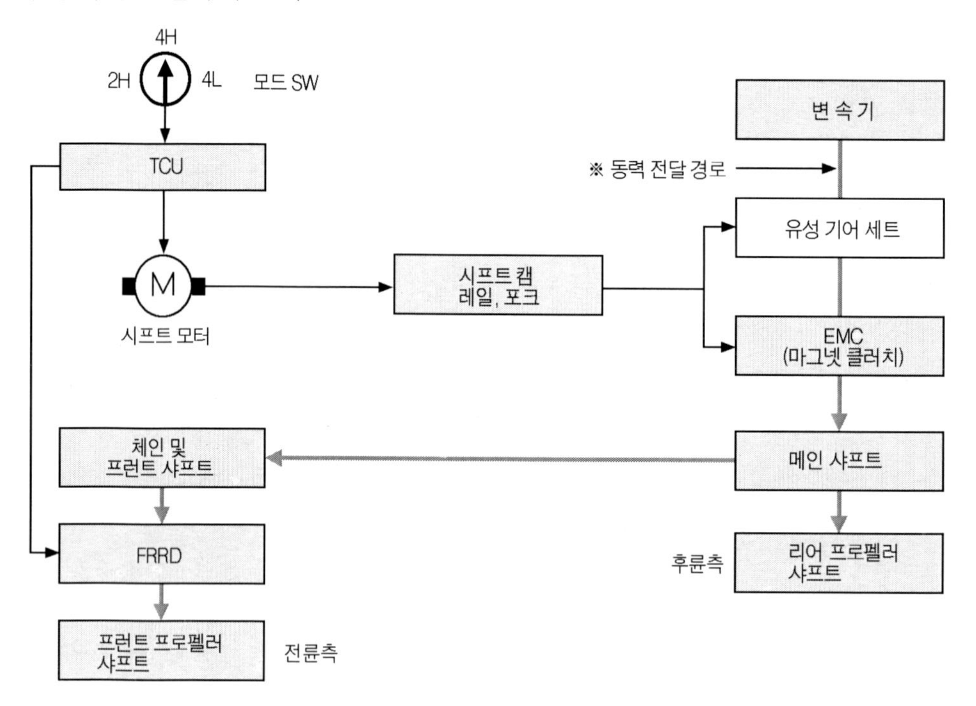

그림6-11 모드 스위치를 4H로 위치할 때 동력전달경로

변속기로부터 트랜스퍼 기어 유닛 내부에 있는 유성 기어 세트는 2H 모드 시와 같이 유성기어 캐리어를 거치지 않고 입력 축과 출력축이 일체로 회전하여 1 : 1 회전수로 결합하게 된다. 모드 SW를 저속 상태인 4L로 선택하면, 동력 전달은 그림(6-12)와 같이 유성 기어 세트를 거쳐 감속 기어비를 얻어 메인 샤프트로 전달하게 된다. 이때 TCU는 4L 모드로 시프트 모터를 구동 하여 유성 기어 출력 측에 있는 리덕션 허브(reduction hub)를 작동시켜 감속 기어비를 얻는다.

유성 기어로부터 감속 기어비를 얻은 메인 샤프트의 구동력은 전륜과 후륜측으로 1 : 1 비율로 동력을 전달하게 된다. 유성 기어의 감속 기어비를 얻는 것은 4L 모드 시에만 이루어지며, 이때는 유성 기어세트의 출력 측에 있는 리덕션 허브가 유성 기어 외측으로 이동하여 유성 기어 캐리어를 통해 감속되어 메인 샤프트에 전달하게 된다.

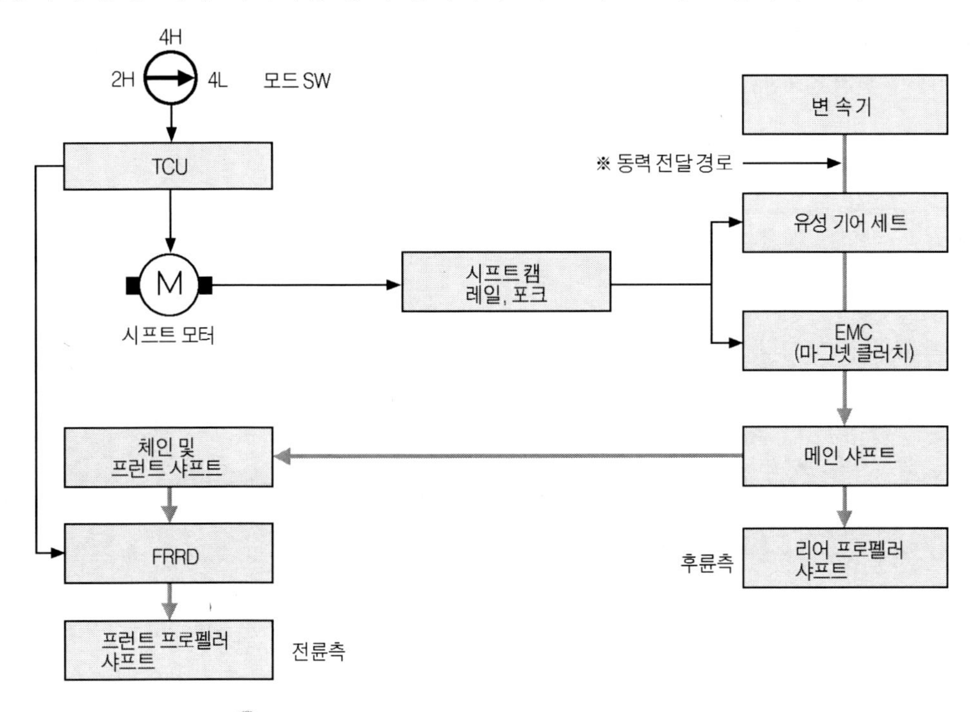

그림6-12 모드 스위치를 4L로 위치할 때 동력전달경로

(3) 전륜 치합 장치

주행 중 전륜으로 동력을 전달하는 방식에는 배큠(vacuum)식과 전동식이 사용되고 있다. 진공압을 이용해 프런트 액슬 측에 동력을 전달하는 방식에는 흡기관 부압을 이용하는 방식과 올터네이터(alternator)의 진공 펌프를 이용하는 방식을 사용하고 있다. 배큐엄식 치합 장치의 구성은 흡기관 부압을 이용하는 방식과 진공 펌프를 이용하는 방식이 진공압을 공급하는 방식 외에는 크게 다르지 않다.

이 배큠식 치합장치의 구성은 그림(6-12)와 같이 진공을 저장하는 진공 탱크와 진공압을 제어하기 위한 솔레노이드 밸브 A와 B, 그리고 진공압을 작동하기 위한 액추에이터로 구성되어 있다. 모드 스위치를 2WD로 선택하는 경우에는 TCU는 SOL-A(솔레노이

드-A)와 SOL-B(솔레노이드-B)를 모두 OF시켜 진공 탱크로부터 부압은 SOL 밸브-A를 통해 진공압이 도입되고, SOL 밸브-B는 대기압이 차단되어 액추에이터 A실과 B실에 모두 진공압이 작용하게 된다.

이때 슬리브는 이동하지 않게 돼 클러치와 치합 하지 않게 된다. 모드 스위치를 ON시켜 4WD 모드로 선택하면 TCU는 SOL 밸브-A와 SOL 밸브-B를 모두 OFF 시켜 진공 탱크로부터 부압은 SOL 밸브-A를 통해 진공압을 도입하고, SOL 밸브-B는 대기압이 도입돼 슬리브는 우측으로 이동 4륜구동으로 작동하게 된다.

사진6-7 4WD 절환 스위치

사진6-8 트랜스퍼 기어 유닛

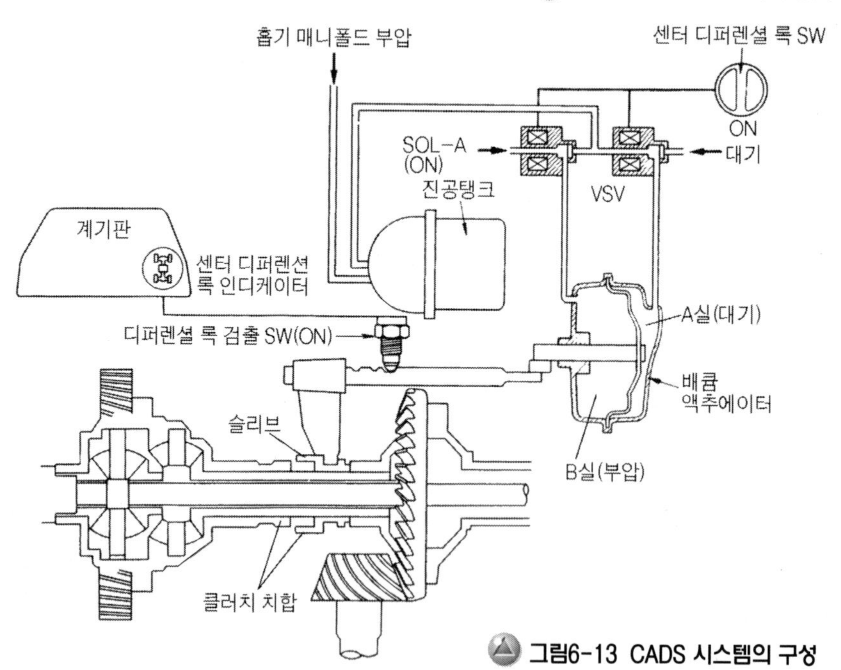

그림6-13 CADS 시스템의 구성

이 시스템은 국내 H사에서는 CADS(Center Axle Disconnect System) 시스템이라고 표현하기도 한다. 한편 전동식 치합 장치의 구성은 공기압을 공급하는 전동 모터와 액추에이터로 구성되어 프런트 액슬 내부에 설치하고 있다. 전동식 모터에는 압력 스위치와 릴리스 밸브(release valve)가 장착되어 있으며, 액추에이터는 도그 클러치(dog clutch)와 결합되어 있다. 이 시스템은 FRRD(Front Running Sifferential) 장치라 부르며 동작은 전동 모터식 공기 펌프의 작동에 의해 이루어진다. 이 시스템의 동작은 모드 스위치를 4W로 위치하면 전동 모터인 공기 펌프에 전원이 공급되어 프런트 액슬 측에 있는 액추에이터 내부로는 공기압이 충진 하기 시작 한다. 액추에이터에 공기압이 충진 되면 캠링을 밀고 내부 케이스와 도그 클러치가 치합하게 돼 4륜으로 구동하게 되는 시스템이다.

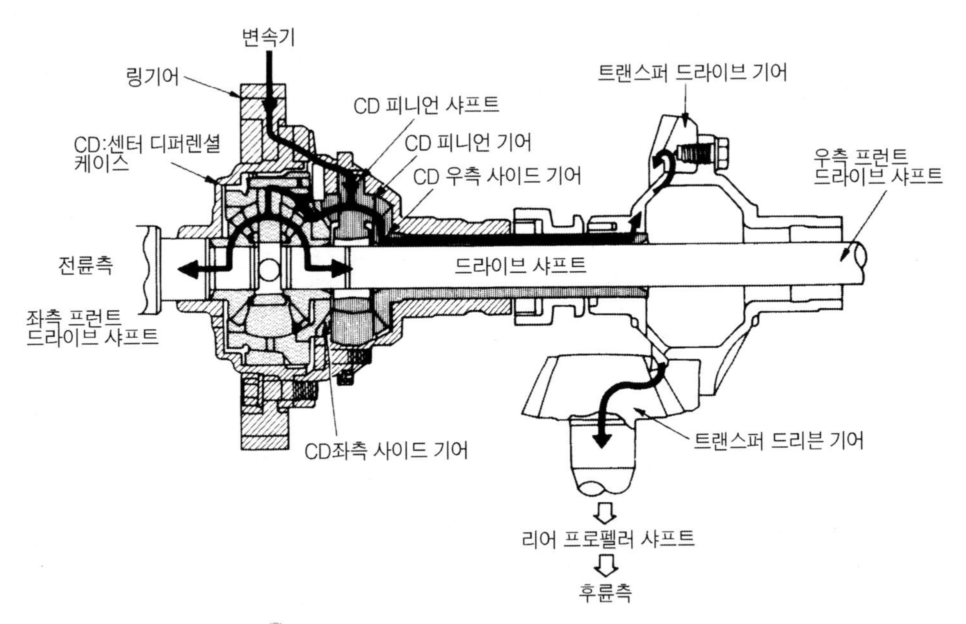

그림6-14 전륜 트랜스액슬과 트랜스퍼의 구조

2. ATM 시스템

ATM(Active Torque Management) 시스템은 노면의 상태나 주행 상황에 따라 전륜과 후륜의 구동력 배분이 0 : 100 ~ 50 : 50까지 자동으로 제어하는 시스템이다. 이 ATM 시스템에는 후륜 구동형 차량에 적용하는 구동 토크의 크기를 변화하는 시스템이라 하여 TOD(Torque On Demand) 시스템 또는 ATT(Active Torque Transfer) 시스템

이라 표현하기도 하며, 전륜 구동형 차량에 적용하여 토크를 제어한다 하여 ITM(Interactive Torque Management) 시스템이라 표현하기도 한다.

(1) ATT 시스템 구성

이 시스템의 기본적인 동작은 평상시 후륜으로만 구동하다가 저, 중속 상태에서 후륜 측 타이어의 슬립 현상이 발생하면 전자식 다판 클러치를 작동하여 전후륜 동력을 배분 하도록 한 전자제어식 시스템이다. 이 시스템에 적용되는 전자식 트랜스퍼 기어 유닛의 구조는 그림(6-15)와 같이 유성 기어 세트와 전자식 마그네틱 클러치, 그리고 전후륜의 회전속을 검출하는 리어 스피드 센서, 프런트 스피드 센서, 동력을 자동 전달하기 위한 시프트 모터 기구와 후륜 구동축 메인 샤프트의 회전력을 전륜 구동축 프런트 샤프트로 전달하기 위한 메탈 체인(metal chain)으로 구성되어 있다.

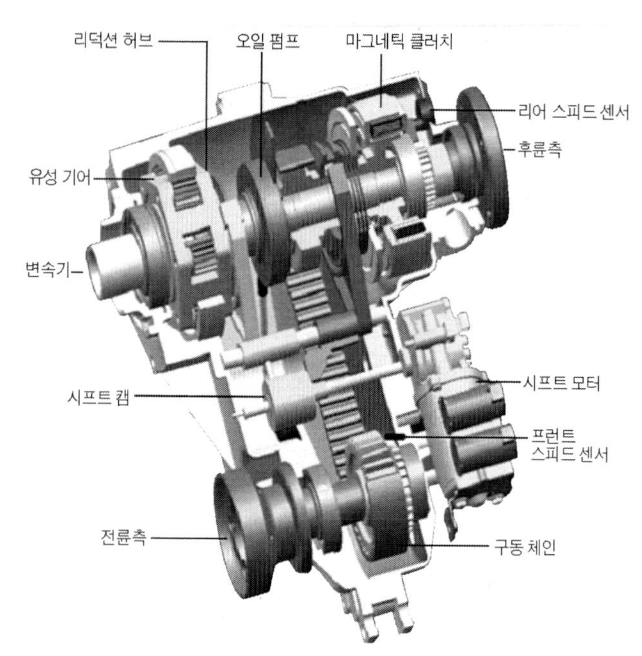

그림6-15 전자제어식 트랜스퍼 유닛의 구조

전자식 다판 클러치는 ATT ECU로부터 구동력에 대한 명령을 받아 다판 클러치의 압력에 의한 구동력을 전륜측 프런트 샤프트를 통해 구동력을 전달하는 기능을 한다. 이때 다판 클러치의 압력이 크면 전륜 측으로 전달되는 구동력은 증가하고, 다판 클러치 압력이 작아지면 클러치의 슬립율이 증가하여 전륜측 구동력 전달은 작아지게 된다. 시프트 모터는 모드 스위치에 의해 모드 절환을 자동으로 하기 한 모터로 시프트 모터와 시프트 캠은 한축에 연결되어 있다. 모드 스위치를 LOW로 위치하면 시프트 모터는 회전을 하게 돼 시프트 모터와 연결된 시프트 캠은 동기 되어 시프트 캠(shift cam)의 슬롯(slot : 가늘고 긴 홈)에 장착된 리덕션 포크(reduction fork) 위상이 달라져 유성 기어는 저속 감속비를 얻게 된다. 결국 유성 기어의 감속비는 리덕션 포크의 이동 위치에 따라 감속과 직결을

하게 되어 후륜과 전륜 측에 전달하게 된다. 유성 기어 세트 후단에 설치된 오일펌프는 전자식 다판 클러치의 오일 공급과 트랜스퍼 기어 내부에 윤활 공급하는 역할을 한다.

ATT 시스템의 구성은 그림(6-16)과 같이 트랜스퍼 기어 유닛에 설치된 시프트 모터와 전후륜 회전 속도를 검출하는 전후륜 차속 센서, 그리고 전자식 클러치와 입력 모드 스위치로 구성되어 있다. ATT ECU는 엔진 ECU로부터 TPS(스로틀 포지션 센서) 신호와 ABS ECU로부터 차륜의 슬립율 신호를 입력 받아 주행 모드에 따라 시프트 모터와 전자식 클러치의 클러치 압력을 제어하게 된다. 이때 전자식 클러치의 압력은 클러치 코일에 흐르는 전류량과 비례하여 압력이 증감 한다. TCU(자동 변속기 컨트롤 유닛)로부터 출력 신호는 모드 스위치를 LOW로 위치하면 인히비터 스위치(inhibitor switch)로부터 중립 위치에 있다는 것을 ATT ECU로 입력하면 ATT ECU는 TCU로 현재 기어의 상태가 중립 위치에 와 있다는 것을 알리게 된다.

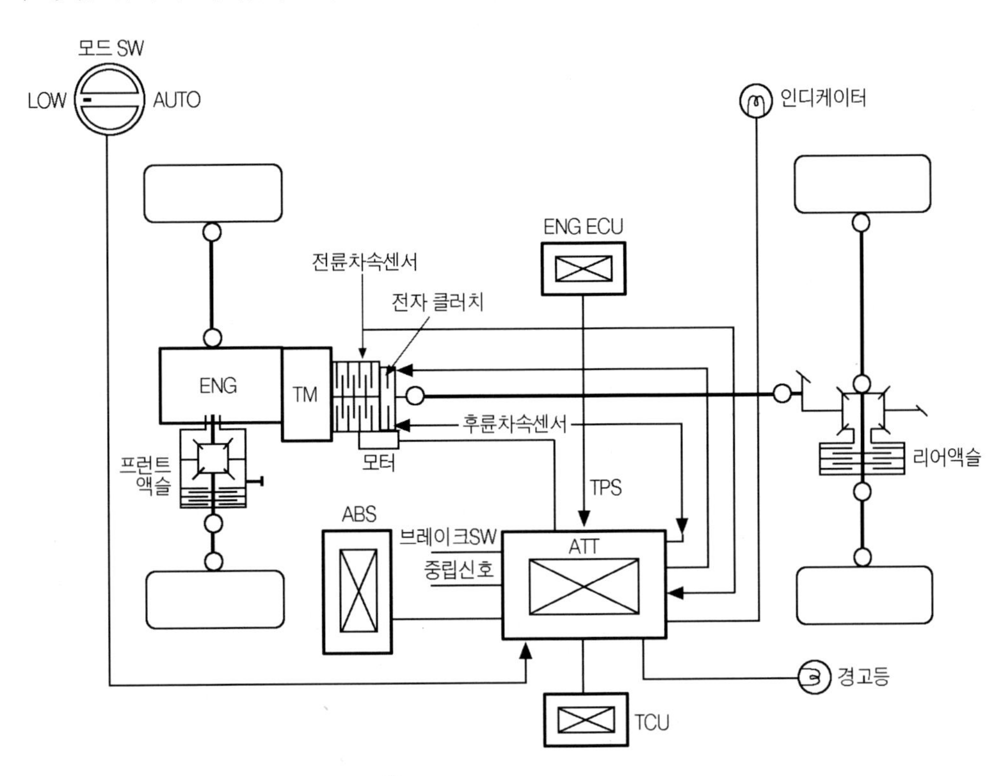

그림6-16 ATT 시스템 구성

사진6-9 트랜스퍼 내부 변속기측

사진6-10 오일 스트레이너

(2) ATT 시스템의 동력 전달 경로

모드 스위치를 AUTO 위치로 선택하면 변속기로부터의 동력은 그림(6-17)과 같이 메인 샤프트를 통해 리어 프로펠러 샤프트를 거쳐 후륜 측으로 0 : 100의 동력이 전달된다. 이때 후륜 측 휠 스피드 센서로부터 슬립율을 검출하면 엔진 ECU와 ABS ECU는 엑셀 개도 신호와 슬립율 신호를 ATT ECU로 입력한다.

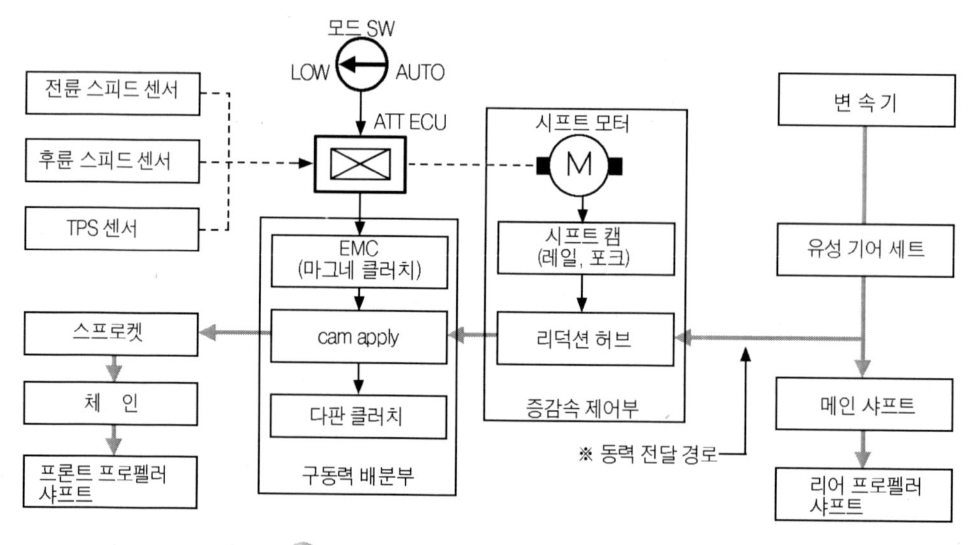

그림6-17 ATT 시스템의 동력전달 경로

ATT ECU는 이 입력 신호를 바탕으로 시프트 모터가 회전을 하면 변속기로부터 유성 기어 세트 출력 측으로 1 : 1 동력 전달이 돼 메탈 체인을 통해 전륜 측 프로펠러 샤프트를 구동하게 된다. 이때 ATT ECU는 후륜 측 슬립율을 기준으로 미리 설정된 듀티 신호를 EMC(전자식 마그네틱 클러치)로 출력 한다. 이 듀티 신호는 전후륜 구동력을 배분하기 위한 신호로 노면의 상태나 주행 조건에 따라 전륜 측으로 구동력을 배분하게 된다. 즉 AUTO 모드의 동력 전달 경로는 그림(6-18)과 같이 ❶ 변속기로부터 유성기어의 출력 축 동력을 1 : 1 직결하여 메인 샤프트로 전달하고, 구동력 배분은 ❷ EMC(전자식 마그네틱 클러치)를 통해 전륜 측 프런트 샤프트로 전달하여 ❸ 전륜측으로 구동력 배분을 하게 된다.

모드 스위치를 LOW 위치로 선택하면 ATT ECU는 시프트 모터를 구동해 유성 기어의 출력 측에 있는 리덕션 허브를 작동 한다. 이때 변속기로부터의 동력은 감속 기어비를 얻어 메인 샤프트를 구동하게 된다. 후륜 측 스피드 센서의 회전수가 175rpm(국내 H사 차량 기준) 이하가 되면 마그네틱 클러치의 듀티비는 약 80% 이상 증가하여 구동 토크를 증가하게 한다.

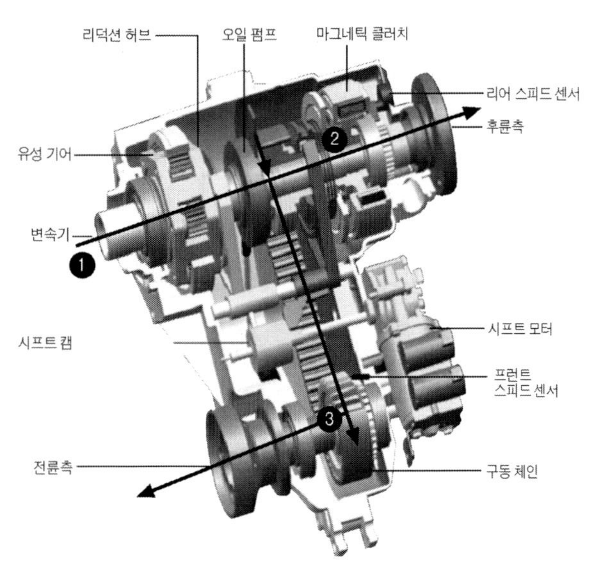

그림6-18 전자제어식 트랜스퍼 유닛의 동력전달순서

3. ITM 시스템

전자제어식 풀타임 방식에는 후륜 구동형 풀타임 방식과 전륜 구동형 풀타임 방식으로 구분 할 수 있다. 일반적으로 풀타임 방식은 후륜 구동형 차량을 말하지만 최근에는 기술의 향상과 연비 개선을 위해 전륜 구동형 차량에도 4륜구동을 전환하는 풀타임 방식이 적용되고 있다. 전륜 구동형 풀타임 방식은 횡측 엔진(가로측으로 안착된 엔진) 방식에 변속기와 트랜스퍼 기어 유닛을 설치하여야 하는 문제로 설치 공간의 제한과 구조가 복잡해지는 문제를 가지고 있다. 그러나 최근에는 기술의 발달로 전륜 구동형에도 풀타임 방식이 적용되고 있다. 풀타임 방식 중 ITM(Inter active Torque Management) 시스템은 전륜

구동형 방식으로 전자제어식 트랜스퍼 유닛을 설치한 시스템이다. 이 시스템은 후륜 구동형과 같이 노면이 상태나 주행 상황에 따라 전륜 후륜의 구동력 배분이 100 : 0 ~ 50 : 50까지 자동으로 제어하는 전자제어 시스템이다. ITM 시스템의 기계적 구성은 그림(6-19)와 같이 변속기 측에 횡 측으로 트랜스퍼 기어 유닛을 설치하고, 추진축(프로펠러 샤프트)을 통해 후륜 측 디퍼렌셜 캐리어와 CV 조인트(Constant Velocity joint : 등속 조인트)로 구성되어 있다.

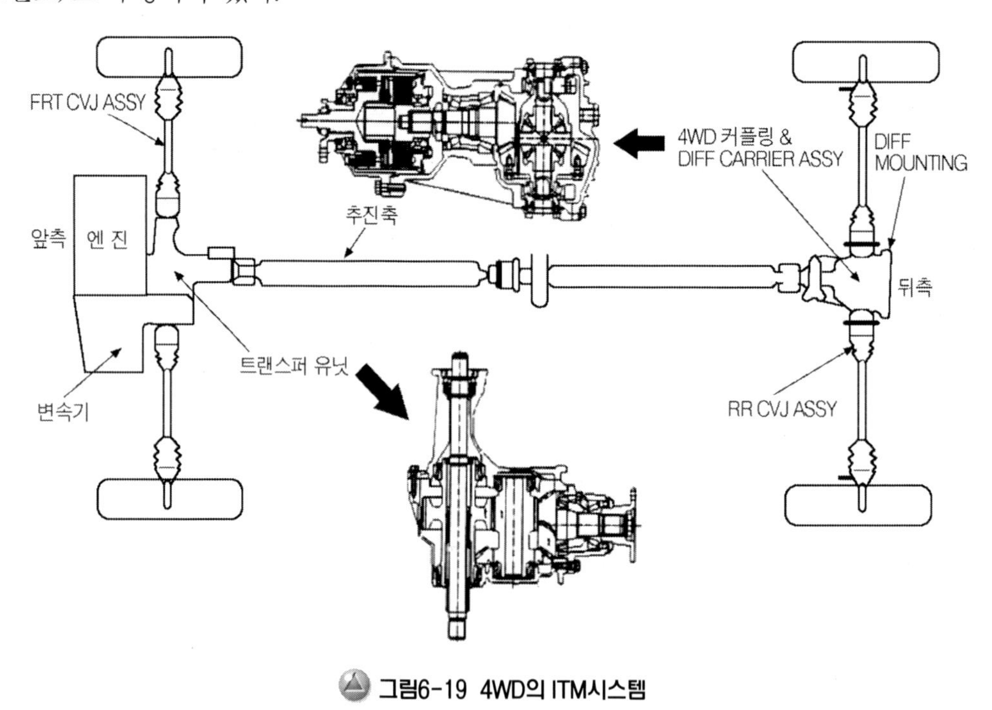

그림6-19 4WD의 ITM시스템

ITM 시스템의 기본적인 작동은 주행상태에 따라 정보를 입력받은 ITM ECU는 트랜스퍼 유닛의 EMC(전자식 클러치)를 듀티 제어하여 후륜의 구동력을 배분하도록 되어 있다. ITM ECU는 노면의 상태나 주행 조건에 따라 입력 센서로부터 정보를 입력 받아 목표 구동력을 제어하기 위해 EMC(전자식 클러치)를 듀티 제어한다.

ECU의 듀티 제어량에 따라 1차 클러치가 작동하면 그림(6-20)과 같이 베이스 캠은 전륜과 일체화 되어 구동하게 된다. ECU로부터 출력되는 듀티의 크기는 캠이 이동하는 량에 반비례하여 듀티값이 증가하면 전륜과 일체화 되고, 듀티값이 작아지면 어플라이 캠은 이동 한다. 따라서 전륜과 일체화된 베이스 캠과 후륜과 연결된 어플라이 캠은 회전수

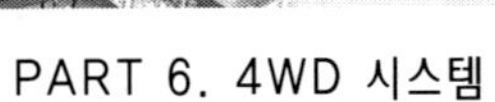

차이만큼 볼이 이동되어, 볼이 이동된 만큼 캠의 사이는 벌어지게 된다. 결국 캠이 벌어진 만큼 2차 클러치(다판 클러치)는 압착되어 후륜측으로 동력을 전달하게 된다.

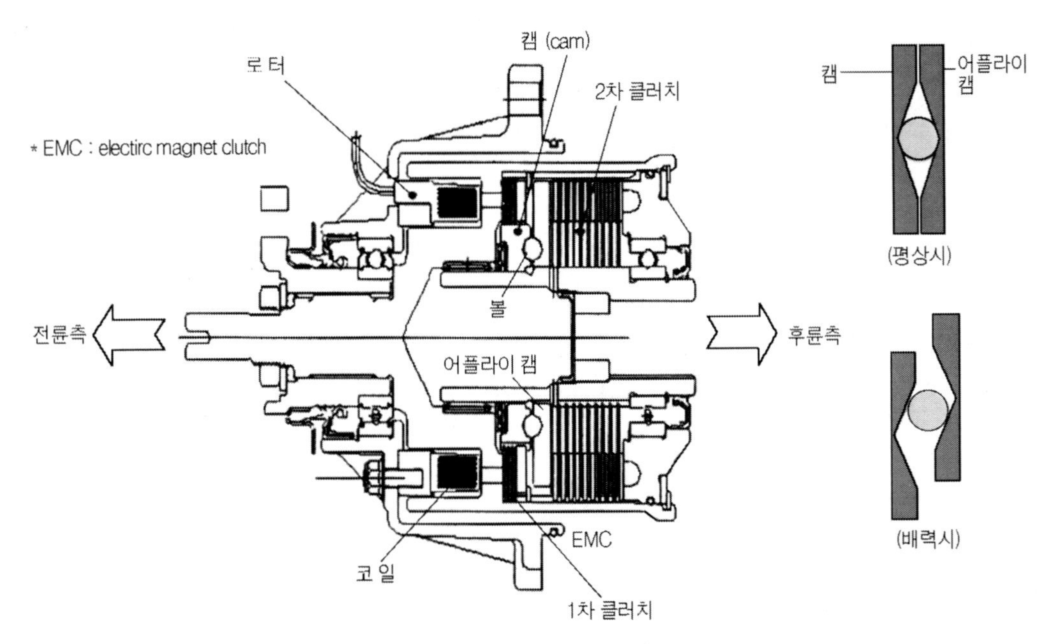

그림6-20 ITM시스템의 트랜스퍼 유닛 구조와 작동

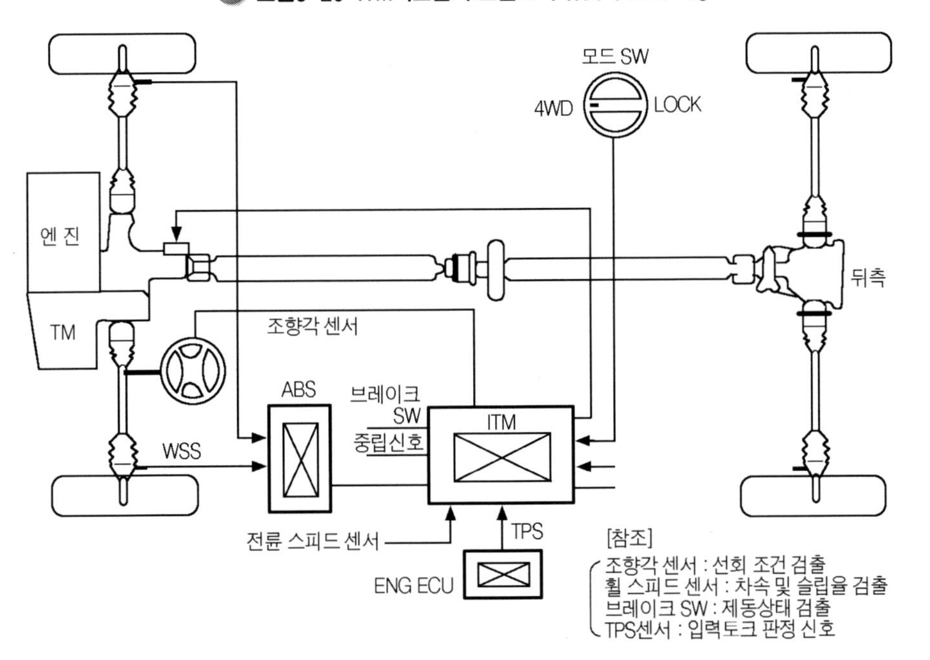

그림6-21 4WD의 ITM 시스템의 제어 구성

차량의 정속 상태에서는 대개 2륜구동 상태로 구동하며 노면의 상태나 조건에 따라 슬립이 많이 발생하는 경우나 선회시 등은 구동력을 전후륜 나누어 배분하게 된다. 따라서 타이어의 슬립 상태를 검출하기 위한 휠 스피드 신호와 선회각을 검출하기 위한 조향각 센서, 토크 증량을 하기 위해 가감속 검출을 하기 위한 TPS 센서 등의 입력 신호 등이 필요하다.

ITM ECU는 이 신호를 입력 받아 전륜과 후륜에 적정 구동력을 배분하기 위해 EMC(전자식 클러치)를 작동 한다. 전자 클러치 기구는 로터와 코일로 구성 되어 1차 클러치를 작동시키게 된다. 1차 클러치의 작동량에 따라 시프트 캠(shift cam)의 벌어지는 량이 변화하여 2차 클러치(다판 클러치)를 압착력을 제어하게 된다. 이렇게 제어된 2차 클러치의 압착력은 전후륜 구동력으로 전달하게 돼 전륜과 후륜은 적절한 구동력을 얻게 된다.

3. 제어 시스템의 구성과 기능

1. EST 시스템의 구성

EST 시스템의 입출력 구성은 그림 (6-22)와 같이 EST ECU를 중심으로 입력 측 신호원과 출력 측 액추에이터로 구성되어 있다. 입력 측 구성은 도로의 조건에 따라 운전자가 선택하는 모드 스위치와 인히비터 스위치의 중립 위치 신호, 그리고 차속을 검출하는 후륜 스피드 센서, 시프트 모터의 회전 위치를 검출하는 MPS(Motor Position Sensor) 센서, 수동 변속기 사양 차량에 해당하는 인터 록 스위치(inter lock switch)로 구성되어 있다.

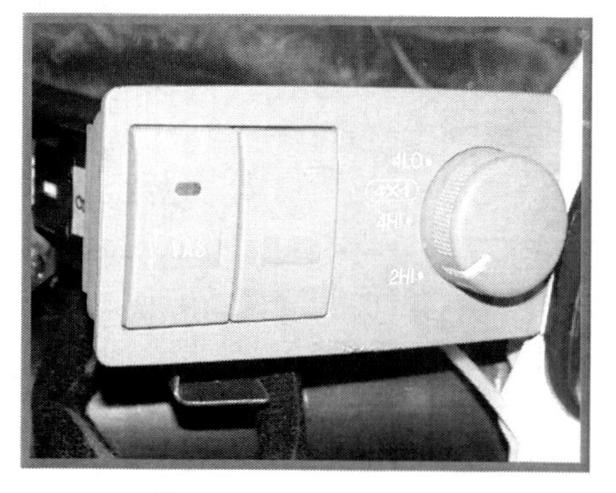

사진6-11 모드 스위치

사진6-12 시프트 모터

출력측 구성으로는 모드(4H, 4L)를 전환하기 위한 시프트 모터와 전후륜 구동력을 전달하는 EMC(전자식 클러치), 그리고 선택된 모드의 인디케이터(indicator), 4속 이상 변속을 금지하도록 TCU(Transmission Control Unit)로 4L 위치 신호를 송신하는 통신 단자와 자기 진단용 K-라인으로 구성되어 있다. 또한 FRRD 방식의 경우에는 에어 펌프 모터를 구동하기 위한 출력 단자가 있으며, CRDS 방식의 경우에는 진공압을 제어하기 위한 솔레노이드 밸브의 출력 단자를 가지고 있다.

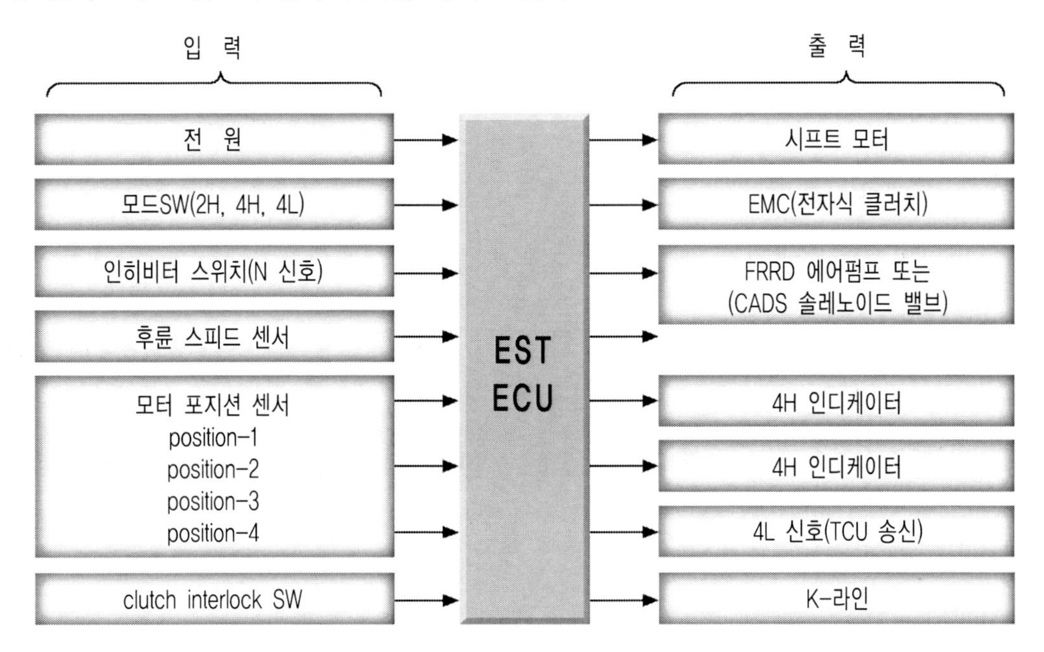

그림6-22 EST 시스템의 입출력 구성

시프트 모터의 내부에는 모터의 위치를 검출 할 수 있도록 캠 플레이트(cam plate) 접점으로 이루어진 MPS 센서가 설치되어 있다. 이 캠 플레이트 접점은 시프트 모터의 위치를 검출하는 엔코더(encoder) 역할을 해 현재 모터의 위치를 4가지로 검출하고 있다. 또한 이 시스템은 변속기의 중립 위치를 인히비터 스위치(A/T 차량의 경우)의 릴레이를 통해 입력하고 있다. 트랜스퍼 유닛의 출력 측에 장착된 후륜 스피드 센서는 차속을 검출하는 센서이다. 이 센서는 주행 중 모드 SW를 2H → 4H로 위치할 때 80km/h 이하에서만 전륜이 작동 할 수 있도록 차속을 검출하며, 모드 SW를 4L로 위치할 때는 3km/h 이하에서만 작동이 가능하도록 차속을 검출하고 있다.

시프트 모터는 마치 와이퍼 모터의 형태를 하고 있는 직류 모터로 아마추어 축에 웜 기어(worm gear)를 설치하여 MPS 센서인 캠 플레이트 접점을 가동하고 있다. EMC(전자식 클러치)는 코어에 코일을 감아 놓은 일종의 전자석 클러치로 EMC 클러치의 입력 측에 설치된 록업 허브를 끌어당겨 구동력을 전달하는 역할을 한다. 또한 출력 측 구성품에는 4L 신호를 송신하고 있는데 이 신호는 모드 SW를 4L로 전환 할 때 변속기는 4속으로 절환 되지 못하도록 EST ECU의 4L 신호 라인을 통해 TCU(자동변속기의 컴퓨터)로 현재 4L 모드 상태인 것을 알리는 신호 라인이다.

사진6-13 장착된 후륜 스피드 센서

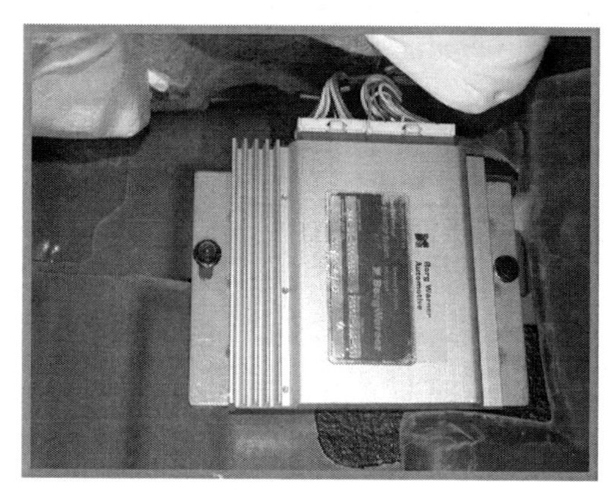

사진6-14 EST ECU(컴퓨터)

2. ATT 시스템의 구성과 기능

(1) ATT 시스템의 구성

ATT 시스템의 입출력 구성은 그림(6-23)과 같이 ATT ECU를 중심으로 입력 측 신호원과 출력 측 액추에이터로 구성되어 있다. 입력 측 구성은 도로의 조건에 따라 운전자가 선택하는 모드 스위치와 인히비터 스위치의 중립 위치 신호, 그리고 차속을 검출하기 위한 전후륜 스피드 센서, 시프트 모터의 회전 위치를 검출하는 MPS(Motor Position Sensor) 센서, 수동 변속기 사양 차량에 해당하는 인터 록 스위치(inter lock switch)로 구성되어 있다. 또한 엔진 ECU로부터 엔진의 가감속 상태를 검출하기 위한 TPS 센서 신호와 출력 신호, 그리고 ABS ECU로부터 타이어의 슬립율 정보를 입력하기 위한 단자를 가지고 있다.

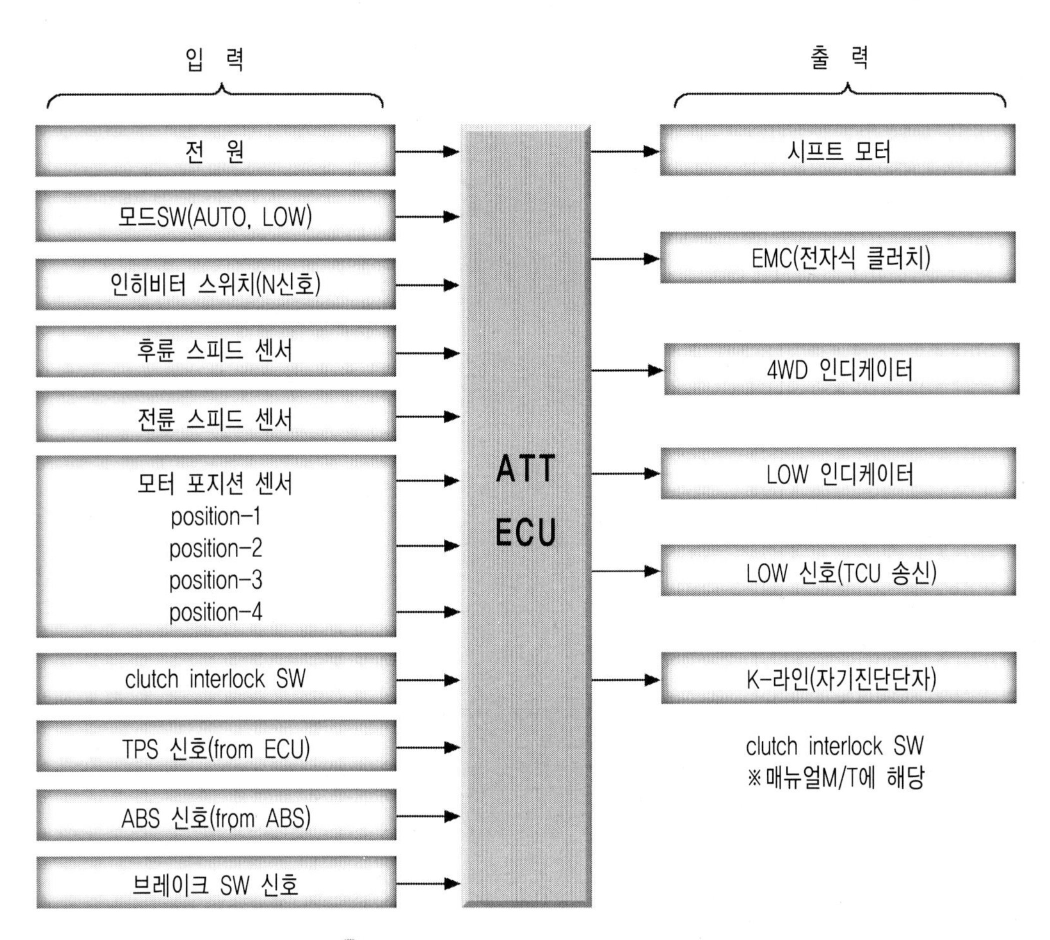

그림6-23 ATT 시스템의 입출력 구성

출력 측 구성으로는 모드(4H, 4L)를 전환하기 위한 시프트 모터와 전후륜 구동력을 전달하기 위한 EMC(전자식 클러치), 그리고 선택된 모드의 인디케이터(indicator), 4속 이상 변속을 금지하도록 TCU(Transmission Control Unit)로 4L 위치 신호를 송신하기 우한 통신 단자와 자기 진단용 K-라인으로 구성되어 있어 EST 시스템과 크게 다르지 않다. 그러나 이 시스템이 EST 시스템과 다른점은 엔진 ECU와 ABS ECU의 정보를 입력 받아 노면의 조건이나 주행 상태에 따라 전륜 측 구동력을 배분하는 차이점을 가지고 있다. ACC ECU는 브레이크 SW와 ABS ECU로부터 제동 신호와 슬립율 신호를 받으면 ATT ECU는 연산하여 EMC(전자식 클러치)를 구동하기 위해 미리 설정된 듀티 값을 출력하게 된다. 따라서 ATT 시스템은 이 신호를 기준으로 전후륜 구동력 배분을 1 : 100 ~ 50 : 50까지 배분하게 된다.

ATT 시스템에 사용하는 시프트 모터에도 EST 시스템과 같이 캠 플레이트 접점의 MPS 센서를 설치하고 있다. MPS 센서의 접점 위치는 표(6-3)과 같이 4개의 위치 코드에 의해 시프트 모터의 위치를 판정하고 있다. 모드 스위치를 AUTO → LOW로 선택하면 ATT ECU는 MPS 센서를 통해 모터의 현재 위치를 판단하고 모터를 정회전 또는 역회전 할 것을 판단하게 된다. 이때 모터의 회전 조건은 인히비트 스위치가 2초 동안 중립 위치에 있어야 하며, 프런트 스피드 센서와 리어 스피드 센서의 회전수가 87rpm 이하이어야 한다.

[표6-3] MPS 센서의 엔코더

모터의 위치	위치1	위치2	위치3	위치4	비고
left stop	0	0	0	1	참조
left of high	0	1	0	1	0 : 0.8V 이하
high	1	1	0	1	1 : 4.5V 이상
right of high	1	1	1	1	
zone 1	0	0	0	0	
neutral	0	1	1	0	
zone2	1	1	1	0	
low	1	0	1	0	
right of stop	1	0	1	1	

[표6-4] MPS 센서의 검출위치와 시프트 모터의 작동 상태

모드 SW	모터의 위치		작동 상태
AUTO	left stop	좌측 정지	• 작동정지, LOW 표시등 소등
	left of high	좌측 상단	
	high	상단	
	right of high	우측 상단	• 모드SW를 선택 상태에 2초동안 AT레버를 N에 위치하고, 프런트 &리어 스피드 센서가 87rpm 이하이면 시프트 모터는 AUTO 모드로 시프팅을 시작한다. • 시프트 모터가 동작을 완료하면, LOW 표시등은 소등된다.
	zone 1	영역 1	
	neutral	중립	
	zone 2	영역 2	
	low	하단	
	right of stop	우측 정지	
LOW	left stop	좌측 정지	• 모드SW를 선택 상태에 2초동안 AT레버를 N에 위치하고, 프런트 &리어 스피드 센서가 87rpm 이하이면 시프트 모터는 LOW 모드로 시프팅을 시작한다. • 시프트 모터가 동작을 완료하면, LOW 표시등은 소등된다.
	left of high	좌측 상단	
	high	상단	
	right of high	우측 상단	
	zone 1	영역 1	
	neutral	중립	
	zone 2	영역 2	
	low	하단	• 작동 정지, LOW 표시등 점등
	right of stop	우측 정지	

※참조 : 국내 H사 차량의 사양임

이 조건이 만족하면 ATT ECU는 시프트 모터를 약 5초 정도의 전원을 공급하여 표(6-4)와 같이 시프트 모터가 작동하게 된다. 이렇게 모터의 위치가 변화되면 전후륜 스피드 센서의 회전수를 검출하여 전후륜의 구동력을 배분하도록 한다.

전후륜 스피드 센서의 회전수 차가 발생하면 ATT ECU는 이 데이터를 기준으로 미리 설정된 구동력이 배분되도록 EMC(전자식 클러치)를 듀티 제어한다. 전후륜 스피드 센서는 차속과 전후륜 회전 속도의 차이를 검출하고, TPS 신호와 함께 전후륜 구동력을 결정하는 기준 신호로 사용된다.

(2) ATT 시스템의 기능

ATT 시스템이 구동력 배분의 주행시 제어 흐름은 기본적으로 그림(6-24)와 같다. 모드 스위치를 AUTO 모드에 위치하면 EMC(전자식 클러치)는 주행 조건에 따라 구동력을 제어 한다. 주행시 구동력 제어 흐름은 그림(6-24)와 같이 모드 스위치를 AUTO 모드로 선택하면 ATT ECU는 전륜 스피드 센서와 후륜 스피드 센서, TPS 센서 신호(스로틀 개도 신호)를 기준으로 전륜과 후륜에 구동력을 배분한다. 이때 ABS ECU로부터 ABS 기능이 작동중이라는 신호를 수신하면 ATT ECU는 ABS 작동 제어 모드로 들어가 EMC(전자식 클러치)의 듀티 신호를 규정값으로 제어한다.

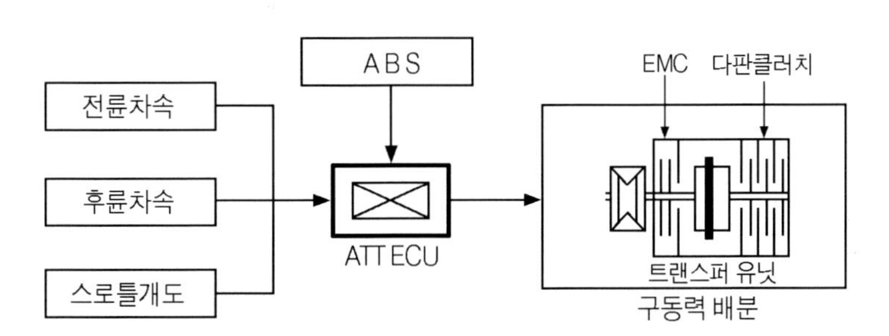

그림6-24 주행시 제어 흐름도

ATT 시스템의 제어 기능에는 표(6-5)와 같이 주행시 제어 기능과 선회시 제어 기능, 그리고 제동시 제어 기능과 ABS 작동시 제어 기능, 급발진 제어 기능과 추월 가속 제어 기능 등이 있다. 주행시 제어 기능은 노면의 상태나 주행 조건에 따라 전륜과 후륜의 구동력 배분을 30 : 70까지 제어하여 주행 안정성 및 연비를 개선하고 있다. 이에 반해 마찰계수가 낮은 노면에서는 전륜과 후륜의 구동력 배분을 40 : 60까지 제어하여 차량의 슬립을 최소화하고 있다. 이때 전륜 스피드 센서와 후륜 스피드 센서에 의해 회전차가 발생하

면 휠 슬립(wheel slip)을 최소화하기 위해 휠 슬립이 허용 범위 이내로 감소 할 때까지 40 : 60의 전후륜 구동력을 배분한다. 급발진시나 가속시 제어 기능은 발진 가속성을 향상하기 위한 기능으로 전륜과 후륜의 구동력 배분을 50 : 50으로 고정하여 가속성능을 향상하고 있다. 제동시 제어는 차량의 제동 안정성을 확보하고, 제동 거리를 단축하기 위한 제어 기능으로 전륜과 후륜의 구동력 배분을 10 : 90까지 배분하여 차량의 안정감을 얻도록 하고 있다. 또한 제동시 ABS 기능이 작동중인 경우에는 브레이크 보조 기능으로 EMC(전자식 클러치)의 듀티값을 30%로 고정 한다. 이 값은 전륜과 후륜의 구동력 배분을 30 : 70으로 제어하여 제동 안정성을 확보하도록 하고 있다.

[표6-5] ATT 시스템의 제어 기능

제어 기능	구동력 배분	내용	기준신호
주행 제어	0 : 100 → 50 : 50	주행 안전성 확보와 연비 향상	TPS 전륜, 후륜 스피드 센서
선회 제어	20 : 80 → 30 : 70	선회 및 주행 안정성 확보	TPS 전륜, 후륜 스피드 센서
주행 및 선회 제어 (빗길, 빙판길)	30 : 70 → 40 : 60	선회 및 주행 안정성 확보	TPS 전륜, 후륜 스피드 센서
급발진 제어	50 : 50 고정	발진 성능 향상	TPS 전륜, 후륜 스피드 센서
가속 제어	30 : 70 → 50 : 50	가속성 및 주행 안정성 확보	TPS 전륜, 후륜 스피드 센서
주차시 제어	5 : 95 → 20 : 80	주차시 선회성 확보	TPS 전륜, 후륜 스피드 센서
제동시 제어	0 : 100 → 10 : 90	제동 안정성 및 제동거리 확보	전륜, 후륜 스피드 센서
ABS 제어	30 : 70 고정	ABS 작동에 의한 제동 안정성 확보	ABS 신호 전륜, 후륜 스피드 센서

3. ITM 시스템의 구성과 기능

ITM(Interactive Torque Management) 시스템은 풀타임 전자제어식 4WD로 ATT 시스템과 달리 전륜 구동형 차량에 적용된 전자제어식 4WD 시스템이다.

ITM 시스템의 입출력 구성은 그림 (6-25)와 같이 ATT 시스템과 비교하여 크게 다르

지 않다. 입력 측 구성은 입력 모드 스위치(AUTO 모드, LOCK 모드)와 4개의 차륜으로부터 휠 스피드 센서의 입력, 그리고 조향각 센서와 엔진 ECU로부터 스로틀 개도 신호, ABS ECU로부터 제동 신호와 슬립율 신호를 전송하는 신호 라인으로 구성되어 있다.

출력측 구성은 EMC(전자식 클러치)와 경고등, 그리고 자기 진단 단자인 K-라인과 각 ECU와 정보를 주고받을 있은 CAN 통신 라인으로 구성되어 있다. 입력 모드 스위치는 4WD의 AUTO 모드와 LOCK 모드로 절환되며 AUTO 모드시는 노면의 상태나 주행 조건에 따라 자동으로 전후륜 구동력이 배분된다. ITM 시스템은 전륜 구동형 차량에 적용된 시스템으로 보통 정속 주행 상태에서는 연비를 개선 할 수 있도록 전륜 구동 상태로 주행하다가 슬립이 발생하면 이에 따라 전후륜 구동력을 자동으로 제어한다.

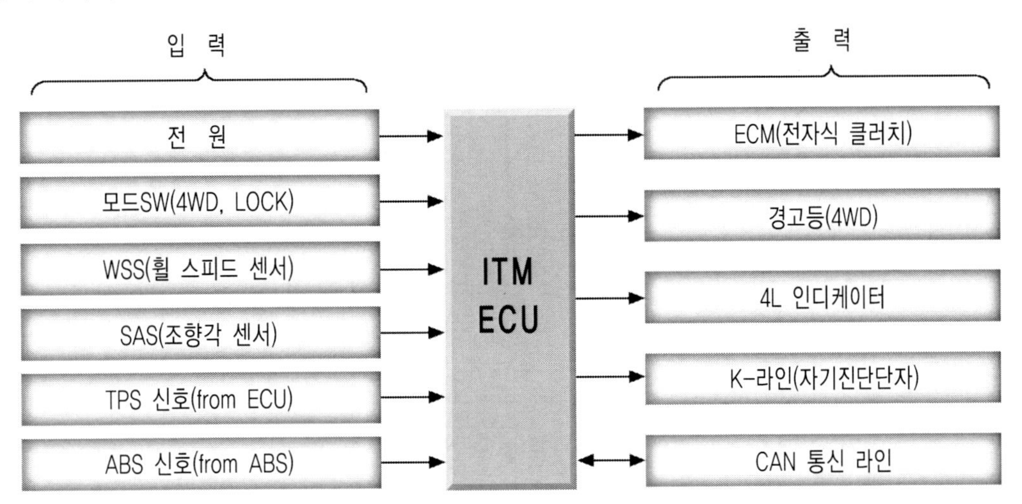

그림6-25 ITM 시스템의 입출력 구성

LOCK 모드시는 40km/h 이하인 상태에서 험로를 주행하기 모드로 전륜과 후륜의 구동력을 50 : 50으로 고정하여 주행할 수 있는 모드이다. 또한 조향각 센서는 선회시 주행시 조향 회전각을 검출하기 위한 센서로 선회시 발생하는 타이트 코너 브레이킹(tight corner braking) 현상을 억제하기 위한 기준 신호로 사용되는 센서이다. ABS 신호는 ABS 기능이 작동 중이라는 신호를 ECU로부터 수신하기 위한 신호로 ABS 작동 제어 모드로 들어가면 EMC(전자식 클러치)의 듀티량을 제어하여 후륜 구동력 배분을 30% 내외로 제한한다.

4. 전자제어식 4WD 회로도

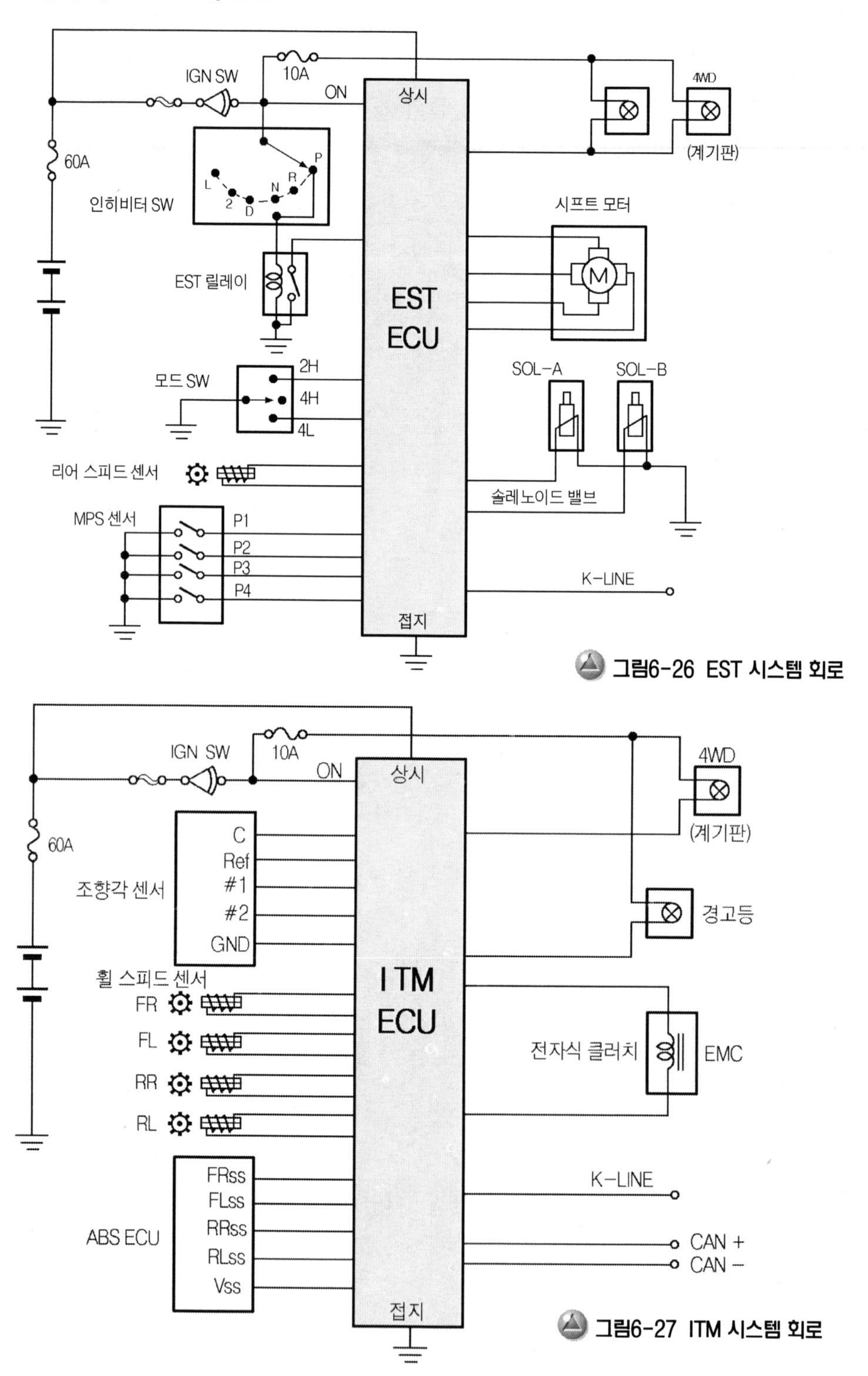

그림6-26 EST 시스템 회로

그림6-27 ITM 시스템 회로

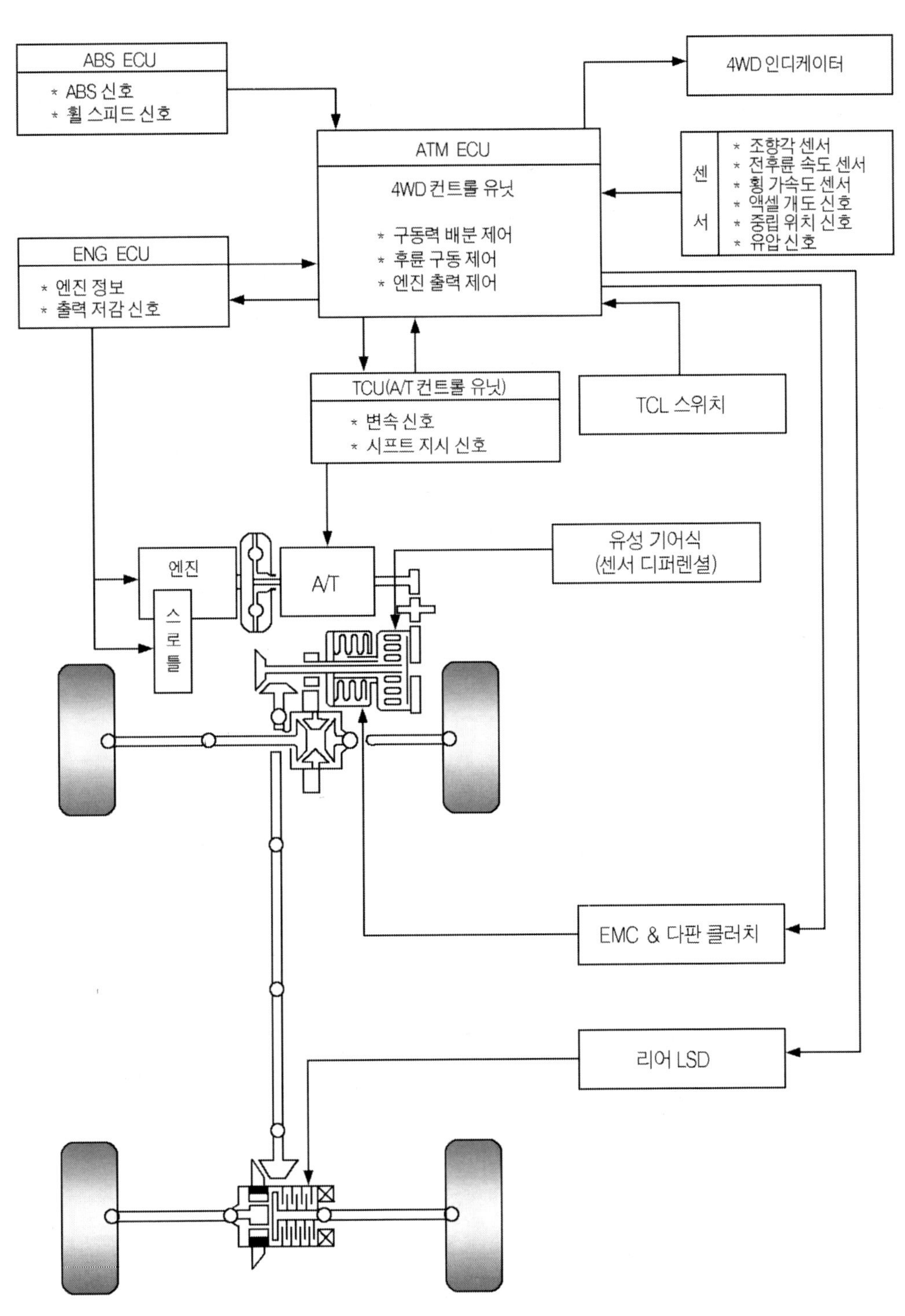

그림6-28 ATM시스템의 제어 구성

point

4WD 시스템

1 4WD의 기본 지식과 구분

1. 4WD의 장단점
   ① 장점 : 견인력, 등판능력, 장애물 돌파력, 동력 전달 능력이 우수
   ② 단점 : 구조가 복잡, 차량의 중량 증가, 연비 악화, 타이트 코너 브레이킹 현상 발생
   ※ 타이트 코너 브레이킹(tight corner braking) 현상 : 선회 반경이 작은 코너를 회전 할 때 전륜과 후륜의 회전 반경 차이로 후륜측이 끌려 브레이킹 현상이 발생하는 현상
2. 센터 디퍼렌셜 기어(center differential gear)
   ① 적용 목적 : 주행시나 선회시 전륜과 후륜의 속도 차이를 흡수 해 타이트 코너 브레이킹 현상을 억제하기 위해 트랜스퍼 유닛 후단에 설치
   ② 센터 디퍼렌셜 기어를 설치하고 있는 4WD 차량은 엔진 동력이 전후륜 원활히 할 수 있도록 LSD(limited slip differential) 유닛과 디퍼렌셜 록 장치를 설치하여 사용하고 있다.

※ LSD(limited slip differential) 유닛 : 차동 제한 기능을 가지고 있는 디퍼렌셜 기어 유닛을 말함

3. 4WD의 구분
   ① 파트타임 방식 : 2WD → 4WD로 전환되어 구동하는 차량
   - 수동식 : 다이얼식, 시프트 레버식
   - 자동식 : 모드 스위치의 절환에 의해 주행 중 2WD → 4WD로 절환이 가능
     ※ 참고) 저속, 중속 상태에서만 절환 가능
   ② 풀타임 방식 : 상시 4WD로 구동하는 차량
   - 후륜 구동형 풀타임 방식
   - 전륜 구동형 풀타임 방식
   ③ 전자제어식 풀타임 방식 : 구동력 배분을 주행 조건에 따라 자동으로 변환하는 방식
   - ATT(active torque transfer) 시스템
   - ITM(interactive torque management) 시스템

2 자동식 4WD의 구성과 기능

1. EST 시스템의 구성
   ① EST(electric shift transfer) 시스템 : 주행 중 모드 절환 스위치에 의해 2WD → 4WD로 절환이 가능한 자동식 4WD
   ② EST의 트랜스퍼 유닛 구성
   - 유성 기어 세트 : 4L 모드시 감속 기어비을 얻기 위해

- 시프트 모터 : 모드 SW 선택 시 자동으로 모드를 절환하기 위한 전동모터
- EMC 클러치 : 전륜의 동력 전달
- FRRD 펌프 : 프런트 디퍼렌셜 기어에 압축 공기 공급

③ 동력 전달 경로

- 2H 모드 : 변속기 → 트랜스퍼 유닛 → 후륜 측 액슬
- 4H 모드 : 변속기 → 트랜스퍼 유닛 → 전후륜 50 : 50 구동력 배분
- 4L 모드 : 변속기 → 트랜스퍼 유닛(유성 기어 세트) → 감속 기어비
  → 전후륜 50 : 50 구동력 배분

2. ATT 시스템의 구성

① ATT(active torque transfer) 시스템 : 노면의 상태나 주행 조건에 따라 전후륜 구동력 배분이 0 : 100 ~ 50 : 50 까지 자동으로 변환하는 시스템

② ATT 시스템의 제어 기능

- 주행 제어, 선회 제어 : 주행 안정성과 선회 안정성을 하기 위해 전륜과 후륜에 구동력을 제어하는 기능
- 급발진, 가속 제어 : 급발진 성능 향상이나, 가속 성능을 향상하기 위해 전 륜과 후륜에 구동력을 제어하는 기능
- ABS 제어 : ABS 시스템이 작동 중 조향 안정성을 고려한 구동력 제어 기능

3. ITM 시스템의 구성

① ITM(interactive torque management) 시스템 : 노면의 상태나 주행 조건에 따라 전후륜 구동력 배분이 0 : 100 ~ 50 : 50까지 자동으로 변환하는 시스템

② ITM 시스템의 제어 기능

- 주행 제어, 선회 제어 : ATT 시스템과 달리 조향각 센서를 설치하여 주행 안전성과 선회 안전성을 능동적으로 제어하는 기능
- 엔진 출력 제어 : 엔진 동력을 최적화하기 위해 엔진 ECU로 정보를 받아 전륜과 후륜에 구동력을 제어하는 기능

김민복의 전기·전자시리즈

1 - 자동차 기초전기전자

- P.342 / B5
- 978-89-7971-779-2
- **정가 18,000원**

자동차 전기 · 전자의 복잡한 수식을 피하고 원리와 이해 중심으로 서술. 실무에서 사용할 수 있는 테스터 활용법, 코일, 콘덴서, 모터, 발전기, 변압기, 센서의 개념, 전자회로 판독, 반도체 소자, 컴퓨터 등 필요한 부분만 쉽게 찾아 볼 수 있도록 294개항으로 편성한 전기전자의 길잡이.

2 - 최신 자동차 전기

- P.376 / B5
- 978-89-7971-696-2
- **정가 18,000원**

자동차의 전기 회로에 사용되는 퓨즈 및 전선, 전구, 릴레이, 배터리를 종류별로 구분하여 특성 및 특징을 정리하고 최근에 사용되는 시동, 충전, 등화, 점화, 계기, 편의, 에어백, 냉방 장치 등을 시스템 별로 구분하여 구성 부품의 기능 및 원리, 특성을 체계적으로 엮어 기술하였다.

3 - 자동차 전장회로판독법

- P.648 / B5
- 89-7971-648-6
- **정가 18,000원**

전기 회로 판독을 어려워하는 분들에게 전장품의 기능과 회로 판독법에 대해 기술한 책으로 매 항 마다 회로의 판독 요령과 핵심 포인트를 정리하여 회로 판독을 배우려는 분들이 쉽게 습득할 수 있도록 구성하였다.

4 - 전자제어장치 & 실습

- P.434 / B5
- 978-89-7971-767-9
- **정가 18,000원**

기관, 전기, 섀시의 전자제어장치 고장현상과 점검방법, 논리적인 진단방법, 현장경험을 통한 점검방법을 쉽게 설명하여 초보자에서부터 전문가에 이르기까지 폭넓게 활용할 수 있도록 편성하였다.

5 - 전기장치 고장진단

- P.382 / B5
- 89-7971-619-2
- **정가 18,000원**

전기 장치별로 고장 현상과 점검 방법에 대해 체계적으로 설명한 책으로 논리적인 진단 방법과 현장 경험을 통한 점검 방법을 기술하여 전기 장치의 점검에 미흡한 사람에서부터 전문가에 이르기까지 폭넓게 활용할 수 있도록 구성하였다.

6 - 자동차용 센서

- P.260 / B5
- 89-7971-622-2
- **정가 18,000원**

자동차 전자제어장치에 관해 학습하는 분들이나 센서에 대해 관심이 있는 분들에게 자동차의 센서를 종류별로 구분하여 원리 및 특성을 쉽게 설명하였으며 현장실무에 활용할 수 있도록 구성하였다.

7 - 전자제어엔진

- P.312 / B5
- 89-7971-614-1
- **정가 18,000원**

ECU의 동작을 이해할 수 있도록 마이컴의 기본 원리를 설명하였으며 전자 제어 엔진의 적용 목적과 시스템의 기능적 요소를 이해하기 쉽게 설명하였다. 또한 매 항마다 핵심 포인트를 정리하여 쉽게 습득할 수 있도록 하였다.

07 부 록

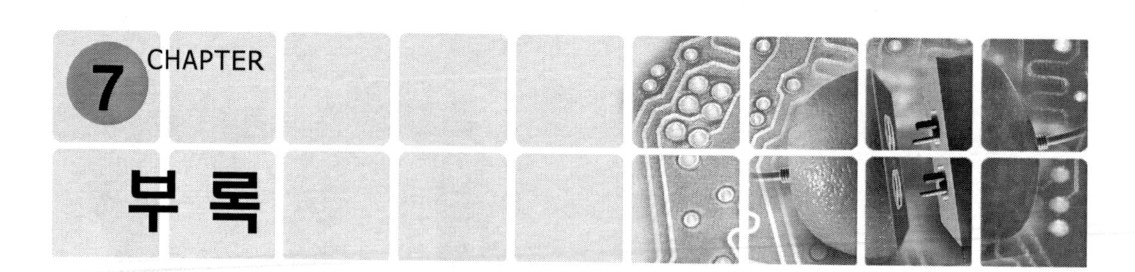

주요 약어

ABS(anti lock brake system)	차륜 록(lock) 방지의 브레이크 장치
AC(altetnating current)	교류
A/C(air conditioner)	공기 조화 장치(냉방 장치)
ACC(accessory)	보조 기구의 통칭
ACK 비트(acknowledge field bit)	데이터의 확인 비트
ACU(air bag control unit)	에어백 ECU
ACV(air cut valve)	2차 공기 차단 밸브
ADC(analog to digital converter)	A/D 변환기
A/F(air fuel)	공연비
AFS(air flow sensor)	공기 유량 센서
AH(ampere hour)	단위 시간당 전류 용량의 단위
AI(artificial intelligence)	인공 지능
ALC(auto lighting control unit)	자동 헤드라이트 컨트롤 유닛
ALT(alternator)	올터네이터의 약어로 발전기를 말한다.
ALT-G	올터네이터의 G단자
ALT-FR	올터네이터의 FR 단자
ALU(arithmetic logic unit	연산 논리 유닛
AM (aimer)	에이머의 약어로 조준기 또는 조준자를 뜻한다.
AM (ampiltude modulation)	진폭 변조
AMP(amplifier)	증폭기의 약어
API(american petrol institute)	미국 석유 협회
ARB(air resource board)	미국 캘리포니아주에 있는 대기 자원국

A/T(automatic transmission)	자동 변속기
ATC(automatic temperature controller)	자동온도조절장치
ATDC(after top dead center)	상사점후
ATF(automatic transmission fluid)	자동 변속기 오일
AV(audio & vedio)	음향 및 영상
AV(outlet valve)	출구 밸브
ATC(automatic temperature controller)	자동 온도 조절 장치
ATM(active torque management)	능동 토크 제어장치
ATT(active torque transfer)	액티브 토크 트랜스퍼

B

B(black)	검정색
Br(brown)	갈색
BATT(battery)	배터리
BCV(boost control valve)	과급 제어 밸브
BCM(body control module)	운전자의 편의를 위한 경보 및 시간 제어 장치를 말함
BWS(back warning system)	후방 물체 감지 시스템
BTDC(before top dead center)	상사점전
BZ(buzzer)	부저

CADS(center axle disconnect system)	자동식 4륜구동장치
CAS(crank angle sensor)	크랭크 센서
CAN(controller area network)	전자 제어용 표준 통신 방식
C/B(console box)	콘솔박스
CC(catalytic converter)	촉매 장치
CCS(cooling control seat) 회로	냉난방 및 시트회로
CD(compact disk drive)	컴팩트 디스크 드라이브
CDI(condenser discharge ignition)	축전기 용량식 점화 장치
CK(clock)	클럭
CKP(crank posistion sensor)	크랭크포지션센서
CLC(compressor lock controller)	컴프레서의 제어용 유닛
CPS(cam posistion sensor)	캠 포지션 센서
CPU(center process unit)	컴퓨터의 중앙 연산 처리 장치

CV(constant velocity)	등속도
CVJ(constant velocity joint)	등속 조인트

DC(direct current)	직류
DCC(damper clutch control)	댐퍼 클러치 컨트롤
DCU(door control unit)	도어 컨트롤 유닛
DIAG(diagnosis)	자기 진단
DLI(distributor less ignition)	배전기가 없는 점화 방식
DOHC(double over head cam)	흡·배기 밸브가 각각 2개인 흡배기 장치
DVV(double vacuum valve)	2중 전자 밸브
DSP(digital signal processor)	디지털 신호 처리

EBD(electronic brake force distribution)	전자 제어식 제동력 분배 장치
ECM(engine control module)	전자 제어 엔진의 제어 모듈
ECU(electronic control unit)	전자 제어 장치
ECS(electronic control suspension)	전자 제어 현가장치
EEPROM(electrical erasable and programmable read only memory)	플래시 메모리
EFI(electronic fuel injection)	전자 제어 연료 분사
EGI(electronic gasoline injection)	전자 제어 연료 분사
EGR(exhaust gas recirculation)	배기 가스 재순환 장치
ELC A/T(electronic control automatic transmission)	전자 제어 오토 트랜스미션
EMC(electric magnetic clutch)	전자식 클러치
EMP(empty)	비어있다는 표시로 주로 연료계에 사용
EPS(electronic power steering)	전자 제어 조향 장치
E/R(engine room)	엔진 룸
ESV(experimental safety vehicle)	안전 실험차
ESS(engine speed sensor)	차속 센서
ESA(electronic spark advance)	전자 제어 점화 진각 장치
ETACS(electronic time and alarm control system)	시간 및 경보 제어 장치
EV(inlet valve)	입구 밸브
EX(exhaust)	배기, 배출을 의미

FCSV(fuel cut solenoid valve)	연료 차단 밸브
FBC(feedback carburetor)	전자 기화기 방식
FET(field effect transistor)	전계 효과 트랜지스터
FF(front engine front drive)	전륜 구동 방식
FIC(fast idle control)	워밍업 시간 단축을 위한 공회전 속도 조절
FL(front left)	앞 좌측
FM(frequency modulation)	주파수 변조
F/P(fuel pump)	연료 펌프
FR(front engine rear drive)	후륜 구동 방식
FRRD(free running differential)	4륜구동의 한 방식
FR(front right)	앞 우측
FS(fail safe)	페일 세이프
FSS(front speed sensor)	프런트 스피드 센서
FSV(fail safe valve)	페일 세이프 밸브
F1(formula-1)	경주용 전용 자동차
FT(foot)	영국식 길이의 단위로 1 foot는 12인치를 말함
FTCS(full traction control system)	전자제어식 견인력 제어장치
FTS(fuel temperature sensor)	연료 온도 센서

G(green)	녹색
Gr(gray)	회색
G-센서(gravity sensor)	가속도를 검출하는 센서
G-신호(group signal)	실린더 판별 신호
GND(ground)	접지
GPS(global positioning system)	위치 추적 시스템

HBA(hydraulic brake assist)	하이드롤릭 브레이크 어시스트
HC(hydro carbon)	탄화수소
HCU(hydraulic coupling unit)	동력전달 장치의 유압 연결 유닛
HECU(hydraulic ECU)	ABS ECU+하이드롤릭 유닛
H/F(hend free)	송화기를 잡지 않고도 통화가 가능한 장치
HFP(high pass filter)	고역 패스 필터
HID 헤드 램프(high intensity discharge head lamp)	HID 헤드램프
HIC(hybrid IC)	하이브리드 IC
HIVEC A/T(Hyundai intellgent vehicle electronic control)	현대 하이백 A/T
H/LP	헤드램프(head lamp)
H/P(high pressure)	고압
HSV(hydraulic shuttle valve)	하이드롤릭 셔틀 밸브
HU(hydraulic unit)	ABS의 유압 발생 작동부

IC(integrated circuit)	집적 회로
I/C(inter cooler)	인터쿨러
IG(ignition)	점화
IDL(idle)	아이들 스위치
INS(inertial navigation system)	관성식 항법 장치
INT(interval)	간격, 간극
INT(intermit)	간헐적
ITM(inter active torque management)	능동 제어식 4륜 구동 시스템
I/O(input & output)	입출력
ISC(idle speed control)	공회전 속도 조절
ISO(international standardization organization)	국제 표준화 기구
ITC(intake air temperature compensator)	흡기 온도 보정

J/B(junction box)	와이어 하니스의 중간 커넥터, 퓨즈 박스, 릴레이 등을 연결하기 위한 박스

KCS(knock control system)	노킹 컨트롤 장치
KD(kick down)	킥 다운

L(lubricate)	윤활
L(blue)	청색
Lg(light green)	연두색
LAN(local area network)	시리얼 통신 방식의 일종
L/C(lock up clutch)	록업 클러치
LCD(liquid crystal display)	액정표시의 약어로 사용한다.
LED(light emitting diode)	발광 다이오드
LF(low frequency)	저주파수
LPF(low pass filter)	저역 패스 필터
LH(left hand)	좌측
LLC(long life coolant)	냉각수
LNG(liquefied natural gas)	액화 천연 가스
L/P(low pressure)	저압의 약어로 사용
LPA(low pressure accumulater)	저압을 축압하는 어큐뮬레이터
LPG(liquefied petroleum gas)	액화 석유 가스
LPWS(low pressure warning switch)	ABS 어큐뮬레이터의 하한 설정 액압 감지
LR 솔레노이드 밸브(low reverse solenoid valve)	로우 리버스 솔레노이드 밸브
LSD(limited slip differential)	차동 제한 장치
LSPV(load sensing proportioning valve)	부하 검출 프로포셔닝 밸브
LPWS(low pressure warning switch)	ABS 어큐뮬레이터의 하한 설정 액압 감지

MAP(manifold avsolute pressure)	흡기관 압력
MAX(maximum)	최대
MCS(multi communication system)	생활 정보, 방송 수신 등의 기능을 갖춘 총칭
MCV(mixture control valve)	throttle valve가 급격히 닫힐 때 별도 공기도입밸브
MDPS(motor driven power steering)	전동 모터식 파워 스티어링
MF battery(maintanance free battery)	무보수 배터리
MIL(mal function indicator lamp)	고장 코드를 표시하는 경고등
MIN(minimum)	최소
MOS IC(metal oxide semiconductor integrated circuit)	산화절연층에 반도체를 확산하여 금속을 증착한 반도체
MPI(multi point injection)	전자 제어 엔진의 한 방식
MPU(micro process unit)	마이크로 컴퓨터
MPS(motor position sensor)	모터 포지션 센서
MSC(motor speed control)	모터 스피드 컨트롤
M/T(manual transmission)	수동 변속기
MTR(motor)	전동 모터
MTS(mobile telematics system)	모빌 텔레메틱스 시스템 약어
MUT(multi use tester)	전자 제어 장치의 고장 진단 테스터
MUL(multi use lever)	스티어링의 컬럼 스위치
MWP(mulitipole water proof-type connector)	전극별 독립 방수 커넥터

N(neutral)	중립
N/A(natural aspiration)	자연 흡기
NC(normal close)	노말 오픈(상시 닫힘)
Ne 신호	크랭각 신호
NO(normal open)	노말 오픈(상시 열림)
NOx(nitrogen oxide)	질소 산화물

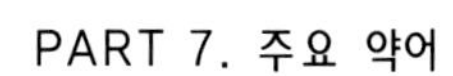

O(orange)	주황색
OBD(on board diagnosis)	배출 가스 장치를 모니터링 하는 자기 기능 규정
OC(over running clutch)	오버 러닝 클러치
OCV(oil control valve)	유압통로를 개폐하여 2차 흡기밸브를 제어하는 밸브
OD(over drive)	고속용 기어 기구
OD SOL 밸브(over drive solenoid valve)	오버 드라이브 솔레노이드 밸브
ODO 미터(odometer)	거리계
O/F(optical fiber)	광 섬유
OHC(over head cam)	1개의 캠 샤프트로 흡기, 배기의 밸브를 개폐하는 캠 샤프트
OPT(option)	선택 품목
OP AMP(operational amplifier)	연산 증폭기
OTS(oil temperature sensor)	유온센서
OWC(one way clutch)	원웨이 클러치

P(parking)	주차
P(pink)	분홍색
Pp(purple)	자주색
PCB(printed circuit board)	인쇄 회로 기판
PCM(pulse code modulation)	펄스 코드 변조
PCV(positive crankcase ventilation)	블로우 바이 가스 재순환 장치
PG(pulse generator)	펄스 제너레이터(마그네틱 픽업 코일 방식)
PIA(peripheral interface adapter)	병렬 처리 인터페이스 회로 소자
PIC(personal identification card)	퍼스널 아이덴티피케이션 카드
PIM	흡기관 압력
PROM(programmable read only memory	쓰기가 가능한 ROM 메모리
PS(power steering)	파워 스티어링
PSI(pound per square inch)	미 압력 단위
PTC(positive temperature coefficient)	정온도 특성
PTO(power take off)	엔진의 동력을 이용한 윈치 또는 펌프
P/W(power window)	파워 윈도우
PWM(pulse width modulation)	펄스 폭 변조

R(resistor)	저항
R(red)	빨강색
R-16(resistor-16)	고압 케이블의 저항이 1m에 16kΩ을 의미
RAM(random access memory)	일시 기억 소자
RF(radio frequency)	고주파수
RH(right hand)	우측
RKE(remote key less entry)	리모트 키 레스 엔트리
RL(rear left)	뒤 좌측
ROM(read only memory)	영구 기억 소자
RPM(revolution per minute)	1분간의 회전수
RPS(rail pressure sensor)	레일 압력 센서
RR(rear engine rear drive)	후부의 엔진과 후륜 구동
RR(rear right)	뒤 우측
RSS(rear speed sensor)	리어 스피드 센서
RTR 비트(remote transmission request bit)	자동 원격 송신 요구 비트
RV(recreation vehicle)	레크레이션용 자동차
RX(receiver)	수신 또는 수신기의 약어
RZ(red zone)	위험 한계선의 약어

S(silver)	은색
SAE(society of automotive engine)	미국 자동차 기술자 협회
SAT(SIEMENS adaptive transmission control)	지멘스(사)의 자동 변속기의 제어 알고리즘
SBSV(second brake solenoid valve)	2ND 브레이크 솔레노이드 밸브
SCR(silicon controlled rectifier)	실리콘 제어 정류 소자
SCSV(slow cut solenoid valve)	감속시 연료 차단밸브
S/C(super charger)	슈퍼 차저 과급기
SI(system international units)	국제 단위계
SIG(signal)	신호
SL(side left)	측면 좌측
SLV(select low valve)	ABS에서 차륜의 유압을 조절하는 밸브
SNSR(sensor)	센서
SOF(start of frame)	초기 데이터 비트
SOHC(single over head cam shaft)	캠 축이 1개인 OHC 엔진
SOL V/V(solenoid valve)	솔레노이드 밸브

SP(speaker)	스피커
SPI(single point injection)	전자 제어 연료 분자 장치의 일종
SPW(safty power window)	세이프티 파워 윈도우
SR(side light)	측면 우측
SRS(supplemental restraint system)	에어백 장치
SSI(small scale integration)	소형 집적 회로
SS(standing start)	정지에서 발진을 말함
ST(start)	시작, 시동
ST(special tool)	수 공구
STM(step motor)	스텝 모터
STD(standard)	표준
STP(stop)	정지
SW(switch)	스위치

T(tighten)	단단한
T(tawny)	황갈색
TACS(time and alarm control system)	시간, 경보등을 제어하는 편의 제어 장치
T/C(turbo charger)	터보 차저
TC(torque converter)	토크 컨버터
TCB(tight corner braking)	타이트 코너 브레이킹 현상
TCL(traction control system)	구동력 제어 장치
TCM(transmission control module)	전자 제어 자동변속기 의 제어 모듈
TCM(tilt control module)	스티어링의 위치를 자동으로 제어하는 모듈
TCCM(transfer case control module)	트랜스퍼 유닛 제어 모듈
TCPCV(torque converter pressure control valve)	토크 컨버터 압력 조절 밸브
TCU(transmission control unit)	전자 제어 자동변속기의 ECU 약어
TCU(transfer control unit)	트랜스퍼 컨트롤 유닛
TCV(traction control valve)	트랙션 컨트롤 밸브
TDC(top dead center)	상사점
TEMP(temperature)	온도
TOD(torque on demand)	4륜 구동력 제어 장치
TODCM(torque on demand control module)	전자 제어식 4륜 구동 제어 모듈
TPS(throttle position sensor)	스로틀 개도 위치 감지 센서
TR(transistor)	트랜지스터
T/S L(turn signal left)	좌측 방향 지시
T/S R(turn signal right)	우측 방향 지시
TTL(transistor transistor logic)	트랜지스터 로직으로 이루어진 디지털 IC
TX(transmitter)	송신, 송신기의 약어

UCC(under floor catalytic converter)	언더 플로우에 장착된 촉매 장치
UD(under drive)	언더 드라이브의 약어
UD SOL 밸브(under drive solenoid valve)	언더 드라이브 솔레노이드 밸브
UV(ultraviolet ray)	자외선

V(violet)	자주색
VCU(viscous coupling)	비스커스 커플링, 점성 계수
VCM(vacuum control modulator)	배큠 컨트롤 모듈레이터
VDC(vehicle dynamic control)	비이클 다이내믹 컨트롤
VENT(ventilator)	환기, 통기 장치의 약어
VFS(veriable force solenoid)	가변 제어 솔레노이드
VHF(very high frequency)	초단파
VOL(volume)	체적, 음량
VSO(vehicle speed output)	차속 신호 출력
VSV(vacuum switching valve)	부압 교체 밸브
VSS(vehicle speed sensor)	차속 센서

W(white)	흰색
WB(wheel base)	축간 거리
2WD(2 wheel drive)	2륜 구동
4WD(4 wheel drive)	4륜 구동
W/H(wire harness)	배선 묶음
W/P(water pump)	워터 펌프
WSS(wheel speed sensor)	휠 스피드 센서
WTS(water temperature sensor)	수온 센서

Y(yellow)	노랑색

■ 저자약력

김 민 복

- 1971 ~ 1974년　수도 전기 공업 고등학교 전자과 졸업
- 1974년　무선 설비 기사 3급, 특수 무선 기사 취득
- 1976 ~ 1979년　육군, 통신 학교 121기 (전역)
- 1975 ~ 1983년　명지대학 전자공학과 졸업
- 1983 ~ 1986년　현대 전자(주) 연구소 자동차 전장품 개발
  (트립 컴퓨터, ETACS 하드웨어 설계)
- 1987 ~ 1992년　현대 전자(주) 자동차 전장품, 생산 기술 과장 (現) 하이닉스(주)
- 1986년　미쓰비시 전기(주) 엔진 ECU 품질 보증 연수
- 1987년　미쓰비시 전기(주) A/T ECU 품질 보증 연수
- 1992 ~ 1996년　현대 자동차 정비 연수원, 정비 교육
- 1997 ~ 1998년　현대 자동차 고객 지원 팀장
- 1999 ~ 2000년　기아 자동차 정비 연수원, 정비 교육
- 2000 ~ 2003년　현대, 기아 통합 본부 정비 교육
- 2003 ~ 현재　최신 자동차 전기, 자동차 센서, 자동차 기초 전기 등 집필
- (現) e-자동차 전기 연구원

※ e-mail : eecar1234@yahoo.co.kr

전기전자시리즈 ❽

◈ 전자제어섀시

정가 20,000원

2009년 1월 5일 초판 인쇄
2023년 2월 25일 재판 발행

엮 은 이 : 김 민 복
발 행 인 : 김 길 현
발 행 처 : (주)골든벨
등 록 : 제 1987-000018호

ISBN : 978-89-7971-768-6

㊄ 04316 서울특별시 용산구 원효로 245(원효로 1가 53-1)골든벨빌딩 5~6F
TEL : 영업부 (02) 713-4135 / 편집부 (02) 713-7452 • FAX : (02) 718-5510
E-mail : 7134135@naver.com • http : // www.gbbook.co.kr